JN158565

外国法入門双書

アメリカ憲法入門

松井茂記 著

有斐閣

［第9版］

AMERICAN CONSTITUTIONAL LAW

9TH EDITION

第9版への序文

これまで女性の妊娠中絶の権利を保障してきたロー対ウェイド判決がついに破棄され，合衆国憲法は妊娠中絶の権利を特別に保護してはいないとの判決が下された。妊娠中絶をめぐる問題はアメリカ憲法学の最大の争点であり，国民の意見も大きく分かれ，激しく対立してきたところである。保守派の最高裁判事の任命により，ついに合衆国最高裁はこの問題への姿勢を大きく変えた。この判決は，それ以外の憲法理論にどのような影響を及ぼすのであろうか。今後合衆国最高裁は，どのような方向に向かうのであろうか。

この本は，アメリカ憲法と合衆国最高裁の歴史と現在の姿を簡潔に説明することを目指している。

この本の初版の出版以来，既に30年を経過した。その間，ずっと版を重ねてこられたのは，一重に読者の方々のおかげである。こうしてまた第9版を出版できることは，本当に望外の喜びである。今回の改訂にあたっても，従来の説明を踏まえ，新しい展開を組み込むことを主な目的とした（本書は，基本的に2021年度開廷期終了まで，つまり2022年6月までの判例を補充してある）。本書の基本的な意図も目的も初版から変わってはいない。ただ，今回は，解説を重要な事項と判例に絞ることによって，分かりやすさをより重視することにした。判例の増加に応じて，説明があまりに長く複雑になってしまっていたからである。本書によって，少しでも多くの方に，アメリカ憲法の発達の歴史とその概要，とりわけ合衆国最高裁による憲法判例の変遷とその概要を理解していただけることを願っている。

本書の校正，判例の確認及び参考文献の収集に際しては，千葉大学法学部准教授の白水隆さん及び帝京大学法学部助教の中岡淳さんのお世話になった。また出版にあたっては，有斐閣書籍編集部の笹倉武宏さん，北口暖さんのお世話になった。この場を借りて感謝したい。もちろん本書に何か誤りがあればそれはすべて筆者の責任である。

2023年1月　バンクーバーにて

著　　者

序

戦後日本国憲法がアメリカ憲法の影響の下に制定されたこともあり，アメリカ憲法への関心は，益々強まっているように思われる。とりわけ最近になって，憲法訴訟に対する関心が高まるにつれて，様々な領域でアメリカ憲法理論を参照する傾向が拡大している。

しかし，アメリカ憲法をアメリカ憲法として全体的に把握することは必ずしも容易でないように見受けられる。その理由のひとつは，元来大陸法的思考方法に慣れ親しんだわれわれに，判例法主義を採るアメリカ憲法がしっくりこないということであろう。またアメリカでの法学教育は，わが国のそれと異なりもっぱら弁護士養成のためであり，それゆえアメリカにおける憲法の枠組も，体系的理解というより，判例を中心とする個別具体的考察を重視している。アメリカでの法学研究・法学教育は，憲法も含め，あくまで実践的なのである。このことも，アメリカ憲法の理解を困難にしている一因であろう。

本書は，アメリカ憲法を学ぶ学生，あるいはアメリカ憲法に興味を持つ人々にアメリカ憲法を概説することを目的としている。しかし，上に述べたような点を考え，できる限りアメリカのロー・スクールで教えられている憲法の講義を中心としつつも，アメリカ憲法の歴史や憲法の基本原則・統治機構の概観などをも加え，なるべくわが国の読者に理解しやすいように関連づけることを心掛けた。また，アメリカ法研究の問題点として指摘されるような，単なる判例の羅列や概説に陥らないように，特に判例の歴史的展開とその背景，そして判例に対する学説の評価などをなるべく参照しながら説明したいと思う。一つの試みとして，御意見・御批判を頂ければ幸いである。

多くの人々の助力なくしては，本書を書き上げることはとてもできなかった。この場をかりて，とりわけ，私が憲法学，そしてアメリカ憲法学に興味を持つきっかけを与えて下さった京都大学の佐藤幸治教授，本書の原稿を読んで批判・意見を頂いた三重大学の市川正人助教授，京都大学の木南敦助教授，そして関西アメリカ公法研究会を始めとして様々な機会に御教示を頂いた方々に深く感謝したい。また，君塚正臣君，松本和彦君，藤井樹也君の三名には，資料収集，校正その他で大変お世話になった。彼らの助力にも，感謝しておきたい。

1989年春　大阪にて

著　　者

著者紹介

松井茂記（まつい　しげのり）

ブリティッシュ・コロンビア大学ピーター・アラード・スクール・オブ・ロー教授
大阪大学名誉教授

1955年愛知県に生まれる。1978年京都大学法学部卒業後，同大学大学院修士課程を経て，1980年京都大学法学部助手，1983年大阪大学法学部助教授，1994年同教授。2006年より現職。

主　著

司法審査と民主主義（有斐閣，1991）
裁判を受ける権利（日本評論社，1993）
二重の基準論（有斐閣，1994）
情報公開法〔第2版〕（有斐閣，2003）
マス・メディアの表現の自由（日本評論社，2005）
LAW IN CONTEXT 憲法（有斐閣，2010）
カナダの憲法（岩波書店，2012）
表現の自由と名誉毀損（有斐閣，2013）
図書館と表現の自由（岩波書店，2013）
マス・メディア法入門〔第5版〕（日本評論社，2013）
インターネットの憲法学〔新版〕（岩波書店，2014）
インターネット法（共編著）（有斐閣，2015）
犯罪加害者と表現の自由（岩波書店，2018）
表現の自由に守る価値はあるか（有斐閣，2020）
尊厳死および安楽死を求める権利（日本評論社，2021）
日本国憲法を考える〔第4版〕（大阪大学出版会，2022）
日本国憲法〔第4版〕（有斐閣，2022）

ホームページ　http://www.shgmatsui.com
https://allard.ubc.ca/about-us/our-people/shigenori-matsui
Eメール　matsui@allard.ubc.ca

目　次

第1部　アメリカ憲法の基礎 (1)

第1章　アメリカ憲法の歴史 (2)

第1節　合衆国憲法の制定 (2)

1　憲法成立前史 (2)

植民地の形成 (2)　独立戦争への途 (3)　独立宣言とアメリカ合衆国の形成 (5)

2　合衆国憲法の制定 (6)

独立後の混乱 (6)　憲法制定会議 (7)　合衆国憲法 (8)　邦による批准 (9)

3　合衆国憲法制定後 (10)

建国直後の政治 (10)　連邦議会の権限をどこまで認めるか (10)　司法審査権の確立 (11)

第2節　南北戦争と合衆国憲法 (11)

1　南北戦争への途 (11)

合衆国憲法と奴隷制 (11)　自由州と奴隷州の対立 (12)

2　南北戦争 (13)

3　南部再統合と憲法改正 (14)

南部再統合のための憲法改正 (14)　南部再統合の行方 (14)

第3節　ニュー・ディール (15)

1　大恐慌とニュー・ディールへの途 (15)

大恐慌への途 (15)　ニュー・ディール (16)

2　ニュー・ディールと最高裁 (16)

最高裁の抵抗 (16)　コート・パッキング計画 (17)　憲法革命 (18)
第4節　ニュー・ディール以降 (18)
1　第2次世界大戦 (18)
2　冷戦とマッカーシズムの嵐 (19)
3　市民的権利擁護運動とベトナム反戦運動 (19)
市民的権利擁護運動 (19)　ベトナム戦争と反戦運動 (20)
4　アメリカの現在 (21)
第5節　最 高 裁 (23)
1　ウォーレン・コート (23)
二重の基準論の萌芽 (23)　ウォーレン・コート (23)　バーガー・コートによる反動 (24)
2　レーンキスト・コート以降 (26)
レーンキスト・コート (26)　ロバーツ・コート (27)
第6節　アメリカ憲法学の変遷 (27)
1　憲法学の歴史と変遷 (27)
古典的法宣命説 (27)　リアリズム法学 (28)　プロセス法学 (29)　解釈主義・非解釈主義そして始源主義・非始源主義 (29)
2　アメリカのロー・スクールにおける憲法学 (30)

第2章　アメリカ憲法の基礎原理 (33)
第1節　アメリカ憲法の基本原則 (33)
1　国民主権と民主主義 (33)
国民主権原理 (33)　民主政か共和政か (34)　多数者支配原則か立憲主義か (35)
2　権力分立原則 (36)
権力分立 (36)　起草者達の理解 (37)　争われているその具体的意味 (37)

3　連邦制（38）
連邦政府と州（38）　連邦と州の権限分配（39）
4　個人の権利の保障（40）
個人の権利の保障の持つ意味（40）　明文根拠を欠く権利の問題（41）
個人の権利保障の意味をどう考えるか（42）
5　司法審査制（43）
司法審査制の確立（43）　司法審査制と民主政（44）
第2節　憲法の最高法規性と憲法の改正（44）
1　最高法規性（44）
2　憲法の尊重（45）
3　憲法の改正（46）
憲法改正の要件（46）　成立した憲法改正（47）　憲法改正禁止規定（47）　憲法改正規定によらない憲法改正の可能性（48）

第3章　統治の基本構造（49）
第1節　連邦議会（49）
1　連邦議会の構造（49）
上院と下院（49）　上院議員（49）　下院議員（50）
2　連邦議会の権限（50）
3　立法のプロセス（53）
立法の手続（53）　立法への明示的制限（55）　予算と支出法案（55）
個別法と公法（56）　議院の自律権と議員の特権（56）
4　連邦議会の議員の選挙（57）
選挙制度（57）　多選禁止の試み（58）
第2節　大統領（59）
1　大統領（59）
2　大統領の選出方法（59）

大統領選挙（59）　大統領選挙をめぐる訴訟（61）　任期と大統領が死去・辞職した際の継承と代行（63）

3　大統領の権限（63）

執行権（63）　大統領に付与された権限（64）　執行府命令（66）

第3節　司 法 府（66）

1　裁判所（66）

アメリカの裁判所制度（66）　事件・争訟（67）　裁判官（68）　司法権行使への制限（69）

2　連邦最高裁（69）

連邦最高裁の構成（69）　管轄権と上訴（70）　審理（71）　判決（71）

3　最高裁の裁判官（73）

最高裁裁判官の任命資格（73）　任命プロセス（73）　ロー・クラーク（74）

第4節　州（74）

1　州の権限（74）

2　州の権限への制限（75）

第2部　司法審査権（79）

第4章　司法審査権（80）

第1節　司法審査権の確立（80）

1　Marbury v. Madison（80）

背景（80）　法廷意見（81）

2　司法審査権の正当性（82）

はたして司法審査権は正当化されうるか（82）　司法審査権の受容（84）

3　司法審査権行使の枠組み（84）

司法審査権の性格（84）　司法審査の対象（85）　最高裁の管轄権に例外

を設ける権限（86）
第2節　憲法訴訟（88）
1　訴訟の提起（88）
2　憲法問題の提起（89）
3　違憲審査（91）
憲法判断の回避（91）　憲法判断の方法（92）　違憲判断基準（92）　二重の基準論（94）
4　違憲判決の効果と効力（95）
違憲判決の効果（95）　違憲判決の効力（96）　違憲判決の権威性（97）　憲法判断の先例拘束性（98）　救済（98）
第3節　司法審査と民主主義――最高裁の憲法解釈権の限界（100）
初期の理解（100）　ニュー・ディール（101）　ウォーレン・コートと司法積極主義・消極主義（102）　ウォーレン・コート以降（103）

第3部　連邦の諸部門の権限（107）

第5章　連邦議会と立法権（108）
第1節　連邦議会の権限の範囲（108）
1　連邦議会と「立法権」（108）
2　連邦主義（109）
McCulloch v. Maryland（109）　その後（111）
3　立法権と立法権の委任（112）
立法権の意味（112）　立法権の委任の限界（112）
第2節　州際通商規制権（115）
1　連邦議会の州際通商規制権の射程（115）
初期の事例（115）　連邦議会による州際通商規制（116）　ニュー・ディール（117）　州際通商規制権の見直し（118）　1995年までの状況（120）

現在（122）
2　州の自律権による州際通商規制権の限界（124）
州としての州（124）　二重の主権（125）
3　連邦議会の権限行使のない場合の州の州際通商規制（126）
初期の事例（126）　比較衡量論の確立（127）　州際通商に付随的に影響を与える州の規制（128）　差別的・保護主義的規制（130）
第3節　その他の連邦議会の権限と立法権への制限（132）
1　その他の連邦議会の権限（132）
課税権限（132）　支出権限（134）　戦争権限（136）　条約と外交関係処理の権限（137）
2　立法権への構造的制約（138）
私権剝奪法の禁止（138）　事後法の禁止（141）

第6章　大統領と執行権（143）
第1節　大統領の執行権と権力分立原則（143）
1　大統領の持つ権限（143）
執行権の意味（143）　Steel Seizure 事件（144）
2　執行権と独立行政委員会（145）
独立行政委員会（145）　執行権と独立行政委員会（146）　現在の理解（147）
3　権力分立原則（149）
起草者達の意図（149）　判例理論の変遷（150）　柔軟な権力分立原則観に基づく諸判決（150）　厳格な権力分立原則観に基づく諸判決（152）　現在の理解（153）
第2節　大統領の他の権限（156）
1　外交関係を処理する権限（156）
2　軍の指揮（158）

軍の指揮官としての権限（158）　グアンタナモ湾基地における敵戦闘員の拘束（160）

第7章　裁判所と司法権（162）

第1節　司 法 権（162）

1　司法権付与の意義（162）

2　連邦の司法権の及ぶ範囲（163）

3　事件・争訟性の要件（166）

事件・争訟性の要件の意味（166）　事件・争訟性の要件の内容（166）　事件・争訟性の諸要件の具体的意味（167）　事件・争訟性要件の存在意義（170）

第2節　事件・争訟性の要件の諸要素（171）

1　原告適格（171）

原告適格の意義（171）　原告適格要件の緩和（172）　原告適格要件の厳格化（174）　原告適格要件の現在（176）　因果関係と救済可能性の証明（179）　納税者訴訟（180）　議会による授権（181）　原告適格要件をどう考えるか（183）

2　成熟性及びムートネスの法理（184）

紛争の具体性と成熟性（184）　ムートネス（186）

3　政治的問題（188）

政治的問題の意味（188）　憲法上他の部門に委ねられている場合（189）　解決の基準が欠けている場合（190）　紛争が高度に政治的な場合（191）

第4部　個人の権利の保障（195）

第8章　個人の権利保障の基本的枠組み（196）

1　個人の権利保障の体系（196）

もともとの憲法（196）　権利章典（196）　南部再統合改正（198）　アメリカにおける権利保障の特徴（199）

2　州に対する権利保障（201）

州に対する構造的制約（201）　編入理論（202）

3　政府の行為及びステイト・アクション（206）

意義（206）　公的機能理論（206）　司法的執行理論（207）　州の介在（209）

4　市民的権利保護立法（211）

市民的権利保護法の歴史（211）　市民的権利保護の連邦議会権限（213）　権利保護義務（215）　市民的権利保護法と憲法の保障する個人の権利（215）

5　権利侵害と憲法訴訟（216）

第9章　表現の自由（222）

第1節　表現の自由の基礎理論（222）

1　表現の自由の意味（222）

起草者の意図（222）　表現の自由の保護範囲とその制約（223）　表現の自由の価値ないし機能と表現の自由に対する特別の保護（224）　修正第1条とプレス（227）

2　煽動罪をめぐる事例における表現の自由法理の展開（228）

初期の事例（228）　第1次世界大戦と防諜法（228）　明白かつ現在の危険基準の採用（230）　冷戦と共産主義的表現の制約（232）　1960年代以降の展開（233）

3　表現制約立法の合憲性判断基準（234）

4　表現の自由の派生的法理（237）

事前抑制の原則的禁止（237）　表現の自由規制における手続的保障（239）　過度の広汎性ゆえの無効の法理（239）　曖昧性ゆえの無効の法

理（240）　より制限的でない代替手段の準則（241）
第2節　表現の自由をめぐる具体的諸事例（241）
1　表現の内容に向けられた制約（241）
合憲性審査の枠組み（241）　違法な行為の煽動ないし唱道（244）　敵対的聴衆とけんか的言葉（245）　不快な言論（246）　虚偽の表現（249）　名誉毀損（250）　プライバシーの権利侵害（253）　精神的苦痛（254）　ヘイトスピーチないし差別的表現（255）　わいせつな表現（257）　児童ポルノ（259）　営利的表現（260）　選挙活動の規制（263）　選挙資金規制（263）　刑事司法の妨害（268）　公務員の表現の自由（269）
2　表現内容に向けられていない制約（271）
合憲性審査の枠組み（271）　表現行為の時・場所・態様の制約（272）　音量の規制（273）　屋外広告物の規制（273）　受け手のプライバシー保護のための規制（274）　文書配布の規制（275）　戸別訪問と勧誘行為（276）　表現行為以外の行為の規制が表現の制約となる場合（277）　国旗侮辱処罰の限界（278）
3　パブリック・フォーラムにおける表現（280）
パブリック・フォーラム理論の展開（280）　伝統的パブリック・フォーラム（282）　創出されたパブリック・フォーラム（285）　ノン・パブリック・フォーラム（286）　パブリック・フォーラム論の問題点（288）
4　情報を受領する自由・取材の自由（289）
情報を受領する自由・取材の自由（289）　取材源開示拒否及び報道機関の捜索（290）　政府情報へのアクセスの制限（291）　裁判の公開と取材の自由（292）
5　放送，ニュー・メディア，インターネット（293）
放送の自由（293）　ニュー・メディア（295）　インターネット（295）
6　アクセス権（297）
第3節　結社の自由（298）

1　結社の自由の保障（298）
2　結社の自由の制限（299）
共産主義団体の規制（299）　政党（300）　結社の自由と平等保護（302）　結社の自由と構成員の表現の自由（304）

第10章　国教樹立禁止と信教の自由（307）
第1節　国教樹立禁止（307）
1　国教樹立禁止の意味（307）
国教樹立禁止条項の意義（307）　政治と宗教の関わりの限界（308）
2　宗教活動や宗教団体に対する政府の補助（310）
私立学校への政府の補助（310）　揺れ動く判例（310）　1980年代の展開（311）　現在の立場（312）　大学への補助（313）　私立学校以外の宗教団体への補助（314）　宗教活動への政府の援助の拒否（315）　宗教活動間での差別（316）
3　公立学校における宗教（316）
宗教的教育の許容性（316）　祈禱・聖書朗読・黙禱（317）　進化論と十戒（318）
4　それ以外の政府と宗教の関わり（319）
日曜休日法（319）　州議会における牧師の祈禱（319）　キリスト生誕の飾り（320）　記念碑（322）　宗教に対する特権付与（322）　便宜供与（324）　特定の宗教に対する敵意と国教樹立禁止条項（324）
第2節　信教の自由（325）
1　信教の自由の保障とその限界（325）
伝統的な立場（325）　Sherbert v. Verner（326）
2　宗教的理由による例外の限界（327）
3　信教の自由の現在（330）

第 11 章　財産権の保護（333）
第 1 節　収用条項（333）
1　公用収用権の意義（333）
2　収用の意義（334）
公用収用権とポリス・パワーの関係（334）　土地利用規制と規制的収用（335）　個別具体的考察のアプローチとカテゴリカルなアプローチ（335）　現在（337）　土地利用規制以外の経済的規制（339）
3　公共の用のため（340）
4　正当な補償（341）
第 2 節　契約条項（342）
1　1960 年代までの展開（342）
2　1970 年代以降の展開（343）

第 12 章　デュー・プロセス（347）
第 1 節　手続的デュー・プロセス（347）
1　デュー・プロセスの意味（347）
2　手続的デュー・プロセス理論（348）
デュー・プロセスの革命（348）　二段階審査理論の確立（349）
第 2 節　経済的実体的デュー・プロセス理論（351）
1　実体的デュー・プロセス理論の背景（351）
歴史的背景（351）　実体的デュー・プロセス理論への道程（352）
2　経済的実体的デュー・プロセス理論（353）
Lochner v. New York（353）　Lochner 判決以降（354）
3　実体的デュー・プロセス理論の崩壊（355）
経済的実体的デュー・プロセス理論の崩壊（355）　実体的デュー・プロセス理論の問題点（357）
第 3 節　プライバシー保護の実体的デュー・プロセス理論（358）

1　実体的デュー・プロセス理論の復活（358）
Lochner 判決の時代の遺産（358）　復活への道程（359）　Roe v. Wade（360）
2　Roe v. Wade 以後（361）
妊娠中絶規制の限界（361）　Webster と Casey（364）　現在（366）
3　妊娠中絶以外のプライバシーの権利（368）
リプロダクションに関わるプライバシーの権利（368）　家族の形成・維持に関わるプライバシーの権利（369）　生命・身体の処分に関するプライバシーの権利（371）　ライフスタイルのプライバシーの権利（372）
4　プライバシー保護の実体的デュー・プロセス理論再考（373）

第13章　平等保護（376）
第1節　平等保護理論の展開（376）
1　平等保護条項の背景（376）
歴史的背景（376）　平等の意味（377）
2　平等保護理論の歴史的展開（378）
ウォーレン・コート（378）　現在の枠組み（379）
第2節　厳格審査（381）
1　人種差別と疑わしい区分（381）
法律上の人種差別（381）　「別々ではあるが平等」理論の崩壊（383）　事実上の差別（385）
2　人種的優遇措置（387）
優遇措置の許容性（387）　Bakke 判決（388）　Bakke 判決以降（389）　優遇措置が許される限度（391）
3　人種以外の疑わしい区分（393）
人種以外の疑わしい区分の可能性（393）　外国人（394）

4　基本的権利理論（396）
基本的権利理論の意義（396）　選挙権（398）　裁判所へのアクセス（401）　居住移転の自由（402）　プライバシーの権利（404）
第3節　中間的審査（405）
1　性差別に関する平等保護理論の展開（405）
古典的な事例（405）　新しい展開（405）
2　性差別の許容性（406）
中間的審査基準の確立（406）　Craig 判決以降（407）
3　非嫡出子（411）
第4節　合理性審査（413）
1　合理性審査の展開（413）
2　バーガー・コート以降の展開（415）
3　現　在（416）
4　少数者保護のための合理性審査？（417）

より詳しい学習のために（420）
アメリカ合衆国憲法（425）
判例索引（441）
事項索引（463）

第1部

アメリカ憲法の基礎

第1章　アメリカ憲法の歴史

第1節　合衆国憲法の制定

1　憲法成立前史

植民地の形成

ヨーロッパ人の到来以前から先住民が暮らしていた北米大陸に，ヨーロッパ人が初めて来訪したのは，1492年クリストファー・コロンバスの率いるスペイン人達であった。1526年，彼らは現在のサウス・カロライナに初めての植民地を形成しようとしたが，その試みは成功しなかった。その後スペイン，フランス，そしてイギリスがこの地に植民地を築いてゆくことになる。

イギリスからの移民は，東部の海岸地に植民地を形成した。1585年には，エリザベス女王が，彼女の名前にちなんでバージニアの植民地の形成を許可したが，成功せず，のちにバージニア会社が1606年に結成され，1607年ジェームスタウンにようやく植民地が形成された。1620年には，ピルグリム・ファーザーズと呼ばれる宗教集団が，マサチューセッツのプリマスに植民地を形成する。彼らは，上陸に先立ち，乗ってきたメイフラワー号の船上でメイフラワー規約と呼ばれる規約を結び，植民地を形成したことでよく知られている。その後，1630年にはニュー・イングランドにピューリタンのマサチューセッツ湾植民地が形成される。イギリスは，国教制度が樹立されており，宗教的少数派にはさまざまな迫害が加えられていた。ピューリタンなど，これら宗教的少数者の多くが，信教の自由を求め新天地にわたってきた。

その後植民地は拡大してゆく。北米大陸にわたってきた人は，多様であった。植民地をめぐるイギリスとフランスの対立は，結局イギリスの勝利に終わり，1763年には，イギリスは旧フランスの植民地を手に入れることになる。独立までには，ニュー・ヨーク，ニュー・ジャージー，ペンシルバニア，バージニアなど13の植民地が形成された。

独立戦争への途

植民地の形態は一様ではなかった。国王が直轄して統治する植民地もあれば，国王からの勅許状によって自治を認められた植民地もあれば，国王の勅許状によって個人に植民地の経営が認められた植民地もあった。しかし，一般に植民地においては，国王の代理として総督がおかれ，総督の統治に助言する執行参事会と，植民地人によって選挙された代表者からなる代表議会が設けられた。ただし，植民地の代表議会の制定する法律に対しては，国王，すなわち総督が裁可権を有していて，これを拒否することができた。そしてイギリス本国の議会の制定する法律が，植民地にも適用され，植民地議会にはこれに反するような法律を制定することは許されなかった。

植民地人は，イギリスの統治制度をすぐれた制度と考えており，自分達もイギリス人としてイギリス人の権利を持っていると考えていた。しかし，植民地内部の事項に対するイギリス本国の干渉に，次第に不満が高まっていった。とりわけイギリスが戦争の出費を植民地に負担させようとしたため，アメリカ植民地とイギリス本国の間の関係は，険悪になっていった。

イギリス政府は，植民地はその防衛のための費用をより大きく負担すべきだと考えた。そのため，1764年，イギリス議会は砂糖法を制定し，砂糖の材料の輸入の関税徴収の仕組みを強化した。さらには貨幣法が制定され，植民地における紙幣の発行が禁止された。そのうえ1765年の印紙税法は，法律文書や新聞紙などに税金を課し，植民地人の強い反感を買った。

植民地人は，これらのイギリス本国による課税に対し，「代表なければ課税なし」と主張して抵抗していた。植民地の代表は，イギリス本国議会に誰も選出されていなかったからである。植民地人のイギリスへの反感は，1770年のボストン虐殺事件によってさらに悪化した。マサチューセッツのボストンで，住民が兵士に雪だまを投げたところ，兵士が発砲し，5人の住民が死亡した。ところが兵士達のほとんどは無罪となり，虐殺に対する責任を問われなかったことで，植民地人は激怒したのである。

そして，1773年，破産に瀕する東インド会社の救済のため同社に茶輸入の独占権を付与したことに反発して，植民地人がボストン港で停泊中のイギリスの茶の船を原住民に変装して襲撃し，茶を湾に投げ込むという事件が生じた（ボストン・ティー・パーティー事件）。これに対しイギリス本国は，ボストン港を閉鎖するなどの強硬弾圧策に出たことから，一挙に両者は衝突に及んだ。

植民地としての方針を決定するために，1774年9月，1775年5月，相次いで大陸会議が開催された。第1回大陸会議は，イギリスの強行弾圧策の撤回と，植民地の自治を求めた。ところがイギリス本国は，1775年マサチューセッツは反乱状態にあると宣言した。1775年4月，コンコードで戦闘が始まった。第2回大陸会議は，軍を組織し，その指揮官としてジョージ・ワシントンを選出した。国王は，妥協を拒否し，すべてのアメリカの植民地が反乱状態にあると宣言した。

植民地が初めからイギリスからの完全な独立を求めていたのかどうかは定かではない。植民地人は，イギリス政府が腐敗していて，公共善を実現しそこなっており，植民地人が立ち上がれば，その悪政を悟り，植民地の利益のために統治を行ってくれるものと期待していたのかもしれない。だが，1776年，トム・ペインが『コモンセンス』というパンフレットを出版し，イギリスとの交渉を否定し，完全な植民地の独立を主張するなどして，機運は急速に，イギリスからの独立に傾いていった。

独立宣言とアメリカ合衆国の形成

独立への第一歩は，1776年の独立宣言であった。この宣言は，自然権思想に基づいて「すべての人が平等に造られ，創造主によって一定の不可譲の権利を付与され」ていることを自明の真実として宣言するとともに，政府がこれらの権利を侵害しているときには人民にはその政府を改廃し，新たな政府を組織する権利，革命権があるとし，国王ジョージ3世の悪政を非難し，独立の必然性を高らかにうたい上げた[1]。そして13の植民地は，それぞれイギリスから独立し，邦（ステイト）となった。そして，各邦は，それぞれで憲法を制定した。その上で，1781年，それぞれの邦が緩やかな連合国を形成する連合規約（Articles of Confederation）を結び，アメリカ合衆国（United States of America）が樹立された。この連合規約が，アメリカの最初の憲法である。だが，この連合規約のもとのアメリカは，

---

1)　独立宣言は，以下の真実を自明のものと考えると宣言する。

①すべての人が平等に造られ，創造主によって一定の不可譲の権利を付与され，その中に，生命，自由及び幸福を追求する権利が含まれること。

②これらの権利を確保するために，人々の間に政府が組織され，政府の正当な権力は被治者の同意に基づくこと。

③いかなる形態の政府であれ，これらの目的を破壊するようになったときには，いつでもそれを変更ないし廃止し，自分達の安全と幸福を図るのに最も適していると考えるような形態の諸原理に基づき，そのような形態で権力を整えた新たな政府を組織することは人民の権利である。

主権国家の緩やかな連合体にすぎず，基本的に議会は設立されたが，その法律を執行する仕組みはなかった。そのうえ，連邦には課税権もなければ，州際通商を規制する権限もなかった。

独立戦争は，決して旧植民地に有利な状況ではなかった。兵力の点でも，旧植民地はイギリスにとても及ばなかった。旧植民地の側は，普通の市民が民兵として所持していた銃を持って立ちあがっただけであり，兵力は決定的に不足していた。イギリス兵は訓練を受け組織されていたのに対し，旧植民地側は組織化されているとはとてもいえなかった。だが，イギリス軍にとって，戦闘が本国から遠く離れた植民地で行われていたことが，決定的に不利な状況であった。旧植民地の兵士達はゲリラ戦法を取って戦い，やがて1777年サラトガの戦いで決定的な勝利を収めることができた。その結果，旧植民地側の勝利の可能性を悟り，イギリスのライバルであったフランスが参戦した。スペインとオランダも参戦した。1781年のヨークタウンの戦いの勝利によって，事実上旧植民地側の勝利は確実のものとなった。結局戦闘は1783年まで続き，パリ条約によってアメリカの勝利に終わった。

2　合衆国憲法の制定

独立後の混乱

独立は達成されたが，旧植民地の状況は必ずしもバラ色ではなかった。多くの農民は，巨額の負債にあえぎ，生活どころではなかった。返済に窮し，資産を没収され，債務刑務所（債務を支払えない人を収容する刑務所）に身柄を拘禁されるものも多かった。これら貧しい農民は，選挙権を行使し，邦議会に債務者救済法を制定させ，債務を帳消しにしたり，債務の支払いを猶予させたりした。それが認められなかったマサチューセッツでは，農民の反乱がおき（シェイズの反乱），反乱自体はまもなく鎮圧されたが，その参加者のほとんどは恩赦によって処罰を免れた。

このような動きは，独立の指導者達には，危険な展開だと考えられた。これは民主主義の行き過ぎであり，一部のものが私欲のために公共の利益の実現を阻害しているものと思われたのである。だが，連合規約のもとの政府では，このような動きに対処することは困難であった。

憲法制定会議

1787年，フィラデルフィアで連合規約の見直しのための会議が開かれることになった。74名の代表が各邦から選出され，結局55名が会議に参加した。おそらくそのほとんどは，連合規約の欠陥を是正する必要性は感じていたと思われる。

ところが，バージニアからの代表団は，この会議に新しい憲法の草案（バージニア案）を提出した。草案起草の中心人物は，ジェームズ・マディソンである。マディソンは，このような一部の市民が党派を形成し，私欲のために公共の利益を無視する傾向を阻止するためには，より強力な政府が必要だと考えた。そしてそのような強力な政府を樹立するためには，広大な共和国が必要だという。狭い地域では，一部のものが私欲に駆られて公共の利益を害してしまうかもしれない。だが広大な共和国であれば，一部の市民が政治を支配することは困難になるであろう。また広大な共和国であれば，私欲に囚われず，公共の利益を実現できる人を確保することもできるであろう（彼は，この考え方をのちに，合衆国憲法制定を擁護するために記された文書である『フェデラリスト』第10編の中で詳細に展開している）。そのためには，新しい憲法の制定が必要であった。

このように，マディソン等の会議の有力なメンバーは，フェデラリストと呼ばれ，もっと強力な政府を伴う，より強い結びつきを求めた。これに対しより邦の独立性を強調する反フェデラリストは，より広い州（ステイト）の権限を主張し，意見は激しく対立した。各州の平等な権利を志向するニュー・ジャージー案も提案され，会議は紛糾した。結局会議は，連邦志向のバージニア案に基づいて新しい憲法を採択した（そのためこの会議は，憲法制定会議と呼ばれている）。ただその影で，フェデラリストは，さまざまな妥協を飲まざるをえなかった。合衆国憲法がしばしば「妥協の束」と呼ばれるのは，そのような事情を物語っている。

合衆国憲法

合衆国憲法は，前文で「我々合衆国人民は，より完全な結合体を形成すること，正義に基づく法秩序を樹立すること，国内の平穏を確保すること，共同の防衛に備えること，一般的福祉を促進すること，そして，我ら自身とその子孫に自由の恵沢を確保することを目的として，アメリカ合衆国のため，ここにこの憲法を制定し，かつこれを確立する」と宣言し，第1条で立法権を連邦議会に，第2条で執行権を大統領に，第3条で司法権を裁判所に付与し，第4条で州に対する制限と州と州の間の関係について定め，第5条で憲法の改正について定め，第6条で憲法制定前の債務の効力を確認するとともに，連邦法の最高法規性を宣言し，公務員に憲法支持義務を課した。そして第7条で，憲法は9つの邦の憲法会議で批准されたときに効力を発することを定める。

憲法は，この規定にしたがって各邦の批准に付された。連合規約が，その改正のためにはすべての邦の合意を要求していたのと異なり，13の邦のうち9つの邦の批准で足りるとされたこと，しかも邦の議会ではなく，それぞれの邦で憲法批准のための特別の憲法会議を開催し，そこでの批准を求めたことが重要であった。

邦による批准

フェデラリストは，『フェデラリスト』ないし『フェデラリスト・ペイパー』と呼ばれる文書を著わし，この憲法の正当性を積極的に宣伝した。しかし，反フェデラリストは，この憲法は邦の権限を不当に剝奪するものであり，またこの憲法のとる共和政体は民主的でなく，さらに権利章典，つまり権利を宣言した諸規定が欠けていると批判した。これに対し，フェデラリストは，この憲法によって設立される政府は制限された政府で，憲法で委譲された権限のみを行使でき，したがって人民の権利を侵害することはできず，それゆえ権利章典は不要であり，その政府は民主的であると反論した。

しかし，権利章典の不存在に対する批判の声は強く，必要な数の邦の批准は難航していた。そこで，フェデラリストは，戦術を変更した。合衆国憲法が成立すれば，権利章典を付加することを約束したのであった。この戦術の変更は効果的であった。反フェデラリストは，最も有力な反対理由を失ってしまい，ようやく成立に必要な数の邦の批准を得ることができ，1788年合衆国憲法は成立に至った（これは，もともとの（オリジナル）憲法と呼ばれている）。そして合衆国憲法は1789年に施行された。

合衆国憲法の下で，第1回連邦議会が招集され，初代大統領にはジョージ・ワシントンが選出された。そして裁判所法などのさまざまな法律が制定された。そして，第1回議会において，権利章典（修正第1条から修正第10条までの10カ条）が憲法修正として付加された（これは1791年に成立した）。権利章典の付加に尽力したのも，マディソンであった。

3　合衆国憲法制定後

建国直後の政治

建国のあと，アメリカの人口はさらに増加した。ドイツなどから新たな移民が相次ぎ，さらに領土も西方へと拡張した。バーモント，ケンタッキー，テネシーなどが新たに州と認められ，1803年にはフランスからルイジアナを手に入れた。19世紀の中ごろまでには，さらにインディアナ，ミシシッピ，イリノイ，アラバマ，ミズーリ，アーカンソー，ミシガン，テキサス，ニュー・メキシコ，カリフォルニアが新たな州と認められた。産業も発達し，とりわけ南部では，綿花紡ぎ機の普及により綿花が主要な輸出品となり，北部では産業化が進んだ。

連邦議会の権限をどこまで認めるか

そうした中で，連邦政府の権限をどこまで認めるかが，最大の争点となった。とりわけこの問題は，合衆国銀行（連邦銀行）の設立をめぐって激しい対立を招いた。合衆国憲法には，銀行設立の権限を連邦議会に委ねた規定がなく，はたして連邦議会は合衆国銀行を設立する権限を有しているかどうかが争われたのである。

しかし同時にこの争いは，アメリカがどのような国家を目指すべきなのかの争いでもあった。合衆国憲法支持では意見が一致していたフェデラリストは，建国直後にこの問題をめぐって立場を分かつことになる。巨大な商業金融国家の形成を目指すフェデラリストは，合衆国銀行の設立を支持した。ところが，農業国家としての発展を目指す勢力は，このような政府の方針に反対した。トーマス・ジェファーソンやマディソンなどの反対勢力は，袂を分かち，リパブリカンという政党を結成し，1800年の選挙で勝利を収める。

だが，そのリパブリカンも，商業化・産業化の流れを止めることはできず，結局は合衆国銀行を認めることになる。

司法審査権の確立

憲法制定直後の展開の中で最も注目すべき点は，憲法上の条文根拠を欠くにもかかわらず，議会が制定した法律などの憲法適合性を裁判所が審査する司法審査制が確立したことである。後で詳しく検討するように，合衆国最高裁は，Marbury v. Madison, 1 Cranch（5 U.S.）137（1803）で，最高裁が連邦議会の制定した法律の合憲性を審査できると判断したのである。この結果，アメリカでは司法権がはたす役割が決定的なものとなった。

最高裁は，この司法権を，連邦の権限を拡大するために積極的に行使した[2)]。この時期，最高裁が扱った問題は圧倒的に連邦主義の問題であった。しかも，連邦議会の立法権がどこまで及び，州がどこまで州際通商を規制しうるかが最大の争点であった。これに対し，個人の権利の問題はほとんど最高裁で争われなかった。これは，一つには，連邦憲法の権利章典規定がもっぱら連邦政府の権限を制限するもので，州には適用されないものと考えられ，それゆえ州の行為を権利侵害として争えなかったためでもあった。

第2節　南北戦争と合衆国憲法

1　南北戦争への途

合衆国憲法と奴隷制

19世紀になってとりわけ重大な憲法問題となってきたのが，奴隷制の問題であった。憲法の起草者の中にも奴隷所有者がいた。だが多くの者は奴隷制の問題はやがて消滅するであろうと漠然と考え

---

2)　といっても，合衆国最高裁（連邦最高裁。以下，本書では州最高裁と対比するために必要な場合を除いて単に最高裁と呼ぶ）がこの司法審査権を行使して連邦の法律を次に違憲と判断したのは，後述するDred Scott v. Sandford, 19 How.（60 U.S.）393（1857）になってからである。

ていたようである。そのため，憲法の起草者達はこの問題を解決できず，もともとの憲法は，奴隷について妥協的な対応しかできなかった（憲法は，奴隷という言葉を避けながら，第1条第2節第3項で下院議員の配分の計算に際して黒人を白人の5分の3と扱い，第4条第2節第3項で逃亡奴隷について定めているが，他方第1条第9節第1項で奴隷の輸入について期間を定めて認めた）。そして南部諸州の農場で働く黒人達は，初め人と考えられず，むしろ奴隷所有者の財産としてしかみられなかった。

確かに建国後，北部の諸州では奴隷制は次第に廃止されていった。ところが綿花紡ぎ機の発達によって，南部では奴隷が労働力として重要な役割をはたすようになった。奴隷制廃止論者は，奴隷を人間と見ずに，奴隷の売買を認めることに強く反対した。反奴隷制廃止論者は，奴隷を認めるかどうかは州の住民が決定すべきことであり，他の州が口出しすべきではないと強く反対した。そのため，奴隷制を禁止する自由州と奴隷制を認める奴隷州の間の対立は次第に深まっていった。

自由州と奴隷州の対立

この対立は，一時は奴隷州と自由州を定めた1820年のミズーリ協定によって一段落したかにみえた。ミズーリを新たな州として認めるに際し，ミズーリを奴隷州として認めるかどうかが重大な争点となったのである。ちょうどそのとき，自由州と奴隷州は同じ数であった。そこでミズーリを奴隷州として認める代わりに，マサチューセッツの一部をメーンとして新たに自由州とすることで均衡を図り，奴隷制を認めるかどうかの境界線を引き，境界線より北部は自由州，南部は奴隷州とすることで妥協が図られたのである。

だが，その後も新たな州の加入に際し，この問題は繰り返され，1854年のカンザス・ネブラスカ法は境界線より北部にあるカンザスとネブラスカにも奴隷州となるかどうかを州民に決めさせることとし，カンザスでは奴隷制廃止論者と反奴隷制廃止論者が衝突し，流血の事態となった（血塗られたカンザス）。

しかも，合衆国最高裁は，Dred Scott v. Sandford, 19 How.（60 U.S.）393（1857）において，黒人奴隷が，ミズーリ協定のもとで主人とともに自由州に赴いたことで，身分を解放されたとして裁判所に訴えた事例で，黒人奴隷は合衆国市民ではないとして裁判所に訴える資格を否定した上，ミズーリ協定が奴隷を禁止する自由州を設定したことも，デュー・プロセス条項に違反して財産を剝奪するものだとして同協定を違憲とした。この判決に，北部の奴隷制廃止論者は激怒した。

2　南北戦争

新たな大統領に，奴隷制の拡張に批判的なエイブラハム・リンカーンが選出されると，奴隷州は連邦離脱を決意する。1860年にサウス・カロライナが連邦を離脱し，ミシシッピ，フロリダ，アラバマ，ジョージア，ルイジアナ，テキサスがあとに続き，アメリカ連合国（Confederate States of America）を結成する。そして武力抗争が，1861年に始まる。南北戦争（Civil War）である（1861–65年）。

南北戦争は，アメリカが経験した唯一の内戦であった。だが，戦況は南部に不利であった。北部の方が人口は多く，しかも産業が発達していたのに対し，南部の主力の産業を農業であった。しかも，それぞれの州の権利を重視するあまり南部の歩調は統一していなかった。そして北軍による海上封鎖により，南軍は綿花の輸出が激減し，武器弾薬などの輸入もできず，次第に不利になっていった。そのうえ，リンカーンは，1862年奴隷解放宣言を発し，反乱した州にいるすべての奴隷を自由人として解放した。その結果，黒人奴隷達も北部の戦闘に加わることを期待してのことであった。

やがて南部の敗北が確定的となり，戦争は1865年に終結を迎えた。

3　南部再統合と憲法改正

南部再統合のための憲法改正

南北戦争は結果的に北部の勝利に終わり，南部諸州再統合のための連邦議会（Reconstruction Congress）において，一連の重要な憲法改正が行われた。修正第13条は，奴隷制を禁止した。修正第14条は，解放された黒人に平等な権利を保障するため，合衆国に生まれ，あるいは帰化したすべての人を合衆国市民と規定してDred Scott判決を覆し，合衆国市民の特権・免除を保障し，州がデュー・プロセスによらずして生命，自由，財産を剝奪すること及び法の平等保護を否定することを禁止した。そして修正第15条は，人種による投票権剝奪を禁止した。これらの規定により，奴隷制というアメリカで最も微妙な問題に決着がついただけでなく，州と連邦の関係は根本的変化をとげたのである。連邦憲法が州に対し一定の権利を保障するとともに，修正第14条第5節に示されたように，憲法上の権利保護のため州に対し連邦議会が立法権を行使することが認められたからである。

南部再統合の行方

だが，南部の再統合はすんなりといったわけではない。敗戦した南部諸州は，連邦の軍の監視の下に置かれた。そして，黒人奴隷に自由を認めない限り，連邦への復帰は認められなかった。だが，勝利直前に暗殺されたリンカーンに代わって大統領となったアンドリュー・ジョンソンは，南部諸州に穏健な態度をとり，より強力な措置を求める連邦議会と対立する。そうしたなかで，奴隷制自体は廃止されたものの，多くの南部の諸州では，黒人差別法（ブラック・コード）が制定され，投票権や陪審員となる権利などを剝奪し，事実上黒人達が労働者として雇用されることを強制し，さらに黒人と白人を区別し，学校，列車，食堂，映画館などありとあらゆる生活の側面で黒人に白人とは異なった取扱いを求める人種隔離政策（ジム・クロー法）がとられることになった。

それにもかかわらず，1877年の大統領選挙をめぐる政治取引きの結果[3)]，連邦軍は南部諸州から引き上げられ，黒人に対する平等の実現が図られないまま南部の再統合が終わる結果となってしまった。

第3節　ニュー・ディール

1　大恐慌とニュー・ディールへの途

大恐慌への途

奴隷制の問題の次は，社会経済問題であった。19世紀後半から商工業化が進み，大規模産業が鉄道網の整備にあわせて急速に発達し，全国的市場が形成されるに至った。それに伴い，無秩序な経済発展に対処するため，州は経済規制に乗り出した。と同時に，急速な都市化により多くの労働者が都市に流入し，州は賃金労働者保護のためその労働条件や企業活動を規制する必要に迫られてきた[4)]。

---

3)　1876年の大統領選挙では，共和党のルサーフォード・ヘイズと民主党のサミュエル・ティルデンが接戦を繰り広げ，勝敗が定かでない20票の行方次第で選挙が決する事態となった。共和党は，ヘイズの当選を確保するため，南部諸州からの軍の撤退の要求を受け入れたのである。

4)　この時期，禁酒運動が盛んに繰り広げられ，1919年の修正第18条は，合衆国及びその管轄に服するすべての領域内で，飲用目的でアルコール飲料を製造し，販売ないし輸送し，または輸入ないし輸出することを禁止した。しかしこの規制は結局うまく行かず，1933年の修正第21条により廃止されしかし企業側は，これらの規制が企業の自由を制限するとして裁判所に訴えた。

しかも，1920年代は繁栄を誇ったアメリカ社会であったが，1929年の大恐慌をきっかけに，アメリカでは多くの企業が倒産し，銀行がつぶれ，失業率は急速に増加した。街には失業者があふれ，生きてゆくことにも困っていた。

ニュー・ディール

事態の打開をはかるため，大統領フランクリン・ルーズベルトはニュー・ディール政策を打ち出した。ニュー・ディール政策は，いわば新規まき直しといった意味であり，これまでとは異なった政策を取りまとめたものであって，必ずしも整合的な一貫した政策とはいえなかった。それは，銀行を一時閉鎖し，健全性が認められたものだけに営業を認めて，金融機関の安定化を図り，公共事業を増やし雇用を増加させ，さらに需要と供給の均衡を図るため，農作物の作付けの制限など生産調整を図って価格の安定化を図り，そのうえ失業保険制度を樹立し，労働者の権利を保護し，最低賃金を保障するなど労働者保護をはかるものであった。

これらの政策は，必然的にさまざまな企業の活動の規制と，州内の製造または生産などの事項への連邦の干渉を伴うものであった。

2　ニュー・ディールと最高裁

最高裁の抵抗

これに対応して最高裁は，Lochner v. New York, 198 U.S. 45 (1905) に典型的に示されるように，このような社会経済立法は「契約の自由」をデュー・プロセスによらずして剝奪するものだと

た。

して憲法違反と判断した。最高裁は，パン屋労働者の最高労働時間を定めた州法が，労働時間を自由に契約するという雇用者及び労働者の契約の自由を制約すると認めた上で，パン屋で働く労働者について特別に保護すべき理由はないと判断し，公共の安全性を理由とする規制としても最高労働時間制限を認めなかったのである。自由放任主義（レッセ・フェール）経済哲学こそが，この時代の最高裁の立場の基調をなしていた。このような立場は，一般に経済的実体的デュー・プロセス理論と呼ばれ，連邦政府・州による社会経済立法の大きな障害となった。

しかも最高裁は，この時期連邦議会の権限を極めて狭く捉え，州内の製造または生産に対する連邦議会の規制を許さず，しかも経済規制のために導入された行政機関への権限の委任が過度に広汎であり，立法権の放棄だとしてこれを認めないなど，連邦による権限行使に極めて消極的な態度をとった。その結果，政府の権限行使はきわめて困難になった。とりわけ1930年代以降，大恐慌に対してルーズベルト大統領がとったニュー・ディール立法を最高裁が違憲とするに至って，政治部門と裁判所の間の対立は決定的になった。

コート・パッキング計画

ルーズベルトは，一時最高裁裁判官の人数を増やして，自分の都合のよい裁判官を送り込んで判例を変えようとした(最高裁抱き込み計画（コート・パッキング・プラン）)。違憲判決を，選挙で政治責任を負っていない高齢の裁判官が保守的な経済哲学に固執し，ニュー・ディール政策に反対していると考えたルーズベルトは，この当時違憲判決の多くが5対4の判決であったため，一定の年齢以上の裁判官がいる場合，新たな裁判官の付加的な任命を認められるようにし，2名ニュー・ディール支持の新たな裁判官を任命すれば，判断は6対5で合憲となるはずだと考えたのであった。だが，最高裁判決には批判的な声が多かったにもかかわらず，この計画には消極的な声が強く，結局この試みは成功しなかった。

憲法革命

ところが，最高裁はその間に姿勢を変更し，1938年以降社会経済立法にはほとんど干渉しない立場に転じた（このできごとは，「憲法革命」とも呼ばれている)。これまで経済規制を違憲とする多数意見に加わっていた1人の裁判官が見解を改め，合憲とする立場をとるようになったのである。その結果，ニュー・ディール以降，最高裁は，契約の自由の侵害を理由に社会経済立法を一度も違憲としたことがない。最高裁は，この領域から完全に撤退したのである。

しかしこのことは，国民によって選挙されていない裁判官が，選挙された代表者によって構成された議会の判断を恣意的に覆すことの危険性を明らかにし，それ以後のアメリカ憲法の展開に決定的な影響を与えた。

第4節　ニュー・ディール以降

1　第2次世界大戦

アメリカの景気は，結局戦争に至るまで大きく回復することはなかった。1940年ドイツがヨーロッパに侵攻をかけると，ルーズベルトは軍備の増強をはかった。徴兵制も再導入した。そして1941年12月日本軍がハワイの真珠湾に奇襲攻撃をかけると，アメリカは日本と，そして間もなくドイツ及びイタリアとも戦争を宣言する。国内では戦争のため総動員態勢がひかれる。そして，日系アメリカ人の反逆行為をおそれた大統領は，日系アメリカ人の強制隔離を命令する。日系アメリカ人はその財産を奪われ，奥地の強制収容所に収容され，不自由な生活を余儀なくされた。

戦争は，次第にアメリカの加わる連合国軍に有利に展開するようになり，やがて1945年に終戦を迎える。第2次世界大戦後，アメリカは世界一の経済大国に成長した。

2　冷戦とマッカーシズムの嵐

太平洋戦争に終止符を打つためにはソビエトの協力をあおいだアメリカであったが，ソビエトとの間の関係はすぐに冷え，冷戦が始まる。国内では，アメリカでも共産主義革命が起きるのではないかとの恐怖感が国民を襲い，反共法が制定される。そして，その恐怖感を背景にマッカーシズムが猛威を振るう。ジョセフ・マッカーシー上院議員が率いる非米活動委員会は，共産主義者ないしその同調者と目される人を召喚し，証言を迫り，政府や企業から追放したのである。このマッカーシズムが沈静化したのは，1950年代後半に入り，アメリカの経済が安定し，共産主義革命の可能性に対する恐怖感が薄らいでからのことであった。

3　市民的権利擁護運動とベトナム反戦運動

1950年代後半から1960年代にかけては，アメリカの社会は最も安定し，経済的な豊かさを享受していたように思われる。だが，1960年代になってこのような社会の安定を揺るがしたのが，市民的権利擁護運動（Civil Rights Movement, 公民権運動とも呼ばれる）とベトナム反戦運動であった。

市民的権利擁護運動

奴隷の地位から解放された黒人達は，依然として南部においてさまざまな差別にさらされていた。黒人達の投票権はさまざまな制約を受け，そのうえ人種隔離政策のためにさまざまな差別を受けていた。後述するように，最高裁が，Brown v. Board of Education, 347 U.S. 483（1954）（Brown I）において，学校における人種別学制度を違憲と判断したことによって，このような人種隔離政策は再考を余儀なくされた。しかし南部の諸州は，人種統合に抵抗した。アーカンソーでは，人種統合に抵抗する住民と州知事に対し，大統領が連邦の軍隊の出動を命じ，黒人学生を学校に登校させなければならなかった。

黒人達は人種差別するバスなどをボイコットし，種々な差別に抗議する活動を展開した。市民的権利擁護運動である。その指導者は，マーティン・ルーサー・キング牧師であった。警察は彼らを排除するために力を行使したが，やがてこの市民的権利擁護運動は広い支持を受けるようになる。これを支持するジョン・ケネディ大統領が暗殺されると，その偉業をたたえるためにリンドン・ジョンソン大統領は市民的権利保護法（公民権法とも呼ばれる）の制定を提案する。やがて連邦議会は1964年に市民的権利保護法を制定し，ホテルや食堂など公共の利用する場所における人種差別を禁止するようになる。さらに連邦議会は1965年には選挙権法を制定し，南部の諸州において黒人を選挙から排除するのを阻止する制度を導入した。これらによって黒人の地位はかなり改善された。しかし依然として多くの黒人達は貧しい環境で危険な町の中心部に暮らしており，さまざまな差別にさらされているという状況はなかなか改善されなかった。

ベトナム戦争と反戦運動

フランスの支配下にあったベトナムで，共産主義政権が樹立された北ベトナムとアメリカの支援する南ベトナムが戦闘を続けていた。やがてアメリカはこの戦闘に深く関わるようになり，北ベトナムの爆撃を開始し，徴兵制を敷き，兵士を送り込まざるをえなくなった。ドミノ理論に立つアメリカは，ベトナムが共産化すれば他のアジアの諸国も共産化するもしれないとおそれ，戦争に加わったのであった。しかし北ベトナム兵士は密林でのゲリラ戦争を展開し，アメリカ軍は苦戦を重ねた。次第に戦争に反対する反戦運動が支持を得るようになる。各地で反戦デモが繰り広げられるようになり，おりしも大学の学生達の権利擁護を求める学生運動ともあいまって，警察との対立が繰り返された。

1970年代になり，リチャード・ニクソン大統領はベトナムからの撤退を決意する。ようやくアメリカはベトナムから手を引いたのである。だが，彼はウォーターゲート事件を契機に辞任を余儀なくされる[5)]。

4　アメリカの現在

1980年代に入りアメリカの景気は後退し，巨額の貿易赤字と財政赤字に悩まされることになる。自国の産業保護を求める声が強まり，保護主義が政治を支配した。ロナルド・レーガン，ジョージ・H・W・ブッシュと共和党政権が続き，政治も保守化した。やがて経済も回復し，1990年代にはアメリカは安定した社会を迎えた。

しかし，2001年9月11日のニュー・ヨークのワールドトレードセンターなどへのテロリスト攻撃は，アメリカの社会に大きな爪あとを残した。攻撃をタリバン勢力の仕業と考えたジョージ・W・ブッシュ政権は，アフガニスタンのタリバン勢力を攻撃し，さらにイラク戦争によってフセイン大統領を放逐するなど，自国を守るために積極的に武力を行使するようになる。愛国者法[6)]が制定され，

5）民主党本部があるウォーターゲートビルで不審者が捕まり，やがてこれが民主党本部に盗聴装置をつけようとした試みであり，政権の中枢がこれに関わっていたこと，後には，政権内に配管工と呼ばれる集団があり，野党支持者などに盗聴などの不正な行為を行っていたことが明らかになった。ニクソン大統領の責任を追及し，弾劾手続が開始され，結局ニクソン大統領は辞任を余儀なくされた。

外国のテロリストを取り締まるため法執行機関の権限が大幅に拡大され，市民のプライバシーは大きく制限された。また社会の中には反イスラムの風潮が強まり，アラブ系住民やイスラム教信者などにはさまざまな迫害が加えられるようになった。

そうした中で，2008年初めての黒人大統領としてバラク・オバマが選出された。民主党のオバマは，それまでの共和党大統領と異なりリベラルな政策をとり，妊娠中絶を支持し，人権保護にも積極的な姿勢を示した。また，健康保険改革をめぐって，共和党の強い反対にあいながらも，民間の健康保険への加入を全国民に義務づけるオバマケアを実現させた。

2016年の大統領選挙は民主党のヒラリー・クリントンと共和党のドナルド・トランプの一騎打ちとなり，大方の予想に反して，トランプが選挙に勝利し，第45代合衆国大統領に就任した。ただ彼の反イスラム的な発言やメキシコからの移民に対する発言は，多くの識者の批判を招き，またアメリカ第一主義に立ち自由貿易に反対する政治姿勢には多くの人が批判的立場をとった。さらに，主要なマス・メディアを敵に回し，ツイッターによる発言に多く依拠したその発言姿勢にも強い非難があった。このような批判にもかかわらず，トランプはオバマ政権の業績を次から次へと掘り崩し，新しい政策を打ち出した。しかし，2020年の選挙では，再任を目指すトランプと民主党のバイデンが正面から対立し，バイデンが選出された。選挙に不正があったとして，トランプは，バイデンの当選を認めなかった。当選を阻止しようとして，2021年1月6日，首都で

---

6)　2001年テロリズムを阻止し回避するために必要な適切な手段を提供しアメリカを統合し強化する法律。テロリズムに対抗するため法執行官による通信傍受・情報収集行為をより広く認め，テロリズム関連行為の容疑のある移民の拘禁を容易にするなど，市民的自由を大きく制限した。

トランプ支持者による大規模な反乱が起き，連邦議会の建物内にまで侵入するなど大きな混乱を招いたため，トランプがこれを煽動したのではないかと問題視されている。バイデン大統領は，トランプ政権の政策の多くを変更したが，その後支持が弱まり，再選の可能性に懸念が生じている。2024年の大統領選挙の行方が注目される。

第5節　最 高 裁

1　ウォーレン・コート

二重の基準論の萌芽

ニュー・ディール以降，社会経済立法には強い合憲性の推定が認められ，財産権・経済的自由はほとんど最高裁の保護を受けてはいない。しかし，最高裁は一定の領域ではこのような無干渉的(hands-off) アプローチを否定し，積極的に干渉するようになった。その萌芽は，United States v. Carolene Products Co., 304 U.S. 144 (1938) で示されていた。この判決は社会経済規制に対する合憲性の推定と，議会の判断の尊重を認めたものであるが，その脚注4において，このような合憲性の推定や緩やかな審査が妥当しない場合がありうることを示唆したのである。それは，①立法が文面上憲法の具体的な権利規定に反する場合，②立法が政治プロセス自体を制限している場合，そして③切り離され孤立した少数者に向けられた差別の場合である。

ウォーレン・コート

そして1950年代から60年代にかけて，最高裁（主席裁判官アール・ウォーレンの名前をとってウォーレン・コートと呼ばれる）[7] は，こ

7)　主席裁判官のアール・ウォーレンは，共和党員でカリフォルニア知事時代に，日系アメリカ人の強制収容の大統領命令を実施し，保守派として期待されて，アイゼンハワー大統領によって任命された。ところがウォーレ

の脚注に沿うような形で，表現の自由や人種的少数者保護のため，立法を厳格に審査する立場を展開してきたのである（「二重の基準論」)。具体的には，最高裁は，第2次世界大戦後の冷戦を背景とする反共マッカーシズムの嵐に抗して表現の自由を保護した。そして，Brown 判決（Brown I）では南北戦争後広く行われるようになった公立学校における人種別学を違憲とした。また最高裁は，1人1票原則を要求し，議席配分不均衡を憲法違反と判断した。さらに最高裁は，州における刑事手続に連邦の権利章典上の刑事手続的権利を適用して，広汎な改革をもたらした。平等主義こそが，この時代の最高裁の最大の理念であった。

この時代は，ケネディ大統領の暗殺を受けて大統領となったジョンソン大統領が「偉大なる社会」をスローガンと掲げ，アメリカが福祉国家を目指した時代でもあった。最高裁は，この平等主義の理念を憲法の名のもとに実現しようとしたのだということもできるかもしれない。

しかし，このような司法審査権の積極的行使は，その是非をめぐって激しい論争を巻き起こした。ウォーレン・コートによる積極的な司法審査権の行使を支持する学説は司法積極主義を容認し，最高裁がアメリカの社会をリードしてゆくことを認めた。これに対しこれに反対する者は，司法消極主義を主張し，最高裁がアドホックに憲法裁判をすることを非難し，社会の中で受け入れられていない判断を最高裁がすることを批判した。

バーガー・コートによる反動

この論争は，学界だけのものにとどまらなかった。議会でも，このウォーレン・コートの司法積極主義に激しい批判が起こった。ニ

ン・コートは史上最もリベラルな最高裁となり，アイゼンハワー大統領はウォーレンの任命を最大の過ちであったと後悔したという。

ュー・ディール以来支配的だったリベラリズムは次第に崩壊し始め，逆に保守派が台頭してきた時期であった。そこで，ニクソンが最高裁を批判し，法と秩序を理念として掲げて大統領に当選し，ウォーレン主席裁判官の後任として1969年ウォーレン・バーガーを主席裁判官に任命したとき，当然バーガー・コートは保守化し，ウォーレン・コートのリベラルな諸判決は覆されるのではないかと考えられた。

ところがバーガー・コートは，確かに刑事手続上の権利についてはその保護に消極的であったが，ウォーレン・コートの主要な諸判決を覆しはしなかったし，表現の自由に関してはかなり保護的な理論を展開してきた。そのうえ，Roe v. Wade, 410 U.S. 113 (1973) で実体的デュー・プロセス理論を復活させ，妊娠中絶の権利をプライバシー権として承認して州中絶禁止法を憲法違反と判断するなど，相変わらず司法積極主義が続いてきた。

このようなバーガー・コートの諸判決に対し，学説ではその一貫性のない積極主義を「根のない積極主義」だと批判する者と，むしろ最高裁によるプライバシー保護の不十分さを批判する者とが対立し，相変わらず激しい論争が続いてきた。Roe判決は，Carolene Products判決の脚注4のもとで，人種的少数者などの少数者保護として，あるいは政治参加のプロセスの保障として正当化することは難しいように思われた。そこで，この脚注4を超えて最高裁がどこまで積極的に司法審査権を行使できるかが問題とされたのである。

Roe判決はまた，政治にも大きな影響をもった。同判決を批判するカソリックを中心とする保守勢力は，子どもの命を守る運動（プロライフ）を展開し，妊娠中絶を殺人行為と非難し，Roe判決を覆すことを求めた。同判決を支持する人々は女性の選択権を守る運動（プロチョイス）を展開し，同判決を守ろうとした。共和党政権は，同判決を覆すため，同判決に批判的な裁判官を最高裁に任命し，機会があるごとに同判決を覆すよう最高裁に求めた。大統領選挙のたびに，女性の妊娠中絶の問題に対する態度が大きな争点となり，新しい大統領が選ばれたときに，最高裁裁判官の任命に与える影響が大きな議論となった。

2　レーンキスト・コート以降

レーンキスト・コート

そうした中で1986年夏，バーガーが主席裁判官を退き，保守派のウィリアム・レーンキストが主席裁判官となった。そしてレーガン，ブッシュの両共和党大統領によって任命された保守派の裁判官と合わせ，レーンキスト・コートは保守的な姿勢を明白にしてきた。

その基本的な性格は民主党のビル・クリントン政権が任命した裁判官が加わっても変わらなかった。ただ，保守派とリベラル派に分かれつつ，中間的な立場をとる裁判官の立場いかんによって判決の結果が決まることが多く，リベラルな立場の判決も少なくなかった。

レーンキスト・コートの保守的な姿勢は，さまざまな分野でみられる。特に，連邦主義に関しては，ニュー・ディール以降最高裁は連邦議会の州際通商規制権限による州内の行為の規制を広く認めてきたのに，連邦議会の権限行使に新たな制限を加えた。また女性の妊娠中絶をめぐる事例では，レーンキスト主席裁判官は，妊娠中絶の権利の保護の必要性を認めず，また州に広汎な規制権限を認めるなど，Roe判決に消極的な姿勢をとり，同判決を覆すことを主張するスカリア裁判官らとあわせ，最高裁の姿勢を次第に後退させた。最高裁は，女性の妊娠中絶の権利自体は先例拘束性を理由に確認したが，もはや規制が過大な負担とならない限り規制を認める立場に転じた。

ロバーツ・コート

そして，2005年，オコナー裁判官が引退を表明し，その直後にレーンキスト主席裁判官が急逝したことにより，レーンキスト・コートは幕を閉じ，オコナー裁判官の代わりに指名されるはずであったジョン・ロバーツがジョージ・W・ブッシュ大統領によって主席裁判官に指名され，代わりにサミュエル・アリトー裁判官が指名された。

ロバーツ・コートにおいては，ロバーツ主席裁判官と，スカリア，トーマス，アリトー裁判官は保守派を形成し，反対にギンズバーグ，ブライヤー，ケーガン，ソトマイヤーがリベラル派を形成し，中間派のケネディがオコナーの代わりにスイングボートを握っていた。そうした中で，2016年にスカリア裁判官が急逝し，スカリア裁判官と同様に保守派のニール・ゴーサッチ裁判官が指名され承認された。その後リベラル派のケネディ裁判官の退官の結果，保守派のカバノー裁判官が任命され，さらにリベラル派の指導者であったギンズバーグ裁判官が急逝して代わりに保守派のバレット裁判官が任命されたことにより，最高裁の構成は大きく変わった。現在では，ロバーツ主席裁判官が，穏健な保守的立場からしばしばリベラル派とともに投票することもあるのに対し，トーマス，アリトー，ゴーサッチ，カバノー，バレットの5人が強硬な保守派のブロックを形成している（ブライヤー裁判官が2022年で退官し，黒人の女性で初めてジャクソン裁判官が任命されたが，構成に大きな変化はないと思われる）。

第6節　アメリカ憲法学の変遷

1　憲法学の歴史と変遷

古典的法宣命説

このようなアメリカ憲法の歴史的展開にあわせ，憲法学自体の性格とアプローチの仕方も大きく変化してきた。

元来アメリカは，判例法主義の国であったが，司法審査制の確立は，憲法学をも憲法判例中心主義にする結果をもたらした。しかし，19世紀までは，憲法解釈は，憲法条文に定められた意味の発見と理解されていた（法宣命説）。司法審査は，まさにこれを前提として正当化されていた。司法審査権を行使して法律を覆す場合，裁判官は個人の主観的価値判断に基づいて行っているのではなく，憲法条文の中にあらかじめ確定されている「人民の意思」を執行しているだけだと考えられたのであった。憲法学も主として実務家や裁判官による判例の解説が主体であった。

こうした中で19世紀には，ハーバード・ロー・スクールにおいてクリストファー・ラングデルがケース・メソッドによる法の科学を提唱し，これが全米のロー・スクールの標準となった。

リアリズム法学

ところが，20世紀初頭の実体的デュー・プロセス理論は，憲法裁判が単なる客観的な憲法の意味の発見ではなく，裁判官による価値判断を含むものであることを明らかにした。そこで，このような裁判の現実を直視しなければならないという立場が台頭してきた。リアリズム法学（リーガル・リアリズム）と呼ばれる考え方である。この立場に立つリアリスト達は，裁判官が裁判をするときあらかじめ答えは存在せず，実際には裁判官が答えを創造していると考えた。それゆえ裁判は法創造であり，立法と異ならない。

この立場からは，憲法学も憲法解釈の理論に関心を向けるよりも，裁判を現実に規定しているさまざまな社会的要因に目を向けて，裁判を予測することを重視すべきだということになる。そこで，実際，憲法をそのように政治学的に理解しようという試みも行われた（政治学的法学）。

プロセス法学

このような政治学的な憲法の考察は，特に大学の政治学部においては大きな影響を残し，「最高裁判所論」といった形で議論が展開されてきた。ところが，法律家養成の場であるロー・スクールでの憲法学は，このようなリアリスト的立場に完全に従うには至らなかった。

そこでは，リアリズムの影響のもと，判例だけでなく，それを理解するためのさまざまな資料をも考慮に入れて，その中で判例分析を行うことが重視された。しかし，多くの学者は，裁判官による憲法判断は，主観的価値判断なのではないとし，憲法判断のプロセスの中に解釈を支える客観性を見出そうとしていた。裁判はあくまで立法とは異なり，裁判所は議会とは異なるとして，裁判の独自性は原則の適用という裁判プロセスの特性に存在すると考えたのであった。古典的な司法審査の正当化理論が崩れたポスト・リアリズムの時代に，なお司法審査の正当性を承認するためには，このような客観性への信頼が不可欠だと考えられたのである（プロセス法学）。

ウォーレン・コートの司法積極主義に憲法学から批判が行われたのは，それがこのような司法審査権の正当性に対する脅威とみられたからであった。これに対し，ウォーレン・コートの積極主義を支持する学者は，裁判所はより積極的に実体的価値の実現をめざすべきであると主張した。

解釈主義・非解釈主義そして始源主義・非始源主義

この対立は，1970年代に入っても，正当な憲法解釈の源泉を起草者意思・憲法条文・憲法の構造あるいは代表プロセスの秩序維持に限定する解釈主義と，それを超えた憲法解釈あるいは憲法的政策形成の正当性を認める非解釈主義の対立として継続された（解釈主義・非解釈主義論争）。そしてそれは，憲法典に示された憲法制定者の意思が解釈の指針であるべきだとの始源主義（オリジナリズム）（原意主義とも呼ばれる）と憲法を生きた法とみて現在の時代の価値を読み込むことを認める非始源主義（ノン・オリジナリズム）（非原意主義）の対立へと引きつがれている。このような考え方の対立は，憲法をめぐる多くの領域で，判例の評価をめぐって現れる。

2　アメリカのロー・スクールにおける憲法学

いずれにしても，ロー・スクールでの憲法学の関心は，圧倒的に弁護士養成のための教育に向けられ，判例を理解し，それを批判し，それに代わる理論を提示する能力と技術を身につけることに向けられている。統治の構造は，学部段階での統治構造（Government）の授業で教えられており，最高裁を含む政府の諸機関の政治学的分析は政治学部の講義で扱われる。これに対しロー・スクールの憲法の授業では，司法審査権に関する叙述から始まって，判例で問題となった事例を中心に判例分析が行われるのである。そこでは，判例の理解とその検討を通して新しい問題をどう考えるか，どのように憲法の主張を行うのか，その論理と技術を学ぶことに力点が置かれている。アメリカでは，「憲法」は裁判所によって適用される裁判規範として捉えられ，憲法学はこのようにして裁判所によって適用される「憲法」を対象として成り立っているのである（本書も基本的にこの前提に立って合衆国憲法を概説する）。

もちろん，このような支配的な憲法学の姿勢に対して批判もないではない。批判的法学研究（critical legal studies）[8] と呼ばれる考え

8）　法は，具体的事件の解決を導くだけの確定性を有しておらず，しばしば相対立する原理によって支配されており，それゆえ法的推論は価値中立的で論理的なプロセスではなく，しばしば有利な地位に立つものによる支配を正当化するイデオロギーとして機能するという。そして，法は，政治の別名

方も現れ，憲法理論をイデオロギーと捉え，憲法学の役割をその批判に見出そうとしており，注目されている。また，主流をなしているリベラリズム[9]の憲法学に対し，政治共同体の役割を重視する共和主義[10]やポピュリズム[11]への関心も強まっており，判例分析を超え政治理念にも検討が及ぶようになっている。

▶参考文献

アメリカ憲法史について，斎藤真・アメリカ現代史（1976），同・アメリカ革命史研究（1992），五十嵐武士・アメリカの建国（1984），阿部斉＝有賀弘＝本間長世＝五十嵐武士・アメリカ独立革命（1982），有賀貞・アメリカ史概論（1987），同・アメリカ革命（1988），有賀貞＝大下尚一（編）・概

に過ぎないという。それゆえ，このようなイデオロギーを脱構築することが研究者の使命だとする。

9）　個人の権利自由を重視する政治思想。合衆国憲法，とりわけその権利章典を，個人が持っている権利を確保するためのものと捉え，政府もそのために組織されたものと捉える。そして，裁判所が権利自由を積極的に擁護することを認める。合衆国憲法を，ジョン・ロックの『市民政府2論』の政治哲学を具現したものとみるものといえる。ただし，アメリカのリベラリズムは，ニュー・ディール以降自由の確保より平等の実現に力点を置くようになり，ヨーロッパ的には社会民主主義に近い。このニュー・ディール型リベラリズムは，福祉国家を目指し，政府の大きな役割を容認する。これに対しあくまで個人の自由の保障を重視し，政府の役割を国防・警察などの最低限度に限定する考え方は，リバータリアニズム（自由至上主義）と呼ばれ，少数ながら有力な支持者がいる。

10）　個人の利益の保護を重視するリベラリズムに対し，公共善の実現を重視する政治哲学。人間は社会的な存在だとして，個人を社会から切り離された裸の個人としてではなく社会の一構成員と捉え，個人が公共善の実現のために私益を捨てて政治に参加する公的な幸福を重視し，そのため市民は徳を持った市民である必要があると考える。

11）　個々人の権利保護ではなく，集団としての人民（people）の権利を重視する政治思想。もともとの合衆国憲法及び権利章典を，代表者が人民の支配をかいくぐらないように，人民による支配を確保するための試みと捉える。

説アメリカ史〈新版〉(1990)，有賀貞＝志邨晃佑＝大下尚一＝平野孝(編)・アメリカ史(1)(2)(1993–94)，M. L. ベネディクト(常本照樹訳)・アメリカ憲法史(1994)，モートン・J・ホーウィッツ(樋口範雄訳)・現代アメリカ法の歴史(1996)，特集「合衆国憲法200年」思想761号(1987)，阿川尚之・憲法で読むアメリカ史(上・下)(2004)，同・憲法で読むアメリカ現代史(2017)。**アメリカにおける政治哲学上の対立**については，岩渕祥子「共和主義と自由主義——アメリカ思想研究についての一考察」北大法学論集45巻3号(1994)，中山道子「アメリカ革命史におけるリベラリズム対リパブリカニズム」立教法学47号(1997)，岸野薫「ジェイムズ・マディソンの初期憲法思想(1)(2・完)」法学論叢154巻1号・3号(2003)。**最高裁の歴史**については，アーチバルト・コックス(吉川精一＝山川洋一郎訳)・ウォレン・コート——憲法裁判と社会改革(1970)，宮川成雄(編)・アメリカ最高裁とレーンキスト・コート(2009)，G. エドワード・ホワイト(宮川成雄訳)「レーンキスト・コートの意外性」宮川成雄(編)・アメリカ最高裁とレーンキスト・コート(2009)。**アメリカ憲法学**については，駒村圭吾＝山本龍彦＝大林啓吾(編)・アメリカ憲法の群像——理論家編(2010)，山本龍彦＝大林啓吾(編)・アメリカ憲法の群像——裁判官編(2020)，大沢秀介・アメリカの政治と憲法(1992)，ブルース・アッカマン(川岸令和＝木下智史＝阪口正二郎＝谷澤正嗣監訳)・アメリカ憲法理論史——その基底にあるもの(2020)，松井茂記「『ポピュリスト立憲主義』をめぐって」阿部照哉喜寿・現代社会における国家と法(2007)，同「ポピュリストの憲法理論——アキル・アマー教授の見解を契機にして」比較法学45巻2号(2011)。

第2章　アメリカ憲法の基礎原理

第1節　アメリカ憲法の基本原則

1　国民主権と民主主義

国民主権原理

合衆国憲法には，国民主権や民主主義を明記した規定はない。しかし，独立宣言は既に権力の正当性が被治者の同意にあることを宣言していた。しかも合衆国憲法は，その前文で「われわれ合衆国人民」が憲法を制定したことを明記している。それゆえ，合衆国憲法が，憲法制定権が人民にあるとの原理に立脚しているという点で，国民主権原理に基づいていることには異論はない。ただ，アメリカの憲法学では，この国民主権原理についての検討はほとんどなされていない。むしろ議論の中心となっているのは，政治的決定が人民の多数者の意思に基づいて行われるべきだとの民主主義原理の方である。

アメリカの統治構造が，統治の窮極的な正当性が国民に存在し，政府の基本的な政策決定が国民の多数の意思に基づいてなされるべきだという意味において，民主主義を統治の基本原則としていることにも，あまり異論はないのではなかろうか。実際，アレクシス・トクヴィルが『アメリカにおけるデモクラシー』の中で的確に描き出したように，アメリカでは民主主義が社会の中にいきわたっている。アメリカにわたってきた移民達は，ニューイングランドのタウン・ミーティングのように自分達のことを決めるために直接政治に参加する制度をつくり，それ以外の植民地でも早くから代表議会を形成した。当初は一定の土地を保有する白人男性のみが選挙権を行使することができたが，それでもヨーロッパに比べれば多くの人が政治に参加できた。トクヴィルが指摘したように，アメリカにおいては貴族階級が存在せず，多くの移民達は平等に貧しく，そのうえピューリタンの伝統から平等主義を志向したことが，アメリカでデモクラシーが根付くことができた原因といえよう。

だが，振り返ってみると，この点は実はそう簡単ではない。

民主政か共和政か

というのは，独立宣言や合衆国憲法の前文の規定にもかかわらず，憲法の起草者達は，初め新しい国は共和政であって，民主政ではないと強調していたからである。これは，起草者達が民主政を人民自身が直接統治する政体と考え，このような統治形態では，統治者が人民の感情に支配されてしまい妥当でないと考えたからであった[1)]。

しかし，反フェデラリストによって，憲法は民主的でないと反撃され，起草者達もこの憲法は民主的であると反論するに至った。ここでは，民主政は代表民主政であり，代表者は，人民の感情に支配

---

1)　そのため，起草者達は，実は地主・小商工業者の利益を擁護しようとしたものであり，それゆえ合衆国憲法は支配者階級による支配を確保するための階級的憲法であるという見解もある。確かに，起草者達のほとんどは有産階級に属していたし，起草者達が連邦政府の権限を強化しようとしたこと，議会の専制を恐れ議会の権限に非常に神経質だったことの理由は，州において債務にあえぐ民衆を救うため債務者救済法などの急進的立法が制定され，起草者達がそれを好ましくないと判断したためであろう。しかも憲法の制定が，連合規約の改正のために集まった人々によってわずかの期間でなされたこと，その間手続が秘密にされていたことを考えれば，憲法制定手続がはたして十分民主的であったか疑問もないではない。にもかかわらず，邦での批准を通し，合衆国憲法は当時としてはかなり民主的手続によって制定されたし，その後の展開の中で民主主義が追求されてきたことも否定できないであろう。

されず，独自に人民の利益を追求すべきものと考えられた。このことを象徴的に示しているのがマディソンの『フェデラリスト』第10編である。

このようにして，少なくとも起草者達は，代表制民主主義を憲法の基本原則と考えていたと思われる。実際，統治の基本的な政策決定機関である連邦議会のうち下院については，その議員は人民によって選出される。そして，その後の憲法の展開も，上院議員の人民による選挙が認められ，選挙権に付されたさまざまな制限を排除し，選挙権を有する者の範囲を拡大するとともに，下院の議席配分についても裁判所によって人口比例が厳しく要求され，人民の多数者が選挙された代表者を通じて国の基本的政策決定を行うという理念を追求してきている。

しかし，上院の存在が示すように，アメリカの政治体制は完全に多数者支配主義的なのではない。上院は州の代表であり，人口の大小にかかわらず，各州は2名の上院議員を有する。そして立法過程において，上院は下院と対等である。しかも，条約の承認権や職員の任命に対する承認権など，上院だけに付与されている権限も少なくない。国民の多数者が国政を決定するという意味での民主政は，限界付けられているのである。

なお，連邦政府に関しては，立法権は連邦議会に委ねられており，国民が直接政治に参加する仕組みは存在しない。連邦レベルでは，直接民主主義は否定されている（これに対し州レベルでは，約半数の州において州憲法上住民の直接政治参加が認められており，住民投票の発案をし，住民投票により憲法改正や州法制定が可能である）。

多数者支配原則か立憲主義か

後述するような司法審査権の確立，そしてとりわけ最高裁による司法審査権の積極的行使により，選挙で選ばれてもおらず政治的責任も負っていない最高裁が，国民が選挙で選出した連邦議会の制定した法律を覆すことに対しては，民主主義原理との関係で懸念が示されている。裁判所は，民主主義において逸脱した機関であり，裁判所による積極的な司法審査権行使が多数者支配原理に反しているのではないかというのである。

これに対し，裁判所による司法審査権の積極的行使を擁護するものは，合衆国憲法は民主主義を第1原理とするものではなく，権利の保障を含む権力への制限を重視した立憲主義の方こそが第1原理だと考えるべきだとか，たとえ民主主義が第1原理だとしても，合衆国憲法の定める民主主義は実体的な価値を重視した民主主義であり，個人の権利が十分保障されることこそが民主主義の価値にかなうなどと主張する。

おそらく表現の自由など，民主政過程に不可欠な権利を裁判所が擁護する限りで，このような主張には説得力があるかもしれない。しかし，表現の自由などの保護を超えて，民主政過程に不可欠とはいえない権利の保護にまで及ぶとなると，これらの権利が保護されることがなぜ立憲主義ないし民主主義の名前のもとで正当化されるのかの問題を生じさせる。この問題は，憲法上明文の規定で保護されてはいない明文根拠を欠く権利を裁判所が積極的に保護するときに，重大な論点となる。

2　権力分立原則

権力分立

合衆国憲法は，権力分立の原則に立っている。つまり憲法は，政府の権限を区分し，それぞれ別の政府機関に分配している。憲法は，第1条で立法権を連邦議会に，第2条で執行権を大統領に，第3条で司法権を最高裁判所と連邦議会の設立する下級裁判所に付与しているのである。このようにして，権力が特定の人や部門に集中して人民の自由を圧迫するのを防ぐとともに，政府の権限を分配して効率的な統治を確保しようというのである（合衆国憲法は，連邦制に立脚しており，政府部門相互間の水平的な権力分立に加え，垂直的にも権力分立をとっているともいわれる）。

起草者達の理解

憲法の起草者達は，モンテスキューが主張した権力分立原理が採用されるべきだと考えていた。フランスの政治学者モンテスキューは，『法の精神』の中で，イギリスの統治制度の観察から，政治的自由を確保するため立法権，万民法に依存する事柄の執行権，市民法に依存する事柄の執行権（司法権）を区別して別々の機関に担当させることの必要性を主張し，同一人物や同一機関に複数の権力が集中するならば自由はなくなると指摘していた。

しかし，合衆国憲法のとる権力分立原則に対しては，反フェデラリストは，権力が十分に分離されていないと強く批判した。これに対し起草者達は，権力分立原則にとって重要なのは権力を厳格に分離することではなく，抑制と均衡の仕組みだと主張した。

それゆえ，合衆国憲法は権力分立というよりは権力の共有の仕組みをとった上で，それぞれの部門がそれぞれ権力を主張することで互いに抑制し合うことをねらったものだといえるかもしれない。例えば立法権は連邦議会に付与されているが，大統領は立法に拒否権を有している。大統領には条約締結権があるが，条約締結には上院の助言と承認が必要であり，また大統領には職員の任命権が付与されているが，任命には上院の助言と承認が必要である。

争われているその具体的意味

しかし，権力分立原則の意味は明確ではなく，しばしば裁判所でも権力分立原則が具体的に何を意味するのかが争われてきた。後述するように，最高裁も，権力の分離を重視する分立主義的理解をときおりとりながら，機能的な抑制と均衡を重視する機能主義的な理解をときおりとるなど，はたして一貫した態度をとっているのかどうか疑わしい。

これらの問題の根底には，現代社会における政府の役割の拡大に応じて，さまざまな規制権限が大統領及びその指揮下にある執行府によってではなく，連邦議会によって創出された「行政」機関によって担われているという現実がある[2)]。また立法権と執行権を分離して連邦議会と大統領に付与しながら，合衆国憲法は両者の間の関係を明確に示さなかった。合衆国憲法のとる権力分立原則の理解次第では，両者の関係が異なってくるため，この問題が重大な争点とならざるをえないのである（第6章第1節参照）。

3　連邦制

連邦政府と州

アメリカは，連邦制の国である。各州は，それぞれ独自の憲法を有しており，連邦憲法は連邦政府の構造を定めている。現在アメリカの州は50州である[3)]。

連邦政府は，あくまで合衆国憲法によって授権された権限のみを

2）注意すべきは，アメリカにおける権力分立制が，立法・執行・司法の分立であって，立法・行政・司法の分立ではないことである。詳細について，第6章第1節参照。

3）プエルトリコは準州（コモンウェルス）としての地位を有しており，プエルトリコ人は合衆国市民であるが，連邦議会への投票権を有していない。51番目の州になるか否かの投票が1998年に行われたが，提案は否決された。このほか連邦領としてバージン諸島，グアム，アメリカン・サモア，北マリアナ諸島がある。合衆国に属する領地もしくは財産については，それを処分する権限及びそれに関する必要なすべての準則と規則を制定する権限は連邦議会にある（第4条第3節第2項)。首都ワシントンDC（コロンビア特別区）は，合衆

有しており，州政府が有するような一般的な統治権を有してはいない。憲法によって連邦政府に委ねられておらず，また憲法によって禁止されていない権限は，州及び人民に留保されている（修正第10条）。それゆえ，州は，ポリス・パワーと呼ばれる，州民の安全や福祉をはかるための一般的な統治権に基づき，民法や刑法を定め，州の裁判所制度も定めている。ただし，ほとんどの州はコモン・ローに立脚しているため，民法については包括的な法典は存在しないのが通常である。

連邦と州の権限分配

この連邦制は，アメリカの憲法構造に決定的な影響を与えている。既に触れたように，州との関係で連邦の権限をどこまで認めるかが，憲法制定当時の最大の争点であったし，今日なお当時の対立する見解が形を変え連邦主義の問題の理解に影響している。ただ，憲法の歴史の中で，連邦政府は列挙された権限のみを有するという建前にもかかわらず，連邦の権限が拡大の一途をたどってきたことは否定しがたい。最高裁も，連邦議会の権限を広く解釈してきたのである（第5章参照）。また南北戦争後に一連の権利が州に対しても保障され，最高裁は，州に適用される権利の範囲も拡大してきたのである（第8章2参照）。

ただ，それにもかかわらず，連邦政府の権限を縮小しようという見解もいまなお有力に主張されている。そして最高裁も，連邦議会の権限に限界を認めているし，また連邦裁判所が州に干渉することに消極的姿勢を示している。そのため州では，州憲法のもとで独自

国憲法第1条第8節第17項によりメリーランド及びバージニアから割譲されて創設され，連邦議会の専属的立法権に服する。住民は大統領選出人の選挙権は有するが（修正第23条），連邦議会には代表者を送れない（下院には投票権を持たない代表を送っている）。

に憲法理論を展開しているところもある[4]。

なお，合衆国憲法及び連邦の法律・条約は国の最高法規であり，それらに反する州憲法・州法は効力を有しない（第6条第2項）[5]。

4　個人の権利の保障

個人の権利の保障の持つ意味

自然権思想に基づいて個人の権利を宣言した独立宣言に続き，合衆国憲法は，修正第1条から修正第10条までの修正条項の中で，個人の権利を規定した[6]。一般に権利章典として知られているもの

4）　本書では，もっぱら連邦の憲法問題を扱う。

5）　ここから，州法の専占理論が形成されている。第3章76頁参照。

6）　日本で「基本的人権」として捉えられているものは，アメリカでは一般に「個人の権利」（individual rights）あるいは「市民的権利」（civil rights）ないし「市民的自由」（civil liberties）と呼ばれている。「人権」（human rights）ないし「基本的人権」（fundamental human rights）という言葉は，むしろ国際法上の概念として用いられ，合衆国憲法の権利規定の解釈の意味では用いられていないようである。

この「個人の権利」は，合衆国憲法が連邦政府に対する制限として制定されたことからも，連邦政府によって侵害されてはならない権利として捉えられていた。その後合衆国憲法に州への制限が加えられ，さらに連邦の権利章典規定が州に適用されるようになったが，あくまで憲法上の権利は連邦政府もしくは州の行為の制限と考えられており，「何人」によっても侵害されることのない価値とは考えられていない（第8章3参照）。

他方，後述するように（第8章4参照），アメリカでは選挙権や平等権などを私人による侵害からも保護した法律（市民的権利保護法）が制定されており，これらの法律によって保護された権利も一般に「市民的権利」ないし「市民的自由」と呼ばれている。これは私人による侵害に対しても保護された権利であるが，憲法上保護されたものではなく，法律によって保護された権利である。

なお，civil rights は日本ではしばしば公民権と訳されるが，公民権というと選挙権のことを指すもの誤解されるおそれがあるため，この本ではあえて市民的権利という言葉を用いている。

である（第8章1参照）。

この権利章典が，自然権を保障したものかどうかには争いがある。というのは，独立宣言では確かに自然権思想が前面に出ていたが，憲法制定のときには，そうではなかったからである。もちろん起草者達は，権利保障の必要性を認めていた。しかしフェデラリストの構想の中では，連邦憲法には権利章典は含まれていなかった。憲法は委譲された一定の制限的な権限のみを持つ政府を樹立するもので，権利を侵害する恐れはないと考え，またもし一定の権利を列挙すればそれ以外の権利は存在しないと誤解されるかもしれないと恐れたのである。むしろこの起草者達の構想の中では，憲法によって樹立されるであろう，統治の構造それ自体がまさに権利保障の役割をはたすものと考えられたともいえよう。反フェデラリストの批判にあって，結局起草者達は権利章典を付加した。しかしそこで保障された権利は，もともと植民地人がイギリス人として当然持っていた権利を超えるものではなかった。しかもそれは，連邦政府に対する制限と考えられており，いかなる人によっても剝奪しえないような権利ではなかった。

明文根拠を欠く権利の問題

憲法上の権利を自然権と考えるかどうかの違いは，司法府が擁護すべき権利の範囲，とりわけ憲法に明文規定で保障されていない権利について，異なった見解を導く。憲法は自然権を保障したものだという見解では，明文規定で権利が保障されていなくとも，憲法は当然一定の自然権を議会に対しても保障していると考えられよう。それゆえ，裁判所がこれらの自然権を執行し，あるいは憲法の定める権利章典規定を解釈するに際して自然権を読み込むことは，当然許されると考えられるであろう。これに対し，憲法は自然権を保障したものではないという見解では，憲法は，裁判所が明文を欠くあるいは憲法条文から導けない権利を創出して，議会制定立法まで覆すことを認めたものではないと考えられよう。

しかし現代のアメリカでは，自然法思想ないし自然権思想は一般的とはいえない。トーマス裁判官が最高裁裁判官に指名されたとき，彼が自然法にしたがった憲法解釈の立場を主張し，その危険性が広く指摘されたほどである。自然法ないし自然権思想は，裁判官の主観的な思想ないし価値判断による司法審査を許す点で危険だというのである。

個人の権利保障の意味をどう考えるか

このような理解の違いは，合衆国憲法の政治哲学をどのように捉えるのか，つまり憲法による権利保障の意義をどこに求めるのかにもよる。独立宣言は，すべての人民は自然権を有していて政府の目的はその保護だとしており，ジョン・ロックの政治哲学に立つ自由保護を重視するリベラリズムの考え方を示唆している。この考え方では，極端にいえば自由が確保されさえすればよく，自由さえ確保されていれば，すべての人に選挙権が保障され，政治に参加する仕組みが整っていなくてもよいことになる。

これに対し，少なくとも革命当初においては，そして中には合衆国憲法制定時点においても，共和主義の思想が強く残っていたことを示唆する学説も少なくない。この学説によれば，問題なのは個人が私益の実現に走って公共善の実現を妨げている点であり，この考え方では，権利の保障は，政権を握る者が私益に走って公共善をないがしろにしないようにするためのものだとされる。権利は，むしろすべての市民が政治に参加し，熟慮に基づく政治を実現するための手段として保障されたものだとされよう。

さらに，学説の中には，権利章典における権利の保障は，ポピュリスト的な試みであったと考えるものもいる。憲法の起草者は，政府の担当者が人民の支配を妨げ，権力を思うがままにすることを防ぐために，人民の支配を図ってさまざまな権利を保障したのだというのである。それゆえ，合衆国憲法における権利は，少数者の権利などではなく，むしろ多数者の支配を確保するための権利だというのである。

合衆国最高裁は，この権利の性格をどのように理解すべきなのかについて，はっきりとした立場を示してはいない。そのため，このような理解の違いによっては，具体的な権利の問題についても解決の結果が異なりうることになる。

5　司法審査制

司法審査制の確立

アメリカの憲法制度を語るとき，司法審査制に触れないわけにはいかない。司法審査制とは，議会制定立法その他の政府の行為が憲法に反すると考えた場合に，司法府がその立法または政府の行為を違憲として無効とすることができる制度である。合衆国憲法には，このような権限を認めた明文規定は存しない。しかし，既にみたように，この権限は Marbury v. Madison, 1 Cranch (5 U.S.) 137 (1803) において，最高裁の判例によって認められるようになり，司法審査制はアメリカの憲法構造において中核的な役割をはたすに至った（第4章第1節1参照）。

この司法審査制は，法の支配の司法的制度化ということができる。法の支配（rule of law）は，イギリスで発展した考え方で，アメリカでも，人による支配ではなく法による支配として承認されていた。統治は，非個人的で，一般的な法にしたがって行われるべきだという考え方である。しかもアメリカでは成文憲法によって個人の権利が保障され，この法の支配は個人の権利によって裏づけられている。

それゆえ司法審査制は，裁判所が憲法違反の行為を排除することにより，法の支配を貫徹するものといえよう。

司法審査制と民主政

他方，この司法審査制のもとでは，司法府が主観的価値判断によって憲法を解釈し，議会制定立法を覆す危険性がある。もしそうなれば，逆に司法府が憲法の上に位置し，法の支配はありえないことになる。それゆえ，アメリカでは，司法審査に客観的根拠があるかが，法の支配との関係で常に問題とされてきた。

このような司法審査制の微妙さは，民主主義との間にも存在する。既に触れたように，アメリカの憲法は代表民主政を基本的原則とするものであるが，選挙されてもいなければ再選される必要もない裁判官が，人民による選挙によって選ばれた議会の法律を覆す限りで，司法審査制は民主主義との関係で微妙な緊張関係に立たざるをえない。統治の基本政策が国民の多数の意思に基づいて決定されるべきことが民主主義だと理解すれば，司法審査制は，やはり民主主義においては逸脱した，反民主的制度なのである。このことは，司法審査制が，人民の多数者による立法から少数者の権利を保障しなければならない以上，やむをえないことだといえよう。しかし，司法府が恣意的に議会制定立法を覆せば，民主主義は無になってしまう。そこで，どのようにして司法審査は民主主義の原則に対し自己を正当化しうるか，民主主義と矛盾しないでどこまで司法審査権の行使が正当化されるかが問題とされてきた（第4章第3節参照）。

第2節　憲法の最高法規性と憲法の改正

1　最高法規性

合衆国憲法第6条第2節によれば，この憲法及びそれにしたがって制定された合衆国の諸法律，合衆国のもとで締結され，将来締結されるすべての条約は，国の最高法規である。そして各州の裁判官は，それぞれの州の憲法または法律にそれに反する定めがあったとしても，それによって拘束される。

この規定は，連邦法の州法への優位を定めたものであり，それゆえ，合衆国憲法，連邦の法律及び条約が州憲法及び州法に優越し，合衆国憲法，連邦の法律及び条約に反する州憲法及び州法は効力を有しない。だがこの規定は，連邦法の中で，合衆国憲法が最高法規であり，合衆国憲法に反する連邦の法律及び条約が無効とまでは明記していない（ただし，後述するMarbury判決で最高裁は，列挙されている順序から見て，最高法規条項を合衆国憲法の連邦の法律への優位を定めたものと解釈し，司法審査権を導いているように，この規定は憲法の最高法規性を示唆しているといえるかもしれない）。

2　憲法の尊重

政府の職員が憲法を尊重し擁護するよう，合衆国憲法は一定の宣誓義務を課している。それゆえ，大統領は，職務を開始する前に，「私は，合衆国大統領の職務を誠実に遂行し，全力を尽くして，合衆国憲法を保持し，保護し，擁護することを，誠心誠意誓います（確約します）」と宣誓しなければならず（第2条第1節第8項），上院，下院議員，各州の議会の議員，合衆国及び各州のすべての執行府及び司法府の職員は，宣誓または確約によって，この憲法を支持する義務を負う（第6条第3項）[7]。職務の宣誓（oath of office）と呼ばれ

7）　合衆国憲法は，市民に対して憲法を保持し，保護し，擁護する義務を課していない。ただし，合衆国市民になろうとするものは，合衆国憲法及び法律を支持し擁護すること，これに忠誠を誓うこと，法律により要求された場合には合衆国のために武器を取ることなどを宣誓しなければならない（忠誠宣誓：oath of allegiance）。また政府の会合や公立学校などでは，合衆国の国旗と共和国，神のもとの不可分の一つの国家，自由及び正義への忠誠を

ている。

3　憲法の改正

憲法改正の要件

合衆国憲法第5条によれば，連邦議会は，両議院の3分の2が必要と判断した場合には，この憲法の改正を提案することができる。またそれぞれの州の3分の2の立法府からの要請があった場合には，改正を提案する憲法会議を招集しなければならない。いずれの場合にも，憲法改正は，各州の4分の3の立法者によって採択され，あるいは4分の3の憲法会議によって採択された場合には，あらゆる意味において，完全に，この憲法の一部として効力を有する。いずれの採択の方法によるかは，連邦議会によって提案されたところによる。ただし，1808年までになされる改正によっては，第1条第9節第1項及び第4項にいかなる方法であれ変更を加えることはできない。またいかなる州も，その同意なくしては，上院における平等な投票権を剝奪されてはならない。

それゆえ，合衆国憲法の改正には，2段階が必要である。第1段階は，連邦議会の両議院の3分の2による提案か，州の3分の2の要請に基づく憲法会議の招集による提案である。これまで27条の改正が成立しているが，いずれも連邦議会の3分の2による提案に基づいており，憲法会議は招集されたことはない。合衆国憲法が，連合規約の改正の目的で招集されたのに結局新しい憲法を制定してしまったように，憲法会議が当初の目的を離れて暴走することへの懸念もあり，憲法会議の招集にも消極的な声もある。

第2段階は，4分の3の州の立法者もしくは憲法会議による採択

誓う忠誠の誓い（pledge of allegiance）が復唱されている。

である。いずれの方法によるかは，連邦議会の提案による。

成立した憲法改正

これまで，27の改正がなされているが，そのうちの最も重要なものは第1回連邦議会でなされた最初の10か条の権利章典の追加である。これによって信教の自由や表現の自由を保障した修正第1条などの権利規定が憲法に追加された。しかもこの改正の際に，憲法の改正は本文を修正するか改正条項を追加するかが問題となり，結局改正条項の追加の方法が選択された。そのためそれ以降，合衆国憲法の改正は本文を修正することなく改正条項を追加する方法がずっととられてきている（改正条項が追加されても本文は修正されないので注意が必要である）。

次に重要なのは，南北戦争後に行われた南部再統合改正である。奴隷制を廃止し，合衆国に生まれたすべての人を合衆国市民と宣言し，合衆国市民の特権・免除及びデュー・プロセスと平等保護を州に対して保障し，投票権も保障した修正第13条から修正第15条までの規定は，合衆国憲法の性格を大きく変更するものであった。

最も最近の改正は，議員の歳費を引き上げる法案の可決の前に下院議員選挙を要求した修正第27条である。議員がお手盛りで歳費を引き上げるのを防止するための規定である。この条文は，最初の権利章典の付加の際に一緒に提案されながら，必要な数の州の採択が得られずそのままになってきたが，1992年になって必要な数の州の採択をえて成立したものである。このように長期間たなざらしになっていたものが憲法改正として有効に成立しうるのか議論があったところである。

憲法改正禁止規定

合衆国憲法第5条によれば，第1条第9節第1項及び第4項については，1808年までは憲法改正は許されない。第1条第9節第1

項は，奴隷の輸入を，期間を限定して認めたものであり，期間が経過し，奴隷制が廃止された現在，もはや意味を持っていない。第1条第9節第4項は人頭税及び直接税の州への割当に人口比例を求めた規定であるが，同様に期間が経過した以上，この改正禁止規定も意味を持たない。現在では，上院における各州の平等な投票権だけが改正禁止の対象となる。各州が上院において平等な投票権を有することは，憲法制定会議で達成されたさまざまな妥協の中で最も重要なものであった。そこでこの規定の改正を禁止することで，小さな州の不安を除いたものといえる。

憲法改正規定によらない憲法改正の可能性

この改正規定は，かなり厳しく，その結果合衆国憲法を改正することは容易ではない。1990年代，最高裁が，抗議目的での国旗の焼却を処罰することを修正第1条違反と判断したとき[8)]，圧倒的多数の市民はこの判決に反対した。合衆国憲法を改正しこの判決を覆そうとの動きはあったが，結局改正は成功しなかった。

なお，学説の中には，この第5条の規定は，排他的な憲法の改正方法を定めたものではないとの解釈もある。第5条の規定は人民を拘束せず，人民の多数者はいつでもこの規定によることなく合衆国憲法を改正しうるというのである。だが，この解釈に対しては強い批判もある。

▶参考文献

アメリカにおける民主主義については，トクヴィル（松本礼二訳）・アメリカのデモクラシー第1巻（上・下），第2巻（上・下）（2005-08），紀平英作・アメリカ民主主義の過去と現在――歴史からの問い（2008），ロバート・A・ダール（杉田敦訳）・アメリカ憲法は民主的か（2003）。

8）第9章279頁参照。

第3章　統治の基本構造

第1節　連邦議会

1　連邦議会の構造

上院と下院

立法権を担っているのは，連邦議会である（第1条）。

連邦議会は，下院と上院の2院からなる（第1条第1節）。上院は州の代表であり，各州から2名選出される（第1条第3節）。したがって，現在の議員数は100人である。初めは州議会で選出されることになっていたが，修正第17条で，人民が選挙するようになった。任期は6年で，2年ごとに3分の1ずつ改選される（第1条第3節第1項・第2項）。これに対し下院は，人民の選挙によって選出された議員からなる（第1条第2節第1項）。任期は2年，下院の議員数は，現在435人である。

上院議員

上院議員となるためには，年齢30歳に達していて合衆国市民となってから9年を経ており，選出時に選出された州の住民でなければならない（第1条第3節第3項）。

上院議員の数は，すべての州に等しく2名ずつ割り当てられている。州の人口に関係ない。これは合衆国憲法制定の際の，大きな州と小さな州の間の妥協の結果であった。それゆえ，上院議員の割当には極端な人口格差がある。最も人口が多いカリフォルニア州は3千9百万の人口があり，最も人口が少ないワイオミング州は58万の人口しかない。だが，それぞれ上院議員は2名である。60倍近い人口格差である。

下院議員

下院議員となるためには，年齢25歳に達していて合衆国市民となってから7年を経ており，選出時に選出された州の住民でなければならない（第1条第2節第2項)。

選出される下院議員の数は，州に「それぞれの人口」に応じて配分される（第1条第2節第3項)。下院議員の数は3万人に1人の割合を超えてはならず，また各州に少なくとも1人の下院議員が配分されなければならない。

下院議員の議席の州への配分は，初めは自由人を原則的基準として計算されていたが，修正第14条で全人口を計算するよう変更された[1)]。選挙の方法は，第1条第4節で，それぞれの州に委ねられている。ただし，修正第15条で人種を理由とする選挙権剥奪，修正第19条で性別による差別が禁止されている。さらに後述するように，第1条第2節第1項の「人民によって……選出される」の解釈として，議席配分の人口比例原則が確立している。投票権を有する年齢は，修正第26条で，18歳と定められている。

2　連邦議会の権限

連邦議会は，憲法に列挙された権限しか有さない。このことは，第1条第1節が「この憲法によって与えられるすべての立法権は」

---

1)　人口の計算に際し，当初の規定では自由人の総数に，すべての他の人の5分の3を加えて選出するものとしていた。これは黒人奴隷を5分の3として計算するよう図ったものである。のちに，修正第13条で奴隷制が廃止され，人種を理由とする差別が修正第14条で禁止されたことに伴い，黒人も白人も1人として計算するよう修正された。修正第14条第2節。

連邦議会に属すると明記していることからも明らかである。その権限は第1条第8節に列挙されている。すなわち，

①　税，関税，賦課金及び消費税を課し徴収すること，合衆国の債務を支払い，共同の防衛及び一般的福祉のために支出すること。ただし，すべての関税，賦課金及び消費税は，合衆国を通し均一でなければならない。

②　合衆国の信用に基づいて借入れをすること。

③　外国との通商及び州際間の通商，及びインディアン部族との通商を規制すること。

④　合衆国を通して統一的な帰化の規則，及び破産の事項に関する統一的な法律を確立すること。

⑤　貨幣を鋳造し，その価値及び外国貨幣の価値を規律し，度衡量の標準を定めること。

⑥　合衆国の証券及び現行貨幣の偽造の処罰を定めること。

⑦　郵便局及び郵便道路を設立すること。

⑧　著作者及び発明者に対し，それぞれの著作及び発見に対する排他的な権利を一定期間保障することにより，科学及び有用な芸術の進歩を促進すること。

⑨　最高裁判所のもとに下級裁判所を創設すること。

⑩　公海上で犯された海賊及び重罪，そして国際法に対する犯罪を定め処罰すること。

⑪　戦争を宣言し，拿捕及び報復の特許状を発し，陸上及び海上の捕獲に関する規則を定めること。

⑫　陸軍の兵士を募りこれを維持すること。ただし，そのための歳出は，2年を超える期間であってはならない。

⑬　海軍を設けこれを維持すること。

⑭　陸海軍の統制及び規律のための規則を定めること。

⑮　連邦の法律を執行し，反乱を鎮圧し，侵入を撃退するため民兵の招集について定めること。

⑯　民兵の編成，装備及び規律について定め，その一部が合衆国の兵として用いられた場合にその部分の統制について定めること。ただし，将校の任命及び連邦議会によって規定された規律にしたがって民兵を訓練する権限は，各州に留保される。

⑰　特定の州の割譲と連邦議会の受領により合衆国の所在地となる（10マイル平方を超えない）地区について，すべての事項に排他的な立法権

を行使すること。そして要塞，弾薬庫，兵器庫，造船所その他の必要な建造物の建造のために，その州の議会の同意によって購入されたすべての土地に対して，同様の権限を行使すること。

⑱　上述の諸権限及びこの憲法によって合衆国政府またはその部局もしくは職員に付与されたすべての権限を実施するのに必要かつ適切であるようなすべての法律を制定すること。

そのうち主たるものは課税権や支出権限（第1項）[2]と州際通商規制権（第3項）である。ただし連邦議会には，このような権限及び合衆国憲法によって連邦政府に付与された権限を遂行するために「必要かつ適切」な法律を制定する権限が与えられており（第18項），この権限は最高裁によってきわめて広く解釈されている。

さらに，南部再統合改正によって，新たに連邦議会には，奴隷制の禁止（修正第13条第2節），州による合衆国市民の特権・免除の縮減，デュー・プロセスの権利の剥奪，法の平等保護の否定の禁止（修正第14条第5節），人種，肌の色，かつて奴隷であったことを理由とする投票権の剥奪の禁止を適切な法律によって執行する権限が認められている（修正第15条第2節）。性別を理由とする投票権の剥奪の禁止（修正第19条），人頭税を払えなかったことを理由とする投票権の剥奪の禁止（修正第24条第2節），18歳以上の市民からの投票権の剥奪の禁止についても，連邦議会には適切な法律によってこれを執行する権限が認められている（修正第26条第2節）。

なお，この他，連邦議会には，弾劾の権限が委ねられている。大統領，副大統領，その他の合衆国の職員は，反逆罪，収賄罪その他

2）　合衆国憲法は，人頭税または他の直接税は，人口に比例してでなければ課すことができないと定めている（第1条第9節第4項）。連邦所得税は，Pollock v. Farmers Loan & Trust Co., 157 U.S. 429（1895）において，この要求に反しているとされた。修正第16条は，連邦の所得税を明示的に認めて，同判決を覆している。第5章注9）参照。

の重大な犯罪及び非行を理由に有罪と判決を受けた場合には罷免される（第2条第4節）。この弾劾裁判の訴追の権限は下院にあり（第1条第2節第5項），裁判の権限は上院にある（第1条第3節第6項）。有罪の判決には，3分の2の同意が必要である。有罪判決が下されれば，解職され，公職に就任する資格を剥奪される。ただし当事者がさらに法律にしたがって責任を問われ，処罰を受けることは妨げられない（第1条第3節第7項）[3)]。

3　立法のプロセス

立法の手続

アメリカでは，連邦議会の会期を下院議員の任期と同じ2年ごとに区切っている。当初は，連邦議会は毎年12月の第1月曜日に開会するとされていて（第1条第4節第2項），大統領選挙及び連邦議会議員の選挙が11月にあっても，翌年の3月まで改選前の議員による議会が継続していた。そのため，本来はその間は傷ついたアヒルのように何もできないレームダック・セッションのはずであったが，その間に選挙に敗れた議員が駆け込みで法律を制定することがあった（後述するMarbury事件はその典型例である）。そこで，このようなレームダック・セッションは修正第20条第1節によって改められ，連邦議会の議員の任期は1月3日正午に終了し，同時に改選後の議員の任期と新しい議会が開始されるものとされた（アメリカには，日

3）アンドリュー・ジョンソン大統領（1868年），ビル・クリントン大統領（1998年），トランプ大統領（2020年及び2021年）が弾劾裁判にかけられているが，上院では有罪とはされなかった。リチャード・ニクソン大統領は，弾劾裁判の動きに対して辞職した。最高裁の裁判官では，サミュエル・チェース裁判官が1804年に弾劾裁判にかけられたが，有罪とはされなかった。なお，弾劾裁判をめぐる紛争は，政治的問題とされている。第7章注31）参照。

本のような議会の解散の制度はない)。

法案は，議員によっていずれかの議院に提出される(大統領には法案提出権はない)。歳入を徴収する法案は，先に下院に提出されなければならない(第1条第7節第1項。ただし上院は，他の法案と同様，これを修正する権利を有する)。

法案の成立には，両院の可決が必要である(二院主義)。いずれの院でも，表決は多数決による(ただし，上院では伝統的に無制限に討議を続ける慣行があり，討議を打ち切り表決をするには，60人の支持が必要であるため，事実上60人の支持がなければ法案は可決できないとされてきた。ただし現在では，最高裁判事の承認は単純多数決に従うよう変更されている)。アメリカでは，一般に政党による党議拘束はなく，各議員はその政治的信念と，有権者の支持に応じて，法案への態度を決める。そして法案は，両院が可決したあと，大統領の署名のため送付され，大統領が署名すれば法律として成立する(同第2項)。したがって，大統領には拒否権が認められている[4)]。拒否権が発動された場合，法律が成立するためには，両院がそれぞれ3分の2で再び可決しなければならない[5)]。法案の可決の際にも，再可決の際にも，下院と上院は対等である。

---

4)　大統領が拒否権を行使しうるのは，法律案通過後10日間である。10日を経過すれば，大統領の署名がなくとも，法律は成立する。ただし，連邦議会が休会に入るため法案を差し戻すことが妨げられた場合には，大統領はその法案を実質的に握りつぶすことができる。「ポケット拒否権」と呼ばれる。なお，連邦議会は，大統領が法案のうち特定項目についてだけ拒否権を行使することを認めた個別項目拒否権法を制定したが，この法律は憲法違反とされた。第6章155頁参照。

5)　上院と下院が賛同して可決した決議は共同決議(concurrent resolution)と呼ばれる。これに対し大統領に送付され署名を得たもの，または3分の2の多数で再可決した決議は合同決議(joint resolution)と呼ばれ，法律としての効力を有する。

立法への明示的制限

合衆国憲法は，連邦議会の立法権にいくつかの明示的な制限をおいている。まず連邦議会は，1808年までは，現に存在する州が入国を適当と認める人物の移民または輸入を禁止してはならない（第1条第9節第1項）。奴隷の輸入を，期間を区切って認めたものである。また連邦議会は，反乱または侵略の際に公共の安全のために必要な場合を除いて，人身保護令状を求める特権を停止してはならない（同第2項）。私権剝奪法または事後法も制定してはらない（同第3項）。人頭税その他の直接税は，人口に比例してでなければ課すことはできない（同第4項）。州から輸出された物品に対しては関税を課すことはできず（同第5項），通商または歳入の規制によって，ある州の港に優遇を与えたり，ある州行きの船舶またはある州からの船舶に対して，他州において，入港，出港許可を得ること，関税を支払うことを強制したりすることもできない（同第6項）。さらに，いかなる貴族の称号も合衆国によって授与されてはならず，公職にある者は，連邦議会の承認なしに，外国からいかなる種類であれ贈与，報酬，官職ないし称号を受けることは許されない（同第8項）。

予算と支出法案

注意しなければならない点としては，国庫からの金銭の支出は，法律による歳出のかたちをとらなければならないことである（第1条第9節第7項）。それゆえ，予算の支出は法律のかたちで認められなければならない。毎年大統領が予算を提出するが，これは連邦議会に対する提案にすぎない。日本のように法律の制定とは異なる予算の承認という制度はなく，予算の支出については，連邦議会が法律でどのようにでも定めることができる（ただし，大統領には拒否権がある）。

個別法と公法

また，アメリカでは，連邦議会は個人に利益を付与したりする個別法（private act）と一般市民を拘束する公法（public law）の双方を制定することができる。個人に裁判を経ずに刑罰を課すことは私権剥奪法として憲法上禁止されているが，法律は一般的でなければならないという要件はアメリカにはない。

議院の自律権と議員の特権

下院は，その議長及びその他の役員を選任する（第1条第2節第5項）。上院の議長は，合衆国副大統領である（第1条第3節第4項。ただし，可否同数の場合を除いては，表決には加わらない）。それ以外の役員は上院が選出する（第1条第3節第5項）。

各議院は，その議事手続について規則を定め，秩序を乱す行為をした議員に懲罰を課すことができる。ただし議員を除名するには，3分の2の同意が必要である（第1条第5節第2項）。各議院は，それぞれ議事録を作成しなければならず，議事録は，秘密を要するものと判断されるものを除いて，公開されなければならない（同第3項）。各議院の議員の賛成及び反対の票は，いかなる論点についてであれ，出席議員の5分の1の希望がある場合には，議事録に記載されなければならない（同上）。議員には，歳費を受ける権利，反逆罪，重罪及び治安破壊罪の場合を除いて，会議への出席中，出席及び退場の途中で逮捕されない特権，院内での発言または討議に対して院外で責任を問われないという免責特権が認められる（第1条第6節第1項）。なお，議員は，その在任中に新たに設けられたり，報酬が引き上げられたりした職に任命されることはできず，逆に政府の職にある人は在職中いずれの議院の議員となることもできない（同第2項）。

4　連邦議会の議員の選挙

選挙制度

アメリカでは，2年ごとに下院議員の選挙と，上院議員の3分の1の選挙が行われる（上院議員は各州から2名ずつ選出されるため，実際には2年ごとに3分の2の州で選挙が行われる）。4年ごとの大統領選挙の年には，大統領，下院議員，3分の1の上院議員の選挙が一斉に行われる。間に挟まれた2年ごとの選挙は，中間選挙と呼ばれ，大統領選挙の行方を占う重要な意味を持っている。

合衆国憲法には，選挙権を憲法上の権利として保障した明文の規定はない。ただし，修正第15条は人種やかつての奴隷としての地位を理由とする投票権の剝奪を禁止し，修正第19条は性別を理由とする投票権の剝奪を禁止し，さらに修正第26条は，連邦であれ州であれ，18歳以上の市民に投票権に関する年齢を理由とする差別を禁止している。修正第15条が成立してからも，南部の諸州では，選挙権行使にさまざまな条件を課し，事実上黒人から投票権を剝奪してきたが，その中で選挙権行使に人頭税を課し，事実上貧しい黒人を選挙から排除することについては，修正第24条で禁止されている。

選挙で投票するためには，選挙前に登録をしなければならない。そのため，アメリカの選挙では，しばしば選挙登録をしないために選挙に参加できないという問題が指摘される。

アメリカの選挙は小選挙区制である。選挙でより多くの得票を獲得したものが当選する。アメリカの選挙は二大政党制と切り離して考えることはできず，事実上共和党候補と民主党候補の一騎打ちとなる。下院議員の人数は，基本的に人口に応じて州に割り当てられており（第1条第2節第3項），それを州内の選挙区に割り振りするのは州の権限である。既に述べたように，下院議員の割り振りには人口比例原則が厳しく求められており，人口の変動に応じて選挙区がしばしば変更される。黒人を意図的に排除した人種差別的な選挙区割りはゲリマンダリングと呼ばれ，違憲とされている。これに対し，黒人の候補が選ばれるように意図的に選挙区を設定することの許容性が大きな争点となってきた。また与党が自分の政党に有利になるように選挙区割りを変更する政治的ゲリマンダリングについては，違憲とはいえないとされている（第13章第2節4参照)。

上院議員は，各州で2名ずつ選出される。当初は，上院議員は州の立法府が選出するものとされていたが，修正第17条により州民の選挙により選出されることとなった。なお，上院議員及び下院議員の選出の時期，場所及び方法の詳細については州法に委ねられている（第1条第4節)。また各議院は，その議員の選挙，得票結果及び資格についての裁判権を有している（第1条第5節第1項)。

多選禁止の試み

アメリカでも，議員の多選が政治問題化しており，多選禁止を求める声は強い。しかし下院議員を3期または上院議員を2期つとめた者を，投票用紙の記載から排除した，いわゆる「任期制限」を定めた州法は，U.S. Term Limits, Inc. v. Thornton, 514 U.S. 779 (1995) において，違憲とされた。憲法の定める資格制限に加え，州が他の制限を加えることは許されないというのであった。ミズーリ州は，この任期制限を実現すべく，州選出の連邦議会の議員に任期制限の支持を指示し，下院議員選挙の候補者でこれに従わない者は投票用紙にその旨表示するよう求めた州憲法改正を行ったが，最高裁は Cook v. Gralike, 531 U.S. 510 (2001) において，州の人民は修正第10条の下でそのような指示権を有しておらず，州は，連邦議会議員の選挙に干渉する権限を有しないと判断している。

第2節　大 統 領

1　大統領

執行権は，大統領に付与される（第2条第1節）。

大統領となるには，生まれながらの合衆国市民か憲法採択時に合衆国市民であって，年齢が35歳に達していて，合衆国に居住して14年がたっていなければならない（第2条第1節5項）。任期は，4年である（同第1項）。

大統領には，3選が禁じられている（修正第22条）。以前から事実上2期で退くという慣行があったが，フランクリン・ルーズベルト大統領が3期大統領を勤め，4期目に入って急死してから，3選が禁じられた[6)]。

2　大統領の選出方法

大統領選挙

大統領は，間接選挙によって選ばれる。それぞれの州で選挙によって大統領選出人が選出され，その選出人が投票によって大統領を選出するのである。すなわち，各州は，その議会の定める方法にしたがって，その州が連邦議会に送ることができる上院議員及び下院議員の総数に等しい数の選出人を選任する（ただし，上院議員または下院議員，合衆国のもとで信任または報酬を受けている公職にある者は，選出人に選任されることはできない）（第2条第1節第2項）。選出人は，それぞれの州で集会し，無記名投票により2名の者に票を投じる。

---

6)　修正第22条によれば，何人も2度を超えて大統領の職に選出されることができないだけでなく，他の者が大統領に選出された場合に，その任期のうち2年を超えて大統領の職につき，または大統領として職務を行った場合には，1度を超えて大統領の職につくことはできない。

そのうちの少なくとも1人は選出人と同じ州の住民であってはならない。選出人は，投票を投じられたすべての者及びその得票数のリストを作成し，署名し，認証した上で，封印をして上院議長に宛てて，合衆国政府の所在地に送付する。上院議長は，上院及び下院の議員の出席の下で，すべての封印を開封し，投票を数え，最大得票を得た者が，選出人の過半数の票を得ていれば，その者が大統領となる。過半数を得た者が2名以上存在し，同数得票であれば，下院は投票によりそのうちの1名を大統領に選出する。過半数を得た者がいなかった場合には，リストの上で得票数の多い5名のうちから，下院が同様の方法で大統領を選出する。ただし，大統領の選出は，州を単位にして投票が行われ，各州の議員団は1票を有する。大統領を選出したあと，最大得票数を得た者が副大統領となる。同得票数を得た者が2名以上いた場合は，上院がその中から投票によって副大統領を選出する（第2条第1節第3項）。

ただし，この選出方法は，後に修正第12条で修正され，選出人は，大統領と副大統領を別々の無記名投票で指名するものとされた[7)]。選出人は，投票された者と得票数のリストを別々に作成して上院議長に送付し，大統領として最大得票を得た者の得票が，選出人の過半数であればその者が大統領となり，もし過半数を得た者がいなかった場合には，最大得票者3名の中から下院が大統領を選出する。投票が州単位で行われることに変更はない。また，副大統領として最多数の得票を得た者が過半数の得票を得た場合にはその者

7）　当初，第2条第1節第3項は，大統領選出人は，大統領と副大統領に分けず2名に投票するとしていた。しかし1800年の選挙で共和党の大統領候補のジェファーソンと副大統領候補のバーが同数の選出人を獲得したため選出が下院に委ねられたところ，下院で選挙に敗れたフェデラリストがバーを大統領にしようとした。そこで修正第12条が採択され，選出人は大統領候補と副大統領候補にそれぞれ1票ずつ投票することとされた。

が副大統領となり，過半数の得票を得た者がいない場合は，上位2名のうちから上院が副大統領を選出する。

大統領の選出人を選出する時期，選出人が投票を行う日は，連邦議会が決定する。ただし，その日は合衆国中同一でなければならない（同第4項）。

このように，大統領選出人の選出方法は州議会の決定に委ねられている。ただかつては，選出人を州の議会で選出していたところもあったが，現在では，すべての州で，選出人は選挙の結果に基づいて選ばれる。それゆえ，大統領選挙の日の有権者の投票で，事実上大統領が決定される。

しかもその仕組みは，今日では政党の存在と切り離しては考えられず，民主党と共和党の二大政党制のもと，それぞれの党が各州の予備選挙などを通して大統領候補者を決定していき，全国大会で選ばれた両党の大統領候補が，大統領選出人の選挙（選挙の年の11月の第1月曜日のあとの火曜日）を通じて選出される仕組みとなっている（選出人による投票は，12月の第2水曜日のあとの月曜日，連邦議会での開票は翌年の1月6日である）。そして，修正第20条により，大統領の任期は，1月20日正午から開始するものとされた。

各州に割り振られる大統領選出人の数は，下院議員と上院議員の合計である。修正第23条により，ワシントンにあるコロンビア特別区の住民も大統領選挙に加わることが認められている。ほとんどの州では，有権者は大統領候補者に投票し，その州の大統領選挙で勝利を収めた候補者が，その州の大統領選出人すべてを獲得できるとする仕組みがとられている（勝利者がすべてを取る）。これは，選挙結果に対する州の影響力を大きくするためである。

大統領選挙をめぐる訴訟

この大統領選出の手続が裁判所で争われたのが，2000年の大統領選挙であった。同年の選挙ではブッシュ対ゴアの接戦となり，フロリダ州の結果次第で当選が決まることとなった。ブッシュの票がややゴアの票を上回るとの集計結果にゴアがいくつかの郡（カウンティ）での手作業での再集計を求めた。ところが州法で定められた期間内には作業が終了せず，州の選挙監視委員会は期間内に間に合わない集計を排除する立場をとった。ゴアはこれを争い，州最高裁は集計を続けるよう命じたが，最高裁は Bush v. Palm Beach County Canvassing Board, 531 U.S. 70（2000）でこれを覆した。憲法は大統領選出人の選出方法の決定を州議会に委ねており，州最高裁の判断がどのような権限に基づくものかはっきりしないというのであった。その後ゴアは，ブッシュ勝利の州選挙監視委員会の認定に不服を申し立て，州最高裁はすべての郡において投票とみられなかった票を再吟味して再集計するよう命令したが，ブッシュが最高裁に事件移送令状（サーシオレアライ）を求め，最高裁は再集計を中止させた上，Bush v. Gore, 531 U.S. 98（2000）において，投票と認められなかった票のみ基準を示すことなく再集計することは平等保護条項に反するとして州最高裁の命令を取り消し，時間切れを理由に再集計をやめるよう指示した。これを強く批判する反対意見が付され，最高裁があまりに党派的に行動したのではないかとの強い批判が学説からも寄せられた。

そもそもこの争いの根底には，大統領に当選するためには大統領選出人をより多く獲得しなければならないという制度のため，たとえ国民からより多く支持を受けても，獲得した大統領選出人が少なければ大統領にはなれないという仕組みがとられていることがある。国民が大統領を直接選出できるよう憲法を改正すべきだという声もあるが，この間接選挙の仕組みは小さな州の利益を守るものであるので，憲法改正の可能性は少ない。

またアメリカの選挙制度において，候補者の氏名の書かれた投票用紙に，投票所で該当箇所に穴を開ける装置が用いられていたにもかかわらず，装置の老朽化や不具合の結果，投票者の意思を読み取ることが難しかった点にも問題があった。これ以降，電子式の投票装置を導入するところが増えている。

また，2020年の大統領選挙では，新型コロナウイルス感染症の蔓延のせいもあって郵便による投票が広く認められ，投票所以外での投票が認められるなどしたため，トランプは不正があったとして，バイデンの当選を認めない立場をとった。裁判所では，組織的な不正は認められなかったとされたが，それ以降，共和党の支持者が多い州では，本人確認の厳格化と投票所での投票に限定するようなさまざまな試みがなされている。

任期と大統領が死去・辞職した際の継承と代行

任期は4年であり，既に見たように修正第22条によって3選は禁じられている。大統領は，「反逆罪，収賄罪その他の重大な犯罪及び非行」のために弾劾の訴追を受け，有罪判決を受けない限り解職されない（第2条第4節）。

なお，アメリカではしばしば現職の大統領が暗殺されるなど，大統領が欠けるときがあった。そのような場合の継承と代行の仕組みが修正第25条によって整えられている。

3　大統領の権限

執行権

大統領は執行権を有しているが，その執行権が何を意味するかは明確ではない。というのは，実際には，法律の執行の重要な部分は，大統領あるいは大統領のもとにある執行府によってではなく，連邦議会が創設した独立行政委員会などの「行政機関」によって行われているからである。連邦取引委員会や連邦通信委員会，証券取引委員会など，これらの行政機関は，いずれも執行府の外に設けられた合議制の委員会で，大統領には委員の任命権はあっても，罷免権は限定されており（法律で定める理由がない限り罷免はできない），大統領はその決定を具体的に指揮することはできないのである。そのため，アメリカではこの独立行政委員会の存在が，大統領の執行権を侵害しないかどうかが常に問題とされてきた（第6章第1節2参照）。

また，第2条第1節による執行権の大統領への付与が，明文で列挙された権限を総称する名称にすぎないのか，明示的に列挙されていない固有の権限を大統領に付与したのかも明確ではない。この点は，第2条第1節が，執行権を大統領に付与するに際し，連邦議会の場合のように，「この憲法によって与えられる」との限定を伴っていないことにも関わっている。大統領は，いずれも明示的に列挙されていない権限をも固有の権限として付与したものと解釈し，大統領の権限を正当化してきているが，しばしばその主張は厳しい批判にあっている（第6章第1節1参照）。

大統領に付与された権限

第2条第2節及び第3節によって，大統領には軍の最高司令官としての権限，条約締結権等の外交関係を処理する権限，職員の任命権などが与えられている。すなわち，大統領は，合衆国の陸軍及び海軍及び合衆国の兵役のため招集された各州の民兵の最高司令官である（第2条第2節第1項）。また大統領は，上院の助言と承認を得て，条約を締結することができる。ただし，出席する上院議員の3分の2の承認が必要である（同第2項）。大統領は，全権大使，その他の公の外交使節及び領事，最高裁の裁判官及びその任命について憲法の中に他に規定がなく，法律で定められた他の合衆国職員を指名し，上院の助言と承認を得て任命する権限を有する。ただし，連邦議会は，法律によって，適当と認める下級職員については，その任命権を大統領のみに，または法律裁判所，各部局の長に付与することができる（同上）。さらに大統領は，執行部門のそれぞれの主要な職員に対し，それぞれの職の職務に関するいかなる事項についても，書面で意見を求めることができる（第2条第2節第1項）。全権大使その他の公の外交使節を接受するのも，大統領の権限である（第2条第3節）。大統領は，随時，連邦議会に国の現況についての情報を提供し，必要かつ便宜と思われる措置を考慮してもらえるよう勧告を行う（同上）。そして大統領は，法律が誠実に執行されるよう配慮し，合衆国のすべての職員に辞令を発する（同上）。非常事態には，大統領は，両議院またはいずれかの一院を招集することができる（同上）。さらに，大統領は，弾劾の場合を除いて，合衆国に対する犯罪について刑の執行停止や恩赦を与えることができる（第2条第2節第1項）。

このうちしばしば重大な憲法問題を提起するのが，軍の最高司令官としての権限である。というのは，合衆国憲法は軍を組織し，予算を付ける権限及び戦争を宣言する権限を連邦議会に付与しつつ，大統領を軍の最高司令官と定めているからである。そのため，大統領が，明示の連邦議会の戦争宣言なしに軍を投入したとき，その憲法適合性が問題となるのである。後述するように，連邦議会は戦争権限決議を採択し，大統領が連邦議会の事前の承認なしに軍を投入した場合，連邦議会が一定期間内にこれを承認しなかったときに大統領は軍を撤退させるものとしているが，この決議が合憲かどうかまだ定かではない（第6章第2節2参照）。

なお，外国による侵略や内戦，大規模な自然災害などの場合，大統領はマーシャル・ロー（非常事態法）を適用し，民政政府の機能の一部または全部を停止し，一時的に軍政をしくことができる。合衆国憲法には明文の規定はないが，一般にこのような権限は認められている（ただし，大統領と連邦議会の権限関係はなお定かではない）。合衆国憲法も，このような緊急事態における人身保護令状の停止の可能性を認めているところである（第1条第9節)。リンカーン大統領は南北戦争中にマーシャル・ローを宣言して人身保護令状を停止し，連邦議会もこれを承認した。最高裁は，Ex parte Milligan, 4 Wall.（71 U.S.）2（1866）において，このような人身保護令状を停止する権限を否定しなかったが，通常の裁判所が開かれ機能しているときに，軍事裁判所が民間人を裁判にかけ有罪とすることは許されないと判断している。

執行府命令

大統領がその権限を行使する際に最も重要な役割をはたすのが，執行府命令（大統領命令）である。明文の根拠はないが，第2条第1節または連邦議会による授権に基づいて発せられるこの命令は，連邦政府及びその職員にその権限行使にあたって従うべき事項を命じるものである。発せられた執行府命令の数は膨大であるが，どのくらいの数の執行府命令を発するのかは大統領によって大きく異なる。

このような執行府命令に立法の裏付けがないような場合には，権力分立原則違反の問題を生じさせるし，また執行府命令が個人の権利を侵害する場合には，憲法違反とされる可能性がある。

第3節　司 法 府

1　裁判所

司法権は，1つの最高裁判所と連邦議会が随時創設し設置する下級裁判所に付与されている（第3条第1節)。

アメリカの裁判所制度

アメリカの裁判所制度は，州裁判所制度と連邦の裁判所制度の二重構造からなっている。州裁判所は各州が設立するが，多くは事実審裁判所たる第1審，控訴裁判所そして最高裁判所の3審構造になっている（ただし，2審構造の州もある。また軽罪事件や小額の民事事件を担当するための裁判所が設けられていることが多い）。連邦の裁判所制度は合衆国憲法第3条第1節にしたがって，連邦の裁判所法により樹立され，基本的には地裁と連邦控訴裁，そして連邦最高裁の3審構造になっている。連邦控訴裁は，初め裁判官が地区を巡回していたことから，いまなお巡回区控訴裁と呼ばれ，現在コロンビア特別区と11の巡回区にそれぞれ1つの控訴裁と請求裁判所からの控訴等を扱う連邦巡回区控訴裁の計13が存在する。なお，アメリカでは一般に控訴裁判所は，法律問題を扱い，事実問題について新たに事実を認定することはない。裁判のやり直しが必要な場合は，原判決を覆し，事件を差し戻すのが通例である。

事件・争訟

州の裁判所は一般的管轄権を有しているが，連邦の裁判所の場合，第3条第2節が明記しているように，連邦の司法権は，この憲法，合衆国の法律及びその権限に基づいて締結され，または将来締結される条約の下で生ずる法律及び衡平法上のすべての事件，全権大使その他の公の外交使節及び領事に関するすべての事件，海事及び海上管轄権のすべての事件，合衆国が当事者である争訟，2つ以上の州の間の争訟，ある州と他州の市民との間の争訟，相異なる州の市民の間の争訟，それぞれ異なる州から付与された土地だと主張する同じ州の市民の間での争訟，州またはその市民と外国，外国市民または被統治者との間の争訟にしか及ばない[8)]。

8)　修正第11条は，ある州を被告として他の州民または外国人が連邦裁判所に訴えを起こすことを否定している。これは，このような訴訟を認めたChisholm v. Georgia, 2 Dall.（2 U.S.）419（1793）を覆すために加えられ連邦憲法上保護された権利を侵害された場合，今日では連邦法で連邦裁判所に救済を求めうることになっており（第8章4参照），州裁判所と連邦裁判所のいずれに提訴するかは自由である。逆に，連邦の裁判所では，州法の問題は扱われない。連邦の裁判所で，連邦の法律問題の解決のために州法の解釈が問題となった場合は，裁判所は州の裁判所の解釈を尊重する姿勢を示している。

連邦の裁判所が司法権を行使するためには，第3条第2節で定められているように，一定の「事件」ないし「争訟」がなければならない。これが事件・争訟性の要件と考えられている（第7章第1節3参照）。その結果，連邦の裁判所は事件ないし争訟なく勧告的意見を述べることは許されないと考えられている。州の裁判所の場合にはこのような限定はない。

裁判官

連邦の裁判所の裁判官は，大統領によって指名され，上院の助言と承認に基づいて任命される（第2条第2節第2項）。最高裁の裁判官及び下級裁判所の裁判官は，罪過なき限り，その職を保障され，歳費を受ける権利を保障され（しかもその歳費は在職中減額されない）（第3条第1節），身分が保障されている。大統領は，通例自己の政党の支持者を連邦の裁判所の裁判官に指名する傾向が強い。

州の裁判官の選出方法は州によってさまざまである。だが，州においては州裁判所の裁判官が州民の選挙で選ばれる所が多い。州裁判所の裁判官に対して，州民による解職手続が定められている所もある。その意味では州裁判所の裁判官の方が民主的方法で選出されているが，このことは逆に，州裁判所の裁判官が州民の多数派の支持によって選出されているため，少数者保護を図れるかどうか疑問

た修正である。一般にこの修正条項は，州の主権免責に基づくものと解されている。第7章注3）以下参照。

を生じさせることにもなる。

司法権行使への制限

合衆国憲法は，司法権行使について，2つの制限をおいている。一つは裁判の仕方についてであり，具体的には，弾劾の事件を除きすべての犯罪の裁判は陪審裁判によって行わなければならず，その裁判は犯罪が行われた州において行われなければならない（第3条第2節第3項)。陪審裁判は，アメリカの裁判所制度の大きな特色の一つであり，刑事裁判においては修正第6条が刑事被告人の陪審裁判を受ける権利を保障しており，修正第7条がコモン・ローの民事訴訟における陪審裁判を受ける権利を保障している。

もう一つは反逆罪についてであり，合衆国に対する反逆罪を構成するのは，合衆国に戦争を行い，敵に援助を与え便宜を図って加担する行為に限られ，同一の公然となされた行為について2名の証人の証言があるか，公開の法廷で自白した場合を除いて反逆罪で有罪とされない（第3条第3節第1項)。刑を定めるのは連邦議会の権限であるが，権利剥奪は権利剥奪を受ける人の存命中を超えて，血統汚辱（相続資格の排除）をもたらしたり，財産没収を行ったりしてはならないものとされている（同第2項)。

2　連邦最高裁

連邦最高裁の構成

裁判所の中で最も中核的な役割をはたしているのが，連邦最高裁つまり合衆国最高裁判所であり，大統領が上院の助言と承認を得て任命する，1人の主席裁判官と8人の裁判官，計9人によって構成される（ただし，最高裁の裁判官の数は憲法で定められてはおらず，法律を改正して変更することも可能である。実際，歴史的にも変遷している)。終身制である。最高裁は憲法の最終的解釈者として機能するから，誰が最高裁裁判官となるかは決定的意味合いを持っている。

管轄権と上訴

合衆国憲法上，連邦最高裁は，全権大使その他の公の外交使節及び領事に影響するすべての事件及び州が当事者である事件においては第1審管轄権を有するが，そのほかの事件では，連邦議会が定める例外を除き，控訴審管轄権を有する（第3条第2節第2項）。この管轄権の区分は，Marbury判決で決定的な役割をはたしたが，文字通り州が当事者であるすべての事件で最高裁が第1審管轄権を行使できるわけではない。最高裁は，最高裁が第1審管轄権を有している事件でも，連邦議会が競合する管轄権を下級裁判所に付与することを妨げないとしており，実際上最高裁が第1審管轄権を行使するのは，州と州の間の争訟と合衆国と州の間の争訟くらいである。

連邦最高裁には，通常，州最高裁と連邦控訴裁から，裁量上告（事件移送令状（サーシオレアライ）による）として事件が上がってくる。連邦最高裁は連邦の裁判所であり，それゆえ（州憲法を含み）州法の問題は扱わないことに注意が必要である。

事件移送令状は，9人の裁判官のうち4人が受理を認めれば発付される（rule of fourと呼ばれる）。受理は完全な裁量であり，受理を拒否する場合にも理由を明らかにする必要はない。憲法事件であっても，最高裁は，連邦控訴裁の間で判断が分かれているような場合には受理を認める可能性があるが，もう少し時期が熟するのを待った方がよいとか，今事件を取り上げるのは政治的に好ましくないと思えば受理を拒否することもできる。なお，最高裁が受理を拒否したことは，最高裁が原審判決を支持したことを意味しない。ただ単に受理を拒否しただけのことである。このところ毎年7000件以上の事件移送令状の申請があるなか，100件前後の事件で上告が受理され，70件前後の判決が下されている。

審　理

最高裁の開廷期は，10月から翌年の6月ないし7月の初めとなっている（これも憲法に定めがあるわけではなく，変更することも可能である）。

最高裁で事件が取り上げられた場合，上告人と被上告人は，意見書の提出の機会が与えられる。当事者以外にも，許可を得て法廷の友（amici curiae）として意見書の提出が認められることもある。口頭弁論の日が設定されると，口頭弁論では，両当事者は30分間の弁論の時間が与えられる。しかし，実際には最高裁の裁判官の質問に答えるだけで手一杯である。

判　決

口頭弁論の後，裁判官会議が開かれ各裁判官が意見を述べたあと多数決をとり，主席裁判官が多数派であれば主席裁判官が，またそうでなければ多数派の在任期間の長い裁判官が，法廷意見執筆者を決定する。その後さらに意見執筆の過程でさまざまな意見交換や説得が行われ，最終的に判断が確定され，判決が下されるわけである。イギリスの最高裁判所である貴族院では，各裁判官がそれぞれ個別の意見を執筆するのが慣行であったが，連邦最高裁は，マーシャル主席裁判官のときに，法廷意見の形で判決を下す慣行を確立させた。日本と異なり，法廷意見も個々の裁判官が執筆する。

関与した裁判官の過半数が加わっていれば，それは法廷意見となる。アメリカは判例法主義の国であり，判例には先例拘束性（stare decisis）が認められ，下級裁判所及び最高裁は先例に拘束される。それゆえ，最高裁の判決がある以上，下級裁判所及び州裁判所は，類似の事案ではそれに法的に拘束される。また，同様に，最高裁自体も，先例がある以上，類似の事例ではそれに拘束される。

このような拘束性が認められるのは法廷意見の判決理由（ratio

decidendi）に限られ，それは一般に，結論とその結果に到達するのに必要な理由づけの部分を指すものと考えられている。それ以外の判断は傍論（obiter dicta）と呼ばれ，先例拘束性は認められないわけである。このように先例拘束性が認められるといっても，その拘束力は絶対的ではない。例えば，事案が異なれば先例は適用されないのであるから，事案を区別して先例を回避することは可能である。また先例拘束性は絶対的ではなく，場合によっては先例変更が認められる。特に，憲法事件においては，一般に先例拘束性は強くないと考えられており，最高裁はしばしば先例変更を柔軟に行っている。これは先例を覆すためには，憲法の改正を必要とするが，憲法の改正には特別な手続を必要とするため容易ではないことから，先例の変更を柔軟に認める必要があると考えられているからである[9]。

なお，しばしば意見が分かれ，結果的には多数を形成しながら，その理由については多数の合意ができず，過半数に満たない裁判官が判決執筆者の述べる意見に加わることがある。これは相対多数意見（plurality opinion）と呼ばれる。この意見の先例拘束性には議論がある。またときには，法廷意見のないパーキュリアム（per curium）という形で判断が下されることもある。

判決には，この他，同意意見や結果同意意見や反対意見が付されることがある。同意意見は，法廷意見の立論に基本的に賛成であるが，若干付言したいときなどに付加され，結果同意意見は法廷意見の結論には賛成であるが，その論理に同意できない場合に付加され

9）最高裁は，しばしば先例拘束性を理由にして先例変更を拒否している。Planned Parenthood of Southeastern Pennsylvania v. Casey, 505 U.S. 833（1992）（先例拘束性の原則を理由に Roe 判決の基本原理を確認）．ただし，結局最高裁は，先例拘束性の原則に従わず，Roe 判決を破棄した。第12章366頁参照。

る。反対意見は，法廷意見の結論に反対のときに付加される。ときには，複数の論点が含まれるのに，各裁判官の意見の対立が錯綜していて，チャート表を書かなければ，どの意見が過半数を占めているのか判断がつかないような場合もある。

3　最高裁の裁判官

最高裁裁判官の任命資格

合衆国憲法には，連邦最高裁の裁判官の任命資格についての規定はない。それゆえ，憲法的には，どのような人でも裁判官に任命されうる。裁判官，検察官，弁護士や上院議員などが指名を受けることが多い。法曹資格を持っていない人が任命されたことはない。このところ連邦控訴裁の裁判官からの指名が増えている。

任命プロセス

最高裁の裁判官の任命は，ますます重要な政治的決定事項となってきている。アメリカでは，最高裁の裁判官となるためには，民主党か共和党の支持者であって，その時々の大統領の指名を受けなければならない。大統領は，候補者の憲法哲学・司法審査哲学を考慮しつつ，法律家としての能力だけでなく，人種，民族的出自，宗教なども考慮して候補者を選ぶ。近年では，大統領が実際に面談した上で決定することが多い。

最高裁の裁判官に任命されるためには，上院の承認が必要である。上院では公聴会を開いて，承認が適切かどうかを審議し，その上で承認するかどうかを決定する。アメリカでは，議員に対する党議拘束なく，共和党と民主党がほぼ互角の勢力を有している最近の上院では，承認が得られるかどうかは予測が困難である。過去には，ボーク連邦控訴裁裁判官が指名を受けながら，その保守的な憲法哲学に批判が強まり，任命されるとRoe判決が覆されるのではないかとおそれるリベラル勢力が強力な反対運動を展開し，結局承認を受けられなかったように，しばしば上院は承認を拒否している。そのため，各大統領も比較的穏健な候補者を指名するケースが多くなっている。

ロー・クラーク

最高裁の裁判官の職務を補佐するため，各裁判官とも3名のロー・クラークを採用することができる。このロー・クラークはたいていロー・スクールを修了したばかりの新人弁護士であるが，有名なロー・スクールの成績優秀な学生だけが採用され，各裁判官のために事件移送令状の申立てを読んだり，取り上げられる事件の調査を行ったり，大きな役割をはたしている。

第4節　州

1　州の権限

アメリカ合衆国は50州から構成されている。

州は，もともとそれぞれ一つの主権国家であり，合衆国憲法制定により，一定の権限を連邦政府に委ねて連邦の一員となり，州となった。それゆえ，連邦政府に委ねられていないすべての権限は，州と人民に留保されている（修正第10条）。各州は，それぞれ独自の州憲法を制定し，統治の組織を定めている。州には，州民の安全や福祉を促進するための一般的な統治権であるポリス・パワーがあり，この権限に基づいてどのような法律でも制定することができる。それゆえアメリカでは，民法も刑法も州ごとに異なる。州法の執行も，それぞれの州の権限である。州法に関する裁判も，州裁判所の役割である。

州の中は，郡（カウンティ）と呼ばれる行政区に区分され，さらに市町村などの自治体が存在している。これらの自治体は，州によって委ねられた権限の範囲内で，その権限を行使することができる。

なお，州の連邦への加入を認めることができるのは連邦議会である（第4条第3節第1項。ただし，ある州の管轄権の範囲内に新しい州を形成し創設する場合及び複数の州もしくはその一部の合併によって新しい州を形成するには，連邦議会の同意に加えて，関係する州の議会の同意が必要である）。

そして合衆国憲法は，「合衆国は，この連邦内のすべての州に共和政体を保障し，侵略に対してそれぞれの州に保護を与え，また立法府もしくは（立法府が集会できない場合には）執行府の申出に基づいて，州内の暴動に対しても，同様の保護を与える」と定めて州に共和政体を保障する（第4条第4節）。

2　州の権限への制限

もともとの憲法には，州の権限に対して明示的に一定の制限がおかれている。それゆえ州は，条約を締結し，同盟を結び，もしくは連合を結成すること，拿捕及び報復の特許状を発すること，貨幣を鋳造すること，信用証券を発行すること，金銭以外の物を債務支払いの弁済となし，私権剝奪法，事後法あるいは契約上の債権債務関係を侵害するような法律を制定すること，貴族の称号を授与することが禁じられている（第1条第10節第1項）。またいかなる州も，連邦議会の同意なくして，輸入品または輸出品に賦課金または関税を課すことはできない（同第2項）。さらにいかなる州も，連邦議会の同意なくしては，トン税を課し，平時に軍隊または戦艦を持ち，他の州または外国の力と協定または規約を結び，現実に侵略されているときまたは猶予を許さないような切迫した危険がある場合を除いて戦争行動を行ってはならない（同第3項）。

さらに，連邦議会に州際通商規制権が委ねられた結果，この州際通商を規制する州の権限にも黙示的に制限がおかれる結果となった。あとで詳しくみるように，休眠的通商条項理論のもと，連邦最高裁は，州には，他州に差別的であったり，自州にとって保護主義的であったりするような法律や州際通商に重大な影響を与える法律を制定することが許されないと判断してきている（第5章第2節3参照）。

そのうえ，連邦法が最高法規と定められ，これに反する州法は，州憲法を含め，効力を有しない。この条項のもとで，連邦最高裁は，専占（preemption）理論を展開してきた。最高裁によれば，専占には，連邦法が明示的に州法を排除している場合と，明示的な排除がない場合でも黙示的に州法が排除される場合がある。この黙示的な排除には，連邦法による規制が広汎であり州法による規制の余地を残していないと考えられる「領域専占」の場合，州法と連邦法の双方の遵守が物理的に不可能であるため州法と連邦法との間に齟齬がある場合，州法が連邦法の施行ないし実施の障害となるために専占が認められる場合がある[10)]。これ以外にも，州は，連邦政府の活動に対し課税したり，規制したりすることができないという場合も，専占に含めることができるかもしれない。しかし，実際にどのような場合に専占が認められ，州法が排除されるのかはかなり厄介な問題である[11)]。

他方で合衆国憲法は，州と他の州との関係についても規定をおき，州には，他の州の法律や裁判所の判決などに対し十全な尊重を義務づけるとともに（それぞれの州においては，すべての他州の公の法律，

10）Gade v. National Solid Wastes Management Association, 505 U.S. 88, 98（1992）.

11）最近の事例として，Arizona v. United States, 567 U.S. 387（2012）; Hughes v. Talen Energy Marketing, LLC, 578 U.S.—（2016）; Coventry Health Care of Missouri, Inc. v. Nevils, 581 U.S.—（2017）参照。

記録及び司法手続に対して，十全な信頼と信用が与えられなければならない。第4条第1節），他の州の州民に対して自州の州民と比較して差別することを禁止している（各州の市民は，他のいずれの州においてもその市民が有するすべての特権と免除を享受する。第4条第2節第1項）[12]。また，ある州において反逆罪，重罪もしくは他の犯罪の罪に問われた者が，その州の裁判を逃れようと逃亡し，他州で発見された場合，その者を逃亡元の州の執行権の要求に応じて，その犯罪に対して裁判管轄権を有する元の州に移送するよう引渡しを義務づけている（同第2項）[13]。

これに対し，合衆国憲法に追加された権利章典規定については，後述するように，当初連邦政府の権限への制限と捉えられ，それゆえ州には適用されないと考えられてきた。それぞれの州の憲法にも，州の権利章典規定があり，その州の権利章典規定違反を争うことはできても，合衆国憲法の権利章典規定違反を争うことはできなかったわけである。しかし南北戦争の結果として成立した南部再統合改正，とりわけ修正第14条によって，州は合衆国市民の特権及び免除を侵害できず，法の平等な保護を否定することができず，法のデュー・プロセスによらずして生命，自由及び財産を剝奪することが禁じられた。そしてあとで詳しくみるように（第8章2参照），この修正第14条，とりわけデュー・プロセス条項は，権利章典の規定

12）　この特権もしくは免除の範囲については，第8章2参照。

13）　第4条第2節第3項は，ある州において，その法律のもとで役務ないし労働に従事する義務を負う者が他州に逃亡した場合に，その逃亡元の州の役務ないし労働は，逃亡先の州のいかなる法律または規則によっても解除することはできず，その者は役務または労働の義務を負っている相手方当事者の要求に基づいて引き渡されなければならないと定めて，州に逃亡奴隷の引渡し義務を課していた。ただし，奴隷制は修正第13条で廃止されたため，この規定は意味を失った。

のほとんどを州に適用するものと解釈されてきており，その結果，現在では州は合衆国憲法の権利章典の規定のほとんどに拘束される（ただし，一部の権利については州には適用されないとされているし，場合によっては連邦と州とで保護の度合いないし程度に違いがあることもある)。

もちろん現在でも，州はその州の憲法の権利章典規定に違反することはできない。そして，州憲法に合衆国憲法と同じような権利保障規定があった場合も，州憲法の解釈は州裁判所の役割であるから，州裁判所は，州憲法の規定に合衆国憲法の規定とは異なった解釈を加えることもできる。それゆえ，一つの行為が合衆国憲法の保障する規定には反していないが，州憲法の保障するそれと同じまたは同様の規定に反しているという可能性もある。

▶参考文献

連邦議会については，広瀬淳子・アメリカ連邦議会——世界最強議会の政策形成と政策実現（2004)，中村泰男・アメリカ連邦議会論（1992)。**大統領**については，阿部斉・アメリカ大統領〈新版〉(1977)，飯沼建真・アメリカ合衆国大統領（1988)，松井茂記・ブッシュ対ゴア（2001)。**司法府**については，ウィリアム・H・レーンクィスト・アメリカ合衆国最高裁——過去と現在（1992)，浅香吉幹・現代アメリカの司法（1999)，大沢秀介・アメリカの司法と政治（2016)，大林啓吾＝溜箭将之（編）・ロバーツコートの立憲主義（2017)。

第 2 部

司法審査権

第4章　司法審査権

第1節　司法審査権の確立

1　Marbury v. Madison

背　景

憲法第3条第1節は，司法権を，1つの最高裁判所と連邦議会が随時創設し設置する下級裁判所に付与している。この司法権との関連で，まず述べておかなくてはならないのが，司法審査権である。

合衆国憲法には，司法審査権，つまり裁判所が法律やその他の政府の行為が憲法に反すると判断した場合にそれを違憲と宣言しうる権限を明文で定めた規定は存在しない。にもかかわらず，最高裁はそのような権限を認め，それ以降，この司法審査権は，アメリカの憲法構造の不可欠の要素として展開してきた。

その画期的な判決が，1803年のMarbury v. Madison, 1 Cranch (5 U.S.) 137 (1803) である。この事件は，建国直後のフェデラリストとリパブリカンの対立から生じたもので，錯綜した歴史的背景を有していた。当時政権を握っていたアダムズ大統領の率いるフェデラリストは，ジェファーソン率いるリパブリカンと激しく対立し，煽動罪法を制定してリパブリカン弾圧を試みたが，選挙に敗れ，ジェファーソンに大統領の地位を明け渡すことになった。そこでせめて連邦の司法府にみずからの勢力を残そうとして，まだ連邦議会の会期が残っている間に急遽司法府改革に乗り出し，新しい裁判所を次々と創設し，フェデラリスト派の裁判官を次々と任命した。しかし幾人かの裁判官には辞令が交付されないうち，ついにジェファーソンが大統領に就任し，国務長官マディソンは辞令の交付を拒否するに至った。原告のマーベリーは，そのような，任命されたのに辞令を交付されなかった裁判官の一人であり，そこで辞令の交付を求めて，最高裁に職務執行令状を請求したのである。

法廷意見

そのような状況のなか，アダムズ大統領が政権交替直前に主席裁判官に任命したマーシャルは，この事件で，最高裁に職務執行令状発付を認めた裁判所法が憲法に合致しているかを問題にした。というのは，憲法第3条は，最高裁の管轄について，一定の第1審管轄権の他は控訴審管轄権と定めていたが，裁判所法は，憲法所定以外の職務執行令状発付を最高裁に第1審管轄権として認めているとも解釈しえたからであった。

マーシャル主席裁判官は，まず原告は既に任命されており，辞令交付を受ける権利があり，そして権利侵害に対しては救済が与えられるべきだと判断した。問題は，その救済が最高裁による職務執行令状の発付であるべきかであった。マーシャル主席裁判官は，裁判所法を，職務執行令状発付を最高裁に第1審管轄権として認めていると解した。しかし彼は，憲法の最高裁の管轄権の規定は，憲法所定の第1審管轄権事項以外には第1審管轄権を認めない趣旨だと考えた。したがって，法律が裁判所に委ねた権限は，憲法に反していると考えたわけである。

そこでマーシャル主席裁判官は，確立した原則として，人民が統治の根本原則を確立し，政府の権限の制限を設けたことに言及し，「成文憲法を起草した者達は，確かにそれを国の基本的で至高の法を形成するものと考えていたのであり，それゆえすべてそのような政府の理論は，憲法に反する立法府の法律は無効であるというのでなければならない」と論じた。そして，「何が法であるかを述べるのは，断固として司法部門の権限であり義務である」とし，「裁判所が憲法を尊重しなければならず，憲法が立法府の通常の法律に優越するのであれば，両者が適用される事件においてそのような通常の法律ではなく，憲法が支配しなければならない」と宣言した。かくして，裁判所が，憲法に反すると考えた法律を無効としうるという司法審査権が確立されたのである。

2　司法審査権の正当性

はたして司法審査権は正当化されうるか

振り返ってみれば，この司法審査権がなぜ正当化されるのか，疑問の余地がないわけではなかった。憲法制定当時，諸邦においてそのような司法審査権の例がなかったわけではない。しかし，必ずしもそれは広く採用されていたわけではないし，また一般に支持されていたわけでもなかった。したがって，明文規定の欠如は，起草者達にはそのような権限を司法府に認める意図がなかったことを示しているのかもしれない。

しかし憲法制定会議での発言を吟味すると，起草者達が司法審査権を想定していたことが窺われる。そこでは，法律が憲法に反しなくとも賢明でない場合にこれを覆す方法として，破毀院（Council of Revision）を創設すべきかどうかが争われた。結局この提案は否定されたが，その際マディソン等の有力な起草者達は，法律が憲法に反している場合には裁判所がそれを無効とすることができることを前提にした議論を行っているのである。そこで，今日では，起草者達は何らかの司法審査権を意図していたと考える論者が多くなっている。

このような理解は，さらに『フェデラリスト』第78編の中で，ハミルトンがまさにMarbury判決のマーシャル主席裁判官の見解を先駆的に示していたことからも，いくぶん補強されえよう。ハミルトンは，権限を委任された機関が委任の趣旨に反する行為をすることは許されず，憲法によって立法権を委ねられた議会の行為は憲法に反することはできないこと，そして法律の合憲性の判断者は立法者ではなく，裁判所だと考えるのが合理的だと主張していたのである。おまけに裁判所は，連邦議会や大統領のように財政にも剣にも影響力を有さず，力も意欲も持たずただ判断だけの機関であり，政府の部門の中で「最も危険性の少ない部門」だというのであった。

また，条文上の根拠という点でも，Marbury判決は，さまざまな規定（第1条第9節第3項・第5項，第3条第3節第1項）に訴えて憲法は司法府をも拘束する法だと主張し，裁判官は憲法尊重義務を負っている（第6条第3項）などとして，条文上も司法審査権が導かれると述べている。実際，憲法第3条の司法権の付与規定，あるいは第6条第2項の最高法規条項から（特に最高法規である連邦法の中で憲法が最初に言及されていることから）も，そのような司法審査の正当性を導くことも不可能ではないかもしれない。

しかし，起草者意思も明確に表明されていたわけではないし，ハミルトンの見解もはたして起草者達のコンセンサスを反映していたか定かでないなど，確定的とはいえない面がある。また最高裁が援用した条文規定はいずれも司法審査権を論理的に帰結するものではなく，第3条の司法権付与についても，はたして司法審査権が司法権に必然的に付随するのか定かでないなどの疑問がありうる。さらに最高法規条項についても，少なくとも，同条項のもと連邦憲法に反する州法・州憲法は無効であるという点までは説得的に主張しえようが，連邦憲法に反する連邦法を司法府が無効と宣言しうるのかについてまでは，明確な結論を導くことは困難であろう。Marbury 判決におけるマーシャル主席裁判官の主張にもかかわらず，成文憲法を持っていながら司法審査権がないということは論理的に可能であるし，現実にそのような国が存在するのである。

確かに憲法が法律に優越し，憲法に反する法律は無効であるとまではいえるかもしれない。しかしここでの問題は，なぜ最高裁はその法律が憲法に反しているといえるのかであり，マーシャル主席裁判官はこの問いに結論を主張するだけで，その理由を述べてはいない。法の支配という視点から，議会を憲法の制約のもとに置くためには司法審査権が必要であるといわれる。確かにその通りではあるが，もし司法審査権を認めれば，逆に司法府が憲法のもとにあること，つまり司法権が法の支配のもとにあることを確保するものは何かが問題とされざるをえない。

司法審査権の受容

このように，司法審査の正当性についてそれなりの理由はあるものの，それらは決して決定的なものとはいいがたいかもしれない。しかし，既に今日では司法審査権の正当性は確立しており，もはやそれを疑う声はほとんどない。むしろ問題は，個々の司法審査権の行使のあり方がはたして正当かどうかであり，制度自体の正当性ではないのである。ただ，この司法審査権の正当性をどう考えるかが，司法審査権行使の正当性についても微妙に見解を分かれさせる原因となっている。

3　司法審査権行使の枠組み

司法審査権の性格

Marbury 判決が示しているように，アメリカでは，司法審査は裁判所の司法権行使に付随して行使される（それゆえ，日本では付随的違憲審査制として知られている）。裁判所は，司法権を行使し，具体的事件の解決のため，何が適用されるべき「法」であるかを確定する際に，法律の憲法適合性を判断するのである。

それゆえアメリカでは，裁判所は司法権行使の要件が満たされていない限り，司法審査権を行使しえない。他方，司法権行使の要件さえ満たされていれば，いかなる連邦の裁判所も司法審査権を行使できる。当然下級裁判所も司法審査権を行使しうる。

司法審査の対象

Marbury 判決では，連邦最高裁が連邦法の合憲性を判断できることが確定した。そして州法が連邦憲法に反しているかどうかについても司法審査権が及ぶことは，Fletcher v. Peck, 6 Cranch（10 U.S.）87（1810）で確立されたと考えられている。この事件では，州議会が法律を制定して土地を私人に付与したところ，のちに法律制定に際して贈賄工作が行われたとして，法律が取り消された。最高裁は，法律による土地の付与も契約であり，これを取り消すことは憲法第1条第10節第1項に定められた契約条項に違反すると宣言し，州法を初めて連邦憲法違反と判断したのである。それゆえ，最高裁は連邦及び州のすべての政府の行為に対し，司法審査権を行使しうる。

さらに連邦最高裁が州裁判所判決に対し管轄権を有するかの問題は，Martin v. Hunter's Lessee, 1 Wheat.（14 U.S.）304（1816）で，決着がついた。これは独立戦争の後，州がイギリス側に立った者の土地を没収し市民に付与したところ，その土地を既に取得していたと主張する者が，条約のもとでその財産に対する権利を主張した事例である。連邦最高裁がその主張を認め，州裁判所にそのように判決するよう指示したにもかかわらず，州裁判所は，その指示に従うことを拒否した。連邦裁判所と州裁判所とは優劣関係にはなく，連邦最高裁は州裁判所判決に対し控訴管轄権を有しておらず，それを認めた裁判所法は憲法違反であるとしたのである。これに対し連邦最高裁は，憲法第3条は最高裁に第1審管轄権以外には，連邦議会の認めた例外を除いて控訴管轄権を与えており，司法権の及ぶ事件であれば，連邦最高裁に州裁判所判決に対する控訴管轄権を付与しても憲法に反しないと結論したのであった[1]。

最高裁の管轄権に例外を設ける権限

憲法第3条第2節によれば，最高裁は大使等に関する事件と州が当事者である事件に対し第1審管轄権を有するが，それ以外の事件については控訴管轄権のみを有している。従来は，連邦最高裁へは，連邦下級裁判所及び州最高裁から権利上訴と裁量上訴が認められていた。しかし，現在では権利上訴はほとんど廃止され，事実上事件移送令状（サーシオレアライ）に基づく裁量上訴のみが認められている[2]。

憲法によれば，この最高裁の控訴管轄権に連邦議会が例外を設けることができる（第3条第2節第2項）。はたして連邦議会は，この

---

1)　Cohens v. Virginia, 6 Wheat. (19 U.S.) 264 (1821) では，刑事事件に対する連邦最高裁の控訴管轄権が争われた。ここでは，刑事事件であるから州が当事者であり，したがって憲法によれば最高裁の控訴管轄権は及ばないはずだと主張された。しかし最高裁は，控訴管轄権は事件に及ぶのであって，当事者が誰であるかは関係ないと述べ，州が当事者でも控訴管轄権が及ぶとして，その主張を斥け，最高裁が州裁判所の刑事事件判決にも控訴管轄権を行使しうることを明確にした。

2)　州裁判所も，連邦最高裁の判断に拘束される。ただし，連邦最高裁は，州法との関係では，純粋に州法の問題については判断を行わない。また，州裁判所から上がってきた事例で，その判決を支持する「適切で独立の州法上の理由」がある場合には，連邦憲法上の問題に対して判断を下さない。さらに，連邦憲法の問題に州法の解釈の問題が前提とされているような場合には，しばしば州裁判所にその州法の権威的な解釈を施す機会を与えるよう，憲法判断を回避している。

州裁判所判決が連邦憲法と州憲法の双方に依拠していた場合に，連邦最高裁が州最高裁判決を審理できるかについて，Michigan v. Long, 463 U.S. 1032 (1983) を参照。

権限によって，どこまで最高裁の管轄権を制約できるのであろうか。

この問題は，Ex parte McCardle, 7 Wall.（74 U.S.）506（1869）で扱われた。これは，南北戦争直後，連邦議会の制定した法律が，南部での激しい反発を招き，さまざまな批判を受けていた状況の中で生じた。法律に批判的な記事を公表したとして拘禁されていた新聞の出版者がその拘禁の適法性を人身保護請求で争い，巡回裁判所が令状を拒否したあと，最高裁に上告していた。事件が弁論され，判決が下される前に，連邦議会は最高裁の巡回裁判所からの控訴管轄権を否定する法改正を行ったのである。最高裁は，結局管轄権が存在しなくなったため，請求を認めなかった。この判決は，連邦議会が法律を改正して最高裁の管轄権を否定した場合，たとえ既に係争中の事件であっても管轄権を行使しえないという法理を示している。しかし，この判決では，管轄権を制限する連邦議会の権限の限界については明確にされなかった[3]。

この問題は，1960年代そして70年代に入って，にわかに重大な問題となって浮上した。最高裁が，共産主義職員の排除に抵抗したり，公立学校の人種統合を命じ，公立学校での聖書朗読を禁じるなどしたため，連邦議会では，これらの事件に対する最高裁の控訴管轄権を剥奪する法案が提出され，はたしてこのような管轄権剥奪立法が許されるかが，重大な憲法問題となってきたからである。この問題は，1970年代以降は特に妊娠中絶禁止を違憲とした最高裁判決に対し妊娠中絶に関する管轄権を剥奪する法案との関係で争われた。

学説では，一方にはこのような広汎な管轄権制限権限を連邦議会

3）United States v. Klein, 13 Wall.（80 U.S.）128（1872）（係争中の裁判を覆すために管轄権を剥奪したものとして法律を違憲と判断）と対比されたい。

に認める見解がある。なかでも，このような連邦議会の権限の存在を，積極的な司法審査権行使の正当性を認めるための論拠ないし条件として重視する見解が有力である。これに対し，憲法第3条の司法権付与の中核あるいは不可欠の作用までは否定することはできないとか，司法の独立からみて特定の判決を事実上覆す目的で管轄権を制限することは許されないとか，人種や政治的信条による管轄権剥奪は許されないといった見解も有力である[4)]。

第2節　憲法訴訟

1　訴訟の提起

司法審査権は，司法権行使に付随してのみ行使されうるので，裁判所で憲法問題を争うためには，まず司法権行使の要件を満たす事件ないし争訟が裁判所に係属していなければならない。

典型的な憲法訴訟は，個人の権利を侵害しているとされる法律に対し，その違反を理由に刑事訴追され，裁判で法律の違憲性を争うものである。しかし現在では，後述するように，法律が執行される前に，その違憲性の確認（宣言的判決）と執行の差止めを求めて民事訴訟を提起することが多い。この種の宣言的判決及び差止めを求める訴訟は，通常法律の執行の最高責任者である法務長官[5)]など

---

4)　同様の問題は，連邦下級裁判所の管轄権についても存在する。憲法は，連邦の下級裁判所の設置及びその管轄権の範囲については，連邦議会の判断に委ねているが，連邦議会はそもそも連邦下級裁判所を設置する義務があるか，設置したとしても連邦下級裁判所の権限をどこまで認めなくてはならないのかはなお明確ではないからである。そして，特に連邦議会は一定の事項（例えば妊娠中絶に関する問題）についてだけ連邦下級裁判所の管轄権を否定できるのか，それともそこに司法権に内在する限界があるのかが問題とされている。

5)　法務長官（Attorney General）は，イギリスでは国王の最高の法執行官であり，国王に法律問題に対し助言し，訴訟で国王及び政府を代理する

を被告として，民事訴訟として提起される（日本と異なり，行政機関を相手取った訴訟を行政訴訟として区別することがない点に注意されたい）。これは，後述する主権免責理論により個人は州それ自体を相手取って訴訟を起こすことができず，その代わり法律を執行する職員に対しては差止めなどを求めることができるとされているからである[6)]。

州法ないし連邦法を合衆国憲法違反として争う場合，州裁判所で争うことも可能であるが，連邦の法律問題が提起されているので連邦裁判所で争うことも可能である。実際には，この種の訴訟は，憲法上保護された権利への侵害に民事訴訟を認めた市民的権利保護法の規定（1983条など）に基づいて連邦裁判所に提起されることが多い（第8章5参照）。

既にみたように，最高裁への上告が認められるかは裁量による。それゆえ，重大な憲法問題が提起されていても，最高裁が上告を受理するとは限らない。そのため連邦控訴裁の判決が，事実上憲法問題に決着をつけることになることも多い。

2　憲法問題の提起

当事者主義的な訴訟手続をとるアメリカでは，憲法問題は当事者が提起することによって初めて裁判所の判断を受ける。

この点，一般原則としては，当事者は自己の権利侵害の違憲性のみを主張できる。それゆえ，第三者の権利侵害の違憲性を主張する適格は認められない。最高裁は，この要件を，後述する司法判断適合性要件のうちの原告適格の自制に基づく要件と位置づけている

職員であった。アメリカでもこの伝統が受け継がれており，連邦政府及び州政府に法務長官がいる。連邦最高裁で連邦政府が当事者となっているときに政府を代理する職員として訟務長官（Solicitor General）がいる。

6)　第8章217頁参照。

(第7章第2節1参照)。

例えば，Tileston v. Ullman, 318 U.S. 44 (1943) では，医師が避妊具の使用禁止を争ったのに，患者の利益侵害を主張しえないとされている。そしてこの判決は，第三者の権利侵害を主張する適格を否定したリーディング・ケースと考えられてきた（ただし，実際にはこの判決では訴訟を提起する原告適格が否定されているので，この問題のリーディング・ケースといえるかには疑問がある)。

しかし，この原則は自制的要件に関わるものであるから，それには例外が認められている。一つは，Singleton v. Wulff, 428 U.S. 106 (1976) が示すように，原告が，その第三者と密接な関係にあり，当該原告がその第三者の不利益を主張するのにふさわしかったり，その第三者が自己の権利侵害を主張するのに障害がある場合である。本件は医療上の妊娠中絶補助を否定する州法を医師が争ったもので，最高裁はまず医師の原告適格を認めたあとで，第三者である患者の権利侵害の主張が認められるとしたのであった[7)]。

また表現の自由を過度に広汎に制約する法律の場合に，原告自身は自分自身の表現行為に対する法律の適用について修正第1条の権利の侵害を主張しえなくとも，法律の文面上無効を主張しうるという法理（過度の広汎性ゆえの無効の法理）も，この例外と考えることができよう（第9章第1節4参照)。

7)　Eisenstadt v. Baird, 405 U.S. 438 (1972)（未婚の女性に避妊薬や避妊具を提供することを禁止した州法に違反して起訴された被告人が，避妊薬等にアクセスする未婚の女性の権利侵害を主張することを認める); Craig v. Boren, 429 U.S. 190 (1976)（ビールを購入する客の年齢に関する性差別の違憲性を，ビールの販売免許を持つ販売員が主張することを認める).

3　違憲審査

憲法判断の回避

憲法問題が提起されても，裁判所は憲法判断をしなければならないわけではない。裁判所は憲法判断を回避できるのである。Ashwander v. TVA, 297 U.S. 288（1936）におけるブランダイス裁判官の同意意見が示した7準則が，そのような場合を示している。すなわち，最高裁は，①友誼的な非対立的手続において法律の合憲性について判断しない，②判断の必要な場合に先立って憲法問題を予期しない，③適用される事実に必要な以上に広く憲法ルールを定式化しない，④たとえ憲法問題が記録によって適切に提起されていても，事件を処理する他の根拠があれば，憲法問題に判断を下さない，⑤みずからが侵害を受けたと証明できない者の訴えに基づいて法律の有効性に対し判断しない，⑥その法律によって利益を得ている者の申立てに基づいて法律の合憲性について判断しない，そして⑦法律の合憲性に重大な疑問があっても，常にその疑問を回避するような法律の解釈が可能かどうかを確認することが肝要である，というのである。

ここには，憲法上の事件性の要件を満たしていない場合はどうすべきか，事件・争訟性の要件は満たしているが憲法判断を回避すべき場合にはどうするか，そして憲法判断するときにどのように判断すべきか，という複数の論点が混在している。したがって，ここに挙げられている準則を一律に扱うことはできない。しかし，このうち④及び⑦は，裁判所が憲法判断を回避しうることを示している[8]。

8）　Northwest Austin Municipal Utility District No. 1 v. Holder, 557 U.S. 193（2009）（法律上の主張が可能であるので憲法判断を回避）を参照。ただし，常に憲法判断回避が認められるわけではない。Zobrest v. Catalina Foothills School District, 509 U.S. 1（1993）（国教樹立禁止条項違反だけ

憲法判断の方法

付随的違憲審査制度をとるアメリカでは，当事者は当該具体的事件に適用された限りで，法律の違憲性を主張することが許され，それゆえ裁判所は，その限りで法律の合憲性を審査する。ただし，表現の自由を過度に広汎に制約する法律の場合のように，当事者に法律の文面上の違憲性を争うことが許される場合には，裁判所は法律の文面上の合憲性を審査することができる。この場合，裁判所としては，その法律を文面上違憲と判断するのでなければ，文面上違憲とはいえないと判断することになる。このことは，その法律が当該具体的事件に適用された場合に違憲となる可能性を残すものである(それゆえ当事者が法律の文面上の違憲性のみを争った場合は，当該具体的事件に適用された限りでの合憲性の問題は，将来に委ねられる)。

このようにアメリカでは，当該具体的事件に適用された限りで法律の合憲性が審査されるのが原則であるが，最高裁は，かなり柔軟に法律の文面上の合憲性を審査しているふしがある。実際，しばしば最高裁がこの違憲判決は当該事件に適用された限りのものだと断っていることは，実際には原則と例外が逆転していることを示唆している。

違憲判断基準

では，法律の合憲性が争われたとき，裁判所はどのような合憲性判断基準でその合憲性を判断すべきであろうか。審査のあり方ないし審査基準は，合憲性の推定を伴った緩やかな審査を行うべきか，それとも合憲性の推定を排除した，あるいは違憲性を推定した厳格審査を行うべきであろうか。

法律の合憲性が裁判所で争われた場合，通常は，民主的なプロセ

が主張されている以上，それ以外の理由の存在を理由とする憲法判断回避はすべきではない)。

スを経て代表者によって制定された法律は合憲と推定され，その違憲性を争う当事者がその違憲性を主張立証しなければならない。法律の合憲性を審査する通常の基準は合理性の基準（合理的根拠基準）である。法律が正当で合理的な目的と合理的な関連性を有していれば，その法律の合憲性が支持される。合理的であれば，過小包摂でも（立法者はとりあえず順番に規制を加えてゆくことも許される），過大包摂でもかまわない（多少の巻き添えがあってもかまわない）。裁判所は立法者の判断を尊重し，緩やかな審査を行う。それゆえ，法律の合理性に議論の余地があれば，議会の判断が尊重され，違憲の主張は斥けられる。このような基準が適用されるのは，経済的自由の制約や社会経済的立法が平等保護条項の下で争われたような事例である。

これに対し，人種差別や表現内容に基づく表現の自由の制約の場合などは，法律が民主政過程を直接制約し，あるいは切り離され孤立した少数者を排除しようとしているがゆえに，通常法律に認められる合憲性の推定は認められない。むしろ違憲性が推定されるといってもよい。そのため，裁判所は厳格審査を適用し，法律がやむにやまれない政府利益を達成するための必要不可欠な手段といえない限りは，法律の合憲性は支持されない。過小包摂も過大包摂もともに許されない。主張立証責任は政府の側にある（ただし，表現内容に基づく表現の自由の制約でも，違法な行為の煽動の事例や名誉毀損の事例などでは，定義的な基準が用いられる）。

この合理性基準と厳格審査の違いは，きわめて大きく，実際上，合理性基準が適用されるとほとんどの事例で法律の合憲性が支持され，厳格審査が適用されるとほとんどの事例で法律は違憲とされる（ただし，場合によっては，合理性基準の下でも，違憲判決が下される場合もあることには注意が必要である）。

この中間に，最高裁が中間的審査を行っている事例がある。その一つの事例は表現内容中立的な表現の自由の制約であり，ここでは最高裁は，制約が表現内容に中立的であることに加え，重要な目的を達成するために必要な限度の制約であることと，他に代替的な表現の場が確保されていることを要件としている。営利的表現について，表現内容に基づいて制約する場合にも，同じような基準が適用されている。もう一つは，性差別に関する事例で，ここでは最高裁は，区分が重要な目的を達成するための手段として実質的な関連性を持っていることを要件している。主張立証責任は政府の側にあるようである。これらの事例では，合憲性判断基準は合理性基準ほど緩やかではないが，厳格審査ほど厳格ではない。違憲判断が下される場合もあれば合憲判断が下される場合もあり，予測が難しい。

このように，アメリカでは，事例によって用いられる合憲性判断基準が異なり，審査の仕方も異なる。それゆえ，それぞれ具体的な事例で，どのような基準が適用され，どのような審査が行われるべきかを決定することが重要になる。そのうえで，裁判所は，法律がその基準を満たしているかどうかを審査し，合憲か違憲かの判断を下すことになる。したがって，裁判所がどのようにその基準を適用しているのか，考慮される要素は何か，その要素がどのように考慮されるのかを理解することがきわめて大切である。

二重の基準論

このような表現の自由と経済的自由との間の異なった基準の使い分けは，しばしば二重の基準（double standards）論と呼ばれている（憲法的二重の基準論とも呼ばれる)。「二重の基準」は，本来基準の使い分けという意味で，二重舌のような意味で用いられ，否定的な印象を持つ言葉であるが，ここでは肯定的な意味で使われている。もともと最高裁は，表現の自由などと異なり経済的自由に対して手厚い保護を与えていたが，ニュー・ディール以降社会経済的立法には口出ししない方針に転換し，経済的自由にはほとんど憲法的保護は与えられていない。これに対しウォーレン・コート以降，最高裁は，表現の自由の制限や人種差別に厳格審査を適用するようになり，両者の事例の違いを説明するための理論としてこの二重の基準論は形成された。表現の自由を経済的自由から区別する主たる論拠は，思想の自由市場論と民主政過程論，特に後者である。つまり，表現の自由は民主政過程に不可欠な権利であり，それゆえ裁判所にはその手厚い保護が求められるというのである。ただし，表現の自由がより高い価値を有しているから手厚い保護が必要なのか，民主政過程において逸脱した地位にある裁判所にとって制度的権限分配的に見て表現の自由など民主政過程に不可欠な権利の保護がふさわしいから手厚い保護が必要なのか，説明の仕方には意見の対立がある。

ただし，同じ表現の自由でも，裁判所は表現内容に基づく制約と表現内容中立的な制約とで異なった基準を使い分けていること，民主政過程論では説明できないように思われた場合でも（例えば女性の妊娠中絶の権利を含むプライバシーの権利の侵害の場合など），最高裁が厳格審査を適用していること，さらに，学説でも，より積極的な司法審査権行使を支持する主張がかなり強いことは注意しておく必要があろう。

4　違憲判決の効果と効力

違憲判決の効果

法律ないし政府の行為が憲法に反すると判断された場合，その法律ないし政府の行為は，原則として当初に遡って無効とされる。つまり違憲とされた法律は，その制定当時から無効であったと考えられるわけである。

ただし，最高裁は，例外的な場合には，違憲判決の効果を過去に遡らせず，当該行為は合憲だと信頼して行われてきた政府職員の行為を違憲としないことがある[9]。いわば違憲判決は判決以降将来的にのみ効果を有するとするわけである。将来効判決と呼ばれる。この問題は，とりわけ最高裁が先例を覆して新たな違憲判決を下したような場合に特に問題となる。最高裁は，ある判決の遡及効を認めるかどうかは，新しいルールの目的，旧ルールへの信頼の程度，新しいルールを遡及的に適用することによる効果を総合判断すべきものとしている[10]。

違憲判決の効力

アメリカの司法審査制のもとでは，法律は，原則として当該具体的事件に適用された限りで違憲とされ，違憲判決の効力は，当該当事者にのみ及ぶ（ただし，法律が文面上無効とされる場合もある）。したがって，違憲と宣言された法律も法令集から除去されるわけではない。しかし，だからといって，その影響は純粋に当該当事者だけにしか及ばないというのも，現実を無視するものであろう。後述するように先例拘束性が認められるアメリカにおいては，その違憲判断は，同種の事件で後の裁判所の判断を拘束し，当事者以外にも影響を与えずにはおかない。ただ，将来判例変更により再び合憲とされる可能性もある以上，違憲とされた法律は，その限りで効力を停止されたにとどまる（休眠状態になったといえるかもしれない）。

9）最高裁は，Mapp v. Ohio, 367 U.S. 643（1961）において修正第4条違反で押収された証拠の排除をデュー・プロセス条項のもとで命じたが，Linkletter v. Walker, 381 U.S. 618（1965）において，同判決は，その判決以前に終局的判断が下された事件には遡及的に適用されないと判断した。

10）Stovall v. Denno, 388 U.S. 293（1967）. See also United States v. Johnson, 457 U.S. 537（1982）.

違憲判決の権威性

連邦政府の他の部門，つまり連邦議会や大統領に対しては，最高裁の判断はどのような権威を持つのであろうか。既に述べたように司法審査権については起草者達の間で支持の声が強かったが，その判断の権威性については意見の一致はなかった。一つの立場は，司法府に司法審査権はあるが，その判断は議会や大統領を拘束するものではないというもので，司法審査権をいわば同格的な権限と捉えるものである。これに対し，いま一つの立場は，司法府の憲法解釈権を最終的・優越的なものとみて，その判断に議会・大統領に対する権威性を認めるものである。Marbury判決は，どちらかというと後者を窺わせたため，これに反対するジェファーソンからの強い批判を招いた。

この問題は，その後の歴史の展開の中でもときおり表面化してきた。Dred Scott v. Sandford, 19 How.（60 U.S.）393（1857）判決に対して，リンカーン大統領は，同判決にもかかわらず政治的には奴隷制に反対するという見解を表明した。ニュー・ディール立法が最高裁によって覆されたときも，ルーズベルト大統領は，憲法違反とされた法律類似の法律の制定を求め，その法律が合憲とされるかどうか定かではないが，立法の必要が大きいので判断を裁判所に委ねたいと主張した。さらには，ウォーターゲート事件で最高裁が録音テープの提出を命じても，ニクソン大統領はその命令に従わないと公言していた（実際には，最高裁の命令に結局従った）。大統領が当事者として最高裁の命令を受けたような場合はともかく，それ以外の場合には，はたしてどこまで最高裁の判断が訴訟当事者を超え，当該事件を超えて権威を持つのかは，重大な問題となりうる。

最高裁は，Cooper v. Aaron, 358 U.S. 1（1958）においてこの問題に一つの回答を与えている。この事件では，最高裁がBrown v.

Board of Education, 347 U.S. 483（1954）（Brown I）で公立学校における人種別学を平等保護条項違反と宣言したにもかかわらず，下級裁判所による公立学校の人種統合命令に対し州知事が反抗した。この州は Brown 判決の当事者ではなかったので，州の側は同判決に拘束されないと主張した。しかし最高裁は，下級裁判所の命令の拘束力を支持するにとどまらず，司法府が憲法の解釈において最高の立場にあり，その解釈は最高法規であると宣言し，最高裁が憲法の最終的あるいは究極的解釈者であると強く示唆したのであった。

しかし，このように最高裁の判決に対して，当該訴訟を超えた権威性を認めることには異論もないではない。

憲法判断の先例拘束性

アメリカはコモン・ローの国であり，既に見たように，裁判所の判決には先例拘束性が認められる。それゆえ最高裁の憲法判例は，後の同種の事件で後の最高裁及び下級裁判所を拘束する。

ただし，通常の判例であれば，それが気に入らなかった場合には立法府はいつでも覆すことができるが，憲法判例の場合は，憲法改正によらなければこれを覆すことはできない。そこで最高裁は，憲法判例の場合にはより先例の変更の余地を広く認めている。実際，最高裁は，しばしば先例を変更している。

救　済

裁判所の救済方法としては，刑事事件であれば，起訴の根拠となった法律が違憲であれば，裁判所は被告人を無罪とすることができる。民事訴訟で争われた場合は，法律の執行責任者に対し，争われた法律ないし政府の行為が違憲無効であることを宣言する宣言判決及びその執行の差止めを命じるのが最も一般的である。ただし，連邦の裁判所に付与された司法権は，すべての法律及び衡平法上の事件に及ぶので，裁判所には，コモン・ローに由来する損害賠償だけではなく，衡平法の伝統に基づくあらゆる救済の権限がある[11]。

衡平法上の救済は，きわめて多様であり，しかも裁判所の裁量はきわめて広い。後述するように，公立学校における人種別学が違憲とされたあと，人種別学を解消し，人種統合を図るための救済として，裁判所は，強制的なバス通学を命じることもできるし，既存の学校区や通学区の変更を命じることもできる[12]。差別の是正を図るための財政上の基盤が不足している場合には，自治体に課税を命じることもできる[13]。議席配分不均衡是正訴訟において，裁判所が議席配分を違憲だと考えた場合，裁判所は立法者に議席配分を憲法に適合するよう改正するよう命じ，管轄権を留保し，立法者による改正を待つが，改正ができなかったり選挙に間に合わなかったりした場合には，裁判所が独自に議席配分をしてそれによる選挙を命じることもできる[14]。精神病院における患者の処遇が違憲とされた事例では，裁判所は州に改善策を策定し実施するよう命令したが，州がこれを怠ったため，裁判所が患者の処遇に関する規則を策定し，遵守を命じている[15]。警察における人種差別や刑務所における受刑者の処遇の違憲性が争われた事例でも，いずれもきわめて広汎な救済が求められている。いわゆる制度改革訴訟ないし公共訴訟と呼ばれる事例である[16]。

11）第8章5参照。

12）このような強制的バス通学が人種統合に不可欠な場合にもそれを命令することを禁止することは，許されない。第13章注5）参照。

13）Missouri v. Jenkins, 495 U.S. 33 (1990) (Jenkins I). ただし，裁判所は直接税を課すことは許されない。また，教育の質を平等にするため教員の給与の引き上げを命じた部分は，権限を越えるとされている。Missouri v. Jenkins, 515 U.S. 70 (1995) (Jenkins II).

14）Reynolds v. Sims, 377 U.S. 533 (1964).

15）Wyatt v. Stickney, 344 F.Supp. 387 (M.D. Ala. 1972), aff'd sub nom, Wyatt v. Aderholt, 503 F.2d. 1305 (5th Cir. 1974).

第3節　司法審査と民主主義
――最高裁の憲法解釈権の限界

初期の理解

司法審査権を行使するにあたって，最高裁が，人民の代表者によって構成される議会の判断をどのような場合に憲法に反するといえるのかは，アメリカの最も根源的な問題として，多くの裁判官や憲法学者の頭を悩ませてきた。問題は密接に絡んでいるが，2つに分けることができる。第一は，選挙によって選ばれてもいなければ，再選される必要もない裁判官が，人民の多数者の代表である議会の判断をどのような場合に覆すことが民主主義のもとで許されるのかである。そして第二は，裁判官による憲法解釈が裁判官個人の価値判断以外のものであるためには，一体どのような憲法解釈を行うことが必要となるかである。

憲法制定当時まだイギリス法の強い影響下にあったアメリカでは，法解釈は条文規定に定められたルールの発見と考えられていた。いわゆる法宣命説の立場である。法の意味は条文の中に確定されており，裁判官はいわばそれを発見するだけであるという考え方である。もちろん，憲法解釈においては，法律の解釈同様の準則が適用されうるとはいえ，異なった面があることは承認されていた[17]。そし

16）ただし，警察における差別的な行為などの是正を求める公共訴訟においては，最高裁は差止めを求める原告適格をかなり厳しく設定するとともに，連邦主義を理由に連邦の裁判所が地方の法執行機関に差止めを命じることにかなり消極的な姿勢を示している。O'Shea v. Littleton, 414 U.S. 488 (1974); Rizzo v. Goode, 423 U.S. 362 (1976); City of Los Angeles v. Lyons, 461 U.S. 95 (1983). その結果，現在ではこのような公共訴訟はかなり難しくなっている。

17）McCulloch v. Maryland, 4 Wheat. (17 U.S.) 316, 407 (1819)

て初期においては，必ずしも個々の条文規定と結びつかない憲法の一般原則などへの言及もあった。

しかし，次第にこのような一般原則への言及は姿を消し，19世紀後半には，条文に焦点をあてた考え方が支配的となってきた。司法審査権の正当性は，憲法条文が人民の声を具現しており，法律を憲法違反として無効とする場合にも，裁判所がそういっているのではなく，憲法に定められている人民の声を執行しているにすぎないという想定に依存していたといえよう。そして，司法審査権は重大な権限であるから，慎重に行使されるべきで，明白に憲法違反といいうるのでない限り合憲性が支持されるべきであるというセイヤーの理論が，有力に主張されていた。

ニュー・ディール

ところが，20世紀初頭，実体的デュー・プロセス理論によって多くの州及び連邦の社会経済立法が覆され，学説の中には，最高裁による憲法解釈は，あらかじめ定まった憲法的ルールの中立的発見ではなくて，価値選択を含む政策的決定であるという理解が広まっていった。そこで，古典的な憲法解釈観を形式主義(フォーマリズム)だと批判し，裁判過程の現実を直視すべきで，裁判は価値選択による法創造であると主張するリアリズム法学と呼ばれる考え方が有力になってきた。また，この新しい潮流と合わせ，憲法裁判も，条文規定の中に答えを求めるのではなく，社会の中に求めるべきだという社会学的法学(sociological jurisprudence）も台頭してきた。

しかし，こういった見解を推し進め，しょせん裁判は裁判官の主観的価値判断にすぎないとの見解も表明されたが，この見解は最高裁によって受け容れられはしなかったし，学説においても支配的潮

(「われわれは，解釈しているのが憲法であることを忘れてはならない」).

流とはならなかった。憲法解釈が，憲法条文の中にあらかじめ確定されているルールの機械的適用であるという理解は斥けられたものの，最高裁は依然憲法条文に訴えて裁判してきているし，学説では，憲法裁判が裁判官の価値選択を含むものであっても，なおそこに客観性がありうるという見解が有力であった。このような見解は，裁判を行うプロセスに焦点をあて，原則に基づく裁判という形で憲法裁判を行うことによって，客観性を主張しうるし，またそうすべきであると考えたのであった。「プロセス法学」と呼ばれる立場が，それである。このように考えてのみ，司法審査権行使が民主主義社会で正当化されるというのであった。

ウォーレン・コートと司法積極主義・消極主義

1960年代に入って，ウォーレン・コートは，とても憲法条文や起草者意思によっては正当化しえないような憲法裁判を行うに至った。そこで，プロセス法学を支持する学説からは，司法審査制は民主主義においては逸脱した制度である以上，このような憲法裁判は，司法審査の正当性を脅かすものだという批判を生じさせた。そして，あくまで憲法裁判は原則に基づく裁判として行うべきで（ウェクスラーの「中立的原則」論），それができないなら，そもそも憲法裁判をすべきではないという見解が有力に主張されてきた（ビッケルの「消極の美徳」論）。そしてこの立場の学説は，最高裁の諸判決が原則に基づいておらず，アドホックで結果志向的であること，そのためその憲法判断が社会の中で支持されうるような伝統と歴史に根づいていないこと，憲法裁判がむしろ社会改革の手段として行われていることを，問題としたのである。これに対し，ウォーレン・コートの立場を支持する学説は，問題はプロセスではなく実体的結果であり，原則に基づく裁判はしょせん不可能であるしまた無意味であると反論した。そして，司法審査が民主主義において逸脱した制度であると考える必要はなく，判決が市民的権利を保護するものであれば民主的に正当といえると応じた。

この意見の対立が，司法消極主義と積極主義の対立といわれるものである。

ウォーレン・コート以降

1970年代に入って，バーガー・コートは，消極主義の立場に転じるだろうと予測されたが，現実には最高裁は，Roe v. Wade, 410 U.S. 113（1973）に示されるように，依然積極主義の立場を示した。そこで，憲法学の中でも，問題は積極主義か消極主義かではなく，むしろ最高裁が憲法裁判を行う際に何を基準に判断すべきかだという見解が有力になってきた。

裁判官が憲法判断するには，憲法条文と起草者意思，そして憲法構造からの推論に限るべきであり，それ以外の場合はそもそも憲法の解釈とはいえず，非解釈であるとする立場は一般に解釈主義と呼ばれる。これに対し，正当な憲法判断は憲法条文や起草者意思に限定されず，条文的根拠を欠いても基本的といえるような価値を保護するのは最高裁の正当な役割であるという見解は，非解釈主義と呼ばれた。もちろん最高裁は，常に憲法条文に訴えて裁判しているから，ほとんどの場合焦点は，それが妥当であるかどうかにかかっている。すなわち，たとえ表面的には憲法条文に訴えているようにみえても，正当な解釈と呼びうるものの限界を超えているのではないかという点である。そして，究極的解釈主義とも呼ばれるような，狭い意味での解釈主義の立場を超え，民主政過程の維持補完を裁判所の正当な役割と捉えるプロセス理論も有力に主張されたが，学説の多くは，非解釈主義の立場を支持した。

この解釈主義・非解釈主義の対立は，始源主義（オリジナリズム）（原意主義）・非始源主義（ノン・オリジナリズム）（非原意主義）の対立としても論じられている。憲法解釈の基準を起草者達の意図（原意）に求めるのが始源主義であり，それを拘束的とみないのが非始源主義である。ここでも非始源主義が支配的な立場である。これはいわば憲法を「生きた憲法」と捉え，憲法の意味を社会の進展に応じて変化させることを認める立場といえよう。

だが，非解釈主義であれ，非始源主義であれ，憲法裁判の解釈基準をどこに求めるのかをめぐっては，意見は一致していない。リアリスト的な立場から，憲法解釈はしょせん裁判官の個人的な価値判断だとして，あるべき解釈の基準を求めることに否定的な立場もあるが，解釈の基準を進展する社会の中に求める立場や，あるべき正しい道徳理論の実現に見出す立場，社会の進むべき途を預言することを裁判所に認める見解など，さまざまな見解が提唱されている。はたしてこれで十分な客観性があるかどうか，なぜそのような価値の執行を裁判所に許すことが民主主義原理に照らして正当化されるのか，が問題となろう。

とりわけこの対立は，明文根拠を欠く妊娠中絶の権利等を厳格審査で保護する実体的デュー・プロセス理論とか，明文根拠を欠く基本的権利についての区分を人種差別同様厳格審査に服させる，新しい平等保護理論について異なった評価を導く。

▶参考文献

司法審査制の確立につき，関誠一・アメリカ革命と司法審査制の成立（1970)。**憲法訴訟一般**につき，芦部信喜・憲法訴訟の理論（1973)，同・憲法訴訟の現代的展開（1981)，大林啓吾（編)・アメリカの憲法訴訟手続（2020)。**司法審査の民主主義的正当性**については，松井茂記・司法審査と民主主義（1991)，同・二重の基準論（1994)，野坂泰司「『司法審査と民主制』の一考察（1)～(4)」国家学会雑誌95巻7＝8号，96巻9＝10号，97巻5＝6号・9＝10号（1982-84)，阪口正二郎・立憲主義と民主主義（2001)，ジョン・H・イリィ（佐藤幸治＝松井茂記訳）・民主主義と司法審査（1990），カーミット・ルーズヴェルト3世（大沢秀介訳）・司法積極主義の神話――アメリカ最高裁判決の新たな理解（2011），中曽久雄「民主主義のもとでの司法審査――権限アプローチとその射程」阪大法学60巻6号（2011）。**合衆国最高裁による司法審査権行使**については，中谷実・アメリカにおける司法積極主義と消極主義――司法審査制と民主主義の相克（1987），大沢秀介＝大林啓吾（編）・アメリカの憲法問題と司法審査（2016）。**違憲判断基準**については，山本龍彦＝大林啓吾（編）・違憲審査基準――アメリカ憲法判例の現在（2018），伊藤健・違憲審査基準論の構造分析（2021）。

第３部

連邦の諸部門の権限

第5章　連邦議会と立法権

第1節　連邦議会の権限の範囲

1　連邦議会と「立法権」

憲法は第1条で立法権を連邦議会に付与している。そして同条第8節で具体的に立法権を行使しうる事項を列挙しているが，そのうちで最も重要なのが，第3項のいわゆる通商条項によって付与された「外国との通商及び州際間の通商，及びインディアン部族との通商を規制する」権限，なかでも州際通商規制権である。そして連邦議会には，同第18項において，「上述の諸権限及びこの憲法によって合衆国政府またはその部局もしくは職員に付与されたすべての他の権限を実施するのに必要かつ適切であるようなすべての法律を制定する」権限が付与されている。

既に述べたように，連邦議会は，あくまで憲法列挙の権限のみを行使することができ，州政府が有しているような一般的な公共の福祉のための規制権限（いわゆるポリス・パワー）は有していない。このことは，憲法によって合衆国に委ねられていない権限は，憲法によって禁止されていない限り「州または人民に」それぞれ留保されていると規定する修正第10条によって確認されているとおりである。したがって，あくまで連邦議会は，列挙された事項に関してのみ立法権を行使しうる。

そこで，まず州との関連で連邦議会の権限がどこまで及ぶか，「立法権」とは何か，そして連邦議会に立法権が付与されたことは何を意味するかが問題となる。

2　連邦主義

McCulloch v. Maryland

州との関係でどこまで連邦議会の権限が及ぶかは，建国以来アメリカの憲法制度をめぐる根本的な問題であった。

この問題は，建国直後，まず合衆国銀行（連邦銀行）の設立をめぐって表面化した。1790年，初代財務長官ハミルトンが，課税徴収と政府資金借入れへの便宜を理由にして，合衆国銀行の設立を提唱したところ，そのような銀行設立権は憲法によって連邦議会に与えられていないという国務長官ジェファーソンと対立したのである。ハミルトンは，立法権の付与は，手段の選択についての黙示的権限を含意しており，そして第1条第8節第18項の「必要」なという言葉を厳格に理解する必要はないと主張した。政府の目的を掘り崩してしまうような狭い解釈をとるのではなく，広く必要な権限を認めるのが，妥当な憲法解釈だというのである。これに対しジェファーソンは，憲法には銀行を設立する権限は列挙されておらず，また「必要」なというのは不可欠，必須という意味であって，銀行の設立がこの意味で不可欠といえない以上，連邦議会には銀行設立権はないと反論した。

結局この対立は，ハミルトンの勝利に終わり合衆国銀行は設立された。そしてこの第一銀行を設立した法律が1811年に失効したあと，1816年には第二合衆国銀行が設立された。だが，初めは好調であった合衆国銀行も，次第に経営が悪化し，不正な取引が問題とされるに至った。そこで州から特許状が与えられていない銀行を禁止したり，州外の銀行に課税したりする州が現れた。そして，このような状況のもとで合衆国銀行の合憲性が最高裁で争われるに至ったのであった。

McCulloch v. Maryland, 4 Wheat. (17 U.S.) 316 (1819) は，メリーランド州が，州からの特許状を受けていない銀行に対して課税したところ，合衆国銀行の支配人が税の支払いを拒否したために提訴された事例であった。この事件で法廷意見を執筆したマーシャル主席裁判官は，まず連邦議会に合衆国銀行設立権があるかどうかを問題にした。そして彼は，明示的な授権は存しないにもかかわらず，「必要かつ適切」なという言葉を柔軟に解釈して，連邦議会には黙示的権限として広い手段選択権が付与されていると判断した。「目的が正当で，憲法の範囲内にあり，手段が適切で，目的に適していて，憲法によって禁止されていなければ」，連邦議会による権限行使は合憲だというのであった。そして最高裁は，合衆国銀行設立は，正当な目的のための適切な手段として，連邦議会の権限の範囲内だとした。次いで最高裁は，州による合衆国銀行への課税の合憲性の問題の検討に移る。そして，連邦の権限の至高性を強調して，他の財産等と同一の課税であればともかく，そうでなければ州は連邦の手段に課税しえないと結論した。

この判決は，合衆国銀行設立の問題にとどまらず，広く連邦議会の権限の範囲について決定的な意義を有していた。この判決によれば，連邦議会は，正当な目的のためであれば，その手段という形で，広い権限を認められることになる。確かに，手段が正当な目的に適しているかどうかは，裁判所の審査に服する。しかし，最高裁は目的についてほとんど無関心であり，そのため手段の関連性・適切性はきわめて容易に認められることになり，事実上無制約的な権限を連邦議会に認める結果になった。この判決により，連邦議会が権限を行使する途が広く認められたのであった。

その後

その後も最高裁は，この必要かつ適切な権限を広く認めてきた[1)]。ところが，2010年，オバマ政権が皆健康保険制度に近い制度を導入するため，国民に最低限度の範囲の健康保険に加入することを義務づけた患者保護及び購入可能なケア法（いわゆるオバマケア）を制定した。その合憲性が争われたNational Federation of Independent Business v. Sebelius, 567 U.S. 519（2012）では，この法律を制定する連邦議会の権限が主たる争点となった。アメリカでは健康保険に加入できない多くの人が存在し，大きな社会問題となってきた。オバマ政権は，これを改めるため，受刑者や不法滞在外国人などを除き基本的にすべての個人に健康保険に入るよう義務づけ，企業や政府によるメディケイド及びメディケアのプログラムによってカバーされていない人には，民間の健康保険に加入することを義務づけた。同法によれば，この義務に違反した個人は，「責任共有負担金」という名の制裁金を支払わなければならず，この制裁金は税として徴収された。この事件で，最高裁は，ロバーツ主席裁判官の法廷意見により，この健康保険への加入義務と制裁金の徴収を課税権の行使として支持したが，彼は，州際通商規制権における必要かつ適切な権限としては支持しえないと判断している。そしてこの点では，反対意見を述べている4裁判官も同様の考え方を示している。ロバーツ主席裁判官によれば，必要かつ適切な権限のもとで認められてきたのは憲法によって付与された権限に付随するあるいはそれに仕え

1)　United States v. Comstock, 560 U.S. 126（2010）（精神障害のため性犯罪を犯す危険があると判断された受刑者に刑終了後も民事拘禁を認めた連邦法); United States v. Kebodeaux, 570 U.S. 387（2013）（連邦の性犯罪者登録告知法が，法制定当時既に刑を終えている性犯罪者にも登録義務を加えた)。

るための権限であって，本件で問題とされているような本来連邦議会の権限外の権限行使まで許されるものではないというのであった。過半数の裁判官が，必要かつ適切な権限にも限界があることを認めたことの意味は大きいと思われる。

3　立法権と立法権の委任

立法権の意味

連邦議会が有するのは，合衆国憲法に列挙された事項に関する立法権である。それには，人民の権利義務と結びつかないものも含まれているし，連邦の執行府や行政機関の組織や歳出の承認も法律で定められる。アメリカには，日本のように法律で定められなければならない「法規」事項のような議論はない。コモン・ローの国アメリカでは，刑罰でさえ，議会の定めた法律ではなく裁判所の判例法によって定義され科されうる（連邦では，コモン・ローの犯罪は廃止されたが，州の中には依然として認めている州もある)。ただし，大統領は法律が誠実に執行されるよう配慮する権限を有しており，基本的には大統領は法律がなければ権力を行使できない。唯一の例外は，憲法上大統領に付与された権限であり，そこで第2条で大統領に付与された「執行権」の意味が重要な意味を持つ。

しばしば立法権の特徴は一般的な行動基準を定めることだともいわれるが，アメリカでは個別法律（private act）と呼ばれる特定個人に関する法律を制定する権限も立法権とみられており（ただし，特定個人に不利益を課す法律案は私権剝奪法の禁止により許されない。本章第3節2参照)，実際には，「執行」と「司法」に該当しない限り，連邦議会は法律を制定して定めを置くことができよう。

立法権の委任の限界

ただし，立法権は連邦議会に付与されているにもかかわらず，現実には，多くの法律は一般的な形で法律執行の任務を行政機関に委ねており，実際には立法権の実質は行政機関によって担われている。そこで，このような行政機関への広汎な授権は，本来連邦議会によって行使されるべき立法権の委任であり，憲法に反するのではないかと争われてきた。

最高裁は，ニュー・ディール期に実体的デュー・プロセス理論によってしばしば社会経済立法を覆したのと時をあわせて，Panama Refining Co. v. Ryan, 293 U.S. 388 (1935) 及び Schechter Poultry Corp. v. United States, 295 U.S. 495 (1935) の両判決で，この主張を受け容れた。Panama 判決では，ニュー・ディール立法の中心であった全国産業復興法が，州法の規制に違反して製造された石油，いわゆる「違法石油」(hot oil) の輸送を禁止する権限を大統領に与えていたことが，裁量に基準が欠けており過度の立法権の委任であるとされた。そして Schechter 判決では，特定の業種について公正な取引基準を承認する権限を大統領に付与した同法の中核規定が，基準を欠く権限の委任であって，憲法に反すると判断されたのであった。さらに最高裁は，Carter v. Carter Coal Co., 298 U.S. 238 (1936) でも，業界の多数が合意した労働基準を業界全体に適用させることを認めた法律を違憲だとしている。本件は，立法権を私人の団体に委ねたもので，最悪の立法権委任だというのであった。執行府や行政機関への授権は，従うべき明確な基準が欠けている場合は憲法に反する立法権の委任にあたるというこの考え方は，「委任禁止理論」(non delegation doctrine) と呼ばれている。

しかし最高裁は，その後この委任禁止理論を用いて行政機関への授権を無効としなくなった。「公益」のためといった一般的な授権でさえも支持し，行政機関への広汎な委任の不可避性を承認するに至ったのである[2)]。最高裁はむしろ，法律を限定解釈することによって，基準を読み取ろうとしている。広汎な権限を付与された行政機関が増加し，委任禁止理論を貫くことが実際上不可能になったこと，またそれが必ずしも望ましいものではないという見解が有力になったことが，その理由として挙げられよう。

最高裁は，Mistretta v. United States, 488 U.S. 361（1989）でも，委任を広く認める姿勢を確認した。これは，量刑改革法によって創設された合衆国量刑委員会が公布した量刑ガイドラインの合憲性が争われた事例である。連邦では従来刑罰は不定期刑で科されてきたが，量刑の不均衡が問題とされてきた。そこで連邦議会は刑を確定する改革を行い，量刑委員会を創設し，その公布したガイドラインが，刑を宣告する裁判官を拘束するものとしたのである。同委員会は司法府内に設けられた独立委員会であり，委員は大統領によって上院の助言と承認を得て任命されることになっていた。最高裁は，この事件で立法権委任禁止理論の歴史を振り返り，その根底にある権力分立原則の趣旨を考慮した上で，「明確な基準」があれば立法権の委任も許されるという従来の見解を確認した。しかも最高裁は，複雑な現代社会では，連邦議会が広汎で一般的な権限付与をせざるをえない事情を認め，委任を非常に広く認める姿勢を確認し，結局本件でも委任の限界内にあると結論した。議会は，委員会の目標を明示しており，委員会によるガイドライン設定の際の目的も明示しているし，犯罪の類型化などにも指示を行っているというのであった。

Whitman v. American Trucking Associations, Inc., 531 U.S. 457（2001）においても，最高裁は，立法権の委任に許容的な立場を示した。問題とされたのは，大気汚染防止法のもとで環境保護庁が定

2） NBC v. United States, 319 U.S. 190（1943）. Yakus v. United States, 321 U.S. 414（1944）も参照。

めた規則の特にオゾンレベルに関する基準であった。同法は，環境保護庁に，「公衆の健康を保護するのに必要な安全性の適切なマージンを許しつつ」達成すべき周囲の大気基準を設定すべきものとしていた。スカリア裁判官の全員一致の法廷意見は，法律には明確な基準が示されていると結論したのである。

このことに照らすと，連邦法の授権を，委任禁止原則によって争うことはほとんど不可能に近い状況である[3)]。

第2節　州際通商規制権

憲法第1条第8節第3項のいわゆる通商条項（commerce clause）は，連邦議会に州際通商を規制する権限を付与している。これは，連合規約のもとでは，政府にはこの州際通商規制権がなかったため，各邦が保護主義的な規制を行い，国全体の経済的発展が阻害されたことにかんがみ，導入されたものである。本条項によって連邦議会に付与された州際通商規制権は2つの問題を提起する。一つは，州際通商規制権で連邦議会はどこまで州内の行為を規制できるかであり，もう一つは，州がどこまで州際通商に規制権限を及ぼしうるかである。

1　連邦議会の州際通商規制権の射程

初期の事例

連邦議会の州際通商規制権の射程の問題が争われた初期の事例として，Gibbons v. Ogden, 9 Wheat.（22 U.S.）1（1824）が重要である。州によって州の水面上で蒸気船を運航する排他的独占権を付与され

3）　それでも，広汎な委任に対する懸念はなお存在しており，委任禁止理論を復活させようという見解もときおりみられる。American Textile Manufacturers Institute v. Donovan, 452 U.S. 490（1981）参照。

た者が，連邦法のもとで運航免許を持つ競業者を相手どって，裁判所に差止めを求めた事例である。連邦議会の権限がこのような州内の事項にまで及ぶか，そして州はそれを排除しうるかが問題であった。そして最高裁は，通商には取引だけでなく交通も含まれ，水上の船舶交通も含まれるとした。そして連邦議会の権限は，もっぱら州内での取引であって他州に影響を与えないものにまでは及ばないが，州際通商に関係するなら州内の行為にも及びうると判断したのである。この判決は，広い連邦の州際通商規制権を示唆するものであった。

連邦議会による州際通商規制

もっとも，連邦議会は，初めのうちはあまり州際通商規制に積極的でなく，そこで州際通商規制権をめぐる問題は，もっぱら，連邦議会が権限を行使していない場合に，州が州際通商にどこまで制限を設けうるかであった。しかし，ようやく19世紀後半になって，産業化と全国レベルでの経済の発展を背景にして，連邦議会は規制権を行使し始めた。1887年の州際通商法による州際通商委員会（ICC）の設立，1890年のシャーマン独占禁止法の制定は，その象徴的展開であった。そこで，2つの問題が焦点となってきた。一つは，州内の事項にどこまで連邦議会の権限が及ぶかであり，もう一つは，連邦議会が経済規制というより，社会道徳的配慮から州際通商規制権を行使できるかである。

前者の問題に対しては，2つの立場が対立的に存在していた。一つは，United States v. E. C. Knight Co., 156 U.S. 1（1895）がとる立場である。ここで最高裁は，精糖工場の取得に対する連邦政府による独占禁止訴訟を，製造という州際通商に直接影響しない事項に関するものだとして斥けたのである。つまり，製造と通商を区別し，州際通商に直接影響するものに連邦議会の権限を限定する狭い理解である。これに対しいま一つは，州際通商規制権で連邦議会が州内の行為まで規制することを広く認める立場である。この立場は，州際通商委員会による鉄道の差別的料金設定の禁止を支持して，連邦議会の権限が州際通商に密接で実質的関連性を有する州内の行為にまで及ぶとした Houston E. & W. Texas Ry. Co. v. United States (Shreveport Rate Case), 234 U.S. 342（1914）によって示されている。さらに，州内の行為を州際通商の「流れの一部」とみて，連邦議会の権限を認める立場もあった。この立場は，家畜収集場での入札に関するディーラー間の価格設定についての合意に対する独占禁止法の適用を，一州内の行為であるにもかかわらず認めた Swift & Co. v. United States, 196 U.S. 375（1905）において，最高裁が示していたものである。また1906年の食料薬品法のもとでの粗悪保存卵の押収について，既に製品が目的地に到達していても州際通商規制権が及ぶとした Hipolite Egg Co. v. United States, 220 U.S. 45（1911）も，この流れに属する判決といえよう。

後者の問題については，最高裁は，連邦議会の広い規制権を認める方向にあった。賭博を規制しようとして設けられた富くじ券の州際輸送を禁止する連邦法を支持した Champion v. Ames（The Lottery Case), 188 U.S. 321（1903）は，この立場を示している。規制の動機が道徳的理由であっても，州際通商を対象として規制していればかまわないというのであった。売春防止のため，非道徳的目的で女性を州際輸送することを禁止した法律を同様の論理で支持した Hoke v. United States, 227 U.S. 308（1913）も，この流れに属する。

ニュー・ディール

しかし，このような状況は，ニュー・ディールの時期に大きく揺れ動いた。この時期最高裁は，実体的デュー・プロセス理論と厳格な委任禁止理論によって多くの社会経済立法を違憲と宣言したのと時をあわせ，Shreveport判決ではなく，Knight判決の連邦議会権限の狭い理解に訴えて，連邦議会の権限を著しく限定する姿勢に転じたのである。

その典型は，児童の労働時間を制限する目的で制定された，最高労働時間以上児童を働かせる工場で製造された製品の州際輸送を禁止する法律を違憲としたHammer v. Dagenhart, 247 U.S. 251（1918）である。最高裁は，製品自体に何ら害はないから，この規制はもっぱら児童を働かせることの禁止を目的としており，製品の製造は地方の事項であり，連邦議会の立法権は及ばないとした。そして最高裁は，Railroad Retirement Board v. Alton Railroad Co., 295 U.S. 330（1935）でも，鉄道職員の年金を定めた法律を，州際通商の規制が目的ではなく，もっぱら労働者の社会福祉のためのもので，州際通商規制権を超えているとした。

さらに，ルーズベルト大統領が，大恐慌対策の中心立法として制定した全国産業復興法に対しても，最高裁はこの姿勢を示した。同法は公正な取引の準則を定める権限を授権していたが，Schechter判決は，ある家禽業者が最高労働時間・最低賃金を定めた規定に違反して起訴された事例で，州際での取引ではなく，また州際取引に「直接」影響しない行為が問題であるとして，連邦議会の権限を否定したのである。さらにCarter判決では，炭鉱労働者に対する最高労働時間・最低賃金を定めた規定について，雇用労働関係は製造のための地方事項であって，州際通商に質的な「直接」の影響がない限り，連邦議会の権限は及ばないとした。この時期最高裁は，州際通商に直接影響しない州内事項への連邦の規制権限をきわめて厳しく捉えていたのである。

州際通商規制権の見直し

ところが，最高裁は，経済的実体的デュー・プロセス理論の放棄と時をあわせ，結局このような厳格な態度を翻し，連邦議会の州際通商規制権を広く認める方向に変わっていった。製造業者に対する全国労働関係委員会による不当労働行為停止命令が争われ，全国労働関係法は州際通商に影響を与えるものに限定されているとして，この命令を合憲と判断したNLRB v. Jones & Laughlin Steel Corp., 301 U.S. 1 (1937) は，その一歩であった。製造業であっても，州際通商に密接で実質的な関連性を持っていれば，州内の行為にも連邦議会の権限は及ぶというのである。

そしてこのような方向を明らかにしたのが，木材製造業者への公正労働基準法の適用を支持したUnited States v. Darby, 312 U.S. 100 (1941) であった。同法は，定められた賃金や労働時間の基準に合致しないで製造された製品の州際輸送を禁止し，その違反と，さらに同法の基準違反の行為にまで刑罰を科していた。最高裁は，まず同法違反の製品の州際通商の禁止については，州際輸送を対象としている以上，規制の動機が公共政策であってもかまわないとして，Hammer判決を覆した。そして州内での労働時間と賃金の規制についても，それ自体州際通商に実質的影響を与える州内の行為の規制として正当化されうるとしたばかりか，州際通商から同法違反の製品を排除するための手段として許されると判断した。規制が州際通商を対象としていれば，その規制の手段として州内の行為にも規制権が及ぶというブートストラップ効果が認められたわけである。

さらに最高裁は，Wickard v. Filburn, 317 U.S. 111 (1942) でも，農業調整法のもとでの作付量を超す作物の作付けの禁止を支持した。規制の対象が製造であるかどうか，規制が直接的か間接的かは問題ではなく，対象とされている行為が州際通商に実質的影響を与えるならば連邦議会による規制は許されるとしたのである。本件では，Filburnは生産の上限を超えた小麦を自分の農場の家畜に与えており，通商には影響がないと主張したが，最高裁は，個人が自己消費に使えば，その分市場から購入しなくても済むので通商に影響するとした。また当該個人が上限を超えて生産した部分はわずかであったが，ほかの人まで同じことをすれば，通商に実質的な影響がありうるとされた。

1995年までの状況

その後も，連邦議会の権限は広く承認されており，連邦議会の権限は，憲法列挙の権限に限られるという建前は維持されているにもかかわらず，事実上それはほとんど無制約といっても過言でないかもしれない状況であった。連邦議会は，①規制の対象が州際通商，つまり州を超えての移動や輸送である限り規制でき，②州内の行為であっても，州際通商に実質的関連性があれば規制でき，さらに③州際通商に影響しない州内の行為であっても，州際通商規制のために必要であれば，規制できるのである[4)]。

しかし依然として，連邦議会の州際通商規制権でどこまで州内の行為を規制しうるかには，明確でない面も残されていた。

例えば，1960年代，公共の場所における人種差別を禁止した1964年市民的権利保護法の合憲性をめぐってこの問題が浮上した。Heart of Atlanta Motel v. United States, 379 U.S. 241 (1964) では，黒人の宿泊を拒否してきたモーテルへの同法の適用の合憲性が争われた。最高裁は，同モーテルがハイウェイの近くに位置し，その多くの宿泊客が州外からの旅行者であることを指摘し，人種差別が州

---

4)　Maryland v. Wirtz, 392 U.S. 183 (1968)（通商を営む事業者に雇用される労働者への公正労働基準法の適用を支持); Hodel v. Virginia Surface Mining & Reclamation Association, 452 U.S. 264 (1981)（連邦議会による地表での採炭規制を支持); Reno v. Condon, 528 U.S. 141 (2000)（運転免許者の個人情報の州等による公表を禁止した運転免許者プライバシー保護法を支持).

際通商を阻害していると認め，たとえ州内の行為であっても州際通商に実質的で有害な影響を与えるものには連邦議会の規制権が及ぶとして，同法の合憲性を支持した。また，Katzenbach v. McClung, 379 U.S. 294（1964）では，人種差別的な行為を行うレストランに対する同法の適用が問題とされた。最高裁は，レストランが州外から食料を仕入れていることなどを指摘し，連邦議会が人種差別は州際通商に影響すると考えたことに合理的根拠があったとした。

これらにより，人種差別については，連邦議会が州際通商規制権により広く州内の行為にまで権限を行使しうることが明らかになった。しかし，最高裁はなお州際通商との関連を慎重に指摘しており，また連邦議会が人種差別の禁止を超えて市民的権利保護のためどこまで州内の行為に権限を及ぼしうるかは定かではなかった。

連邦議会が州内の犯罪行為をどこまで規制しうるかにも，同じ問題があった。連邦議会は当然連邦に関する犯罪を処罰することはできるが，州内での犯罪処罰は州の権限であった。しかし，連邦議会が次第に州内の犯罪行為にまで規制権を及ぼすに至って，連邦議会の権限の範囲が問題となってきた。最高裁は，借金の暴力的取立てを禁止した連邦消費者信用保護法に関し，Perez v. United States, 402 U.S. 146（1971）で，まったく州内の行為であっても州際通商に影響を与えるものであるとして，同法の適用を合憲としている。特定の行為が州際通商に影響を与えていなくとも，禁止された種類の行為が影響を与えていれば，連邦議会の権限が及ぶというのであった。

とはいえ，最高裁は，なおまったく州際通商に関係しない州内の行為については，連邦議会の権限を正面から肯定することに慎重であった。最高裁は，United States v. Bass, 404 U.S. 336（1971）では，有罪判決を受けたことのある者の銃器所持を規制する連邦のオムニバス犯罪規制法違反を理由とする起訴について，議会の明示的意思がないとして，個別事例で州際通商との関連の証明がなくとも処罰できるという政府側の主張を斥けている。これに対し，Scarborough v. United States, 431 U.S. 563 (1977) では，同法のもとでの訴追について，銃器が州際通商によって得られたとの証明によって州際通商との関連性の証明があったとして，処罰が認められている。このように，あくまで州際通商との関連性の証明が必要であった。だが，ニュー・ディール以降，連邦法を通商条項のもとで違憲とした事例はなかった。

現　在

ところが最高裁は，レーンキスト・コートになって，United States v. Lopez, 514 U.S. 549 (1995) において，連邦議会の権限行使を通商条項のもとで否定する判断を下した。問題とされたのは，学校付近での銃の所持を禁止した連邦法であった。最高裁は，学校付近での銃の所持は，州際通商に何ら実質的影響を与えるような経済的行為とはいえないし，本件でも州際通商との関連が何ら示されていないとしたのであった。

この事例では，連邦議会は銃の所持が州際通商に与える影響を何ら認定していなかった。このことが，最高裁に，州際通商規制権を拡張することを慎重にさせたものと思われる。しかし最高裁は，United States v. Morrison, 529 U.S. 598 (2000) において，性別に動機づけられた暴力に対し民事上の救済を与えた連邦法についても，通商条項の下でこのような法律の制定の権限は存在しないと判断し，犯罪被害者救済は地方の権限事項だと判断している。ここでは，連邦議会は女性に対する暴力が州際通商に与える悪影響について認定をしていたが，最高裁は，この論理では際限なく連邦議会の権限が認められてしまうとして，連邦議会の権限を認めなかった。それゆえこの判決は，Lopez 判決以上に通商条項のもとでの連邦議会の権限行使に制限的な姿勢をとったものといえる。これら2つの判決は，最高裁が通商条項のもとでの権限行使に限界を見出しつつあることを示していよう。

ただ最高裁は，Gonzales v. Raich, 545 U.S. 1（2005）では，これらとは対照的な判断を示している。連邦の薬物規制法では大麻は医療目的での使用も認められない薬物とされていたが，カリフォルニア州は，医療目的での使用を認める州法を制定し，この事件では，ある住民が医師の勧告に基づき大麻を製造使用していたのに，連邦法に反するとして大麻が没収されたため，この連邦法の適用を通商条項の権限を越えるとして争った。最高裁は，Fiburn 判決にしたがって連邦議会は州際通商に影響を与える種類の行為を規制することができるとし，直接の規制対象行為が純粋に州内の行為であっても，その属する種類の行為が州際通商に影響を与えるなら規制は可能だと判断した。Lopez 判決と Morrison 判決とは事案を区別し，薬物取引という経済的活動が規制対象となっていること，本件規制は包括的な薬物規制の一環であることを区別の根拠として挙げている。

また，Gonzales v. Oregon, 546 U.S. 243（2006）では，オレゴン州が，末期患者に対して医師が薬物を処方して死亡することを認める尊厳死法を制定したところ，連邦政府の法務長官が，薬物の使用を規制している連邦法の下で，正当な医療目的の処方ではないとしてこれを禁止する解釈規則を出したことが問題とされた。最高裁は，連邦の薬物規制法は，尊厳死のための薬物の処方を禁止してはおらず，医療行為の範囲については州の独自性が尊重されてきたことからも，法務長官の解釈規則には法律上の根拠がないとして，これを認めなかった。だが，この判決も，連邦議会がそのような行為を禁止しようと考えれば禁止できるとして，連邦議会の権限自体は容認している。

ただ，やはりなおそこに限界もある。オバマケアの合憲性が争われたNational Federation of Independent Business判決では，連邦議会の権限を課税権の行使として支持するに際し，4裁判官は，健康保険への加入を義務づける権限を通商条項のもとで認めたが，ロバーツ主席裁判官は，これを認めなかった。健康保険に加入しないことが州際通商に実質的な影響を与えることが義務づけの根拠とされていたが，ロバーツ主席裁判官は，商業活動の規制と異なり，健康保険に加入しないことという不作為を理由に，商業活動をすること，つまり健康保険に加入することを義務づけており，通商条項のもとではここまでは許されないという。反対意見を述べた4裁判官も，これと同様の考え方をとっている。それゆえ，ここでも過半数の裁判官が通商条項のもとでの権限行使に限界を認めていることになる。

なお，たとえ州際通商規制権によって規制できないとしても，連邦議会は，支出権限を通して間接的に州に一定の行為を迫ることはできる（本章第3節1参照）。

2　州の自律権による州際通商規制権の限界

州としての州

このように連邦の州際通商規制権は，限界はあるが，今日きわめて広く認められている。州際通商規制をめぐる事例は，結局州と連邦議会の権限関係の問題である。そのため，既に州は上院に代表されているなど政治プロセスの中で十分保護されている以上，裁判所がさらに州の権限の保護の役割を担う必要はないとも考えられよう。それゆえ学説では，連邦の権限の射程に関する事例での司法審査は緩やかでかまわないという見解も有力である。

ところが最高裁は，National League of Cities v. Usery, 426 U.S. 833（1976）で，このような広汎な連邦の州際通商規制権にも，州の主権的存在としての自律権に照らし限界があることを示した。これは，最低賃金等の労働基準を定めた連邦公正労働基準法が州公務員にまで適用された事例であった。最高裁は，5対4で，修正第10条等にも触れて連邦議会の権限には限界があるとし，このような「州としての州」，あるいは「伝統的な」統治機能の領域における内部組織を構造づける州の自由を直接剝奪する権限は，州際通商規制権の範囲を超えると結論したのである。

しかし，この判決はその後の判例によって少しずつ掘り崩され[5)]，ついにGarcia v. San Antonio Metropolitan Transit Authority, 469 U.S. 528（1985）において，明示的に覆されるに至った。Usery判決とほとんど変わらない，自治体交通局職員への公正労働基準法の適用に関する事例で，州の保護は政治プロセスに存し，連邦の州際通商規制から州を除外すべき根拠はないと判断されたのである。そしてこの州の保護を政治プロセスに委ねる姿勢は，South Carolina v. Baker, 485 U.S. 505（1988）でも確認された。最高裁は，再びGarcia判決の趣旨を確認し，連邦議会の権限に対する修正第10条の制限は構造的であり，州は全国的な政治プロセスの中に保護を見出さなければならないとして，持参人払式債券への連邦の所得税課税を支持したのである。

二重の主権

しかし，州による低レベル放射性廃棄物処理の促進をねらった連

5)　Hodel v. Virginia Surface Mining & Reclamation Association, 452 U.S. 264（1981）; Hodel v. Indiana, 452 U.S. 314（1981）; FERC v. Mississippi, 456 U.S. 742（1982）; EEOC v. Wyoming, 460 U.S. 226（1983）.

邦法が問題とされた New York v. United States, 505 U.S. 144（1992）では，金銭面やアクセスについて優遇を行うことは許されるが，一定期日までに処理を行えない州に廃棄物の取得を義務づけた規定が連邦議会の権限を超え，修正第 10 条に反しているとされた。さらに，Printz v. United States, 521 U.S. 898（1997）では，ハンドガンの購入者の経歴調査を行える全国的なシステムをつくり，地方の法執行官の長に経歴調査を行うよう命じた連邦のブレイディ法が，修正第 10 条に照らし違憲とされた。連邦と州の二重の主権制度を重視して，連邦の法律の執行を州の公務員に強制することは許されないというのであった。これらの判決は，最高裁が再び州の権限を保護する方向に傾いてきていることを示していよう。

3　連邦議会の権限行使のない場合の州の州際通商規制

州際通商について連邦議会が沈黙している場合，つまり休眠状態（dormant）である場合，明文規定はなくとも，第 1 条第 8 節第 3 項からの構造的推論により，州による州際通商規制には限界があると考えられる。いわゆる休眠的通商条項（dormant commerce clause）の事例である。

初期の事例

最高裁は，前述した初期の Gibbons 判決では，連邦法に反する州の規制を最高法規条項のもとで無効であると判断した。しかし，その後は連邦の規制がない場合には州の規制の余地を認める立場を示した。Willson v. Black Bird Creek Marsh Co., 2 Pet.（27 U.S.）245（1829）では，連邦から河川での船の操業免許を付与された者が，州によって認可されたダムの建設によって運航を妨害されたため，ダムに損害を与え，賠償を求められた。そして最高裁は，連邦議会の州際通商規制権は行使されておらず，州の行為は合憲であるとした。また Mayor of the City of New York v. Miln, 11 Pet.（36 U.S.）102（1837）では，州が港に立ち寄る船の乗客の報告義務を船長に負わせたことについて，州際通商規制ではなくポリス・パワーの行使だとして，この規制を支持したのである。

このような態度が定式化されたのが，Cooley v. Board of Wardens of the Port of Philadelphia, 12 How.（53 U.S.）299（1851）であった。最高裁は，港に出入りする船舶に水先案内人の先導を義務づけた州の行為に対し，これを州際通商の規制と認めたが，連邦議会に州際通商規制権が委ねられていたとしても，州は何もできないわけではないと述べた。そして本件では，州に委ねるという連邦議会の意図があったとして州の規制を合憲としたのである。この Cooley 判決は，連邦議会は州際通商を規制する排他的な権限を有し，州はそれを規制しえないとの立場も，連邦の規制がなければ州は自由に州際通商を規制できるとの立場も斥け，中間的立場に立つことを明らかにした。

比較衡量論の確立

しかし 19 世紀の末からは，全国的な鉄道網の発展に合わせ，全国的な連邦的規制の必要性が増加した。そして最高裁は，次第に，州による規制の必要性と州際通商への影響を比較衡量するアプローチを展開するに至った。その推移は，South Carolina State Highway Department v. Barnwell Bros., Inc., 303 U.S. 177（1938）と Southern Pacific Co. v. Arizona, 325 U.S. 761（1945）の 2 つの判決を比較すれば明確である。Barnwell 判決は，州による道路通行車両の車両幅と重量規制について，地方事項であって州議会の権限内の合理的な規制であり，州際通商に影響があったとしても許されるとしていた。しかし，Southern Pacific 判決は，比較衡量による厳格な審査を示唆したのである。州による鉄道の貨車と乗客数の制限について，最高裁は，連邦議会の立法がないときには，州際通商の自由な流れを実質的に阻害したり，統一的規制を要する場合を除いて，州に規制権があると認めた。しかし最高裁は，その場合でも州による規制が許されるかどうかを判断するため，規制利益と州際通商への影響を比較衡量しなければならないとした。そして本件では，規制は州際通商に重大な負担を及ぼすのに対し，安全性の利益と関連性が欠けているとして，違憲と判断したのである。

この利益衡量のアプローチは，Pike v. Bruce Church, Inc., 397 U.S. 137（1970）においても適用されている。これは，ある州が州内産のメロンの評価を維持するために，メロンが州内生産物であることを明確にすべく，州内での包装を義務づけたために，これまで隣接する州で包装していた会社は，その州内で販売することができなくなった事例である。そして最高裁は，これは州内での生産を促進する措置であるとして，利益衡量の公式のもと，これを違憲と判断したのである。この判決は，州外の事業者に対し差別的で，州内の事業者に対し保護主義的な州の規制に対する厳しい姿勢を示している。

このように，州際通商に影響する州の規制には，正当な目的であるが州際通商に付随的に影響を与えるものと，差別的・保護主義的なものの2種類がある。最高裁は，両者を区別し，付随的にのみ負担を負わせる州法の場合は「地方の利益と推定されるものとの関連で明らかに過度な」負担を課していなければよいが，差別的・保護主義的な州法の場合にはより厳格な審査に服し，州法が正当な地方的目的に仕えていて，その目的が利用可能な非差別的手段では達成できないことを州が示さなければならないとしている。

州際通商に付随的に影響を与える州の規制

まず前者の規制については，州による州際通商の規制が非差別的で正当な地方的目的のためであれば，州際通商への影響の度合によって，その許容性が判断されることになる。つまり，州は，州際通商に影響を与えるような規制を行うことはできるが，州際通商に重大な負担を課す規制は認められないのである。カリフォルニア州が過当競争を防止するためレーズンの等級づけ価格を設定した事例である Parker v. Brown, 317 U.S. 341（1943）はこのことを示している。最高裁は，同州生産のレーズンのほとんどが州外に輸出されていても，問題の行為は差別的ではなく，州際通商への影響は大きくないとして規制を支持したのである。

その後も最高裁は，この文脈では州の規制に比較的許容的な姿勢を示している[6)]。ただ，例外的な場合には，非差別的な州法であっても，州際通商に与える影響の大きさによって違憲とされる余地は残されている。例えば，Bibb v. Navajo Freight Lines, 359 U.S. 520（1959）では，州内を通行するすべてのトラックに，泥の飛散を防ぎ道路の安全性を向上するため特別な形の泥除けの使用を義務づけた州法が違憲とされている。他のほとんどの州では，普通のまっすぐの泥除けでも合法であり（中にはこれを義務づけている州もある），それゆえトラックは，この州を通過する際に泥除けを付け替えるか，この州を避けるかの選択を余儀なくされる上，この特別な形の泥除けが別の意味で危険性を持っているのではないかとの疑問もあった。

州の規制がどこまで許されるかは，州の利益にもよる。州民の安

6） Exxon Corp. v. Governor of Maryland, 437 U.S. 117（1978）（石油製造・精製会社が州内でガソリンの小売を行うことを禁止した州法）; Minnesota v. Clover Leaf Creamery Co., 449 U.S. 456（1981）（返却不可能で再使用不可能なミルクの容器を処理上の問題と資源節約のために禁止した州の規制）; American Trucking Associations, Inc. v. Michigan Public Service Commission, 545 U.S. 429（2005）（州内を通行するトラックに一律100ドルの料金を課した州の規制）.

全保護を理由とするポリス・パワーによる規制は一般に尊重される傾向がある。ただし，州民の安全保護が理由とされていながら，実際には保護主義的な動機が隠されている場合もある。例えば，Raymond Motor Transportation, Inc. v. Rice, 434 U.S. 429（1978）では，州法が車両の長さを制限して，いわゆる2両連結のトラックを規制することが問題とされた。そして最高裁は，安全性を理由とする規制は強い合憲性の推定を受けるとしつつも，本件では州際通商に重大な負担となるとして，違憲と判断したのである。最高裁は，この規制が安全性に寄与するという証拠がまったくないことを指摘している。また，Kassel v. Consolidated Freightways Corp., 450 U.S. 662（1981）では，一定の長さ以上のトラックの2両連結を禁止した州法が問題とされた。相対多数意見は，安全性という点でこの区分には根拠はなく，州際通商に重大な負担となることを理由に違憲の判断を下している（もっとも結果同意意見は，この規制は端的に保護主義的規制であるとしており，この規制が安全性のための規制ではない可能性を示している）。

差別的・保護主義的規制

これに対し，差別的・保護主義的規制については，最高裁はかなり厳しい姿勢を示している。典型的な事例は，Baldwin v. G. A. F. Seelig, Inc., 294 U.S. 511（1935）である。この事例では，州がミルクの最低生産者価格を設定し，州外から安価なミルクを輸入して規制が無意味にされないよう，州外から輸入する業者にもその価格を支払うよう義務づけた。最高裁は，これは州外からの輸入に障壁を設けるものであるとして，州法を無効にしたのである。またH. P. Hood & Sons v. DuMond, 336 U.S. 525（1949）では，州外の業者が申請したミルク集荷施設を操業する許可が，州内の業者から生産者を奪い，州内でのミルクの供給不足をもたらすかもしれないという理由で拒否された。最高裁は，州民を競争から保護するための規制は許されないと判断している。さらに，Dean Milk Co. v. City of Madison, 340 U.S. 349 (1951) では，マディソン市の中心部から5マイル以内の認可された殺菌工場で処理されていない限りミルクの販売を禁止した条例が，州際通商に対し差別的だとして許されないとされている。

この傾向は，それ以後も続いている[7)]。もっとも，すべての保護

---

7) Hunt v. Washington State Apple Advertising Commission, 432 U.S. 333 (1977)（州内で販売されるリンゴの容器に合衆国の品質基準表示しか認めないとした州法）; City of Philadelphia v. New Jersey, 437 U.S. 617 (1978)（州外から廃棄物を運び入れることを禁止した州法）; Hughes v. Oklahoma, 441 U.S. 322 (1979)（州内でとれた小魚を販売目的で州外へ輸出することの禁止）; New England Power Co. v. New Hampshire, 455 U.S. 331 (1982)（電力の州外への供給の禁止）; Healy v. Beer Institute, Inc., 491 U.S. 324 (1989)（州外からビールを輸入する業者に，その価格が隣接する州での価格を上まわらないことの確認を求めた州法）; Wyoming v. Oklahoma, 502 U.S. 437 (1992)（石炭を使う火力発電所に自州生産の石炭を最低一定割合使用するよう義務づけた州法）; West Lynn Creamery, Inc. v. Healey, 512 U.S. 186 (1994)（すべてのミルク取扱業者に基金への拠出を命じ，州内のミルク生産者に分配する州法）; Granholm v. Heald, 544 U.S. 460 (2005)（州内のワイン製造業者には住民に直接出荷する許可を与えながら，州外の業者には許可を与えない州法）など。また最高裁は，Camps Newfoundland/Owatonna, Inc. v. Town of Harrison, 520 U.S. 564 (1997) において，慈善団体などに対する不動産税の免除を，州民のために活動しているものに限定していることも通商条項に反すると判断している。

ただし最高裁は，この通商条項の法理に対し，州が規制者としてではなく市場関与者として州内での使用を優先させた場合の例外を認めてきている。しかし，その射程はいまなお定かでない。South-Central Timber Development, Inc. v. Wunnicke, 467 U.S. 82 (1984).

また，最高裁は，これとは別に，United Haulers Assn., Inc. v. Oneida-Herkimer Solid Waste Management Authority, 550 U.S. 330 (2007) において，廃棄物運送業者に廃棄物を公的な処理場に配送することを義務づけた条例を，典型的で伝統的な自治体の機能に関する事例であって，州際通商に差別的ではないので，通商条項に反しないと判断した。さらに，Depart-

主義的州法が憲法に反するというわけではない。実際，Maine v. Taylor, 477 U.S. 131（1986）においては，生きた餌魚を運び入れることの禁止は保護主義的規制であると認めながらも，州外の魚の寄生物から州内の魚を保護し，生態系を維持するための措置で，それ以外の手段は存在しないとして，州の規制が支持されている[8)]。

第3節　その他の連邦議会の権限と立法権への制限

1　その他の連邦議会の権限

連邦議会には，それ以外にもさまざまな権限が与えられている。ここでは，その主たるものについて簡単に触れておくことにする。

課税権限

第1条第8節第1項において，議会には税を課し徴収する権限が与えられている。憲法自身，税が合衆国を通して均一であることのほか，人頭税・直接税が人口に応じて州に割り当てられるべきこと（第1条第9節第4項）[9)]，州からの輸出品への課税が許されないこと（同第5項）を規定しているが，それ以外，憲法の一般的禁止規定や権利章典に反しない限り，課税権は広く認められている。

この課税権限が問題となることはあまりない。しかも，連邦議会の課税権限が争われても，初め最高裁は，責任は議会にあるとの立

---

ment of Revenue of Kentucky v. Davis, 553 U.S. 328（2008）において，自州発行の債券の利息には所得税を免除しながら，他州発行の債券には免除を認めない州法についても，同じ理由で通商条項に反しないと判断している。

8）なお，連邦議会が法律によって「専占」（preemption）した場合には，州による規制は排除される。第3章76頁参照。

9）「直接税」は，かつては不動産税・人頭税を指すと考えられていたが，最高裁は，Pollock v. Farmers' Loan & Trust Co., 157 U.S. 429（1895）で所得税も直接税であると判断した。しかし，この判断は，修正第16条によって覆された。第3章注2）参照。

場を繰り返していた。バターに代わるオレオマーガリンへの課税が，税収を得るためではなく，その製造を抑止するためのものであって，違憲であると主張されたときにも[10]，あるいは麻薬製造輸送に特別の税金を課し，そのような行為をいわば抑止しようとした際にも[11]，最高裁は，課税は議会の権限内であるとしていた。

ところが，児童の労働に対する連邦議会の州際通商規制権による規制がHammer判決において最高裁によって覆されたあと，連邦議会が児童労働者を使って得られた利潤に課税しようとしたときには，最高裁はこれを覆すに至った。児童労働課税事件と呼ばれるBailey v. Drexel Furniture Co., 259 U.S. 20 (1922) において，最高裁は，この事件はHammer事件と区別しえず，連邦議会は州際通商規制権によって行うことが許されないとされたことを，課税権の口実のもとに行おうとしていると捉えた。そして，課税が税の徴収と無関係な州内の行為に制裁を加える目的でなされており，無効であると宣言したのである。

しかし，このような課税権限に対する厳格な姿勢も，州際通商規制権への厳しい姿勢の崩壊と歩調をあわせて後退した。例えば，United States v. Kahriger, 345 U.S. 22 (1953) では，業として賭事の賭金を受け取る者に対する課税が，賭博に制裁を科すためだけの課税だと争われた。しかし最高裁は，税が，課税された行為を抑止するためのものであっても，あるいは得られる歳入がわずかであってもかまわないことを確認し，議会の広い課税権限を認めたのであった[12]。

---

10)　McCray v. United States, 195 U.S. 27 (1904).

11)　United States v. Doremus, 249 U.S. 86 (1919).

12)　Sonzinsky v. United States, 300 U.S. 506 (1937)（銃器ディーラーへの免許税を支持）; United States v. Sanchez, 340 U.S. 42 (1950)（大麻の

同様に，オバマケアの合憲性が争われたNational Federation of Independent Business判決でも，健康保険への加入の義務づけとその違反への制裁金の税としての徴収について，これを課税権の行使として支持している。ロバーツ主席裁判官の法廷意見は，制裁金は税という名目で課されてはいないが，実質的には税であり，それゆえ課税権の行使として連邦議会の権限内の行為だというのであった。

支出権限

第1条第8節第1項によって，連邦議会に付与された支出権限も，訴訟になることは少ないとはいえ，重大な憲法問題を提起する。最高裁は，United States v. Butler, 297 U.S. 1（1936）において，農業生産量を制限して価格を安定させるため，農業長官が農家と契約して，給付金を受け取る代わりに，生産量を減らすよう約束させることを認めたニュー・ディール立法を無効とした。最高裁は，支出権限は一般的福祉のために行いうるもので，第8節に列挙された権限を執行するためだけに限定されないと認めた。しかし最高裁は，本件は，農業生産量という連邦議会の権限が及びえない事項の規制を支出権限によって達成しようとしたもので，許されないと判断したのであった。

しかし最高裁は，その後は連邦議会の支出権限を広く認める姿勢を示している。例えば最高裁は，翌年Steward Machine Co. v. Davis, 301 U.S. 548（1937）において，社会保険法のもとでの失業補償の支払いを支持した。ここでは使用者の拠出金は連邦の一般的歳入に入れられるが，一定の基準を満たす州の失業補償行政に対し支出された。最高裁は，これは経済的圧迫によって連邦の拘束のもとに

譲渡への課税を支持).

州に失業補償法の制定を強制するものであるとの非難を斥けたのである。同時に最高裁は，Helvering v. Davis, 301 U.S. 619（1937）で，社会保険法の老齢給付金支出の合憲性をも支持した。これによって，連邦議会が支出権限を利用して，州に一定の行為を促したり迫ったりすることが許されることになった。また最高裁は，Oklahoma v. Civil Service Commission, 330 U.S. 127（1947）でも，連邦の補助を受けている活動のために雇用されている州職員について，積極的な政治活動を禁止した連邦法を適用し，州にその職員を職からはずすか，補助金の停止をするかの選択を迫ったことが，憲法に反しないとしている。

さらに最高裁はSouth Dakota v. Dole, 483 U.S. 203（1987）において飲酒年齢を21歳に引き上げないと連邦の補助を削減するとしたことも，憲法に反しないと判断している。最高裁は，①支出権限行使が公共の福祉のためでなければならず，②州の同意は明瞭に示されなければならず，③連邦の利益と無関係の条件を付すことは許されないし，④他の憲法の規定に反することは許されないとしたが，本件はいずれの基準も満たしており，しかも州への「強制」とはいえないと判断したのであった[13]。

このように連邦議会が支出権限を通して州に一定のことを求める例は拡大の一途を辿っていた。これまでのところ最高裁は，このような支出権限の行使が州の存在と自律性を脅かすものだとの主張を受け容れてこなかったが，問題が残されていないわけではなかっ

---

13)　最高裁は，政府の補助や給付金を受領する条件として憲法上保護された権利の放棄を要求することは許されないとする「違憲の条件」禁止理論を認めてきた。しかし，その射程には曖昧さが残されている。公立図書館への補助金に，インターネットへのアクセスにフィルタリングの導入を条件づけたことが支持されたUnited States v. American Library Association, Inc., 539 U.S. 194（2003）参照。

た[14]。

この点，オバマケアの合憲性が争われたNational Federation of Independent Business判決では，健康保険への加入義務を課すのと同時に，高齢者や障害者などに医療ケアを提供する州に連邦の補助金を支出するメディケイドの対象範囲を拡大し，連邦の補助もそれに応じて拡大するとともに，この拡大に州が従わない場合，州は連邦の補助の一切を失うものと定めたことが問題とされている。ロバーツ主席裁判官は，この改正はメディケイドの性格を大きく変更するものであり，これに従わない州から連邦のメディケイドの補助を一切否定するのは行き過ぎだと判断している。今後の展開が注目される。

戦争権限

連邦議会には，戦争の宣言と軍への支出を初めとする，戦争及び軍隊に関する権限が与えられている[15]。もっとも大統領が軍の最高司令官とされているため，戦争の遂行に関しては，しばしば議会と大統領の権限の間で対立を生じる。とりわけ戦争の宣言が正式にされていないのに大統領が海外で軍事介入したり，軍を派遣したりした場合に，この問題は重大な争いを生じる。しかしこの点の記述

14）　例えば，連邦の補助金を受け取る条件として州の持つ主権免責を放棄することを求めることが，どのような場合にどこまで認められるのかなどについて激しい争いがある。第7章165頁参照。

15）　連邦議会は，以下の権限を有している。「戦争を宣言し，拿捕及び報復の特許状を発し，陸上及び海上の捕獲に関する規則を定めること」（第1条第8節第11項），「陸軍の兵士を募りこれを維持すること。ただし，そのための歳出は，2年を超える期間であってはならない」（同第12項），「海軍を設けこれを維持すること」（同第13項），「陸海軍の統制及び規律のための規則を定めること」（第14項）。海兵隊は海軍の一部として，空軍は元々陸軍の部隊から出発したことに基づき，そして憲法上明記されていなくてもおそらくその設立が認められるものと思われる。

は大統領の権限のところに譲り（第6章第2節2），ここでは，議会がこの戦争権限によってどこまで国内で権限を行使しうるかをみておこう。

この点では連邦議会には，戦争権限によって，戦争によって生じる諸問題に対処するため，治安保持から経済的問題を含め，国内的にも広い権限を行使しうることが認められている。そして，その権限は，戦争が終結した後でも，戦争を直接的原因とする諸問題に対処するために行使しうることが，第2次世界大戦後の家賃統制の合憲性を支持したWoods v. Cloyd W. Miller Co., 333 U.S. 138（1948）で確認されている。しかし，はたしてこの権限でどこまで州のポリス・パワーのような規制を行いうるのかには，まだ不明確な点が残されている。

条約と外交関係処理の権限

アメリカにおいては，条約は大統領が上院の助言と承認を得て締結することになっている（第2条第2節第2項。この場合，上院の承認には出席する上院議員の3分の2の同意が必要である）。また，連邦議会が外交関係を処理する権限は，その根拠については定かでないが，一般に承認されてきている[16]。上院の助言と承認を得て締結された条約は，自力執行的であれば，別段の法律による裏づけがなくても国内的に効力を有するが，そうでない場合は国内的に条約を実施するためには立法による裏づけを要する[17]。そして自力執行的な条約は，最高法規として，それと矛盾する州法に優位する[18]。

16）　Perez v. Brownell, 356 U.S. 44（1958）.

17）　Medellin v. Texas, 552 U.S. 491（2008）（外国人が拘禁された場合にその国の領事への通知を求めた領事関係に関するウィーン条約に基づく国際司法裁判所の判決は，自力執行的ではなく，その実施には法律の裏づけを要する）.

18）　最高裁は，条約と法律は同位であるとしている。Whitney v. Rob-

連邦政府は，この条約締結権によって州内部での行為にまで権限を及ぼしうることが，Missouri v. Holland, 252 U.S. 416 (1920) に示されている。ここでは，条約による渡り鳥の殺害・捕獲・販売の禁止が，修正第10条違反であると攻撃された。最高裁は，憲法の明文規定によって禁じられていない限り，条約を通じて州内部の行為であっても規制できると宣言したのである。それゆえ，本来連邦議会の権限が及びえない州内の事項であっても，条約があれば，その実施のために連邦議会は法律を制定し，その州内の事項にも規制権を及ぼすことが認められるわけである。

では，条約による規制の対象とならないような，純粋に州内的な事項はありえないのであろうか。この点はなお明確ではない。ただ最高裁は，条約締結権も憲法に反することはできず，条約や国際的協定があれば政府の権限が認められるというわけではないと示唆している[19]。

2　立法権への構造的制約

私権剝奪法の禁止

もともとの憲法には，権利章典は含まれていなかったが，いくつかの立法権への構造的制約が置かれていた。その一つが，憲法第1条第9節第3項の私権剝奪法（bill of attainder）の禁止である（なお，同条第10節第1項は，この同じ制限を，州の立法権にも課している。したがってここでは，両者に関する判例を一括して扱う）。イギリスの議会は反逆的な政治活動を行った特定の人に死刑を科す法律をしばしば制定した。そこで，アメリカでは独立革命後これを禁止する条項

ertson, 124 U.S. 190 (1888). ただし憲法の方が条約に優位する。注19) 参照。

19)　Reid v. Covert, 354 U.S. 1 (1957).

が明文で挿入されたものである[20]。

最高裁は，Cummings v. Missouri, 4 Wall.（71 U.S.）277（1867）において，初めてこの条項を問題とした。この事件では，南北戦争直後の時代背景のもとで，聖職者のような職業にある者に反乱に同調しなかったとの宣誓を要求した州憲法が問題とされた。最高裁は，私権剝奪法を，「司法裁判抜きで刑罰を科す法律」であると定義し，特定個人でなく一定の範囲の人に向けられていても私権剝奪法に該当するとした。そして，さらに最高裁は，Ex parte Garland, 4 Wall.（71 U.S.）333（1867）でも，最高裁での弁護を行う資格として，反乱に協力しなかったとの宣誓を要求することが私権剝奪法にあたると判断した。以前享受していた権利の剝奪も処罰であると結論したのである。

この問題は，第2次世界大戦後の反共主義の高まりの中で，再び浮上した。そして最高裁は，United States v. Lovett, 328 U.S. 303（1946）では，共産主義者とされた3人の政府職員に対する給与支払いを拒絶した法律規定を，Cummings判決にしたがって私権剝奪法にあたると判断した。しかし他の事例では，特定性の欠如や，過去の行為に対する処罰でないなどの理由で，私権剝奪法にあたるとの主張は斥けられ[21]，共産党員であった者が労働組織の執行部メンバーとなることを犯罪とした法律が争われた事例であるUnited States v. Brown, 381 U.S. 437（1965）で，かろうじて私権剝奪法にあたると判断されたにとどまった。

20）歴史的には，bills of attainderは，裁判を経ずに死刑を科す法を指し，死刑以外の刑罰の場合はbills of pains and penaltiesと呼ばれていた。しかし最高裁は，憲法は両者とも禁止していると解している。

21）Communist Party v. Subversive Activities Control Board, 367 U.S. 1（1961）; American Communications Association v. Douds, 339 U.S. 382（1950）.

このように，私権剝奪法として禁止されるのは，特定個人あるいは容易に確定しうる集団の構成員に裁判を経ることなく刑罰を科す法案である。しかし，伝統的な死刑・禁錮・罰金といった刑罰はともかく，一定の不利益を課す法案の場合，刑罰といえるかどうかは微妙な問題である。

この点が争われた事例としては，Nixon v. Administrator of General Services, 433 U.S. 425 (1977) がある。これは，ニクソン元大統領の文書を執行府内の総務部局長が管理することを定めた連邦法を，ニクソン元大統領が争った事例である。最高裁は，この法律がニクソン元大統領にのみ向けられていることはやむをえないことであるとした上で，文書管理が処罰に該当するかどうかを判断するため，3つの基準を打ち出した。①それが歴史的に禁止されていた処罰であるか，②そうでなければ制裁的でない立法目的に仕えているか，③そして議会に処罰的な意図があったかどうかである。そして最高裁は，その結果この法律は私権剝奪法に該当しないと判断したのであった。この定義的な手法では，私権剝奪法とされる範囲はかなり限定されることになろう。

実際最高裁は，徴兵登録をしなかった男子学生に対して連邦の高等教育奨学金を否定した連邦法の合憲性が争われた Selective Service System v. Minnesota Public Interest Research Group, 468 U.S. 841 (1984) でも，これが私権剝奪法にあたるという主張を斥けている。登録期間後に登録しても奨学金を受けうる以上，特定の個人に向けられたものとはいえず，さらに奨学金の拒否が処罰にあたるかどうかについては，上の3基準を援用して処罰にはあたらないとしたのであった。

最高裁によれば，私権剝奪法禁止は，議会が司法権を行使することを禁止するという権力分立的観点からのものとされている。しかし，最高裁のような理解では私権剝奪法の射程は著しく狭められてしまうとの批判もあり，これを実体的権利保護規定と解釈する見解も提唱されている。

事後法の禁止

憲法は，第1条第9節第3項で，事後法（ex post facto law）を禁止している。これにより，連邦議会は，過去の行為に遡及的に刑罰を科す法律を制定することが禁じられている（なお，同条第10節第1項は，この同じ制限を州の立法権にも課している。したがって，ここでは両者に関する判例を一括して扱う）。

事後法とは，典型的には行為時には合法であった行為に遡及的に刑罰を科したり，行為当時に科されていた刑罰より重い刑罰を遡及的に科す法律である。最高裁は，早くからこの禁止は刑事法にのみ及び，民事法には及ばないとしてきた。そこで，しばしば当該法律が刑事的ないし刑罰的であるかどうかが争点となる。

最高裁は，南北戦争後制定された，連邦裁判所で弁護士として活動するためには反乱に加わっていないことを宣誓しなければならないとした法律を，処罰と認めている[22]。しかし，過去の行為を理由に国外強制退去を命じること[23]，国外退去させられた外国人から社会保険給付を打ち切ること[24]，さらには過去に有罪判決を受けていることを理由に雇用を拒否することは[25]，刑事的ではなく，それゆえ事後法禁止に反しないとしている[26]。

22）　Ex parte Garland, 4 Wall.（71 U.S.）333（1867）.

23）　Marcello v. Bonds, 349 U.S. 302（1955）.

24）　Flemming v. Nestor, 363 U.S. 603（1960）.

25）　De Veau v. Braisted, 363 U.S. 144（1960）

26）　また，Seling v. Young, 531 U.S. 250（2001）（性暴力的略奪者の民事拘禁を定めた異常性犯罪者拘禁法は刑罰的ではなく，その遡及的適用は事後法の禁止に反しない）; Smith v. Doe, 538 U.S. 84（2003）（子どもに対す

▶参考文献

連邦主義については，松井茂記「レーンキスト・コートと連邦主義」比較法研究69号（2007），安部圭介「レーンキスト・コートと連邦主義」宮川成雄（編）・アメリカ最高裁とレーンキスト・コート（2009），安部圭介・人権の重層的保障――アメリカ型連邦制における州憲法の現代的意義（2022）。**立法権及びその委任**については，田中英夫・法形成過程（1987），佐藤幸治「アメリカ合衆国における『法の支配』の一断面」磯崎辰五郎喜寿・現代における「法の支配」（1979），駒村圭吾「アメリカ合衆国における『立法権委任法理』の展開（1）（2・完）」法学研究67巻3号・4号（1994）。**通商条項**については，木南敦・通商条項と合衆国憲法（1995），辻雄一郎「最近の州際通商条項についての憲法学的考察」筑波法政63号（2015）。**戦争権限**については，富井幸雄「アメリカ議会の戦争権限（1）～（5・完）」首都大学東京法学会雑誌51巻1号・2号，52巻1号・2号，53巻1号（2010-12）。

る性犯罪者の登録と氏名等の公表を命じたメーガン法の遡及的適用は処罰的ではないため事後法の禁止に反しない)参照。なお，訴訟手続を変更することは，たとえそれが公判途中でなされたとしても，事後法禁止に反しないとされている。Duncan v. Missouri, 152 U.S. 377 (1894); Beazell v. Ohio, 269 U.S. 167 (1925). ただし，Stogner v. California, 539 U.S. 607 (2003)(子どもに対する性的虐待の公訴時効を遡って延長することは，事後法禁止に反する).

第6章　大統領と執行権

第1節　大統領の執行権と権力分立原則

1　大統領の持つ権限

執行権の意味

憲法第2条第1節は，執行権を大統領に付与している。しかし，第1節による執行権付与がいかなる意味を持つのかは，必ずしも定かでない。というのは，第1節は執行権を大統領に付与しているが，その権限は第2節及び第3節に規定されており，その中に職員の任命権（ただし，上院の助言と承認が必要である）[1]と「法律が誠実に執行されるよう配慮」する権限が含まれている。しかも，連邦議会に，「この憲法により付与された」立法権のみを付与した第1条と異なり，第2条はこのような限定を付さずに執行権を大統領に付与している。

そこで，第1節の執行権付与が包括的に「執行権」と呼ばれる憲法的権限を付与したものか，それは単に大統領に「執行権」と呼ばれるタイトルを付与したにすぎず，具体的権限はその後に規定されているのか，意見が対立してきた。前者の理解によれば，第2節及び第3節に明記されていない権限でも大統領は固有の憲法的な「執行権」としてそれを行使できるが，後者の理解では，大統領の権限は明記されているものに限られることになる。とりわけこの問題は，

1)　ただし，連邦議会は，法律で適当と認める「下級職員」の任命権を，大統領，裁判所，または各部局の長官に付与することができる。

大統領が，法律による授権なく執行権行使として権力を行使しうるかという形で争われることになる。

Steel Seizure 事件

この問題が初めて正面から提起されたのは Youngstown Sheet & Tube Co. v. Sawyer, 343 U.S. 579 (1952)（Steel Seizure 事件）においてであった。これは朝鮮戦争という状況の中で，製鋼業の労使紛争によってストが予告され，操業停止を恐れた大統領が，法律の授権を欠くにもかかわらず執行府命令で製鋼工場を差し押さえ，操業継続を命令した事件である。そこで，大統領には法律の授権なく，第2条の執行権に基づいて，このような行為を行いうるのかが問題とされたのである。

ここで，ブラック裁判官の「法廷意見」は，このような行為は立法権であり，大統領によっては行使されえないとして，これを違憲と断じた。この立場は立法権と執行権を峻別し，大統領は立法的性質を持つ行為は法律の授権なくしては行えないという厳格な分立主義的な権力分立原則観を示唆する。

しかし，同意意見の中には，大統領による差押えを認めるかどうかがかつて議会で問題とされ，議会はそれを認める修正案を否決していたことから，この事件は議会の授権を欠く場合というより議会の意思に反する場合だと理解する者もおり，どこまでこのブラック裁判官の意見が多数裁判官の支持を得ているのか疑問がないではなかった。しかも，このブラック裁判官の厳格な権力分立原則観は次第に影響力を失い，むしろジャクソン裁判官が示していた柔軟な機能主義的な権力分立原則観の方が有力になってきた。

ジャクソン裁判官は，憲法は権力を分立させているが相互依存を求めているとして，議会の授権がある領域，議会が明示的に授権していないが議会の意思にも反していない「黄昏の領域」，議会の意思に反する領域を区別し，それに応じて大統領の権限の広さには違いがあるとした。本件は第三の領域に該当し，結局大統領の行為は正当化されないと結論したが，彼の分析方法は議会の権限との相関関係に応じて，大統領による行為の余地を示唆する柔軟な姿勢を示していたのであった。この立場では，明示の法律による授権がなくとも，連邦議会の意思に反しない場合には，大統領には執行権として権力を行使する余地が残されることになる。

だが，依然として最高裁は，この点についてはっきりとした判断を下しておらず，この問題は今後も争われ続けるであろう。

2　執行権と独立行政委員会

独立行政委員会

この「執行権」の意味は，特に合衆国憲法のとる権力分立制が立法・行政・司法の区別ではなく，立法・執行・司法の分立であるがゆえに一層複雑である。

というのは，憲法第2条が大統領に付与しているのは，「執行権」（executive power）であるが，この執行権は，従来「行政権」とは区別されて理解されてきたからである。アメリカでは，行政権（administration, administrative power）という観念は，議会が特定の領域で立法権・司法権類似の権限を有する「行政機関」を創出して法律の執行を委ねた段階で形成され，憲法上の概念として位置づけられることはなかったのである。

実は，アメリカでは，大統領に執行権が付与されているにもかかわらず，実際の法律の執行は，連邦通信委員会や証券取引委員会に代表されるような，特定領域における法律の執行のために議会が設けた独立の行政機関によって行われてきた。これらの行政機関は，複数の委員からなる委員会であり，大統領は委員の任命権を持っていても，その罷免権は制限されており（それゆえ，委員は政権が交代しても辞める必要はない），しかも大統領は委員会を具体的に指揮監督することはできない。そのためそれは，「独立」行政委員会と呼ばれている。委員会は，連邦議会によって裁判所のような「裁決」権とともに立法府のような一般的ルールを定める「規則制定権」を与えられ，独自の専門性により法律を執行すべきものとされた。「行政」は，この「行政委員会」の権限を大統領の権限と区別して呼ぶために用いられた概念であった。「行政権」は，それゆえ，連邦議会によって付与された権限であり，しかも大統領による政治的監視になじまない，専門的な技術の行使として捉えられたのである。

執行権と独立行政委員会

最高裁がこのような行政機関と行政権を憲法上どのように位置づけるべきかの問題に直面したのは，大統領の罷免権との関連においてであった。この点が初めに争われたのは，Myers v. United States, 272 U.S. 52（1926）である。この事件では，議会は郵便局長について，大統領が上院の助言と承認を得て任命すべきものとしつつ，法律で任期を定めて身分を保障し，罷免には上院の同意を求めていた。ところが大統領は，自分の気に入る人を任命すべく，局長を上院の同意なしに罷免したのであった。大統領の罷免権についての規定は憲法に存在しないが，最高裁は，第2条の執行権と職員任命権の存在から，大統領による職員罷免権を認めた。そして，最高裁は，このような大統領による罷免権への制約を，憲法違反と結論したのである。

しかし，この判旨は，しばらくして Humphrey's Executor v. United States, 295 U.S. 602（1935）において大きく修正された。これは独立行政委員会である連邦取引委員会の委員を，大統領が法律所定の罷免事由以外の政治的理由で罷免した事例である。そして最高裁は，Myers判決は執行府内の職員には妥当するが，執行権と関係せず，執行府の手足とは考えられない行政機関には及ばないとして，大統領の罷免権に対する制限を支持したのである。ここでは明らかに，行政権は，執行権とは異なり，議会によって委ねられた権限であるという理解が窺えよう。

さらに最高裁は，Wiener v. United States, 357 U.S. 349（1958）でも，戦争中に敵から受けた被害の補償についての裁決権を与えられた戦争請求委員会の委員の罷免についても，大統領が自分の気に入る人に代えるため罷免することを認めなかった。この事例では，この委員会が裁判所のような裁決権を行使していた点が，重要であったと考えられる。

このようにして，行政機関に対する大統領の権限は実質上委員の任命権と限定的罷免権に限定されているが，憲法上の執行権と行政権の関係や行政機関に対し大統領が執行権の名のもとにどこまで指揮監督権を持つのかはっきりしないまま，行政機関の存在が受け容れられてきたのであった。

現在の理解

ところがその後，環境保護庁のように，大統領のもとの省庁機関として設置されながら独立行政委員会同様の機能をはたす行政機関も現れ，省庁と独立行政委員会の間に決定的な差異があるのか疑問も提起されるに至った。そして，行政権を憲法上適切に位置づけるべきだとの声も現れるに至った。

そして最高裁も，議会拒否権に関するImmigration & Naturalization Service v. Chadha, 462 U.S. 919（1983）で，従来の理解とは異なる姿勢を示した。議会拒否権というのは，連邦議会が大統領や行政機関に権限を委ねる際に，最終的判断権を留保する手法である。現代行政においては，議会が広汎な権限を行政機関に委ねることがむしろ普通になっている。だが，これは立法権の過度の委任であるという批判もあり，行政の民主的統制という点で，議会による何らかの統制手段が模索されてきた。議会拒否権はその象徴的な制度であり，最も一般的な形態は一院拒否権（one-house veto）と呼ばれ，大統領・行政機関に権限を委ねておいて，その決定はいずれかの院が反対しない限り発効するというものである。

Chadha 事件では，強制退去決定を受けた外国人が退去の停止を受け，議会が反対しなければ退去決定を撤回されることになっていたのに，下院が拒否の決議を行ったため退去を余儀なくされた。そこで，下院が行使した一院拒否権の合憲性が争われた。そして最高裁は，第1条の立法手続に関する起草者意思を探り，起草者達は立法権の行使が厳格に第1条の立法手続に従うよう要求したのであり，議会拒否権はこの手続に反して立法権を行使するものであるから憲法に反すると宣言したのである。

本件は，裁決手続に対する議会拒否権の事例であり，当時一般的だったのはむしろ立法的性質の規則制定権に対する拒否権であることからみると，きわめて例外的な制度に関するものであった。それゆえ，学説でもこの場合には批判的な声が強く，その意味では最高裁の判断はそれほど意外ではなかった。しかし規則制定権の場合には，立法権が委任されたものであり，したがって議会拒否権は第2条の執行権の侵害とはなりえないという主張も有力であった。ところが最高裁は，議会拒否権行使が原告の法的地位を変更する点を捉え，それを「立法権」の行使と性格づけ，それゆえ第1条の手続にしたがっていない以上憲法違反だと考えた。しかも，その際最高裁は，行政機関が行使している権限は，独立行政機関による規則制定のような準立法的権限の行使も含めて，憲法的には「執行権」だと示唆した。この考え方によれば，規則制定権に対する議会拒否権も同様に憲法違反になろう。

この立場では，伝統的な「執行権」理解及び行政機関の位置づけが根底から覆されることになろう。学説では，この見解をさらに展開し，憲法は立法・行政・司法の権限分立を定めているといった主張もある。しかし最高裁は，その後もこの点で明確な判断を示してはいない[2)]。

3　権力分立原則

起草者達の意図

この問題は，同時に，政府の権限相互間の関係において権力分立原則の意味をどのように考えるかの問題でもある。合衆国憲法は，第1条で立法権を連邦議会に，第2条で執行権を大統領に，第3条で司法権を，最高裁を初めとする裁判所に付与しており，権力分立原則をとっていることに疑いはない。しかし，その具体的意味につ

---

2)　大統領の罷免権については，その後最高裁は，後述する Morrison v. Olson, 487 U.S. 654（1988）において，職員が「執行的」権限を行使しているかどうかは決定的ではなく，大統領が「執行権」と「法律が誠実に執行されるよう配慮する」権限を行使することを連邦議会が阻害したかどうかが問題だとしている。Myers 判決は，大統領が自由に罷免しうる「純粋に執行的」な職員の存在を認めた点で正しく，また，Humphrey's Executor 判決と Wiener 判決は，職員を自由に罷免することが，大統領による第2条の権限行使にとって不可欠ではなかった事例であったというのである。これに対し，Seila Law LLC v. Consumer Financial Protection Bureau, 591 U.S.—（2020）では，消費者金融保護局の局長に対する大統領の罷免権の制限が，権力分立原則に反するとされている。この組織は，従来の行政委員会とは異なり，独任制の組織であり，大統領が上院の助言と承認を得て任命するが，大統領の罷免権は制限されていた。そしてこの機関は，規則制定権限，採決権限に加え，膨大な金銭的制裁金の賦課を裁判所に求める執行権をも保有していた。最高裁は，このような新しい組織にまで従来の例外を拡張することを拒否したわけである。

いては不明確な点が多い。

起草者達は，政府による専制を防止し自由を確保するため，そして効率的な政府を維持するために，権力の分立が不可欠と考えた。だが起草者達は，それぞれの権力を厳格に分立させるのではなく，それぞれの部門が権力を一部共有して，互いに抑制し合うことによって，権力の均衡を保とうと考えた。つまり，アメリカの権力分立原則は，厳格な権力の切断によってではなく，権力の一部共有によって，つまり抑制と均衡を通して，実質的な権力分立をはかろうとしたものであった。

判例理論の変遷

最高裁は，この権力分立の具体的意味について，厳格な権力分立原則観を示唆したことがある。先に触れたSteel Seizure事件のブラック裁判官の法廷意見は，その典型例である。この立場では，問題となった行為が立法的性格のものであれば，それは連邦議会の権限であり，大統領には法律の授権がなければ許されない。

ところが，次第にこのブラック裁判官の厳格な権力分立原則観よりはジャクソン裁判官が示した柔軟な権力分立原則観の方が支持を受けるようになる。ここでは，問題の行為が立法権かどうかよりも，立法権と執行権の相互関係の中で，当該行為が許されるかどうかが判断されるべきことになる。

柔軟な権力分立原則観に基づく諸判決

このような柔軟な権力分立観は，70年代になってより明瞭になってきた。ウォーターゲート事件に関連して，大統領が執務室で行った会話の録音テープの提出が裁判所によって求められ，大統領が憲法上の執行府特権を主張して提出を拒絶した事例であるUnited States v. Nixon, 418 U.S. 683（1974）では，最高裁は，権力分立原則からみて裁判所は執行府特権の主張を審査できないという主張を斥けた。最高裁は憲法上の執行府特権を認めはしたが，憲法上分離された各権限は絶対的に独立して作用するよう意図されてはいないと述べ，すべての場合に絶対的特権が認められるとはいえないと結論したのである[3)]。

また選挙運動規制の法律執行にあたる選挙委員会委員を議会が任命するのは，大統領の任命権の侵害にあたるとして争われたBuckley v. Valeo, 424 U.S. 1 (1976) でも，最高裁は，憲法は3つの部門がそれぞれ完全に分立していることを想定していないとした。ただ，その上でこの事件では，実質的な法執行権限を持つ委員は大統領が任命権を有する「職員」に該当するとされた。

さらにウォーターゲート事件で提出されたニクソン元大統領の文書等を議会が執行府内で管理させることが権力分立原則違反であると争われたNixon v. Administrator of General Services, 433 U.S. 425 (1977) でも，そのような権力分立原則違反の主張は，厳格な分離を要求する古い考え方に立つもので，権力分立原則の起源にも，最近の諸判決にも，現代の政府制度の現実にも合致しないとして一蹴された。もっと実際的で柔軟な権力分立観が妥当だというのであった。

最高裁は，大統領が民事損害賠償責任を負うかどうかに関するNixon v. Fitzgerald, 457 U.S. 731 (1982) においても，この機能主義的なアプローチを確認し，大統領に対する管轄権を認めることによって生じる利益と危険を衡量すべきものとした。これは元空軍職員が内部告発を理由に解雇されたとして大統領を相手に訴えを起こした事例である。そして最高裁は，結果的に，大統領の職務上の行為

3)　なお大統領には，差止訴訟に対しても民事免責が認められている。Mississippi v. Johnson, 4 Wall. (71 U.S.) 475 (1867). ただし，刑事免責は存在しない。

については，免責の有無を特定事項ごとに判断するのではなく，一括して損害賠償請求に対する絶対的免責を認めた。

厳格な権力分立原則観に基づく諸判決

ところが，先述したChadha判決では，これとは異なる立場がとられた。というのは，ここで最高裁は，憲法は政府権限を立法権・執行権・司法権に区分しているとして，議会拒否権がそのいずれにあたるかをほとんど決定視しているからである。さらに最高裁は，権力分立の目的として自由の保護を強調しており，効率的な政府統治をその目的として認めていない。しかも最高裁は，憲法第1条の背後にある起草者意思をもっぱら問題とし，起草者達は議会の権限が強大になることを恐れていたとして，立法手続は厳格に守られなければならないとしているのである。

続いてBowsher v. Synar, 478 U.S. 714（1986）でも，最高裁はこの新しい厳格な分立主義的な権力分立原則観を適用し，均衡予算緊急赤字規制法を権力分立違反と結論した。この法律は，政府赤字を減少させるため，年間赤字の最高額を設定し，赤字がその額を一定以上超えた場合，予算管理局からの報告を受けた会計検査局長が，制限すべき支出額を大統領に伝え，大統領はその結果支出制限を命じなければならないものとされていた。そして，その命令は，議会が一定期間内に支出制限を必要としなくなるような立法措置をとらない限り，発効するものとされていた。最高裁は，この法律のもとで会計検査局長がはたす役割を問題にし，Chadha判決の論理を適用して，議会は法律を執行する者に対する罷免権を留保することはできず，それゆえ議会のみに責任を有する者に法律の執行を委ねることは許されないと述べた。そして会計検査局長は議会が罷免権を持つまさに議会のための職員であり，同局長がこの法律のもとではたす機能はまさに憲法的には「執行権」である以上，この制度は憲法に違反すると結論したのである[4]。

現在の理解

その後の判例理論も，決して一貫しているとはいえない。

最高裁は，特別検察官制度の合憲性が争われたMorrison v. Olson, 487 U.S. 654（1988）では，柔軟な姿勢を示した。政府倫理法は，法務長官が一定の連邦高官が連邦法に違反したと信じるに足る合理的な根拠があると判断した場合，コロンビア巡回区控訴裁判所による特別検察官の任命を求め，その検察官が捜査にあたる制度を設けており，法務長官は「正当な理由」のない限りその特別検察官を罷免できないことになっていた。この特別検察官が発した召喚令状の合憲性が争われた事件で，最高裁は，この特別検察官制度は憲法に反しないと判断したのである。

まず最高裁は，特別検察官は「下級職員」であり，裁判所に任命権が委ねられていても大統領の任命権を侵すものではないと判断した。そして，議会が裁判所に任命権を与え，その権限の範囲を定義することを許していても，憲法第3条に反しないという。さらに本法は，Bowsher判決の事例と異なり，執行府による罷免権に限定

4）ただし，同じ権力分立原則違反が争われたCommodity Futures Trading Commission v. Schor, 478 U.S. 833（1986）では，きわめて異なったアプローチがとられている。先物取引に関する詐欺的行為を禁止する商品取引所法のもと，先物取引委員会は損害を受けた者から賠償命令を求める申立てを受けつけるとともに，取引から生じた反訴についても裁定権限を有していた。本来民事訴訟であるべきこの反訴の裁定権を行政機関に付与するのは憲法第3条に反すると争われた。しかし，最高裁は，形式的な公式によらず，司法権の本質的属性が司法裁判所に残されている程度や司法裁判所以外の機関が司法権を行使する程度などの多くの諸要素を考慮した上で，司法権の侵害ではないと結論したのである。第7章163頁参照。最高裁は，本件はBowsher判決とは異なり，議会が他の同格部門の犠牲の上に自己の権限を拡大した事例ではないとして事案を区別している。

を付した事例であり，このような限定が許されるかどうかは，その職員の性質が「執行」的かどうかではなく，その限定が大統領による権限遂行を損なうかどうかによるという。そして本件では大統領による権限遂行を損なわない以上，大統領の罷免権を侵害しないとされた。権力分立原則違反の主張についても，本件では，議会は執行権の犠牲の上に立法権を拡大したわけでもないし，司法権が執行権を不当に簒奪したわけでもないし，執行権の法執行に許されないような影響を与えるものでもないとして，権力分立原則にも違反しないと判断したのであった。

最高裁は，Mistretta v. United States, 488 U.S. 361（1989）でもきわめて柔軟な姿勢を示した。既に触れたように，これは量刑改革法によって作られた合衆国量刑委員会が公布した量刑ガイドラインの合憲性が争われた事例であるが，この委員会の権限が権力分立原則に反すると争われたのである。この委員会は司法部内に設けられた独立委員会で，委員7人は大統領によって上院の助言と承認を得て任命され，身分が保障されていた。そして，そのうち少なくとも3人は推薦された連邦裁判官の中から任命しなければならないものとされていた。そして，この委員会の公布したガイドラインは，個々の裁判官に一定の裁量の余地を認めながらも，裁判官を拘束するものとされていた。

ここでも最高裁は，柔軟な権力分立原則の理解に基づき，権力分立原則は他の部門の権限への侵入や他の部門の権限を犠牲にした権限拡張を排除するものと解釈した。そして，①この委員会への権限委譲は違憲的な司法部への権限集中をもたらす，②現職の裁判官を委員に加えることにより，裁判官に非司法的な権限行使を許し，あるいは裁判官に裁判官以外の者と権限を共有させることにより，司法部の独立と自律を掘り崩す，③大統領の任命権と罷免権の存在は司法権を侵害する，といういずれの権力分立原則違反の主張をも斥けた[5)]。

同様に，現職の大統領に対する，大統領就任前に行われたとされるセクシャル・ハラスメントを理由とする損害賠償訴訟において，大統領に在任中一時的な免責が認められるかについて，Clinton v. Jones, 520 U.S. 681（1997）は，権力分立原則は，そのような就任前の職務と関係しない行為に対する損害賠償訴訟に対する免責を導かないとした[6)]。

これに対し，特定の支出項目や税控除を撤回する権限を大統領に認めた個別項目拒否権法は，Clinton v. City of New York, 524 U.S. 417（1998）で，違憲とされた。この拒否権の結果その項目の法的効力が奪われる以上，大統領は法律の一部を廃止することになるので，このような手続は第1条に合致しないというのであった。これは，明らかに厳格な分立主義的な権力分立原則観に立つものといえよう。

また，Free Enterprise Fund v. Public Company Accounting Oversight Board, 561 U.S. 477（2010）では，公開会社の会計監査を担当する会計事務所を監督する政府機関である公開会社会計監視委員会が問題とされた。同委員会は，証券取引委員会によって任命される

---

5)　ただし，Metropolitan Washington Airports Authority v. Citizens for the Abatement of Aircraft Noise, Inc., 501 U.S. 252（1991）では，最高裁は，連邦議会が空港の管理権を連邦政府から州の部局に委譲した際，部局の理事会決定に連邦議会議員によって構成された審査委員会の拒否権を留保したことを，権力分立原則違反と判断している。権限が執行権であれば連邦議会の機関に留保することは許されず，立法権であれば両院主義と大統領の拒否権規定に反するというのであった。

6)　同様に，Trump v. Vance, 591 U.S. —（2020）では，大統領の納税を担当した会計事務所に対する州の大陪審からの文書提出命令について，憲法第2条は，州の刑事裁判での個人的問題に関する文書提出命令に対する絶対的免責を付与してはいないと判断している。

5名の委員からなり，会計事務所はその規則や命令に従わなければならず，委員会には調査権や制裁を課す権限なども付与されている。証券取引委員会そのものが独立行政委員会で，委員は大統領によって任命されるが，職務怠慢や非行がない限り罷免されることはなく，証券取引委員会は，公開会社会計監視委員会の委員を正当な理由なく罷免することはできなかった。最高裁は，このような二重の独立性の保障は，第2条で大統領に付与された執行権を侵害し，権力分立原則に反すると判断している。公開会社会計監視委員会の活動に不満があっても大統領は委員を罷免することはできず，証券取引委員会による監督に不満があっても証券取引委員会の委員を罷免することができないのでは，大統領は法の誠実な執行を確保しえないというのである。そして最高裁は，制度が効率的だとか便利だとか，政府の諸機能を促進する点で有益であったとしても，それによって憲法違反の事実は変わらないとしている。

さらに，Zivotofsky v. Kerry, 576 U.S. 1（2015）では，エルサレムに対してはいずれの国の主権も認めないという立場を歴代政権がとってきたにもかかわらず，連邦議会が，エルサレムに生まれた人には出生地をイスラエルと表記したパスポートの発行を義務づけたことが，国の承認という大統領の専属権を侵害するとして，権力分立原則に反すると判断されている（ただし，トランプ大統領は，エルサレムをイスラエルの首都と認めた）。

それゆえ学説では，判例理論の整合性に疑問を提起する声が少なくない。

第2節　大統領の他の権限

1　外交関係を処理する権限

合衆国憲法は大統領に条約締結権を与え，外交にあたる大使等の任命権を与えている（第2条第2節第2項）。いずれの場合にも上院の助言と承認が必要である。しかも，条約締結に際しては，出席する上院議員の3分の2の同意が要求されている（ただし，大統領はしばしば上院の承認なしに外国政府との協定を結んでおり，これは行政協定と呼ばれる。このような慣行を制限しようとする連邦議会の試みはこれまで成功していない）。ただ，そこには，明示的に外交関係を処理する権限を付与した規定は存在しない。そのため，外交関係を処理する権限が本来連邦政府に属することは認められているが，どこまでが大統領の権限かについては，不明確な点が残されている。

この点最高裁は，United States v. Curtiss-Wright Export Corp., 299 U.S. 304（1936）において，大統領の外交関係処理権限に裁判所が干渉するのにきわめて慎重であることを示している。この事件では，連邦議会の合同決議に基づき大統領が武力抗争を行っている諸国への武器の売却を禁止したことが，立法権の委任で憲法に反すると争われた。しかし最高裁は，大統領には法律の授権がなくとも国際関係を処理する権限があり，連邦議会による授権も広汎たらざるをえないとしたのである。この判決は，大統領に憲法上広汎な外交関係の権限があることを示唆している。

また最高裁は，外交に関する領域では，法律の明示の授権がなくとも容易に大統領の権限を認める傾向がある。このことは，法律の明示の授権がないのにパスポートを取り消す権限を支持したHaig v. Agee, 453 U.S. 280（1981）にも窺われる。イラン大使館人質事件に関するDames & Moore v. Regan, 453 U.S. 654（1981）も同様である。これは，大統領がイランでの人質解放のため交渉の上で行政協定を結び，イラン人の資産凍結を解除し，係争中の請求については国際仲裁によって解決するものとしたことが争われた事例である。その結果発付された強制執行令状を取り消し，イラン人の資産を連邦準備銀行に移管し，係争中の請求について停止を命じた執行府命令に法律上の根拠があるかどうかが争点となったのである。最高裁は，前者2つには法律上の根拠を認めたが，最後の点にはこれを否定した。ところが最高裁は，関連する規定が広汎な裁量権を大統領に認めていること及び連邦議会が従前からそのような行為を黙認してきたことから，連邦議会は独自の大統領の行為を「招いた」ものと解釈しうるとして，この命令を支持したのであった。この判決も，この領域で裁判所がはたす役割がきわめて限定されていることを示している[7]。

2　軍の指揮

軍の指揮官としての権限

大統領は軍の最高司令官とされている。しかし，既に述べたように，戦争を宣言するのは連邦議会の権限であり，軍の予算を決定するのも連邦議会である。このようにみると，軍の派遣や戦闘活動の開始についての最終的決定権は連邦議会にあるようにみえる。ところが次第に，ベトナム戦争のように，大統領が議会による正規の戦争の宣言がないのに軍を派遣し，軍事介入する例が増加し，軍に関する連邦議会と大統領の権限関係が重大な憲法問題となった。最高裁は，ベトナム戦争の合憲性について判断する機会があったが，結局この問題については最終的判断を下さなかった[8]。そのため，こ

7）ただし，Medellin v. Texas, 552 U.S. 491（2008）（国際司法裁判所の判決を大統領が国内で執行しようとすることを，法律によって国内的執行が認められていないことを理由に拒否）参照。

8）アメリカは，南ベトナム支援を続けてきたが，1964年8月2日と8月4日にトンキン湾で発生した北ベトナム海軍によるアメリカ海軍の駆逐艦への魚雷攻撃事件（トンキン湾事件）への報復を理由にして，翌8月5日より北ベトナムに対する大規模な軍事行動を行った。連邦議会は，8月7日に

の領域での大統領と連邦議会の権限関係は，最高裁の最終的判断を受けてはいない[9]。

しかし連邦議会は，大統領による無限定的軍事介入を危惧し，1973年大統領の拒否権にもかかわらず戦争権限決議（War Powers Resolution）を成立させた。これは，大統領に対し，敵対国への軍事介入に際して連邦議会と協議し，連邦議会に報告することを義務づけ，さらに，報告を受けた後一定期間内に連邦議会が戦争を宣言するなどしない限り，大統領に介入を停止するよう要求したものであった。これは一種の議会拒否権であり，Chadha判決によって一院拒否権が憲法違反とされた現在，その合憲性には疑問の余地もないではない。だがこの決議は，戦争を宣言する連邦議会の権限とも結びついており，その点ではChadha判決の事例とは異なるともいえなくはない。まだこの戦争権限決議の合憲性について最高裁の判断は下されていない[10]。

は，「トンキン湾決議」を決議し，大統領による武力行使を支持した。ベトナムへの宣戦布告は一度もなされなかった。しかも，連邦議会はこの決議を1971年には取り消したが，ニクソン大統領は，憲法第2条に基づき引き続き軍事攻撃を続けた。Mora v. McNamara, 389 U.S. 934（1967）.

9）大統領の戦争権限が争われた唯一の先例は，南北戦争に関するPrize Cases, 2 Black（67 U.S.）635（1863）である。南北戦争は，内戦であって，国家間の戦争ではなく，連邦議会による戦争宣言はなかったが，最高裁は，緊急事態における連邦議会の承認を経ていない大統領による武力行使（海上封鎖措置）を支持している。

10）1991年の湾岸戦争の際には，大統領が事前に武力行使を認める決議を連邦議会に求め，これに応じて連邦議会は大統領による武力行使を認める決議を可決するとともに，大統領が実際に武力行使した後それを支持する決議を採択した。1999年NATOがユーゴスラヴィアを空爆した際には，攻撃はNATOの司令官の命令によって開始され，上院と下院はそれぞれ空爆を支持する決議を採択した。反対した議員が，戦争権限決議にしたがい戦争の宣言等がなされていない以上，大統領は軍を撤退すべきであったとして権力分立原則違反を理由に訴訟を提起したが，原告適格を欠くとして却下されて

グアンタナモ湾基地における敵戦闘員の拘束

9月11日のテロ攻撃事件以降の，テロとの戦争における大統領の権限も問題とされている。アフガニスタンで捕まった敵戦闘員は，キューバにあるグアンタナモ湾基地の収容所に収容された。ここはキューバの主権のもとにあるが合衆国が賃借をして管理しているところであった。そして多くの敵戦闘員が，裁判を与えられることもなく長期にわたって身柄を拘束されていた。

このような状況の中で，最高裁は，まず Rasul v. Bush, 542 U.S. 466（2004）において，敵戦闘員として拘束されている外国人の拘束の適法性について連邦の裁判所で争うことができると判断した。また，Boumediene v. Bush, 553 U.S. 723（2008）では，グアンタナモ湾基地にも人身保護令状を保障した憲法規定の適用を認め，連邦裁判所の裁判管轄権を否定した法律を違憲と判断している。

さらに Hamdi v. Rumsfeld, 542 U.S. 507（2004）においては，敵戦闘員として合衆国市民の身柄を拘束できるかどうかについて，連邦議会が制定した武力行使を認める法律が敵戦闘員の身柄の拘束を授権したものと解釈し，さらに戦闘状態が継続している限り身柄の拘束も正当化されると判断した。しかし身柄を拘束されている合衆国市民には，敵戦闘員かどうかを争う機会が与えられることが必要だと判断した。さらに Hamdan v. Rumsfeld, 548 U.S. 557（2006）でも，最高裁は，大統領の権限に否定的な判断を下した。原告は，アフガニスタンで逮捕され，グアンタナモ湾基地に身柄を移され，軍事委

いる。Campbell v. Clinton, 203 F. 3rd 19 (D.C. Cir.)，cert. denied, 531 U.S. 815（2000）. さらに2001年9月11日のテロ攻撃のあと連邦議会はテロの責任者への必要な武力行使を認める合同決議を採択し，大統領はこれに基き，アフガニスタンを攻撃した。またイラクの攻撃にあたっても，連邦議会は武力行使を認める合同決議を採択している。

員会による裁判にかけられることになったが，最高裁は，連邦議会は軍事委員会による裁判を憲法とコモン・ローの戦争法規の範囲内でのみ認めたもので，大統領が必要だと思えばいつでも用いることができるようなものとしたのではなく，また軍事委員会による裁判は被告に見る機会も与えられない証拠に基づく有罪判決を許している点で統一軍事裁判法及びジュネーブ条約に反するので，軍事委員会は本件で裁判にかけることはできないと判断した。

オバマ大統領は収容所を閉鎖する方針で努力したが，結局収容者の数は減少したものの閉鎖はできず，トランプ大統領はこれを維持する方針を打ち出した。バイデン大統領は，これを閉鎖したいと述べているが，依然として閉鎖措置はとられていない。

▶参考文献

執行権の意味については，木南敦「合衆国憲法の執行権の理解とニューディール」アメリカ法 1997（1）（1997)。**権力分立原則**については，大林文敏・アメリカ連邦最高裁の新しい役割（1997)，駒村圭吾・権力分立の諸相（1999)，大林啓吾・アメリカ憲法と執行特権――権力分立原理の動態（2008)，松井茂記「岐路に立つアメリカ行政法（1)～(3・完)」阪大法学 133＝134 号・135 号・136 号（1985)，同「アメリカ――アメリカに於ける権力分立原則」比較法研究 52 号（1990)。

第7章　裁判所と司法権

第1節　司 法 権

1　司法権付与の意義

憲法は，第3条で司法権を1つの最高裁判所と連邦議会が随時創設し設置する下級裁判所に付与している（第3条第1節）。ここでいう司法権は，事件・争訟を法の原則にしたがって解決することだといわれている。そして，憲法は，このようにして司法権を行使する裁判官に罪過なき限り身分を保障し，歳費を受ける権利と在任中その歳費を減額されない権利を保障している（同上）。司法権は，このように憲法的に独立を保障された裁判官によって行使されるべきだというのが，憲法の要求である[1)]。

それゆえ，このように司法権が裁判所に与えられているということは，司法裁判所は，そのような権限を剝奪されないことを意味する。したがって，伝統的な司法に属する事件を，連邦議会が憲法第3条の司法裁判所以外の機関に審査させた場合に，憲法第3条に違反しないかの問題を生じさせる。

例えば，Northern Pipeline Construction Co. v. Marathon Pipe Line

---

1)　憲法第3条に基づく裁判所以外に，連邦議会は第3条に基づかない裁判所を設けることができる。このような裁判所は，第3条による「憲法的裁判所」に対し，「立法的裁判所」あるいは「第1条裁判所」と呼ばれる。これは第3条の事件性の制約に服さない，本質的に行政機関のような存在である。破産裁判所や，租税裁判所などがこれに属する。

Co., 458 U.S. 50（1982）では，連邦の破産法が新たに破産裁判所を創出し，憲法第3条の保障のない裁判官に対し州法上の契約に関する訴えを裁判する管轄権を付与したことが，憲法第3条に反するとされている[2)]。これに対し Thomas v. Union Carbide Agricultural Products Co., 473 U.S. 568（1985）では，拘束力のある調停制度を設け，裁判所による審査を限定することが，憲法第3条に反しないとされている。さらに Commodity Futures Trading Commission v. Schor, 478 U.S. 833（1986）では，先物取引委員会に対し，法律によって禁止された詐欺的取引によって損害を受けた人からの賠償請求と，それに対する反訴の裁定権を付与したことは，憲法第3条に反するものではないとされている。

2　連邦の司法権の及ぶ範囲

合衆国憲法第3条第2節は，連邦の司法権が及ぶ範囲として一定の事件及び争訟を列挙している。すなわち，司法権は，①この憲法，合衆国の法律及びその権限に基づいて締結され，または将来締結される条約の下で生ずる法律及び衡平法上のすべての事件，②全権大使その他の公の外交使節及び領事に関するすべての事件，③海事及び海上管轄権のすべての事件，④合衆国が当事者である争訟，⑤2つ以上の州の間の争訟，⑥ある州と他州の市民との間の争訟，⑦相異なる州の市民の間の争訟，⑧それぞれ異なる州から付与された土地だと主張する同じ州の市民の間での争訟，⑨州またはその市民と外国，外国市民または被統治者との間の争訟に及ぶ。

州の裁判所は一般的な管轄権を有しているが，連邦裁判所の管轄

2）　Stern v. Marshall, 564 U.S. 462（2011）はこの趣旨を確認し，不法行為法上の反訴に対する管轄権を憲法3条の身分の保障のない破産裁判所の裁判官に付与したことを憲法第3条に反するとしている。

権は憲法列挙の事項に限られている。このなかで重要なのは，この憲法，合衆国の法律及びその権限に基づいて締結され，または将来締結される条約の下で生ずる法律及び衡平法上のすべての事件，つまり連邦法の問題に関する事件（federal question jurisdiction）と，相異なる州の市民の間の争訟，つまり異なる州籍当事者間の争訟（diversity jurisdiction）である（ただし，ここで列挙されている事件や争訟であればすべて必ず連邦裁判所に出訴できるわけではない。例えば，異なる州籍当事者間の争訟も，訴訟額が7万5千ドル以上でなければ実際には連邦裁判所には提訴できない）。

ただし修正第11条は，州に対し他州の市民が提起した訴訟には合衆国の司法権が及ばないと定めている。これは，ある州と他の州もしくは外国の市民との間の争訟の管轄権を連邦裁判所に認めた憲法第3条第2節の規定のもとで，裁判所法に従い，ある州の市民が別の州に対し債務を取り立てる訴訟に管轄権を認めたChisholm v. Georgia, 2 U.S.（2 Dall.）419（1793）が強い反発を招いて，制定された修正条項である。最高裁は，これを州の主権免責に基づくものと解釈しており，州に対する他州の州民からの訴訟だけでなく，州に対するその州の州民からの訴訟にも主権免責を認めている[3]。しかも，これは連邦裁判所だけの司法権の限界ではない。それゆえ，州はその州裁判所においてもその同意なく州民によって訴えられないと考えられている[4]（連邦政府にも同様の主権免責が認められると考え

3） Hans v. Louisiana,134 U.S. 1（1890）（修正第11条は，州に対する他の州の市民からの訴えだけではなく，自州の市民からの訴えも排除している）.

4） Alden v. Maine, 527 U.S. 706（1999）（州の主権免責は修正第11条というよりは連邦主義という政府の構造自体に由来するもので，連邦議会は第1条の権限によっても，州がその州裁判所で訴えられないという主権免責を剝奪することはできない）.

られている。ただし，主権免責は州が他の州を訴えることや連邦政府が州を訴えることを排除しないし，自治体には主権免責は及ばない)。

州は，この免責を放棄することができる[5)]。しかし，放棄は法律の上で一義的に明示されていて明確に宣言されたものでなければならない。それゆえ，例えば連邦のプログラムに参加することに同意したからといって，連邦の法律の規定が一義的に明確に州に主権免責の放棄を求めていない場合には，州は免責を放棄したとは認められない[6)]。また連邦議会は修正第14条第5節の権限で州から主権免責を奪うこともできる[7)]。ただし，連邦議会は第1条の立法権を含め，そのほかの権限ではこの免責を奪うことはできない[8)]。また，修正第14条第5節による場合でも，修正第14条第1節違反で違憲とされる行為のみを禁止するよう相応性と比例性が要求され，州の主権免責を剝奪する場合にもこの限界がある[9)]。

ただし，主権免責は，州民が州の職員を相手取って，法律の違憲性を確認する宣言的判決や差止めを求めて出訴することを妨げない[10)]。そのため，憲法訴訟の多くは，法務長官など法律の執行責任者を相手取って，法律の違憲性を確認する宣言的判決及びその執

---

5)　Port Authority Trans-Hudson Corp. v. Feeney, 495 U.S. 299 (1990).

6)　Edelman v. Jordan, 415 U.S. 651 (1974); Sossamon v. Texas, 563 U.S. 277 (2011).

7)　Nevada Department of Human Resources v. Hibbs, 538 U.S. 721 (2003); Tennessee v. Lane, 541 U.S. 509 (2004).

8)　Seminole Tribe of Florida v. Florida, 517 U.S. 44 (1996); Alden v. Maine, 527 U.S. 706 (1999).

9)　College Savings Bank v. Florida Prepaid Postsecondary Education Expense Board, 527 U.S. 666 (1999); Kimel v. Florida Board of Regents, 528 U.S. 62 (2000); Board of Trustees of the University of Alabama v. Garrett, 531 U.S. 356 (2001).　第8章注11）参照。

10)　Ex parte Young, 209 U.S. 123 (1908).

行の差止めを求めて提起されるのである。同様に，連邦法もしくは連邦政府の行為についても，職員を相手取って，その職員としての資格において，宣言的判決や差止めを求めて出訴することができる。

3　事件・争訟性の要件

事件・争訟性の要件の意味

合衆国憲法第3条第2節が連邦の司法権の対象としているのは一定の事件及び争訟だけである。したがって，司法権が事件・争訟（cases or controversies）にのみ及ぶことは，憲法上の要求である。

これはアメリカの司法権の概念が，古典的なコモン・ロー訴訟から展開され，自己の持つ財産権を侵害された人が権利を主張して裁判所に訴えたような状況を念頭において形成されたからであろう。しかし，何が一体司法権の及ぶ事件・争訟であるかは，決して明白ではない。そして，この要件は，特に市民が政府あるいは行政機関の行為を争うときに，重大な問題となって浮上してきた。

この問題は，また司法審査の正当性とも深く関わっている。というのは，Marbury判決におけるマーシャル主席裁判官の司法審査権正当化の論理には，当該事件における法適用という前提が不可欠的に組み込まれていたからである（私権モデル）。とはいえ，憲法裁判は，古典的なコモン・ロー訴訟の枠組みに閉じ込めることのできない特殊な側面を持つことは否定しえない。Marbury判決においても，既に最高裁が憲法解釈において特別な機能を持っていることが示唆されている（特別機能モデル）。この憲法裁判のいわば私権モデルと特別機能モデルの対立は，司法権行使の要件である事件・争訟性の意味についても異なった考え方を導く。

事件・争訟性の要件の内容

事件・争訟性の要件は，初め勧告的意見の許容性に関して問題とされた。建国直後，イギリスとフランスの戦争に直面して，大統領が条約の解釈について最高裁に意見を仰いだのである。最高裁は，裁判外で判断を下すことを拒絶し，それ以後連邦裁判所は勧告的意見を与えることはできないものと考えられてきた。このような勧告的意見に対する姿勢の背後には，憲法制定会議で破毀院提案が拒否されたという歴史的事情と，憲法第3条の事件・争訟性要件を満たしていないという理由，そして裁判所としての能力等の制度的考慮などがみられよう。

最高裁は，Muskrat v. United States, 219 U.S. 346 (1911) で，この事件・争訟性要件の具体的内容について，次の要素を示唆している。①財産権に関して，②相対立する訴訟当事者間に，③現実の紛争が存在し，④それについて裁判所が終局的判決を下し執行することができることである。この事件は，インディアン部族の土地を個人所有に分割する法律の合憲性について，法律自体が裁判所に出訴権を認めていた事例である。しかし最高裁は，被告とされた合衆国は実際には何ら訴訟の結果に利害を有しておらず，それゆえ本件訴訟は法律の合憲性を最高裁に判断させるためだけに提起されたもので，司法の判断にふさわしくないとしたのであった。

事件・争訟性の諸要件の具体的意味

このうち①は，原告が，訴訟を提起するために有していなければならない利益に関するもので，原告適格（スタンディング）の問題である（ただし，最高裁の原告適格理論は，原告の持っている利益の問題以外に②や③の要素も問題としているようである）。詳細については，後述する。

②は，対立性の要件と呼ばれ，両当事者が共謀して，対立性を欠きながら，ただ裁判所の判断を得るだけのために訴訟を提起することを排除する。典型的な事例は，United States v. Johnson, 319 U.S. 302 (1943) である。本件は，家賃が緊急価格統制法の上限を

超えていたとして借家人が家主を被告として賠償を求めた事例であるが，実は訴訟はすべて被告によって仕組まれたものであった。そこで最高裁は，共謀的だとして訴訟を却下したのである。

③は，紛争が想定的でなく，現実のものであることを要求する。このことは，特に差止めや宣言的判決のように予防的に救済が求められた場合に，紛争が裁判的解決を受けるに足るほど成熟していることの要求として問題となる。成熟性の理論の問題である。

これらの要件は訴訟提起の時点で充足されていなければならないというだけでなく，訴訟の全過程で充足されていなければならない。したがって，判決に至る途中でこれらの要件のいずれかが欠けると，訴訟はムート（仮想的なもの）になり，司法判断を受けられない。ムートネスの法理である。この問題は，とりわけ①の原告の有する利益が訴訟途中で失われた場合に重要な争点となる。

④は，判決の終局性と執行可能性を問題とする。このうち終局性という点では，特に裁判所の判断が執行府によって覆される危険性が問題となる[11]。例えば，C. & S. Air Lines, Inc. v. Waterman S. S. Corp., 333 U.S. 103（1948）では，この点が問題とされた。この事件では，裁判所に民間航空局による国際航空線航路の付与についての決定の審査が授権されていた。最高裁は，行政機関の判断が最終的に大統領によって覆されうる仕組みになっているため，裁判所の判断が大統領によって覆されうることから，裁判所はこのような審

11）この点の先例としては，Hayburn's Case, 2 Dall.（2 U.S.）409（1792）（独立戦争で負傷した軍人の受けうる恩給について裁判所に非拘束的な勧告権――裁判所の判決を戦争長官が停止し連邦議会の判断を待つことになっていた――を付与したことを権力分立原則に反すると示唆）が有名である。また，Plaut v. Spendthrift Farm, Inc., 514 U.S. 211（1995）（時効成立を理由とする裁判所の終局判決を覆し事件の再開を命じた連邦議会の法律は，第3条に反する）も参照。

査を行えないと判断した。裁判所は，終局的でなく，執行府の行為による審査変更を受けるような判断を下しえないというのであった。

ただし，裁判所による執行という要件は，必ずしも実際に判決が執行されることを要求するものではなく，救済の可能性があれば，宣言的判決であっても許される。宣言的判決は憲法制定当時認められた救済ではなかったが，Nashville, C. & St. L. Ry. v. Wallace, 288 U.S. 249（1933）で，最高裁は，宣言的判決もその他の点で事件性の要件を満たしていれば，憲法第3条の要件を満たしていると結論した。そして1934年連邦宣言的判決法が制定され，最高裁もこの合憲性を支持したのである[12)]。したがって，今日では救済の可能性があればよいことになっている。

最高裁は，このところ，この事件・争訟性の要件の問題を，「司法判断適合性」（justiciability）の問題という形で扱ってきている。この司法判断適合性の理論は，司法権行使の要件に関わる理論であり，その中に憲法上の要件である事件・争訟性の要件と司法の自制的制約ないし政策的考慮に基づく要件が含まれるというのである[13)]。そして最高裁は，原告適格，成熟性，ムートネス，「政治的問題」などを，この要件のもとで扱ってきている[14)]。

12）　Aetna Life Insurance Co. v. Haworth, 300 U.S. 227（1937）.

13）　ただし，Lexmark International, Inc. v. Static Control Components, Inc., 572 U.S. 118（2014）において，最高裁は，憲法上の要件に加えて，自制的制約に基づいて司法権行使を拒否することに否定的な立場を示している。

14）　第3条の事件・争訟性の要件は州裁判所には及ばない。したがって州によっては州裁判所に勧告的意見が認められているところもある。連邦の事件・争訟性要件を満たさない事件が州裁判所から連邦最高裁に上告された場合の扱いについては，Asarco Inc. v. Kadish, 490 U.S. 605（1989）を参照されたい。

事件・争訟性要件の存在意義

振り返ってみると，なぜそもそもこのような要件が存在するのか，その存在理由は必ずしも明確ではない。最高裁は，しばしば一方で，対立する事実及び意見の提示が真剣かつ十分になされることが司法判断にとって不可欠であることを強調している。他方最高裁は，ときおり，他の政府部門との間での権限の分配に配慮し，事件・争訟性の存在を権力分立の要求とも主張している。また，おそらく裁判所の資源の利用を無制限に認めることを防ぎ，裁判所が司法権を行使するのにふさわしい場合に限定するという機能もあるであろう。さらに，とりわけ原告適格要件などの場合，権利侵害は，その権利を侵害された本人が争うべきで，権利を侵害された人の意思に関係なく他の人に争うことを認めることは，とりわけその訴訟の判断が権利を侵害された人も拘束するような場合，デュー・プロセスの権利の侵害になるのではないかとの懸念もある。事件・争訟性要件は，これらの存在意義が複雑に絡み合って正当化されている。このような，事件・争訟性要件の根拠についての不明確性が，事件・争訟性要件の内容を一層複雑にしているといえよう。

司法権の本質をどう考えるかは，司法権の限界の問題とも結びついている。このような司法権の事件・争訟性要件の存在理由を重視したのは，フラーであろう。彼は，裁判をその典型とする，紛争解決方式としての裁決（adjudication）は，投票や契約とは異なった紛争解決方式であり，裁決の特色は，理性に基づく当事者主義的な議論の対立の場を与えることだと考えたのである。それゆえ，裁決は一定の類型の紛争についてだけふさわしく，多くの当事者が相互に密接に関係していて，一箇所を変更すれば必然的に他のものにも影響が及ぶような多中心的な紛争には向いていないと主張した。このような考え方からは，司法権を司法にふさわしい文脈に限定することは，いわば司法権の本質からの当然の帰結だということになろう。

このような司法権の理解の問題は，1970年代，公共訴訟あるいは制度改革訴訟と呼ばれる訴訟が拡大して，一層現代的意味を持つに至った。これは，公立学校における人種別学廃止や議席配分不均衡是正に端を発した現代的な訴訟形態である。その特徴は，特定の具体的な権利侵害に対する個別的救済を求めるのではなく，制度自体の違憲性を主張して，裁判所が組織的かつ継続的に制度を改善することを求める点にある。したがって，ここでは，相対立する両当事者が個別具体的事例で権利侵害と救済をめぐって対立するというのではなく，裁判所は制度自体の憲法適合性を問題にしなければならず，訴訟は二極的構造から多極的な多中心的構造へと大きく傾斜する。このような現代型訴訟とも呼ばれる制度改革訴訟が，はたして司法権にふさわしいかどうかについては，意見が分かれるところである。

第2節　事件・争訟性の要件の諸要素

1　原告適格

原告適格の意義

司法判断適合性の要件のうち最も中核的なのは，原告適格(standing)の要件である。この原告適格とは，主として訴訟当事者が，求めている救済を得るのに十分な個人的利益を有しているかの問題を提起する。そして，最高裁によれば，この要件には憲法上の事件・争訟性の要件と司法の自制的制約ないし政策的考慮に基づく要件の2つが含まれるとされている。しかし，はたして何をもって十分な個人的利益と考えるかをめぐって，原告適格理論は，大きく変遷してきた。

コモン・ローでは，財産権を典型とする法的権利が存在しなければ出訴しえなかった。したがって，市民が政府の行為を争う場合にも，初めは法的権利が必要と考えられていたが，これは別段「原告適格」の問題とは捉えられていなかった。ところがニュー・ディールを経て行政機関が増大し，これら行政機関の行為を争う訴訟が増加して，これが原告適格の要件として捉えられるようになった[15)]。しかし，州や政府を相手とする場合，しばしばこのような伝統的財産権の侵害の主張は困難である。また，そもそも財産権侵害は本案の問題であって，訴訟の入り口段階で原告適格として要求するのは妥当でないという見解が強まってきた。そこで次第に財産権といえない利益が問題となっている場合であっても，政府の行為を争う原告適格を認めるべきではないかが問題となってきたのである。特に焦点となったのは，納税者としての原告適格と，競業者等の有する経済的利益及び環境的利益等の非経済的利益の場合である。

原告適格要件の緩和

連邦納税者としての原告適格については，最高裁は初め，Frothingham v. Mellon, 262 U.S. 447（1923）において，否定的な姿勢を示した。これは，納税者が政府支出を修正第10条違反として争った事例で，最高裁は，原告の利益は大多数の者によって共有された比較的微細な不確定的なものであるとして，原告適格を認めなかったのである。

しかし，納税者が宗教学校への補助を国教樹立禁止条項違反として争った事例である Flast v. Cohen, 392 U.S. 83（1968）では，最高裁は，次の2条件のもとで，連邦納税者としての原告適格を認めた。まず第一に，納税者は，その地位と争っている法律との論理的関連性を明らかにしなければならない。本件では納税者は，連邦議会が

15)　Tennessee Electric Power Co. v. Tennessee Valley Authority, 306 U.S. 118（1939）（法的権利の侵害がなければ原告適格はない）.

憲法第1条第8節の課税権及び支出権のもとで行った行為を争っていた。そこで最高裁は，第一の要件の充足を認めた。第二に，納税者はその地位と憲法違反の性格との関連性を明らかにしなければならない。最高裁は，課税権や支出権への「具体的な憲法的制限」を争っている場合にのみ，納税者としての原告適格が認められるとした。そして，本件で援用された修正第1条の国教樹立禁止条項は，この意味での「具体的な憲法的制限」にあたると認めた。その結果，連邦納税者としての原告適格が認められたのであった。

このFlast判決は，原告適格要件の緩和に大きく寄与した。この判決に基づき競業者について原告適格を認めた画期的判決が，Association of Data Processing Service Organizations, Inc. v. Camp, 397 U.S. 150（1970）である。これは，情報処理サービスを銀行の付随的業務と認める通貨監督官の解釈裁定を，民間の情報処理サービス業者等が行政手続法のもとで争った事例である。最高裁は，原告が法的権利を有しているかどうかは本案の問題だとして，憲法上の要件としての原告適格は「事実上の損害」があればよく，保護された「利益の範囲内にあるとの一応の議論が成立」すれば自制上の要件も満たされているとしたのである。そして，競業者として経済的不利益を受けることから，本件では第一の要件は満たされているし，銀行の付随的業務を禁止した法律規定の存在を理由に，第二の要件も満たされるとした。こうして，競業者の原告適格が認められたわけである。

最高裁は，さらに原告適格を非経済的利益についても拡大した。Sierra Club v. Morton, 405 U.S. 727（1972）では，シエラ・クラブという環境保護団体が，公益の代表として自然公園の開発計画を違法だと主張して訴訟を提起した。最高裁は，Data Processing判決に従い，環境破壊が事実上の損害となる可能性を認めたのである。

ただ本件では，原告が不利益を受けたとの主張がなされていないとして，原告適格が認められなかった。ところが，United States v. SCRAP, 412 U.S. 669 (1973) では，最高裁は，かなり柔軟に原告適格を認めた。これは，環境保護のための団体に属するロー・スクールの学生が，行政手続法に基づき鉄道料金の値上げを違法だとして争った事例である。原告は，鉄道料金が値上げされれば，資源の再利用に余計に費用がかかるようになり，資源の再利用より新しい資源の利用が促進され，その結果自分達が利用している自然公園の資源も荒らされるであろうという理由で事実上の損害を主張した。最高裁は，この主張を認めたのであった。

このようにして，1970年代初頭，原告適格要件は，かなり緩やかなものとなった。

原告適格要件の厳格化

ところが，最高裁は1974年以降，原告適格要件を厳格に解する方向に転じた。United States v. Richardson, 418 U.S. 166 (1974) と Schlesinger v. Reservists Committee to Stop the War, 418 U.S. 208 (1974) の両判決で，まず最高裁は，納税者としての原告適格を Flast 判決の事例に限定する姿勢を示した。前者は，中央情報局 (CIA) の支出の明細を非公開とした法律を，納税者が公金支出の公開を定めた憲法第1条第9節第7項に反するとして争った事例である。最高裁は，原告は連邦議会の課税・支出権限の行使を争っているのではないし，Flast 判決のような具体的憲法的制限に対する違反の主張はなく，したがって必要な論理的関連性が示されていないとしたのであった。後者は，予備役構成員が，連邦議会議員が予備役構成員でもあるのは，第1条第6節第2項の兼職禁止に反するとして争った事例である。最高裁は，原告は第1条第8節のもとでの連邦議会の権限を争っていないとして，簡単に納税者としての原告適格を否定したのであった。さらに最高裁は，この Schlesinger 判決では，納税者だけでなく市民としての原告適格についても，その主張はすべての市民にとっての一般的な利益にすぎず，もっと具体的な損害が必要だとして斥け，厳格な姿勢を示した。

そして，このような姿勢は，Warth v. Seldin, 422 U.S. 490 (1975) で，一つの頂点に達した。これはある町のゾーニング条例が住居建設の最低要件を厳しくしているため，中低所得者向けの住居の建設ができないことを，住民や隣接する町の住民等が平等保護条項違反として争った事例である。ところが最高裁は，原告の全員について原告適格を否定したのである。まず隣接する町に住んでいて，その町から排除されていると主張する者については，最高裁は個人的な侵害を主張しえていないと結論した。条例のせいで危害を被ったこと，そして条例がなければそこに住めたであろうことの証明がないというのであった。そして隣接する町の納税者は，その町の条例のせいで隣接する町が中低所得者向けの住宅建設を余儀なくされ余計な税金負担を強いられていると主張したが，その原告適格は認められなかった。このような負担の因果関係自体が不確かなばかりか，原告は自分の権利の侵害を主張しているのではなく，結局排除されている中低所得者の権利を主張しているにすぎないというのであった。またこのほか，住民団体についても，納税者の代表としての原告適格は，納税者自身の場合と同様認められないし，その構成員の中の争われている町の住民についても，条例のせいで人種的に統合された環境で住む利益を奪われたという主張も，実は排除されたといわれる第三者の利益の主張であるとして斥けられた。建設会社の団体等の原告適格ですら，具体的な建設計画がないとして認められなかったのである。

その後最高裁は，Valley Forge Christian College v. Americans

United for Separation of Church and State, Inc., 454 U.S. 464（1982）において，Warth 判決のような厳格な姿勢を確認している。これは，議会が憲法第4条第3節第2項のもとで有する連邦の土地に関する権限に基づいて制定した法律により，行政機関が非営利的教育機関に余剰土地を払い下げたところ，宗教的教育機関への払下げが国教樹立禁止条項に反するとして争われた事例である。最高裁は，争われているのが連邦議会の第1条第8節のもとでの課税支出権限行使ではないとして，納税者としての原告適格を簡単に否定した。そして，さらに市民としても，何ら侵害を受けてはいないことを理由に，原告適格を否定したのである[16)]。

こうして，原告適格要件は，Data Processing 判決で示されたものよりはかなり厳格になっているように思われる。

原告適格要件の現在

原告適格の要件の大枠は，今日ではほぼ確立しているといえる。

それによれば，原告適格要件には，憲法上の要件と裁判所による自制的制約が存在する。憲法上の要件としては，もはや法的権利侵害を主張する必要はなく，原告が事実上の損害を被っているかまたは被る恐れがあることを主張することのみが必要とされる。既に述べたように，競業者の利益でも環境的利益でも，事実上の損害があ

16）ただし最高裁は，Duke Power Co. v. Carolina Environmental Study Group, Inc., 438 U.S. 59（1978）では，著しく緩やかな姿勢を示している。これは，原子力発電所で事故が起きた場合の賠償額を限定した法律が，被害者に対する正当な補償を否定するもので憲法に違反するとして，近隣住民によって争われた事例である。この法律は，原子力発電所の建設促進を目的とした法律であった。最高裁は，原子力発電所から生ずる放射能や美観への悪影響を理由に，「事実上の損害」を認めたのである。本判決に対しては，合憲判決を下すために緩やかに原告適格を認めたのではないかとの批判もある。

ればよい。その利益が多くの人によって共有されていることは，原告適格を否定する理由とはならない。ただし，あくまで原告本人に侵害が生じていることが必要である。

これに対し，自制的制約としては，主張されている危害がすべての人あるいは大多数の人によって共有されているような「一般化された苦情」では十分ではないというルールと，事実上の損害があっても自分の法的権利利益を主張しなければならず第三者の法的権利利益に訴えることは許されないというルールがある（第4章第2節2参照)。また，連邦の行政手続法のもとで，行政機関の行為を争う場合には，法律によって保護された利益の範囲にあると一応の議論が成立しうる利益を主張しなければならない[17]。

このような一般的枠組みのもとで，最高裁は，さまざまな事例で原告適格を認めてきた[18]。

17）ただし，最高裁は，Lexmark Internat'l, Inc. v. Static Control Components, Inc., 572 U.S. 118（2014）では，虚偽の広告を禁止したレーマン法違反を競業者が争いうるかが問題とされ，この利益の範囲内にあるという要件は，自制的制約の問題ではなく，法律解釈の問題だとしている。そして最高裁は，競業者は，自分の営業上，名声上の利益が損害を受けたこと，損害が法律違反と直近的因果関係を有していることが必要だとし，この事件では双方の要件が満たされたとして，競業者にレーマン法違反を争う原告適格を認めた。

18）Pennell v. San Jose, 485 U.S. 1（1988）（貸家所有者とその団体が，家賃値上げの承認の際に借家人に与える負担を聴聞官が考慮しうるとした市条例を修正第5条の収用条項違反を争う原告適格); Virginia v. American Booksellers Association, Inc., 484 U.S. 383（1988）（青少年に有害な書物を商業目的で意図的に青少年が見られるような形で展示することを禁止した州法を争う原告適格); Northeastern Florida Chapter of the Associated General Contractors of America v. City of Jacksonville, 508 U.S. 656（1993）（市の建設事業契約に少数者所有企業への優先を認めた計画を，非少数者企業が平等保護条項違反として争う原告適格); General Motors Corp. v. Tracy, 519 U.S. 278（1997）（企業に対する差別的課税を通商条項・平等これに対し Clapper v. Amnesty International USA, 568 U.S. 398 (2013) では，外国諜報監視法のもとで法務総裁などによって外国諜報監視裁判所の承認を得て国外にいると思われる合衆国市民以外の人の諜報監視を認めていることを，監視の対象となりそうな人と会話をしそうだと主張する市民が争ったが，具体的で特定の現実もしくは切迫した損害の証明がないとして原告適格が否定された。さらに，United States v. Hays, 515 U.S. 737 (1995) では，連邦議会の下院議員のある選挙区の区割りを，別の選挙区の住民が，平等保護条項に反する人種に基づくゲリマンダリングであるとして争う原告適格が否定されている。原告が個人的に侵害を受けているとの証明が欠けているというのであった。この趣旨は，Shaw v. Hunt, 517 U.S. 899 (1996) でも確認されている。同様に，Sinkfield v. Kelley, 531 U.S. 28 (2000) では，白人が多数の選挙区の白人の有権者には，これを人種的ゲリマンダリングとして争う原告適格はないとされている。また Lance v. Coffman, 549 U.S. 437 (2007) でも，合衆国憲法の選挙条項（第1条第4節第1項）のもとで，州議会による選挙区割りを争う有権者の原告適格が否定されている。さらに Texas v. Pennsylvania, 592 U.S. — (2020) では，2020年の大統領選挙をめぐり，バイデンに勝利を認めたジョージア，ミシガン，ペンシルバニ

保護条項違反として争う消費者の原告適格); Gratz v. Bollinger, 539 U.S. 244 (2003)（大学の人種的優遇措置を争う，まだ応募していない学生の原告適格); Massachusetts v. EPA, 549 U.S. 497 (2007)（温室ガスに適切に対応する規制を行っていないことを理由に，州が連邦環境保護庁を訴える原告適格); Monsanto Co. v. Geertson Seed Farms, 561 U.S. 139 (2010)（遺伝子組換えで作成された除草剤耐性アルファルファを認めても環境へ重大な影響を及ぼさないとして，規制されている植物から除外されたことに対し，伝来的な耕法でアルファルファを生産する団体と環境保護団体が争う原告適格); Susan B. Anthony List v. Driehaus, 573 U.S. 149 (2014)（選挙運動中の虚偽の発言を禁止した州法を修正第1条違反として争う原告適格).

ア，ウィスコンシンの4州における選挙中の選挙方法の変更は憲法に反すると，テキサス州がトランプの全面的支援のもとで連邦最高裁に直接訴訟を起こした。しかし，最高裁は，テキサス州には他の州における選挙結果を争う原告適格がないと判断している。

また，連邦議会の制定した法律を争う議員の原告適格は，Raines v. Byrd, 521 U.S. 811（1997）で否定された。大統領に法律の中の個別項目別に拒否権行使を認めた個別項目拒否権法成立後，それに反対した議員が，同法の違憲確認を求めて訴訟を提起したが，最高裁は，議員は憲法上必要な個人的な利害関係を有しておらず，十分具体的な侵害を証明しえていないというのであった。

因果関係と救済可能性の証明

憲法上の要件を満たすためには，争われている政府行為と原告の被った損害の間の因果関係と，裁判所による救済と原告の損害除去との間の因果関係の主張も必要である。

最高裁は，この点では次第に厳しい姿勢を示してきている。Linda R. S. v. Richard D., 410 U.S. 614（1973）は，子どもの扶養料を支払わない父親を処罰する州法がありながら当局がそのような父親を起訴しないことを，非嫡出子の母親が争った事例である。最高裁は，州が起訴しても原告が扶養料を支払ってもらえるとは限られず，それゆえ争われている政府行為の結果としての直接的な侵害が主張されてはいないとして，原告適格を認めなかった。

Simon v. Eastern Ky. Welfare Rights Organization, 426 U.S. 26（1976）は，非営利的な病院が税の優遇を受けるために必要な貧困な者に対する緊急治療の量を減少させた内国歳入庁（IRS）の裁定を，貧困な者がその結果緊急治療を受けられなくなったとして争った事例である。最高裁は，原告はその損害が政府行為の結果であること，裁判所が救済を与えれば治療を受けられるようになることを証明していないとして，原告適格を否定した。

Allen v. Wright, 468 U.S. 737（1984）でも，同様であった。これは，内国歳入庁が人種差別的な私立学校に免税地位を与えないよう十分配慮していないから，結果的にこれらの学校を補助している形となり，人種的に統合された教育を受けられなくなっているとして，黒人生徒の親が争った事例である。最高裁は，原告らの子どもが人種統合された学校での教育を受けられないということと補助金付与との間の因果関係の証明に欠けるとして，原告適格を否定したのであった。

さらに，California v. Texas, 593 U.S. —（2021）では，オバマケア法で，最低限度の必要な健康保険をかけていない人に対する制裁金の金額がゼロにされた後，いくつかの州と2人の個人が，それなら法律自体が違憲とされるべきだと訴えを起こしたが，2人の個人も州も，制裁金がゼロになった以上損害を援用できず，原告適格を欠くと判断されている。

納税者訴訟

納税者訴訟については，依然として連邦議会が第1条第8節のもとで国教樹立禁止条項に反して支出を行った場合には，納税者としての原告適格が認められている。例えば，若者の性交や妊娠に対処するためカウンセリング活動などを行う団体に補助金を与えることを，国教樹立禁止条項に反するとして納税者が争ったBowen v. Kendrick, 487 U.S. 589（1988）でも，納税者としての原告適格が認められている。しかし，既に述べたように，最高裁はこの場合以外に納税者としての原告適格を認めることを拒否してきている[19]。

19）例えば，Hein v. Freedom from Religion Foundation, Inc., 551 U.S. 587（2007）では，大統領が，大統領府及び連邦の行政機関内に，信仰に基づくコミュニティグループが連邦の補助を受けられる仕組みを作ったところ，

議会による授権

議会が法律で原告適格を付与している場合，裁判所は，特に自制的制約に関しては原告適格を広く認める姿勢を示している[20]。このことは，とりわけ連邦行政手続法のもとでの訴訟について妥当する。同法は，「関連する法律の意味において行政機関の行為により被害を受けた人」に司法審査を求める原告適格を付与している（合衆国法典5編702条)。最高裁が，原告適格要件を大きく緩和してきたData Processing判決もSCRAP判決も，この規定に基づく事例であった。ここでは，既に述べたように事実上の損害と保護された「利益の範囲内にあると一応の議論が成立」することの主張が要求されるのみである。

この点が争われた事例としては，Block v. Community Nutrition Institute, 467 U.S. 340（1984）が挙げられる。最高裁は，農業市場協定法のもとで行われた農務長官のミルクの料金決定を争う適格に

政教分離原則違反に反対する団体がこれを国教樹立禁止条項違反と争った。最高裁は，連邦法による支出ではなく一般的な執行府財源からの支出であったことから，Flast判決の適用を否定したが，2人の裁判官は，Flast判決自体を覆すべきだと主張している。また，Arizona Christian School Tuition Organization v. Winn, 563 U.S. 125（2011）では，宗教系学校を含む私立学校に通う生徒の奨学金を支給する学校授業料協会への寄付について税額控除を認めた州法を納税者が争ったが，争われているのが税額控除であって公金支出ではないとして，納税者としての原告適格は認められなかった。ただし，政府から不正に利益を得た人に対し，市民が政府に代って訴訟提起することを認めた不正請求防止法のいわゆるQui Tam訴訟について，最高裁は，政府の出訴適格を私人に委ねたものとして原告適格を認めている。Vermont Agency of Natural Resources v. Stevens, 529 U.S. 765（2000).

20）Trafficante v. Metropolitan Life Insurance Co., 409 U.S. 205（1972)（市民的権利保護法は人種的に統合されたコミュニティに住む権利を付与したと解釈して，同法に反して所有者が黒人の入居希望者を拒否したことを争う黒人及び白人の入居者の原告適格を認める).

ついて，ミルクを扱う業者は利益の範囲内の要件を満たしているが，一般消費者はそれを満たしていないと判断した。しかし，Clarke v. Securities Industry Association, 479 U.S. 388 (1987) は，もっと柔軟な姿勢を示している。これは，銀行が低料金で証券仲買のための営業所を開く申請をしたところ，通貨監督官が連邦銀行法の支店数制限にいう支店にはあたらないと判断して開設を認めたため，反対する業界団体が出訴した事例である。最高裁は，ここで利益の範囲内の基準を再定式化し，これは要するに原則として行政機関の行為の司法審査を認めるという推定に対し，その利益が法律の目的とほとんど関係せず，あるいはそれに反するような原告を排除するためのものだとした。そして，本件では，連邦銀行法の支店制限規定の存在のゆえに利益の範囲内の基準を満たしていると判断した[21)]。

しかし，議会による原告適格の拡大には憲法的限界がある。Lujan v. Defenders of Wildlife, 504 U.S. 555 (1992) は，そのことを明らかにした。この事件では，絶滅に瀕する動植物保護法のもとで指定された動植物保護のために義務づけられた措置を，従来と異なり国内の行為に限定する規則改正が行われたことが，環境保護団体等によって争われた。アメリカが国外で関与するナイル川での開発行為などによって，絶滅に瀕する動植物が絶滅する恐れがあるというのであった。最高裁は，原告が損害をこうむる恐れが証明されておらず，憲法的なミニマムの要件としての事実上の損害の証明が欠けていると判断した。ところが同法には，その規定に反する行政機関の行為に対しては何人でも訴訟を提起できるとする，いわゆる市民訴訟規定が置かれていた。最高裁は，それにもかかわらず，議会の

---

21) Bennett v. Spear, 520 U.S. 154 (1997)（絶滅に瀕する種の保護法の市民訴訟規定により，保護された利益の範囲内でなければならないという自制上の制約の適用は排除された).

誘いに乗って憲法上の要件を無視することは許されないと結論したのであった。

ただ，本判決は，国外の開発で絶滅するといわれる動植物を見に行く計画もないとして原告適格を否定しており，逆にいえばそのような計画さえあれば事実上の損害が認められる可能性を示唆していた。そして実際最高裁は，Friends of Earth, Inc., v. Laidlaw Environmental Services, Inc., 528 U.S. 167（2000）において，廃棄物処理事業者の処理水の河川への排出について周辺住民が市民訴訟規定に基づいて争った事例で，河川の利用や水泳やカヌーを楽しんでいたが，排出の結果汚染が心配でそれができなくなったとの主張で事実上の損害要件を満たしているとしている[22]。それゆえ法律によっても，事実上の損害がない争いに対する司法権行使を認めることはできないが，事実上の損害の要件はきわめて緩やかである。

原告適格要件をどう考えるか

このような原告適格要件がなぜ必要とされるのかについては，最高裁は，事件・争訟性要件と同様2つの機能を重視している。一つは，裁判所の判決の結果を現実的に評価できるような，具体的な事実的文脈の中で法的問題が提示されるよう確保するという機能である。そのような要求を通して，事件のすべての側面が提示されると

22）　また，FEC v. Akins, 524 U.S. 11（1998）（連邦選挙運動法のもとで義務づけられた情報開示に従わない政治団体に対する連邦選挙委員会の強制手続の拒否を争う投票者の原告適格を，委員会の決定で侵害を受けた人に訴訟提起を認める同法の規定のもとで認める）。これに対し Thole v. U.S. Bank, N. A. 590 U.S.―（2020）では，連邦銀行を引退し，確定年金給付を受けていた職員が，1974年の退職者所得保障法のもとで年金基金の運用の忠実義務違反を理由に損害の賠償を求めた。しかし最高裁は，確定年金受給者は何も不利益を被ってはおらず，さらに同法の年金受給者に対する出訴権の付与規定は，憲法第3条の要件を左右するものではないとして，訴えを斥けている。

いう安心を得ることができるし，また判決によって直接影響を受けそうな人の自律に適切な配慮を払うことができる。しかし原告適格要件は，さらに権力分立への配慮を含むものだといわれ，特に原告適格要件なく行政の行為に裁判所が口出しすることは，大統領の執行権の侵害になるという点が問題とされている。そして最高裁は，最近この側面を特に強調してきている。

ただ，このこともあって，このように原告適格要件の一般的枠組み自体は，ほぼ確定してきているにもかかわらず，最高裁が実際にこの基準をどう適用するかについては，依然予測は容易ではない。さらに問題を一層複雑にしているのは，原告適格が，本来訴訟手続の入り口段階の手続的要件であるにもかかわらず，本案の問題とどうしても結びついてしまう傾向があることである。学説では，最高裁の姿勢に対し批判も少なくない。

2　成熟性及びムートネスの法理

紛争の具体性と成熟性

司法権を行使するためには，具体的な紛争が存在することが必要とされる。抽象的，仮想的な紛争ではなく，対立する当事者間に「成熟した」紛争があることが必要なのである。

この成熟性の要件は，とりわけ差止めや宣言的判決を求める法律の執行前訴訟の場合に重要な意味を持つ。典型例は，United Public Workers v. Mitchell, 330 U.S. 75（1947）である。これは，執行府内の職員が政治的運動に積極的役割をはたすことを禁止したハッチ法の執行差止めなどを求めて連邦の職員が出訴した事例であった。原告のうち1人は実際に法律違反に問われていたが，それ以外の者は単に禁止されている行為を行いたいとして差止めなどを求めていた。最高裁は，その法律違反に問われている1人に関しては法律の合憲性を判断したが，それ以外の者については，勧告的意見を求めているに等しいとして門前払いしたのであった。

ところが，Adler v. Board of Education, 342 U.S. 485 (1952) は，この点についてまったく関心を示さなかった。この事件は，公立学校から破壊主義的人物を排除することを意図した法律のもとで，教育委員会が破壊活動団体のリストを作成し，その構成員であることを教職からの一応の排除理由としていたことを，教師等が争ったものであった。ここでも教師等が法律違反に問われたとか，法律によって実際その行動を妨げられたという証明はなかった。にもかかわらず，最高裁は，Mitchell 判決にしたがって訴訟を却下すべきだとの反対意見をかえりみず，本案判断したのであった。

その後も，最高裁は，法律の適用を受けそうだという人がその法律の違憲の宣言や執行差止めを求めて出訴した事例で，ほとんどの場合本案判断をしてきている[23]。ただし，法律が執行される可能性が少ないとか，損害を受ける可能性が定かではない場合には，最高裁は，成熟性を否定し，司法権行使を拒否してきている[24]。

この紛争の具体性の問題は，1970年代，制度改革訴訟との関係で，新たな争点となった。O'Shea v. Littleton, 414 U.S. 488 (1974) では，治安判事や裁判官が保釈金や量刑に関して組織的に人種差別

---

23)　Steffel v. Thompson, 415 U.S. 452 (1974)（ショッピングセンターの外の歩道で反戦ビラを配布して，逮捕を警告されていた人の宣言的判決と差止めを求める訴訟は，第3条の要件を満たす）参照。

24)　Poe v. Ullman, 367 U.S. 497 (1961)（避妊具の使用の禁止規定の執行可能性に疑問があるとして審査を拒否); Laird v. Tatum, 408 U.S. 1 (1972)（軍の諜報活動が修正第1条の表現の自由に萎縮的効果を持つとして提起された訴訟において，主観的な萎縮の主張では足りず，直接的な権利侵害がなければならないと判断）参照。このような成熟性の要件は，特に行政機関の行為の執行前差止めを求める場合に重要な意味を持っている。Abbott Laboratories v. Gardner, 387 U.S. 136 (1967).

的であったとして，市民が差止めを求めて訴訟を提起した。ところが最高裁は，具体的な侵害の恐れが示されておらず，憲法第3条の要件は充足されていないと結論した。最高裁は，フィラデルフィア市警察が被疑者を組織的に虐待しているとして争われたRizzo v. Goode, 423 U.S. 362 (1976) でも，O'Shea判決同様，具体的事件の存在を否定している。さらにCity of Los Angeles v. Lyons, 461 U.S. 95 (1983) でも，ロサンジェルス市の警官が身体を拘束するために「首締め」を行ったとして，その被害者が将来における首締めの差止めを求めたのに，最高裁は原告が将来再び首締めにあうことが示されていないとして，憲法第3条の要件の充足を認めなかった。最高裁のこのような制度改革訴訟に対する厳格な姿勢には，学説の批判もあった。

ムートネス

原告適格が，訴訟提起の時点における訴えの利益の存在を問題とするのに対し，ムートネスは，その利益が訴訟中に喪失した場合の問題である。ムートネスの法理は，現実の紛争が，提訴の時点だけでなく，審査の全段階において存在することを要求するのである。それゆえ，判決までに訴えの利益が存在しなくなったときには，事件はムートになったとして，訴訟は却下される。

ムートとなる理由は，当事者の死亡や争われている法律の改正など，さまざまである。ムートネスの法理が適用された事例では，De Funis v. Odegaard, 416 U.S. 312 (1974) が注目される。これは，ロー・スクールでの人種に基づく優先入学制度が平等保護条項違反ではないかと争われた事例である。原告は提訴の後入学を認められ，最高裁判決の時点では既に最終学期で，判決の結果いかんにかかわらず卒業するばかりになっていた。そこで最高裁は，事件はムートになったとして，審査を拒否したのであった[25]。

しかし，本来訴訟の原因となった利益についてはムートとなっても，付随的な不利益が依然存在する場合には，審査が正当化されることがある。例えば下院で議席を認められなかった議員がその議決を争っていた事件では，最高裁は，たとえその後議員としての地位が認められても，歳費請求権がある以上本件はムートになるものではないとしている[26)]。刑事事件では，有罪判決に付随する不利益の存在のゆえに，刑期を終えた後でもなおムートとならない[27)]。

さらに，この法理は必ずしも例外を許さないものではない。実際最高裁は，一定の場合に当該原告本人については訴えの利益がなくなっても，事件がムートにならずに本案判断が相当とされると考えている。最も典型的な例外は，「繰り返されるが，審査を受けないで済んでしまう」(capable of repetition yet evading review) ような状況に関する。つまり，問題となった具体的事件についてはもはや訴えの利益がなくなってしまっていても，将来も同種の事件が生じることが予想され，その場合にも訴えの利益がなくなり，司法審査を受けなくなる場合には，本案判断をすることが正当化されるというわけである。例えば，Roe v. Wade, 410 U.S. 113 (1973) がそのような場合である。これは妊娠中絶禁止法がデュー・プロセス条項に反するとして提起されたクラス・アクション（あるクラスの人の代表と

---

25)　また，Arizonans for Official English v. Arizona, 520 U.S. 43 (1997)（英語を公用語とする州憲法改正を，スペイン語を話す州職員が争った訴訟は，原告職員が辞職したためムートとなった）参照。これに対し，争われている行為が任意に中止されても，将来同じ行為が繰りかえされる可能性があれば事件はムートとはならない。United States v. E.T. Grant Co., 345 U.S. 629 (1953); Knox v. Service Employees International Union, Local 1000, 567 U.S. 298 (2012); West Virginia v. EPA, 597 U.S. — (2022).

26)　Powell v. McCormack, 395 U.S. 486 (1969).

27)　Sibron v. New York, 392 U.S. 40 (1968).

して原告に訴訟が認められる訴訟）であるが，原告女性は，訴訟の間に既に妊娠状態ではなくなっていた。しかし，妊娠期間は終局的司法判断を受けるには短すぎるため，もしこれで事件がムートとされると，妊娠中絶禁止を争うことはできないことになる。そこで最高裁は，本件で本案判断をしたのであった[28)]。

3　政治的問題

政治的問題の意味

政治的問題とは，一般的にいうなら，事件があまりに政治的であるため，裁判所の司法権行使を拒否すべきだとされる問題を指す。しかし，最高裁によって，政治的問題として論じられてきたものには，実はさまざまな類型が存在するように思われる。少なくとも，そこには次の3つの異なった類型が見出される。一つは，憲法自体が，一定の憲法問題の決定を裁判所以外の他の部門に委ねている場合である。第二の類型は，「司法的に扱いうる基準」を欠くがゆえに事件が解決しえず，司法判断適合性が否定される場合である。そして第三の類型は，裁判所の裁量的な審査拒否権を強調し，一定の事件はあまりに政治的であり，判決執行や制度上の諸問題を生じるがゆえに，司法判断すべきでないとする場合である。これらの諸類型の違いは，議席配分不均衡が争われた Baker v. Carr, 369 U.S. 186 (1962) でも指摘されている。

これに対し，政治的問題の最も重要な要素は連邦議会への敬譲だ

28)　Nebraska Press Association v. Stuart, 427 U.S. 539 (1976)（マス・メディアに対する報道禁止命令を争う訴訟は，命令の効力が終了したあとでも，ムートとはならない）. 訴訟がクラス・アクションである場合には，特定原告についてはムートとなっても，審査が認められる余地は広いかもしれない。Sosna v. Iowa, 419 U.S. 393 (1975).

という政府の主張は，United States v. Munoz-Flores, 495 U.S. 385 (1990) で斥けられている。この事件では，連邦の軽罪で有罪判決を受けた者に犯罪被害者基金への特別負担金の支払いを命じることを認めた犯罪被害者法が，歳入法案の下院での先議を義務づけた第1条第7節に反しないかが問題とされ，政府は，連邦議会が法律を制定したことは連邦議会がこれを合憲だと判断したことを意味するので，それを裁判所が覆すことは連邦議会への敬譲を欠くことになり，政治的問題と扱われるべきだと主張した。しかし最高裁は，これでは法律の違憲審査はすべて排除されることになるとしてこの主張を斥け，連邦議会の制定した法律の合憲性を審査するのは裁判所の義務だと応じた。

憲法上他の部門に委ねられている場合

第一の類型は，憲法がその問題の決定を条文上裁判所以外の政治部門に委ねているがゆえに，司法権が及ばない場合である。この場合には，司法権の限界があることは否定しがたい。とはいえ，一体いかなる場合に，他の部門への条文上の委任があるといえるのかは，決して明確ではない。Powell v. McCormack, 395 U.S. 486 (1969) は，まさにこの点が争われた事例である。この事件では，原告は下院議員に当選したのに，下院は，不正な行為を行ったことなどを理由に議席を認めなかったため，これが裁判所で争われた。そこで，憲法第1条第5節第1項の各議院はその議員の資格についての裁判官であるという規定のもとで，他の部門への条文上の委任があるがゆえに司法判断できないかどうかが，問題とされた。最高裁は，この条文を歴史的に検討し，憲法に定める資格を満たしていて，正当に選挙された議員を排除するような権限は議院に与えられていないと判断し，司法判断を排斥するような条文上の委任は存しないと結論した。

今日まで，この類型のもとで条文上の委任が認められていると考えられているのは，第1条第5節第1項（議員の選挙においていずれの候補者が多い有効投票を得たかの決定）と[29]，第1条第8節第16項（民兵の組織と規律)[30]，そして第1条第3節第6項（上院による弾劾裁判)[31]である。それ以外にも憲法改正過程[32]もこの類型と考えられうるかもしれない。

さらに戦争や外交関係に関する問題に関しても，最高裁は政治部門に委ねられた問題だとする傾向が強い[33]。ただし，これに対し，Zivotofsky v. Clinton, 566 U.S. 189（2012）では，エルサレムに生まれた人のパスポートの出身国表記をイスラエルとした連邦法にもかかわらず，国務省がエルサレムの帰属について特定の立場をとらないとの方針にしたがって，表記を拒否したことが争われた。この事例で，下級審はこの問題は政治的問題だと判断したが，最高裁は，結局訴訟の焦点はこの連邦法の合憲性であるが，この問題を執行府に委ねた規定は存在しないと判断している。

解決の基準が欠けている場合

第二の，基準の欠如の類型は，Coleman v. Miller, 307 U.S. 433

29）Cf. Roudebush v. Hartke, 405 U.S. 15（1972).

30）Gilligan v. Morgan, 413 U.S. 1（1973).

31）Nixon v. United States, 506 U.S. 224（1993).

32）Coleman v. Miller, 307 U.S. 433（1939). ただし，Leser v. Garnett, 258 U.S. 130（1922）参照。

33）それゆえ，最高裁は，戦争権限の行使や外交関係に関する問題に関して口出しするのに著しく消極的である。Commercial Trust Co. v. Miller, 262 U.S. 51（1923）（戦争がいつ終結したのかの判断は裁判所の口出しすべき問題ではない); United States v. Belmont, 301 U.S. 324（1937）（外国政府の承認は政治部門の決定事項); Goldwater v. Carter, 444 U.S. 996（1979）（大統領による条約破棄に議会の関与が必要かどうかの問題は司法判断適合性を欠く）も参照。

(1939) に典型的に示されている。これは，児童労働を禁止した連邦法を違憲とした最高裁判決を覆そうとして提案された憲法改正が争われた事例である。州で採択に反対して敗れた議員が「合理的期間」内に採択されなかった以上改正案は無効になったとして，州による採択を有効なものとして扱わないように求めて出訴したのである。最高裁は，合理的期間かどうかは，非常に多くの関連要素を考慮しなければならず，この問題は政治的で，司法判断しえないものであると判断したのである[34]。

しかし，このような法的基準の欠如を理由とする司法権行使の拒否が認められた事例は多くはない。Munoz-Flores 判決でも，下院の先議が必要な歳入法案の意味及び先議の意味について司法的に適用される法的規準がないとの政府の主張が斥けられている。なぜ裁判所が法的基準を樹立できないのか，説明できていないというのである。Zivotofsky 判決においても，国務長官は大使を接受する権限から国家承認の権限を導き，連邦議会は，帰化及び外国との通商に関する議会の権限に基づくパスポートに関する権限によってその権限を正当化しており，裁判所がこの問題を解決する法的基準は存在するとして，法的基準の欠如を理由とする政治的問題の主張を斥けている。

紛争が高度に政治的な場合

この第二の類型は，常に第三の類型，つまり司法権行使の結果の政治的重大性のゆえに最高裁が司法権行使を拒否できるという政治的問題の主張と結びついていた。このことを典型的に示しているのが，憲法第4条第4節の共和政体保障条項に関する事例である。

34）最高裁は，政治的ゲリマンダリングの合憲性については，憲法違反を判断する基準が欠けているため政治的問題にあたると判断している。58頁参照。

Luther v. Borden, 7 How.（48 U.S.）1（1849）は，まだロードアイランドが国王の特許状の下で政府を組織していたところ，投票権の限定に不満を持つ市民達が独自の憲法を制定し，新しい政府を樹立しようとした。政府はこれを反乱とみなし戒厳令を敷き，反乱に加わった人を逮捕させた。そこで，この逮捕が不法侵入にあたるなどとして政府の職員を相手取って損害賠償が請求され，政府は，投票権を厳しく制限しているため共和政体とはいえないと攻撃されたのであった。それゆえ最高裁は，州政府が正当な政府といえるかどうかを，この共和政体保障条項のもとで決定することを求められたわけである。最高裁は，結局この決定を拒否した。このような場合，この問題は政治部門に委ねられた問題であるし，司法的に用いうる基準の欠如が審査を排除しているともいえるが，明らかに，政府は存在しなかったと判断した場合に生じるであろう結果に対する配慮が最高裁の姿勢に大きく作用していたといえよう。

しかし，単に事件が政治的であるとか，他の部門に厄介な事態を引き起こすからといって，その事件が政治的問題とされるわけではない。このことは，議席配分不均衡事件が明白に示している。これは，連邦議会や州議会の議席配分が人口比とあまりにかけ離れており，平等保護条項等に反するのではないかと争われた事例である。かつては最高裁は，議席配分は政治的問題で司法審査が及ばないし，裁判所はこの「政治の繁み」に分け入るべきでないと示唆していた[35)]。ところが，先に触れたBaker判決において，最高裁はこのような見解を真っ向から否定した。ここでは，これまで政治的問題と認められてきた事例と共通の要素は存在せず，同格政治部門の行為が争われているわけではないし，司法審査の基準も確立している

35）　Colegrove v. Green, 328 U.S. 549（1946）.

というのであった。

▶参考文献

司法権一般につき，佐藤幸治・憲法訴訟と司法権（1984），同・現代国家と司法権（1988），木南敦「合衆国の司法権の意義について」佐藤幸治還暦記念・現代立憲主義と司法権（1998）。**事件・争訟性ないし司法判断適合性の要件の諸要素**については，芦部信喜（編）・講座憲法訴訟第1巻～第3巻（1987）所収の諸論文，渋谷秀樹・憲法訴訟における主張の利益（1988），市川正人「事件性の要件とスタンディング（1）～（4・完）」法学論叢112巻5号・6号，113巻3号・6号（1983），同「憲法訴訟の当事者適格（1）～（3・完）」民商法雑誌91巻4号～6号（1985），小林節・政治問題の法理（1988）。**制度改革訴訟**については，大沢秀介・現代アメリカ社会と司法（1987），井上典之・司法的人権救済論（1992）。

第 4 部

個人の権利の保障

第8章　個人の権利保障の基本的枠組み

1　個人の権利保障の体系

もともとの憲法

既に述べたように，独立宣言はすべての人が平等で造物主によって一定の不可譲の権利を与えられていると宣言していたが，1787年に制定された合衆国憲法には，権利章典が存在しなかった。起草者達は，連邦政府は一定の限定的な権限のみを付与されており，したがって個人の権利を侵害することはありえないと考えていた。むしろ，起草者達にとっては，憲法の定める統治の機構それ自体がまさに個人の権利保障の役割をはたすはずであった。

したがって，もともとの憲法に含まれていた権利規定は，連邦に対しては私権剝奪法の禁止と事後法の禁止，そして州については以上に加え契約上の債権債務関係を侵害しえないという契約条項（第1条第10節第1項）と，他州の住民を自州の住民より不利に扱うことを禁止した特権・免除条項（第4条第2節第1項）のみであった。

権利章典

ところが権利章典の欠如を攻撃され，結局起草者達は権利章典を憲法に付加せざるをえなくなった。そこでマディソンは，憲法制定直後の第1回議会で，権利章典を憲法改正として提案し，これが採択されたわけである。

ここで付加された権利は，修正第1条が表現の自由と信教の自由（そして国教樹立禁止）を保障している以外には，修正第2条の銃を保持し携帯する権利と修正第3条の軍の宿営の制限というあまり重大な役割をはたさない権利を除いては，ほとんどが手続上の権利であった。捜索・押収に対する保障を定めた修正第 4 条，大陪審の起訴を受ける権利，二重の危険の禁止，自己負罪拒否特権，デュー・プロセスの権利を定めた修正第 5 条，刑事事件における迅速な裁判，陪審裁判を受ける権利，嫌疑を知らされる権利，対決権，証人喚問権，弁護人依頼権を定めた修正第 6 条，そしてコモン・ローの訴訟における陪審裁判を保障した修正第 7 条，過大な保釈金の禁止や残虐で異常な処罰を禁止した修正第 8 条は，いずれも手続的権利保障規定と考えられる。わずかに正当な補償なしの公用収用を禁止した修正第 5 条の収用条項は例外といえよう。そして，修正第 9 条は，憲法における権利の列挙は，人民が持っている他の権利を否定するものではないと定め，修正第 10 条は，憲法によって合衆国に委ねられていない権限は州及び人民にそれぞれ留保されていると定めている。これですべてであった。

しかもこれらの権利は，もっぱら連邦政府に対する保障であると考えられていた。連邦の権利章典は，州の行為を制限しないというわけである。連邦憲法は，連邦の政府を樹立する目的で制定されたのであるから，連邦憲法に付加された権利章典も，連邦政府の権限乱用を阻止するためのものと考えられたのも当然であろう。実際最高裁も，州による道路工事によって港が使いものにならなくなったとして，港の所有者が修正第 5 条に基づき正当な補償を求めた事例である Barron v. Mayor and City Council of Baltimore, 7 Pet.（132 U.S.）243（1833）において，このことを確認した。最高裁は，起草者達が州の行為を制限しようとした場合はその旨明記しており，そのような文言なき以上，修正第 5 条の収用条項は州には適用されないと結論したのである。

南部再統合改正

奴隷制の問題は，このような考え方に再考を迫った。明らかに奴隷制は，州による差別を受けている黒人に対し連邦憲法上の保護を及ぼすことの必要性を示唆していたのである。ところが最高裁は，奴隷が所有者とともに奴隷禁止州に行ったことでミズーリ協定によって奴隷から解放されたと主張して所有者を訴えた事例であるDred Scott v. Sandford, 19 How.（60 U.S.）393（1857）で，黒人に対する連邦憲法上の保護を認めなかった。奴隷は裁判所に出訴できる合衆国市民ではないとして裁判所の管轄権を否定した上に，奴隷禁止州を認めた連邦のミズーリ協定が奴隷所有者から奴隷所有権を剝奪することはデュー・プロセスに反すると判断したのであった。

しかし，結局この判断は南北戦争によって覆され，南北戦争後行われた憲法改正では，まさに州の行為に対しいかに権利を確保するかが焦点となった。修正第13条は，奴隷制を明文で禁止した。そして修正第14条は，第1節において，合衆国で生まれ，または帰化したすべての人が合衆国市民であると宣言して，Dred Scott判決を明示的に否定し，州は合衆国市民の特権・免除を制限したり，法のデュー・プロセスによらずして生命，自由もしくは財産を剝奪したり，平等保護を否定したりすることは許されないと規定した。そして第5節で，連邦議会は，本条の諸規定を適切な法律で執行する権限を有すると宣言した。さらに修正第15条では，投票権を人種や奴隷であったことを理由に拒否してはならないとしている。

合衆国憲法の権利保障の大枠は，この段階で確定した。そして修正第14条は，初めて問題とされたSlaughter-House Cases, 16 Wall.（83 U.S.）36（1873）でもっぱら黒人差別に対する保護規定であると狭く限定されてしまったが，その後，州に対して連邦憲法上の権利保障を適用するための条文的根拠としてきわめて重大な機能をはたすことになるのであった。

アメリカにおける権利保障の特徴

それぞれの権利の具体的内容の検討に移る前に，ここでは，アメリカにおける権利保障の特に注目すべきいくつかの点について触れておきたい。

第一は，連邦主義の存在である。既に述べたように，修正第1条から修正第8条までの権利規定はあくまで連邦政府にしか適用されない。それぞれの州は，それぞれ州の憲法を持っており，そこで州憲法上の権利を保障している。合衆国憲法の権利規定のうちで，明文でもって州の行為を制限しているのは，南北戦争後に付加された憲法修正条項のみである。そこで，どこまで連邦憲法上の権利が州に適用されるかが問題になってきた（後述する編入理論参照）。

第二は，合衆国憲法の権利章典規定がきわめて少ない点である。そのため，修正第1条の表現の自由保障は，いわば一般総則規定的な役割をはたしてきた。しかし，明文規定によって覆いうる範囲には限界がある。そこで，結局明文根拠のない憲法的権利の保護がいずれ問題とされざるをえなかった。特に注目すべきことは，明文による財産権・経済的自由の保障が存在しないことである。そこで財産権・経済的自由の保護は，初め契約条項によって，そしてその後は修正第14条の実体的デュー・プロセス理論によってはたされた。その後も，明文根拠を欠くプライバシーの権利の保護が問題とされたときは，この実体的デュー・プロセス理論が機能した。

このように，明文根拠を欠く憲法的権利の保護の役割が，デュー・プロセス条項に求められてきたことには，それなりの理由がある。本来連邦政府に対して明文根拠を欠く憲法的権利を保護する機能を期待された条文は，むしろ修正第9条ではなかったかという見解が有力である。ところが修正第9条は，修正第10条とあわせ，連邦政府には委譲された権限しか認められないことを強調するために挿入されたものと考えられ，明文根拠を欠く憲法的権利の保護規定とは考えられてこなかった。同様に，修正第14条でも，実体的権利規定は，デュー・プロセス条項より特権・免除条項だったのではないかとの見解が有力である。ところが同条項の特権・免除は，後述するようにSlaughter-House事件で，連邦政府に特有の権利のみに限定され，明文根拠を欠く権利の保障規定としての機能を否定されたと考えられてしまった。そこで，結局デュー・プロセス条項が，実体的権利保護規定として浮上してきたのである[1)]。

第三は，合衆国憲法に規定された権利はもっぱら自由権であり，そこには生存権規定も，労働基本権規定も存在しないことである。政府に個人の生存保障のため積極的な義務を負わせた規定も存在しない。そのため，1960年代より，次第に「偉大な社会」のスローガンのもと生存保障が求められるに至って，学説でも憲法から政府の積極的な生存保障義務を導こうとする試みがなされるに至ったが，その根拠は結局修正第14条の平等保護条項に求められた。つまり，アメリカにおいては，福祉国家化・生存権保障は，平等の実質化，すなわち実体的な平等の実現として理論構成されたのであった。そ

1)　明文根拠がないにもかかわらず，条文根拠も定かでないまま連邦憲法上保護された権利として認められているのが，旅行の自由（right to travel）である。これには一時的な旅行の自由と居住移転の自由が含まれている。Attorney General of New York v. Soto-Lopez, 476 U.S. 898 (1986). 最高裁は，この旅行の自由も，修正第14条第1節の特権・免除条項によって保護されていると考えているようである。それゆえ，新しい住民が最初の1年間に受給しうる福祉給付金の額をそれ以前に住んでいた州で受けていた額に限定した州法は，この旅行の自由を侵害するとして特権・免除条項違反で違憲とされている。Saenz v. Roe, 526 U.S. 489 (1999). だが，修正第14条第1節の特権・免除条項を理由に州法を違憲としたのはこの事例だけであり，この判決がどの程度の射程を持ちうるのか議論がある。

の結果，平等保護条項は本来の平等保護の保障を超えた役割を期待され，実体的平等保護理論をめぐって支持と反対の立場の間で激しい論争を生じさせた。

2　州に対する権利保障

州に対する構造的制約

既に述べたように，合衆国憲法は，連邦政府の権限を定め，その限界を定めたものと考えられた。しかしもともとの憲法には，私権剝奪法禁止と事後法禁止（第1条第10節第1項）と並んで，州の権限を制限することを目的とする規定が2つだけ含まれていた。契約条項（第1条第10節第1項）と，憲法第4条第2節第1項の特権・免除条項である。前者は，財産権保障として後述する（第11章第2節参照）ので，ここでは後者に触れておこう。

憲法第4条第2節第1項は，各州の市民は，他州においてその州の市民の特権・免除すべてを享受すると規定している。これは本質的に平等保護の規定であり，州が他州の市民を自州の市民に比して不利に扱うことを禁止するものである。では，何が特権・免除であって，いかなる州の行為が禁止されているのであろうか。

まず特権・免除の範囲については，最高裁は，Corfield v. Coryell, 6 F.Cas. 546（E.D.Pa. 1823）におけるワシントン裁判官の定義にしばしば言及している。ここでいう特権・免除は，「その性質上基本的なもの，すなわちすべての自由な政府の市民に権利として属するもの，この国のそれぞれの州の市民が常に享受するもの」を指すというのである。要するに，一つの国としての存立に関する活動が，保護されているのである。そして最高裁は，このような特権・免除に対する州の差別行為に対しては，営業活動や雇用などを特権・免除に含まれると判断し，その制限に実質的根拠があるかどうか，手段に実質的関連性があるかどうかを問題としている[2)]。

これに対し，Baldwin v. Fish and Game Commission of Montana, 436 U.S. 371（1978）では，大鹿の狩猟免許料における州外者差別について，これは趣味ないし娯楽であり，基本的なものではないので特権・免除にあたらず，住民と非住民で免許費用に著しい差を設けることも許されるとされている[3)]。州立大学の授業料なども，州内居住者と州外在住者の入学によって大きな違いがあるが，これも許されると一般に考えられている。

編入理論

修正第1条から修正第8条までの権利章典に定められた諸権利は連邦政府にしか適用されない。修正第14条は州の行為を制限しているが，そこには，特権・免除の保障と，デュー・プロセス及び平等保護の保障しか存在しない。このうち，特権・免除条項は，合衆国市民としての特権・免除を州に対して保護したものであり，一見したところ州に対しさまざまな連邦憲法上の権利を保護しているようにもとれる。ところが，このような解釈はSlaughter-House事

2)　営業活動については，Ward v. Maryland, 79 U.S.（12 Wall.）418（1871）; Toomer v. Witsell, 334 U.S. 385（1948）; Mullaney v. Anderson, 342 U.S. 415（1952），雇用については，Hicklin v. Orbeck, 437 U.S. 518（1978），一定の職業資格については，Supreme Court of New Hampshire v. Piper, 470 U.S. 274（1985）; Supreme Court of Virginia v. Friedman, 487 U.S. 59（1988）参照。このほか，Doe v. Bolton, 410 U.S. 179（1973）（合法的な妊娠中絶手術を州民に限定）; United Building and Construction Trades Council v. Mayor & Council of Camden, 465 U.S. 208（1984）（公共事業における市内の住民優先雇用にも特権・免除条項が適用される）; Lunding v. New York Tax Appeals Tribunal, 522 U.S. 287（1998）（扶養料に対する所得税控除を非住民に認めない州法）参照。

3)　さらにMcBurney v. Young, 569 U.S. 221（2013）では，州民だけに州政府への情報開示請求権を認めたバージニア州の情報公開法が，正当な目的に仕えるもので保護主義的な措置ではないとして支持されている。

件で斥けられた。

これは，州法がニューオリンズ市内での食肉解体業を禁止し，州法によって設立された会社に独占権を付与したことが，食肉解体業者によって修正第14条違反として争われた事例である。最高裁は，州の市民の持つ権利と合衆国市民の持つ権利を区別し，修正第14条の特権・免除条項は，「その存在が連邦政府，その全国的性格，その憲法ないし法」に由来するような権利のみを保護していると判断し，本件で主張されたような権利はこれに該当しないとした。そこでこの判決は，修正第14条の特権・免除条項は，旅行の自由などの連邦政府に固有の権利のみを州に対して保護したものと宣言したと考えられたのであった（それゆえ，憲法第4条第2節第1項の特権・免除条項と修正第14条の特権・免除条項を混同しないよう留意いただきたい）。

そこで焦点となったのは，修正第14条のデュー・プロセス条項が連邦の権利章典を州に適用するものかどうかであった。いわゆる編入（incorporation）論争である。修正第14条の起草者達が，はたして連邦の権利章典を州に適用する意図であったか否かについては，見解が分かれている。ブラック裁判官は，そのような意図であったと結論したが，異論も強い。また，たとえ修正第14条の起草者達にそのような意図があったとしても，それを同条項において意図したかどうかは明確でない。しかし，デュー・プロセス条項は連邦の権利章典をそっくり編入しているという全部編入説とそのうちの一部のみが編入されるという選択的編入説が対立し，最高裁は，一貫して選択的編入説をとってきた。

最高裁は，既に Hurtado v. California, 110 U.S. 516（1884）で「自由と正義の諸原則」こそがデュー・プロセスであると述べて，このような考え方を示唆していたが，その立場を典型的に示したのは，

Palko v. Connecticut, 302 U.S. 319 (1937) と考えられる。ここで，カードーゾ裁判官の法廷意見は，「秩序だった自由」(ordered liberty) の概念に不可欠な権利のみがデュー・プロセス条項によって州に要求されるとしたのであった。つまり，連邦の権利章典のすべてではなく，「基本的な」権利のみが選択的に編入されるというわけである。そして修正第5条の二重の危険の禁止規定の州への適用は否定された。

さらに Adamson v. California, 332 U.S. 46 (1947) では，ブラック裁判官が全部編入説を展開したにもかかわらず，選択的編入の立場が確認され，修正第5条の自己負罪拒否特権の州への適用が否定された。特にフランクファーター裁判官は，ブラック裁判官の見解を批判し，デュー・プロセス条項が独自の内容と機能を有していることを強調していた。この立場は，選択的編入というよりは，デュー・プロセスは連邦の権利章典とは独自の内容を持つという立場だった。実際最高裁は，その後修正第14条のデュー・プロセス条項の中に連邦の権利章典の中に明文で規定されていない権利をも読み込んでおり，その意味ではデュー・プロセスは権利章典とは独自の内容を持っているといえる。

この論争は同時に，個人の権利の本質及び憲法解釈における憲法規定の役割についてどう考えるのかについての対立でもあった。ブラック裁判官は，憲法規定に定められた権利のみが保護されるべきであるという立場に立つ。彼の立場では，条文こそが決定的である。これに対し，フランクファーター裁判官は，デュー・プロセスの内容を基本的公正さの保障と理解する。そこでは条文の有無は重要ではない。つまりブラック裁判官は，多数意見のような基本的公正さという基準では，基準が主観的であり，裁判官が恣意的価値判断で立法を覆すことになると考え，客観性を憲法条文に求めたわけである。

しかし，学説上の対立は残っているものの，この論争は，今日ではほとんど実際上の意味を持っていない。というのは，Palko 判決も Adamson 判決も覆され，表現の自由をはじめ，ほとんどの刑事手続上の諸権利も，デュー・プロセスの内容として州に対し保障されているからである[4]。したがって，現在より重要な争点は，連邦の権利章典の諸権利が州に適用されるか否かではなく，修正第 14 条のデュー・プロセス条項は条文根拠を欠く連邦の憲法的権利をどこまで保護しているかなのである[5]。

---

4) この問題に対する現在の最高裁の姿勢は，Duncan v. Louisiana, 391 U.S. 145 (1968) においてよく示されている。最高裁は，刑事事件において陪審裁判を受ける権利はアメリカの刑事司法制度にとって根本的であるとして，デュー・プロセス条項にいう「自由」に含まれることを認めたのである。いずれにしても，これまでのところ州への適用が認められていないのは，連邦の刑事手続に関する諸権利のうち，大陪審による起訴の保障と，おそらくは過剰な保釈金に対する権利の保障のみであろう。信教の自由，表現の自由を含め，権利章典の規定のほとんどは州への適用が認められている。McDonald v. City of Chicago, 561 U.S. 742 (2010)（修正第 2 条の銃を所持する権利も州に適用される）. この他，修正第 3 条と修正第 7 条の民事陪審の権利も州には適用されない。

ただし最高裁は，一定の権利については，州に対しては権利保障の内容が緩やかであるという姿勢をとっている。Williams v. Florida, 399 U.S. 78 (1970)（陪審員は 12 人でなくてもかまわない); Apodaca v. Oregon, 406 U.S. 404 (1972)（陪審の評決は全員一致でなくてもよい). もっとも，Burch v. Louisiana, 441 U.S. 130 (1979)（6 人の陪審による全員一致によらない有罪評決は許されない）参照。だが，この陪審員の数と全員一致の要件以外については，最高裁は，権利章典規定を連邦と州とに同様に適用しているといえる。

5) 条文根拠を持たないのに，最高裁は合理的な疑いを超えた証明の要件をデュー・プロセスの要求と認めている。In re Winship, 397 U.S. 358 (1970). なお，この編入論争には逆の側面もある。すなわち，修正第 14 条が州に対し保障する平等保護については，連邦への適用を明記した規定が存在しないのである。平等保護は，州には義務づけられているが連邦議会には

3　政府の行為及びステイト・アクション

意　義

憲法的な権利保障は，一般に連邦政府及び州を拘束するもので，私人による行為を拘束しないと考えられている。個人の権利は，あくまで政府の権限に対する制限であって，私人の行為への制限ではないというわけである。

しかし，その最高裁も，一定の場合には，私人の行為が政府の行為ないし州の行為（state action）となり，憲法に拘束されることを認めてきた。これが政府の行為ないしステイト・アクション理論である。そのような状況の第一は，私人の行為が「公的機能」をはたしている場合であり，そして第二は，裁判所が私人の行為を執行している場合であり（司法的執行理論），そして第三は政府ないし州の関与，あるいは授権ないし奨励が存在する場合である。

公的機能理論

第一の公的機能理論の典型は，Marsh v. Alabama, 326 U.S. 501 (1946) である。これはいわゆる「会社町」に関する事例で，通常の町とまったく同じ機能をはたしていながら私的な会社が所有している町で，許可なく宗教文書を配布した者が起訴されたものである。最高裁は，通常の町であればこのような行為を禁止できないことを前提に，私的な会社の土地が公的機能をはたしている以上，町と同じように憲法に拘束されると結論したのである。もう一つの典型は，大統領選挙の党候補者等を決定する予備選挙に関する事例である。

義務づけられてはいないという解釈もまったく不可能ではなかったが，最高裁は，結局修正第5条のデュー・プロセス条項が修正第14条の平等保護の要素を内包していると解釈し，平等保護が連邦政府にも要求されるという立場に立った。Bolling v. Sharpe, 347 U.S. 497 (1954). その結果，修正第14条のデュー・プロセス条項には平等保護の要請は含まれないが，修正第5条のデュー・プロセス条項には平等の要請が含まれることになった。

Smith v. Allwright, 321 U.S. 649（1944）では，上下両院議員候補者を選出する政党の予備選挙について，人種を理由として排除することが争われた。そして最高裁は，政党は本来私的な結社ではあるが，予備選挙は州の機関として行われているとして，修正第15条を理由に人種的な排除は認められないとした。この趣旨は，さらにTerry v. Adams, 345 U.S. 461（1953）で，予備選挙に先立つ選挙における人種による排除に対しても認められている。

さらにAmalgamated Food Employees Union v. Logan Valley Plaza, Inc., 391 U.S. 308（1968）において，最高裁はショッピングセンターにおける表現活動の制約についてもステイト・アクションの存在を認めた。しかしこの趣旨は，その後Hudgens v. NLRB, 424 U.S. 507（1976）で否定されてしまい，それ以降最高裁は，この公的機能理論を認めるのにきわめて消極的となった。

州による認可を受け規制されている電力会社の電力供給打切り手続が争われたJackson v. Metropolitan Edison Co., 419 U.S. 345（1974）において，最高裁は，公的機能をはたしているというためには，伝統的にもっぱら州に留保されてきた機能をはたしている場合でなければならないと宣言した。そして，公共サービスを提供しているとしてもステイト・アクションとなるわけではないとした。また，Flagg Brothers, Inc. v. Brooks, 436 U.S. 149（1978）では，統一商法典に基づき倉庫業者が先取特権を行使して商品を売却することが，ステイト・アクションといえるかが問題にされたが，ここでも伝統的にもっぱら州に留保された権限が私人に委ねられているわけではないとして，ステイト・アクションの存在が否定された。このようにして公的機能理論の射程は，今日かなり制限されている。

司法的執行理論

第二は，私人の行為を裁判所が執行している場合である。このような場合の典型例は，Shelley v. Kraemer, 334 U.S. 1（1948）である。ここでは黒人に土地を売らないという土地所有者間の合意に基づき，土地を取得した黒人に対し他の所有者が裁判所に差止めを求めた。そして最高裁は，本件では，この人種差別的合意自体を修正第14条違反ということはできないが，それを裁判的に執行することは，ステイト・アクションにあたると結論したのである。この考え方は，しばしば司法的執行理論とも呼ばれる。

それゆえ，アメリカでは，コモン・ローのもとで，私人が私人に対し名誉毀損訴訟を提起して損害賠償を求める事例でも，裁判所が司法権を行使している以上，その裁判所の行為に表現の自由を保障した修正第1条が適用されるとされている。

しかし，この考え方を貫けば，私人の行為はほとんど常に最終的に裁判所で問題とされる以上，結果的に常に憲法の制約に服することになってしまう。そこで，最高裁は，その後次第にこのShelley判決の射程を制限する方向にある。例えばEvans v. Abney, 396 U.S. 435（1970）では，遺言で白人だけのための公園として市に託された財産について，市による人種差別が許されないとされたため，州裁判所が遺言を無効として相続人に返還したことが争われた。最高裁は，Shelley判決の事案と異なり，この裁判所の行為はステイト・アクションに該当しないと判断している。

この問題は，人種差別を行うレストラン等に対する抗議行動を不法侵入として処罰した事例でも争われた。最高裁は，Peterson v. City of Greenville, 373 U.S. 244（1963）及びLombard v. Louisiana, 373 U.S. 267（1963）では，公共の場所における人種差別を州が命じていたり，事実上強制したりする場合には，私人による差別に州の関与があったと認められ，抗議行動を不法侵入として処罰することは許されないと判断している。このことは逆に，単に刑罰法規を裁判所が執行したというだけでステイト・アクションとなるわけではないことを意味する。

州の介在

第三は，州の関与が介在したり，州がその私人の行為を奨励したりしている場合である。州の関与があったとされた典型例は，Burton v. Wilmington Parking Authority, 365 U.S. 715（1961）である。州の機関が所有し管理する駐車場建物内のレストランが黒人に料理を出すのを拒絶した事例で，最高裁は，そのレストランのある建物との特別の関係のゆえに，州の関与の存在を認めたのである。

しかし，明らかにここでも，単に州の行為が介在するだけでは足りず，一定の実質的な介在が必要とされる。実際，Moose Lodge No. 107 v. Irvis, 407 U.S. 163（1972）では，私的な酒場における人種差別がステイト・アクションになるわけではないとされた。州の免許を得ているとか，州の規制に服しているというだけでは，ステイト・アクションとなるのに十分ではないというのであった。そして，Gilmore v. Montgomery, 417 U.S. 556（1974）では，市の公園レクリエーション施設を私的な差別的団体に使用させることが問題とされたが，排他的使用を認めることは明らかに許されないとされたものの，単に使用させるだけではどうかについてはっきりした解答は得られなかった。また，先に述べた Jackson 判決では，事実上独占的地位を認められた公益企業であっても，その行為はステイト・アクションとならないとされている。また，Rendell-Baker v. Kohn, 457 U.S. 830（1982）では，ほとんどもっぱら政府による助成金で運営されている私立学校における解雇について，政府による補助だけでは私人の行為はステイト・アクションとならないとされている。

難しいのは，州が問題の行為を禁止していないということだけで，州がその行為を奨励している，あるいは授権しているとみることができるかどうかである。この問題は，Reitman v. Mulkey, 387 U.S. 369 (1967) で争われた。ここでは，自分の不動産を自由に売り，また売るのを拒絶することを，州及びその機関は制限してはならないという，人民投票によって可決された州憲法規定の合憲性が争われた。そしてその前提として，この州憲法のもとで不動産売買について行われる人種差別に，州の介在が存在するかが問題とされた。州の裁判所は，この憲法規定の成立に至る経過からみて，それはまさにそのような行為に対する授権ないし奨励を行うことを意図して制定されたと解釈した。そして最高裁は，この憲法改正の目的と効果並びに歴史的背景を考慮して，結局この解釈を支持したのであった。

ところがその後の最高裁は，州による授権や奨励を認定するのに著しく消極的になってきた。先に触れたJackson判決では，電力会社が事前手続なしに供給を打ち切った際に，州がその行為を授権した，あるいは承認したとはいえないとされた。Flagg Brothers判決でも，州が私人の行為を禁止していないこと，あるいはその私人の行為に対し裁判所による救済を認めていないことは，州の授権や奨励の存在を意味しないと結論されている。

これに対し，同じような債権者による担保権実行手続に関するLugar v. Edmondson Oil Co., Inc., 457 U.S. 922 (1982) では，シェリフが令状を得て執行した手続について，この手続は州の行為であり，州の職員が介在しているとして，ステイト・アクションの存在が認められた[6)]。しかし，同じ年に下されたBlum v. Yaretsky, 457 U.S. 991 (1982) 及び先に触れたKohn判決では，いずれもステイト・アクションは認められなかった。前者は，州からの補助を受けている

6)　最高裁は，Edmonson v. Leesville Concrete Co., Inc., 500 U.S. 614 (1991) でも，Lugar判決に依拠し，民事裁判における当事者による人種に基づく専断的忌避行使をステイト・アクションと判断している。

養老院の患者が，別の施設に移らない限りその補助を受けられなくなった事例で，その手続が違憲であったと主張された。しかし最高裁は，その行為は州によって命じられたものではないし，州による広汎な規制の存在や，またその私人の行為を州が禁止していないというだけでは，ステイト・アクションがあったとはいえないとした。後者は私立学校の職員解雇の事例である。最高裁は，その予算のほとんどが公的な資金によってまかなわれており，問題児教育という公的機能をはたしており，公的機関の規制に服しているとしても，その行為はなおステイト・アクションとはいえないとした[7]。

4　市民的権利保護立法

市民的権利保護法の歴史

連邦議会は，修正第13条・修正第14条・修正第15条により，これらの憲法規定によって保護された権利を執行するために立法権を行使できる。これらの権限によって制定された市民的権利保護法(Civil Rights Act)（しばしば「公民権法」とも呼ばれている）は，一般に市民的権利保護立法（Civil Rights Legislation）と総称され，アメリカにおける権利保障の枠組みの中で重要な機能をはたしてきた。

このような法律は，1866年市民的権利保護法に遡る。同法は，1865年の修正第13条を受けて，奴隷から解放された黒人に対し，すべて合衆国で生まれた人は合衆国市民であると宣言し，人種や過

---

7)　なお，San Francisco Arts & Athletics v. USOC, 483 U.S. 522 (1987)（オリンピック委員会は政府の一部とはいえない）; NCAA v. Tarkanian, 488 U.S. 179 (1989)（州の行為の原因となったとしても，その私人の行為はステイト・アクションとはならない）参照。ただし，Brentwood Academy v. Tennessee Secondary School Athletic Association, 531 U.S. 288 (2001)（州の学校間スポーツ競技を規律する非営利団体の行為は，州との深い結びつきのため，ステイト・アクションというべき）.

去に奴隷であったか否かにかかわらず一定の権利を持つことを宣言し（合衆国法典42編1981条及び1982条），州法に基づく権限行使であるとの外観のもとでこれらの権利を侵害した者に，刑罰を科したのである（18編242条）。これは，奴隷解放後も南部の州において黒人の権利を著しく制限する法律（いわゆる黒人差別法（ブラック・コード））が存在したことから，それを否定するために制定されたものであった。

修正第13条に基づく権限でこのような法律を制定することができるか疑問もあったが，1868年に修正第14条が採択され，この疑問は解消された。選挙権を保障した修正第15条が採択されると，連邦議会は1870年それを執行するための法律を制定し，公の場所における私人による連邦の権利侵害の陰謀にまで刑罰を拡張し（18編241条），1871年には新たに市民的権利保護法（いわゆるクー・クルックス・クラン法）を制定して民事責任をも負わせた。とりわけ，現在の42編1983条は，憲法及び連邦法によって保護された権利を州法に基づく権限行使であるとの外観のもとで剥奪した場合に，連邦裁判所に救済を求めうることを規定し（1983条訴訟と呼ばれている），現在の1985条（3）は公の場所における私人による平等保護侵害の陰謀に対しても損害賠償責任を負わせたのである。

そして，このような権利保護の動きは，1950年代からの市民的権利擁護運動の成果である1964年市民的権利保護法によってより確実なものとなった。同法は公の場所における人種差別を禁止するなど，画期的な内容を持つものであった。しかも，同法は，人種差別以外の差別にも保護を拡大した。すなわち，1964年市民的権利保護法は，第1編で選挙登録における差別を禁止し，第2編でホテル，旅館，レストラン，劇場などの公共の場所における人種，肌の色，宗教，民族的出自に基づく差別を禁止し，第3編で州，自治体の公共施設へのアクセスにおける差別を禁止し，第4編で人種別学解消の促進をはかり，第5編で市民的権利保護委員会の権限を強化し，第6編で連邦の補助金を受ける政府組織における差別を禁止し，さらに第7編では雇用における人種，肌の色，宗教，民族的出自に基づく差別だけでなく性別に基づく差別も禁止したのである。そしてそれ以降も，連邦議会は，私人による差別から個人の権利を保護するために力を注いできた。例えば1972年の教育改正法は，教育における性差別を禁止している。

市民的権利保護の連邦議会権限

ただ最高裁は，Civil Rights Cases, 109 U.S. 3（1883）で，一般公衆が利用できる施設における人種平等を定めた1875年の市民的権利保護法に対し，違憲の判断を下した。修正第14条第5節による立法権の行使であるためには，その第1節で禁止されているような州の行為が存在しなければならないとして，この法律がそれを超えて私人の行為にまで適用される限り，違憲とせざるをえないというのであった。最高裁は，修正第13条については，州の行為を超え，奴隷制を一切否認するものだと認めた。しかし，同条の射程については，人種差別的行為それ自体を奴隷制と見ることを拒否し，きわめて厳格であった。このようにして，ステイト・アクションの存在が連邦議会の市民的権利保護法の射程を画する機能をはたすことになったのである。

しかし，その後最高裁はこのような厳格な姿勢を変更し，修正第13条については，文字通り奴隷制でなくとも，私人間における人種的な差別を連邦議会が禁止しうることを承認するに至っている[8)]。また修正第14条についても，最高裁自身既にみたようにステイ

8） Jones v. Alfred H. Mayer Co., 392 U.S. 409（1968）（住宅開発業者による黒人への住宅販売拒否に対する市民的権利保護法1982条の適用を修正第13条により支持）.

ト・アクションの範囲を拡大してきているし，私人による陰謀に対する刑事処罰も支持してきている[9][10]。

また，修正第15条による選挙権保障という点では，最高裁は，過去の差別を是正することだけでなく，最高裁が平等保護条項違反とは結論していないような行為まで禁止することをも連邦議会に認めてきたように思われる[11]。

---

9)　United States v. Guest, 383 U.S. 745 (1966); United States v. Price, 383 U.S. 787 (1966) 参照。ただし，United States v. Morrison, 529 U.S. 598 (2000)（性別に動機づけられた暴力に対し民事上の救済を認めた連邦法について，ステイト・アクションが存在せず，修正第14条第5節の権限によっては正当化しえない）参照。

10)　なお，私人による差別に対しては，1964年の市民的権利保護法が実際にしたように，連邦議会は州際通商規制権によっても規制を加えうる。第5章第2節1参照。

11)　1965年の投票権法は，投票要件としての識字テストを禁止し，黒人を選挙から排除してきた南部諸州において選挙資格や手続の変更に際しては事前に司法省の承認を得ることを義務づけた。最高裁は，この事前承認要件を修正第15条第5節の権限として支持した。South Carolina v. Katzenbach, 383 U.S. 301 (1966). ただし，Shelby County v. Holder, 570 U.S. 529 (2013)（事前承認要件が適用される対象地域を定めた投票権法第4条は，法律制定以降50年経ってもそのままになっており，もはや憲法上正当化されえない）参照。しかも，識字テストは最高裁によって違憲とはされていなかったが，にもかかわらずこれを禁止する連邦議会の権限を容認した。Katzenbach v. Morgan, 384 U.S. 641 (1966); Oregon v. Mitchell, 400 U.S. 112 (1970). さらに，修正第14条の平等保護条項は意図的差別だけを禁じているが，選挙権に対し差別的な効果が存在する場合にこれを禁止する連邦議会の権限も容認されている。City of Rome v. United States, 446 U.S. 156 (1980). ただし，City of Boerne v. Flores, 521 U.S. 507 (1997) は，修正第14条第5節の権限は「救済的」なものであって「実体的」なものではないとし，連邦議会は，この権限で最高裁が憲法違反ではないとした行為を禁止することはできないと判断して，1993年信教の自由回復法を違憲としている。第10章注13）参照。さらに，Board of Trustees of the University of Alabama v. Garrett, 531 U.S. 356 (2001) では，障害者差別禁止法に違反して差別されたとして州に損害賠償を求めた事例で，州に対する損害賠

権利保護義務

では，政府は私人による権利侵害を防止する憲法上の義務を負っているのであろうか。

この問題は，Deshaney v. Winnebago County Department of Social Services, 489 U.S. 189（1989）で提起された。この事件では，ある児童が虐待によって傷害を受けた。そこで，州の社会保障機関に対し，親による虐待を知っていながら適切な措置をとらなかったとして，デュー・プロセス条項を援用して1983条訴訟が提起されたのである。しかし最高裁は，私人からの権利侵害を防止する義務をデュー・プロセス条項から導くことを拒否した。そのような義務は，州が人を拘置したり入院させたりしているような特別な状況においてのみ生じるのであって，通常の状況では州が危険を知っていたからといって，危険防止のため適切な措置をとることまで義務づけられてはいないというのであった。

市民的権利保護法と憲法の保障する個人の権利

このような市民的権利保護法が，ときとして憲法の保障する個人の権利と衝突することがある。最高裁は，このところ多くの事例でこういった問題に直面している。

Hurley v. Irish-American Gay, Lesbian, and Bisexual Group of Boston, 515 U.S. 557（1995）では，アイリッシュのお祭りであるセ

償訴訟を連邦の裁判所で起こすことは修正第11条で否定されており，連邦議会は修正第14条第5節の権限でこの主権免責を否定することができるが，本件の場合州による違法な差別の実態が認定されてはおらず，同条による権限行使としては正当化されないと判断した。ただし，Tennessee v. Lane, 541 U.S. 509（2004）では，障害者差別禁止法のもとで州が州裁判所への障害者によるアクセスを妨げているとして損害賠償と衡平法上の救済が求められた事例で，修正第14条第5節による権限によるものとして主権免責の制限を容認している。第7章注9）参照。

ント・パトリック・デイのパレードに同性愛者の団体の参加を拒否することが差別を禁止した州法のもとで許されるかが問題とされた。しかし最高裁は，パレードは民間の団体の主催であり，表現の自由の行使と考えられ，何人も自分の支持しない表現を受け入れることを強制されないとして，救済は拒否された。

また Masterpiece Cakeshop v. Colorado Civil Rights Commission, 584 U.S. — (2018) では，同性愛者の結婚式披露宴のための特別のケーキの注文が，信教の自由を理由にして拒絶され，州の反差別法に基づき市民的権利委員会に申立てがなされた。ここでも，最高裁は，特別のケーキの作成提供を表現の自由の行使と認め，本件の場合，委員会はケーキ店の宗教的立場に対する敵意からケーキを提供するよう命令しており，これは修正第１条に合致しないと判断している。

5　権利侵害と憲法訴訟

アメリカにおいても，合衆国憲法に保障された権利の侵害の主張は，しばしば刑事被告人によって行われる。被告人が刑罰を科されようとしている理由となった行為が憲法的に保護されていて，それに刑罰を科すことが憲法上許されないと主張するのである。

しかし，それ以上に多いのは，州法あるいは州（あるいは州の公務員）が，連邦の憲法上の権利を違憲的に侵害するものだとして提起される民事の訴訟である。これは，先に触れた 1983 条などに依拠し，個人の権利を制約する州法などが自分に適用される危険性が十分あるとして，州法が違憲であるとの宣言とその執行の差止めを求めて州の法務長官など法律の執行責任者を相手取って連邦裁判所に提起されるのである。この 1983 条は，州の公務員等が州法上の権限を行使しているとの外観のもとで憲法及び連邦法で保護された権利等を侵害した場合に，その被害者が連邦裁判所に救済を求めうることを規定したものである。州法に反して公務員が連邦憲法上の権利を侵害した場合にもこの訴訟を提起できるとされて以来[12)]，この種の訴訟は激増した。この場合，第7章で述べた事件・争訟性の要件が問題となるが，裁判所が司法判断適合性を認め，法律を違憲と結論すれば，裁判所はその法律を違憲と宣言し，その執行を差し止める形になる。権利侵害を争う手段としては，今日ではこのような宣言的判決ないし差止め（あるいは両者）を求める訴訟の方が支配的である。

このように州の法務長官などを相手取って訴訟を起こすのには，理由がある。それは，修正第11条により，州を相手取った他州の州民からの訴訟に対しては連邦の裁判所の管轄権が否定されており，最高裁は，これは州の主権免責に基づくものだと理解しており，それゆえ自州の州民であっても州を相手取って連邦の裁判所に訴訟を起こすことができないし，州を相手取って州民は州の裁判所に訴えることもできないとされている[13)]。この州の主権免責は，州の機関にも及ぶ。それゆえ，連邦憲法上保護された権利が侵害されても，州及びその機関を相手取って1983条訴訟を提起することはできない[14)]。ただし，市民は，州の職員を相手取ってその職員としての地位において，宣言的判決ないし差止めを求めて出訴することは主権免責によって妨げられない[15)]。そのため，権利侵害に対しては，

12）　Monroe v. Pape, 365 U.S. 167 (1961). なお，この訴訟は過失によって権利侵害が行われた場合にも可能だとされている。Parratt v. Taylor, 451 U.S. 527 (1981).

13）　第7章注3）参照。ただし，州はこの主権免責を放棄できるし，連邦議会は修正第14条第5節の権限により，この州の主権免責を剥奪することもできる。第7章注7）参照。

14）　Will v. Michigan Department of State Police, 491 U.S. 58 (1989).

法務長官など法律の執行責任者をその職務上の地位において訴えて，宣言的判決や差止めを求めるのである。なお，自治体には主権免責は認められないため，自治体及び自治体職員をその職務上の地位において訴えることは可能である。

連邦政府の場合も同様に，主権免責の理論により連邦政府つまり合衆国またはその機関それ自体を相手取って訴訟を起こすことはできない。ただし，この場合も，連邦の職員に対し，その職員としての地位において，宣言的判決や差止めを求めて出訴することは妨げられない。また，連邦議会が法律によって主権免責を放棄した場合には，連邦政府に対する宣言的判決や差止訴訟も可能である[16)]。

この点，日本と異なり，憲法違反の行為を理由に政府に対して損害賠償を求めるということは，あまり考えられていない。これは，伝統的に主権免責の理論が残存してきたからである。それゆえ，連邦憲法上の権利侵害に対し，州または職員としての地位における職員に対し損害賠償訴訟を提起することはできない。ただし，自治体の場合には主権免責は及ばないので損害賠償責任の可能性を認めてきているし[17)]，先に触れた1983条によって，連邦憲法で保障された権利を侵害した州の職員に対して，たとえその行為が職務上の権限において行われた場合でも，その個人としての地位において損害賠償を求めることはできる[18)]。また，連邦政府の損害賠償責任に

---

15)　Ex parte Young, 209 U.S. 123 (1908). ただし，その職員としての地位において職員に損害賠償を求めることはできない。

16)　行政手続法は，連邦の行政機関の行為に対する司法審査を認めており（ただし損害賠償を除く），さまざまな法律に行政機関の行為を裁判所で争うことを認めた規定が挿入されている。

17)　Monell v. Department of Social Services of the City of New York, 436 U.S. 658 (1978). また，Owen v. City of Independence, 445 U.S. 622 (1980) を参照。

ついても，連邦政府は主権免責により損害賠償責任を負わないが，連邦政府が法律により主権免責を放棄した場合には政府を相手取った損害賠償訴訟も可能である[19]。また連邦憲法で保障された権利の侵害に対しても，市民的権利保護法の規定は連邦の職員に関しては及ばないが，最高裁は，Bivens v. Six Unknown Named Agents of Fed. B. of Narcotics, 403 U.S. 388（1971）において，連邦の職員が憲法上の権利を侵害した場合に，その個人としての地位において憲法それ自体に基づいて損害賠償の義務を負う可能性を承認するに至っている[20][21]。

18） ただし，一定の職員にはその職務上の行為に対し絶対的免責が認められており（立法者，裁判官，検察官），それ以外の職員にも限定的免責が認められている。限定的免責は，職員が明らかに確立された連邦法に違反した場合を除いて免責を与える。ただし，州の職員が個人としての地位において損害賠償を求められた場合も，それが州の権限内の行為であれば，州が肩代わりすることが多い。なお，州，州の機関及び州の職員の地位における職員に対する損害賠償訴訟は，1983条訴訟のもとでも，主権免責のために排除される。

19） 例えばタッカー法は連邦政府が当事者である契約上の主張に対する訴訟を認めており，連邦不法行為請求法は連邦政府に対する不法行為訴訟を認めている。1988年のウェストフォール法は，連邦の職員がその職務上の権限内で行った行為に対する州の不法行為法上の請求を，連邦不法行為請求法に基づく連邦政府に対する請求に置き換え，これを排他的な救済とすることによって連邦の職員に事実上州の不法行為法上の免責を与えた。ただし，これは連邦の職員が憲法違反の行為を理由に責任を問われている場合には適用されない。

20） この事件では，相当な根拠なく行われた令状なしの捜索押収に対し，修正第4条違反を理由とする損害賠償訴訟を連邦薬物取締局の職員に対しその個人としての地位において提起することが憲法上認められた。その後最高裁は，修正第5条のデュー・プロセス条項のもとで不合理な性差別に対し損害賠償を求めることも認めている。Davis v. Passman, 442 U.S. 228 (1979). また連邦の刑務所の受刑者も，修正第8条違反を理由に刑務所の職員に対し損害賠償を求めうる。Carlson v. Green, 446 U. S. 14（1980）. ただし最高裁は，その後はこのような訴訟を広く認めることに消極的である。

▶参考文献

個人の権利保障一般について，種谷春洋・アメリカ人権宣言史論（1971）。**明文根拠を欠く個人の権利の憲法的保障**については，芦部信喜「包括的基本権条項の裁判規範性」法学協会百周年記念論文集第2巻（1983）。**州に対**

Bush v. Lucas, 462 U.S. 367（1983）（連邦の職員の表現に対する報復的降格に対する修正第1条違反を理由とするBivens訴訟を，連邦議会の定めた救済手続があることを理由に否定）; Schweiker v. Chilicky, 487 U.S. 412（1988）（社会保険給付拒否に対するデュー・プロセス違反を理由とするBivens訴訟を連邦議会が救済を定めていることを理由に否定）; FDIC v. Meyer, 510 U.S. 471（1994）（連邦貯蓄ローン保証公社に対するBivens訴訟を否定）; Minneci v. Pollard, 565 U.S. 118（2012）（民間で運営する連邦の刑務所の職員に対するBivens訴訟を否定）参照。

21）　合衆国憲法の権利章典に含まれながらほとんど問題にならないものについて，ここで触れておこう。その筆頭が修正第2条である。同条は，自由な州の安全にとって必要なよく規律された民兵と，人民が武器を保持し携帯する権利は侵害されてはならないと定めている。本条を個々の国民が武器を携帯することを憲法的権利として保障しているものと解する主張もあるが，一般にはこれは州が民兵を保持することを保障したものと考えられてきた。しかし最高裁は，District of Columbia v. Heller, 554 U.S. 570（2008）において初めて，個人は修正第2条のもとで自衛のために銃を所持する権利を有すると判断し，ハンドガンの所持をほぼ全面的に禁止したコロンビア特別区の法律を違憲とした。また最高裁は，銃器の所持の合理的規制は可能だとしたが，銃の保管には弾丸を抜いて分解するか，鍵つきの保管庫に保管することを要求した規定も，自己防衛のために銃を使うことを不可能にする点で違憲だと判断している。さらに最高裁は，McDonald v. City of Chicago, 561 U.S. 742（2010）において，この修正第2条の銃を保持する権利は，修正第14条を通して州にも保障されると判断している。そして，New York State Rifle & Pistol Ass'n v. Bruen, 597 U.S.—（2022）において，銃の所持に免許を求め，家の外での銃の携帯には相当な根拠に基づく許可がなければ許されないとし，そのためには自衛のための特別な必要性の証明を求めたニューヨーク州法を違憲とした。一般の公衆が，公共の場所で通常の自衛のために銃を保持し携帯する修正第2条の権利を不当に侵害するというのであった。

次に修正第3条は，住居への兵士の宿営について，平時においては所有者の同意を，戦時においては法の定める方法の遵守を定めている。これらは，いわば住居のプライバシーを保護したものと考えることができよう。

する個人の権利保障の問題について，町井和朗「米連邦権利章典と修正第14条適法手続条項（1)〜(完)」大東法学創刊号〜4号（1974–77)。**ステイト・アクションの問題**については，芦部信喜・現代人権論3〜92頁（1974），同・憲法訴訟の現代的展開361頁以下（1981），木下智史「私人間における人権保障と裁判所」神戸学院法学18巻1＝2号（1987），君塚正臣「アメリカにおけるステイト・アクション理論の現在」関西大学法学論集51巻5号（2001)。**個人の権利侵害と憲法訴訟の関わり**については，宇賀克也・国家責任法の分析297〜363頁（1988），木南敦「合衆国憲法修正14条5項に基づく議会の立法」佐藤幸治古稀記念・国民主権と法の支配（上）(2008)。

第9章　表現の自由

第1節　表現の自由の基礎理論

1　表現の自由の意味

起草者の意図

修正第1条は，連邦議会が言論の自由・出版の自由，平和的に集会する人民の権利を縮減する法律を制定することを禁止して，言論・出版の自由，集会の自由を保障している。条文上は連邦議会だけが禁止の名宛人になっているが，連邦政府のどの部門もこれに拘束されることは一般に認められており，また修正第1条が修正第14条を通して州にも適用され，州政府の行為をも拘束することが今日では認められている。合衆国憲法の権利規定は数も少なく，それだけに修正第1条は，特に市民的権利の一般総則的規定のような機能を担っている。

しかし修正第1条が何を意味しているかは，修正第1条の条文からも，また起草者意思からも明らかにはならない。実際，修正第1条の起草者意思は定かでなく，母国イギリスにおいて国王による出版検閲が主たる表現抑圧手段であったこと，そして当時起草者達が大きく依存していたイギリスの法学者ブラックストーンの理解でも表現の自由が検閲禁止を意味していたことを考えると，少なくとも検閲禁止が意図されたことは明らかである。しかし，それ以上の内容については見解が分かれている。イギリスでも，検閲のほか，煽動的ライベル（文書名誉毀損）が政府批判処罰の主たる道具として機能していたし，植民地時代それに対して批判があった[1)]。そのため，修正第１条は煽動的ライベルを廃止する趣旨であったという見解がある。しかし当時煽動的ライベルが批判されていたのは，真実性の抗弁が認められておらず，事実認定権が陪審にないという点だったのであり，それゆえ起草者達がそれを超えて煽動的ライベルを一切否定する意図だったのかには異論もある。表現の自由の問題は，条文によっても歴史によっても確定的には解決しえそうもない。

表現の自由の保護範囲とその制約

それでは，表現の自由の保護はどこまで及ぶのであろうか。この点アメリカでも，明確な解答は見出せず，政治的抗議のための徴兵カードの焼却もはたして表現か，商業広告（コマーシャル）やわいせつな表現も表現かといった疑問も提起されている。前者の場合，抗議という意思伝達目的は明らかであるが，手段が伝統的表現手段とは異なり，その意思を理解しない人にとってはまったくの非表現的行動としか映らないからである。後者の場合，何らかの意思伝達というより，営業活動の一環であったり，性的欲望を駆り立てて購買の動機を与えるという点で，思想表現とは大きく異なるからである。しかし，前者については，これは「行動」であって修正第１条の保護は及ばないという見解もないではないが，最高裁はこれを象徴的表現として修正第１条の問題としている。また，後者についても最高裁は限定的ながら修正第１条の保護を認めている。

そこで，このように表現の自由の保護が広く表現，すなわち意見・思想あるいは情報伝達目的の行為に及ぶとすると，次に問題と

---

1)　1735年，ピーター・ゼンガーはニューヨーク総督を批判する記事を掲載し，煽動的ライベル罪に問われた。煽動的ライベル罪では，真実性の抗弁は認められていなかったが，弁護士は真実性の抗弁が認められるべきだと主張した。裁判官はこの主張を斥けたが，陪審は無罪の評決を下した。

なるのは，その保護の程度である。最高裁は，表現の自由が州の持つ州民の生命・健康・福祉のための包括的な規制権限（いわゆるポリス・パワー）や連邦議会の権限による制限に服することを認めており，それゆえ表現の自由の保障は絶対的ではないことを一貫して宣言してきている。これに対し，表現の自由の絶対的保護を主張する声もないではない。しかし，もし文字通り絶対的保護を与えるとすれば，保護される表現範疇は限定されざるをえない。したがって，表現の自由の絶対的保護を主張する見解は，表現の自由とその制約利益との調整を定義的に行う立場に等しくなる。

それゆえ，結局のところ問題となるのは，表現の自由を制約する政府の行為の合憲性を判断する際に，裁判所はどのような調整基準を用いるか，つまりいかなる合憲性判断基準を用いるかである。そして，表現制約立法を裁判所が審査する際にどのような態度（審査基準）をとるべきかである。

表現の自由の価値ないし機能と表現の自由に対する特別の保護

この問題に答えるため，しばしば表現の自由の価値ないし機能が語られることがある。最も有名なのは，表現の自由に関する第一人者であったエマーソンの次の４機能論である。それによれば，表現の自由は，①個人の自己実現に仕え，②思想の自由市場を通して真理の発見に寄与し，③政治プロセスへの参加保障により民主主義に仕え，さらに④いいたいことをいわせることにより社会の安全弁としても機能するというのである。このうち第一の自己実現は，表現の自由に限られずおよそすべての権利に妥当し，第四の社会の安全弁機能は政策的手段的機能であるから，今日重視されているのは，第二の思想の自由市場論と第三の民主主義プロセス論である。思想の自由市場論は，ミルトンとミルに遡る古典的見解であり，真実の最良の判定者は市場だとして，市場に代えて，表現が真実かどうか，表現に価値があるかどうかを，政府が判断することを否定する。後者の民主主義プロセス論あるいは自己統治論は，現在では表現の自由保障の意義を人民の自己統治に求め政治的表現保障を主張した教育学者マイクルジョンの見解に結びつけられることが多い。マイクルジョンは，公的な表現の自由は単なる自由ではなく人民の自己統治の権力そのものであり，この公的な表現の自由は絶対的に保護されるべきだと主張したのである。

このような表現の自由の特性のゆえに，学説では，表現の自由は他の自由に比して特別な裁判所の保護を要するものと考えられている。最高裁も，後述するように，当初は表現の自由に特別の重要性を見出さなかったが，次第に表現の自由を制限する法律を審査する場合に厳しい合憲性判断基準を用いるようになった。思想の自由市場論の観点から，表現には表現で対抗するのが原則であり，制約は思想の自由市場に委ねておくことができないような切迫した重大な危害が生じる場合に限られるというのである。後述する明白かつ現在の危険基準である。その後この明白かつ現在の危険基準はあまり用いられなくなり，また思想の自由市場論以外に民主主義プロセスとの密接な結びつきが重視されるようになったなどの変化はあるが，表現の自由を制限する法律に対する合憲性判断基準は厳格なままである。

同時に最高裁は，表現制約立法については通常の立法の場合に妥当する合憲性の推定は働かず，裁判所が表現制約の必要性を慎重に審査しなければならないという立場をとるに至った。この関連では，とりわけ表現の自由が民主主義プロセスにおいて不可欠の役割をはたしていることが重視されている。この立場は，既にUnited States v. Carolene Products Co., 304 U.S. 144 (1938) の脚注4で示唆されていた。この事件は経済規制に関するものであり，最高裁はこの事件で，経済規制の審査においては合憲性の推定が働き，裁判所の審査はきわめて緩やかなものであることを確立させた。だが，その際，一定の場合にはこのような合憲性の推定が働かないかもしれないことを示唆したのである。その一つが，通常であれば望ましくない立法の廃止をもたらすことが期待されうるその政治プロセスそのものを，法律が制約している場合であった。実際そこで，最高裁はこの脚注に沿う形で，表現制約立法に対する厳格審査を展開したのであった（「二重の基準論」）。その過程で，表現の自由は他の諸自由の前提となる自由であるとか，あるいはさらにはしばしば優越的地位を占める自由（preferred freedom）であるとかいわれるようにもなった。

ただし，このような価値論ないし機能論から，表現の自由一般に対する裁判所による特別の保護の必要性を導くのではなく，保護される表現の範囲を限定する見解もある。表現の自由は民主主義プロセスにとって不可欠な自由であるから，その保護は政治的言論・公的言論のみに限られるとか，営利的表現やわいせつな表現は，民主主義にとっても必要でなくまた自己実現にも寄与しないから表現としての機能を持っておらず，修正第1条の保護の範囲外だといわれるのである。しかし，このような価値論ないし機能論によって表現の自由の保護範囲を画定することに対しては，表現の自由をもっぱら手段として捉えるのは問題であり，表現の自由保障をそれ自体として一つの価値と考えるべきだとの批判もある。また憲法上何も手掛かりの与えられていない価値論・機能論で憲法的な表現の自由保障の射程を画定することに批判もある。

この点はさらに，表現の自由と他の諸利益の調整に際し，どの表現も表現としての価値は同じとみるか，表現によって表現としての価値は異なると考えるかにも関わっている。最高裁は，政治的表現が修正第1条の中核的意味であると示唆しており，実際営利的表現の場合などは，表現としての価値は低いとして政治的表現ほどの保護は受けないとしている。また裁判官の中には，下品な表現など低い価値の表現には低い保護で足りるとするものもあった。そして学説でも，このような表現価値の序列化に賛同する者もいる。しかし，最高裁としては，問題となっている表現の価値に応じて保護の度合いは異なるという，スライディング・スケールの立場には立っていない。実際，はたしてそのような序列化は可能か，またそれが裁判所にふさわしいかなど，批判もある。個々の表現の価値は個人が判断すべきで，裁判所を含め政府が表現の表現としての価値を判断すべきではなく，それゆえ裁判所は表現を表現として一般的に衡量すべきだという見解も有力である。

修正第1条とプレス

修正第1条は，言論とプレスの自由を保障しているが，一般にプレスの自由は出版の自由を指すものと解され，両者をあわせ「表現の自由」と総称されている。しかし中には，このプレスの自由の保障により起草者達は制度的なプレス，すなわち報道機関を特別に保護したと主張する学説もあり，また今日のような報道機関が重要な役割を果たすようになった状況においては，修正第1条を制度的なプレスを特別に保障した構造的な保障と解すべきとの見解も主張されている。

しかし最高裁は，このようなプレスに対する特別な保護を認めてはいない。むしろ最高裁は，プレスを特別扱いすることに慎重だといえる。後述する取材に関する事例でも，最高裁は，プレスに一般人以上の権利を認めることには一貫して消極的姿勢を示してきている。他方で最高裁は，プレスにのみ特別の責任や負担を負わせることにも消極的である。

2　煽動罪をめぐる事例における表現の自由法理の展開

初期の事例

それでは，裁判所は，表現制約立法の合憲性を審査する際に具体的にどのような合憲性判断基準を用いるべきであろうか。

修正第1条が成立しても，長い間そのもとで表現の自由の侵害が争われることはなかった。これは，修正第1条を含む権利章典が州に対しては適用されないと考えられていたからであった。

建国直後の1798年，フェデラリストがリパブリカンを弾圧するため政府批判を処罰する連邦煽動罪法を制定した。これはコモン・ローの煽動的ライベルを成文化したものであるが，真実性の抗弁を認め，陪審審理を認めていた。それにもかかわらず，この法律は，憲法違反ではないかとの声が高まった。しかし，同法は，その合憲性の問題が最高裁に上がることなく，失効してしまった[2)]。

第1次世界大戦と防諜法

そして，第1次世界大戦中，社会主義者の反戦的表現をめぐる事例で，ようやく煽動的表現の問題が最高裁に上がってきた。そして，それらの事例を通して，表現の自由の法理が展開してきた。

Schenck v. United States, 249 U.S. 47（1919）は，1917年の連邦防諜法のもと，反戦文書を配布した者が，軍内での不服従を生じさせ，徴兵活動を妨害したとして起訴された事例であった。その文書というのは，実は戦争の不当性を説いて，権利を行使して徴兵に服するなと述べてあっただけであったが，ホームズ裁判官による法廷意見

2）1800年の選挙で勝利を収めたジェファーソン大統領は，同法のもとで起訴されたすべての者に恩赦を与え，支払われた罰金を払い戻した。最高裁は，同法の合憲性について判断する機会を持たなかったが，後に，後述するSullivan判決において，その違憲性は歴史の法廷で確立していると判断している。後述253頁参照。

は，処罰を支持した。通常なら問題の表現は憲法の保護の範囲内であるが，「すべての事例で問題は，用いられた言葉が，議会が防止する権利を有する実体的害悪をもたらす明白かつ現在の危険を創出するような状況で用いられ，そのような性格であったかである」として，戦争中には平時で許されることでも許されないと結論したのである。そして現実に妨害を生じなくとも，その傾向と意図があれば処罰しうるとした。

Frohwerk v. United States, 249 U.S. 204（1919）は，参戦の不当性を主張し徴兵反対の暴動について論評した新聞の発行者が防諜法違反で起訴された事例であった。最高裁は，Schenck 判決に言及しつつ，その表現は一息で炎の火をつけるに十分な状況でなされたかもしれないといえないわけではないとして，処罰を支持したのである。Debs v. United States, 249 U.S. 211（1919）は，社会党の指導者が行った演説が，不服従を煽動し，徴兵を妨害したとして，防諜法違反を理由に起訴された事例である。実際には社会主義の正当性とその勝利について語っていただけであったのに，ここでもホームズ裁判官による法廷意見は，処罰を支持した。

このように明白かつ現在の危険基準は，元来通常なら保護されている表現内容を状況によって処罰するための法理であり，害悪発生の傾向ないし意図で処罰に十分とするまったく言論抑圧的基準であった。実際ホームズ裁判官がこの段階で表現の自由保護の特別の重要性を認識していたかどうか，疑問さえ投げ掛けられている。

これに対し，当時下級裁判所の裁判官であったハンド裁判官は，同種の事例で明白かつ現在の危険基準とは異なるアプローチの可能性を示唆していた。防諜法違反を理由に月刊革命雑誌の郵送が拒否されたため，その処分に対して差止めが求められた Masses Pub. Co. v. Patten, 244 Fed. 535（S.D.N.Y. 1917）で，表現に保護を認めたのである。彼は，軍内での不服従を生じさせたという罪については，法に抵抗することが義務であり利益であると主張しているのでない限り，議会には処罰の意図はなかったと判断し，本件の文書は，禁止の対象に該当しないとしたのである。これは，表現が行われた文脈によってではなく，表現内容によって表現の自由の限界を判断しようとするものであった。そしてハンド裁判官は，その後もホームズ裁判官の明白かつ現在の危険基準はあまりに緩やかすぎると批判して，このような表現内容に向けられた客観的基準を支持していた。

明白かつ現在の危険基準の採用

ところが，Abrams v. United States, 250 U.S. 616 (1919) では，最高裁も変化の兆しを示した。これは，資本主義を批判し，労働者に戦争に協力しないよう呼び掛けた反戦ビラを配布した者が，防諜法違反で起訴された事例である。多数意見はSchenck判決にしたがって処罰を支持したが，今回は，ホームズ裁判官は明白かつ現在の危険の基準を適用しつつ，思想の自由市場論を展開し，切迫した害悪の現在の危険の存在を要求して反対に回った。ホームズ裁判官がなぜ立場を変えたのか，必ずしも定かではないが，少なくともこの段階に至って，明白かつ現在の危険の基準は，害悪の切迫性を要求する言論保護的基準としての可能性を持つに至ったといえよう。

これらの事例は，いずれも徴兵活動妨害など非表現的行為の禁止が表現活動に適用された事例であったが，法律自体が一定の表現を危険だと判断して禁止していた場合どう考えるべきかが問題になってきた。Gitlow v. New York, 268 U.S. 652 (1925) は，社会党の左派が，革命的サンジカリズムによる共産主義革命を唱道した文書を配布して，政府転覆の唱道を禁止した州刑事アナーキー処罰法によって起訴された事例であった。最高裁は，本判決で初めて修正第1条の州への適用を示唆した。しかし処罰の合憲性については，本件文書は単なる抽象的理論を述べたものでも，予言しただけのものでもなく，革命を唱道したものであったと判断した上で，法律を制定するにあたって州が政府転覆を実体的害悪と判断した以上，その判断は尊重されるべきだとした。このように議会が表現の危険性を判断した場合には，明白かつ現在の危険基準は適用されないというのであった。これに対し，ホームズ裁判官は，明白かつ現在の危険基準を適用し，政府転覆の現在の危険は存しないと判断した。

さらに共産主義労働党の組織を助けそれに加わったとして州の刑事サンジカリズム法によって処罰された事例である Whitney v. California, 274 U.S. 357（1927）では，最高裁は，公共の福祉に反し，犯罪を煽動する傾向がある表現を禁止した州議会の判断を尊重して，処罰は憲法に反しないと判断した。しかし，ここでもブランダイス裁判官は，ホームズ裁判官と共に，言論の自由保障の重要性を強調して，立法府の判断だけでは不十分で，制約には重大な害悪が必要と主張した。明白かつ現在の危険があるといえるためには，直ちに重大な暴力が予期されるか，唱道されることが必要だと反対したのである。ここでは，害悪発生の切迫性と害悪の重大性において一層の絞りがかけられている。

その後最高裁は，1940年代頃から，表現行為への保護を認めるようになった。しかも言論保護的基準として再定式化された明白かつ現在の危険基準を採用するに至り，さらに同基準を初めの違法な行為の煽動の文脈を超えてさまざまな文脈で適用し始めた。そして，当該事件で明白かつ現在の危険が存在しない場合の表現規制を否定するだけでなく，表現制約を明白かつ現在の危険の存する場合に限定していない法律の場合には，それを違憲として文面上無効とするに至った[3]。

冷戦と共産主義的表現の制約

ところが，第2次世界大戦後，米ソ冷戦下で再び最高裁は言論制約に道を開き，明白かつ現在の危険基準は大きく修正された。

Dennis v. United States, 341 U.S. 494（1951）は，共産党を組織し，政府転覆の義務と必要性を唱道したとして，連邦の反共法であるスミス法のもとで党の指導者が起訴された事例である。最高裁は，スミス法は単なる議論ではなく唱道を処罰したものと解して，政府転覆は重大な害悪であり，害悪の重大さが，その蓋然性のなさによって割り引かれても，その危険回避のために制約を正当化するかどうかが問題だとした。そして被告人は，状況が許せば速やかに政府を転覆することを共謀したもので，本件ではそのような明白かつ現在の危険が存在したと結論したのである。ダグラス裁判官が，被告人はマルクス・レーニン主義を教えただけで，明白かつ現在の危険は存在しなかったとしていることからみて，同基準が大幅に修正されたのは明白であった。これに対し，フランクファーター裁判官は，明白かつ現在の危険基準にこだわらず，表現の自由と国家の安全の利益を衡量すべきだとしていた。

実際最高裁のとった立場は，この個別的事例で利益衡量するのと異ならない。こうした中で，明白かつ現在の危険基準を支持する声は背後に退き，学説でも，この基準では言論保護に不十分とする意見が強くなった。そこで個別的事例での利益衡量に代えて，一定の表現に絶対的保護を与えるべきだという主張が有力になされた。

3）De Jonge v. Oregon, 299 U.S. 353（1937）（共産党の集会参加者処罰は違憲）; Herndon v. Lowry, 301 U.S. 242（1937）（共産党指導者に対する煽動処罰は違憲）; Thornhill v. Alabama, 310 U.S. 88（1940）（ピケ禁止法は違憲）; Cantwell v. Connecticut, 310 U.S. 296（1940）（エホバの証人の信者による公道上の布教活動を治安破壊で処罰することは違憲）.

1960年代以降の展開

ところが，1960年代，法律自体を違憲無効としたわけではないが，保護されない表現を定義的に限定し，表現の自由保障をはかる姿勢がみられるようになってきた。

スミス法のもと，共産党を組織したとして党の構成員が起訴されたYates v. United States, 354 U.S. 298（1957）では，最高裁は，抽象的理論の唱道と不法行為の唱道を区別して，同法は，前者まで処罰したものではないと判断した。そしてDennis判決は政府転覆の唱道の事例だったと事案を限定したのである。そして共産党の構成員であることを理由に起訴された事例に関するScales v. United States, 367 U.S. 203（1961）では，最高裁は積極的構成員とそうでない構成員を区別して，法律を前者のみを処罰するものと解釈し，さらに暴力による政府転覆の組織の目的を達成するという具体的な意図が必要だとした。そしてこの事件では，その限りで構成員処罰は修正第1条に反しないと判断したが，Noto v. United States, 367 U.S. 290（1961）は，結局不法な行為の唱道の証拠がなかったとして，処罰を認めなかった。これら3判決で法廷意見を述べたハーラン裁判官は，Dennis判決で合憲性が支持されたスミス法の射程を，理論の唱道とは区別された違法な行為の唱道に限定し，その射程を厳しく限定したのである。ここに至って，再びMasses判決のアプローチが，明白かつ現在の危険基準に代わる言論保護的基準として注目を浴びるに至った。

このような表現内容に向けられたアプローチが実際に言論保護的基準として定式化されたのが，Brandenburg v. Ohio, 395 U.S. 444（1969）である。これは，オハイオ州刑事シンジカリズム法のもと，人種差別団体であるクー・クルックス・クラン（KKK）の指導者が，集会で白人への抑圧を続ける政府への「報復」の可能性を主張して，起訴された事例である。最高裁は，同種の法律がかつてWhitney判決で支持されていたにもかかわらず，同判決はその後Dennis判決によって掘り崩されたとした。そして暴力の行使ないし法違反の唱道を州が処罰することは，その唱道が切迫した不法な行為を煽動したり，生み出したりすることに向けられていて，かつそのような行為を煽動ないし生み出しそうでない限り，禁止されているという原則が，後の諸判例で確立していると宣言した。こうして，Whitney判決は覆され，州法は違憲とされた。

このBrandenburg判決の基準のもとでは，表現内容が暴力や法違反行為を煽動していて，かつその害悪発生の危険性があったことが要求される。これによって，最高裁は，Masses判決のアプローチと明白かつ現在の危険基準のアプローチの双方を結合させ，表現内容と結果ないし文脈の双方で厳しい限定を付したのであった。最高裁は，このような原則は既に確立されているとしたが，実際にはこの判決によって確立されたものであった。

3　表現制約立法の合憲性判断基準

このように表現の自由の制約の合憲性を考える際に，表現が行われた文脈に注目するか，表現内容に注目するかの2つのアプローチがある。表現制約立法の合憲性を裁判所が審査する場合に，文脈，つまり表現がどのような状況のもとで行われ，どのような害悪をもたらしたかに注目するか，表現内容，つまりどのような内容の表現が行われたかに注目するかの違いである。

ただ，いずれの基準にも一長一短がある。文脈に焦点を当てたアプローチでは，無害な表現であっても制約が認められる可能性がある。表現内容に焦点をあてたアプローチでは，実際に危険が発生するおそれがなくても制約が認められる可能性がある。そこで現在の最高裁は，すべての表現の自由規制に一元的基準で対応するのではなく，表現内容に向けられている制約と内容中立的な制約を区別し，異なった基準を用いている。

それゆえ，政府には表現内容に対する中立性の義務がある以上（内容中立性原理），制約が表現内容に向けられている場合，その制約はより厳しい合憲性判断基準に服するとされる。したがって，制約が表現内容に向けられている場合，つまり一定の見解に向けられている場合に加え，一定のカテゴリーの表現内容に向けられている場合も，原則としてやむにやまれない利益の基準が妥当し，制約はやむにやまれないほど重要な利益達成のために必要不可欠の制限（narrowly tailored）でなければならない。過大包摂も過小包摂も許されない。表現内容に基づく制約の場合は，法律の合憲性の推定は及ばない。違憲性が推定されると言ってもよい。

ただし，次の3つの場合には，このような利益衡量的アプローチではなく，別の基準が用いられる。すなわち，煽動の場合には先に述べたBrandenburg判決の基準が，名誉毀損の場合には後述する「現実的悪意」の法理が，そして公正な刑事裁判保障との関係では明白かつ現在の危険基準が，用いられるのである。Brandenburg判決の基準や現実的悪意の基準の場合は，表現内容に向けた定義的な基準といえる。

ただ，表現内容に向けられた制約であっても，一定の表現は，カテゴリー的に保護から排除されている。「けんか的言葉」，わいせつな表現，児童ポルノがその例である。これらは，保護されない表現カテゴリーを定義して保護を否定するカテゴライゼーションのアプローチの例ともみることができよう。他方，この中間に，一切表現の自由の範囲外ともされていなければ，政治的表現ほどの保護も与えられていない表現類型がある。営利的表現がその例である。ここでは最高裁は，一定の表現は他の表現より表現としての価値が低く，それゆえ低い保護しか認められないという立場をとっているのである。

これに対し，制約が表現内容に向けられていない場合，本質的に表現のなされた文脈を考慮せざるをえない。したがって，この場合には，表現内容に向けられた制約の場合ほど厳格ではないが，それでも表現の自由に応じた慎重な審査が行われる。これには，表現内容中立的な時・場所・態様の制約と，それ自体としてみれば表現行為に向けられていない制約が，表現と結びついた行為に適用される場合が含まれる（いわゆる象徴的表現）。この場合，第一に制約が表現内容中立的であることに加え，第二に重要な利益達成のため必要であること，そして第三に制約がその利益達成に必要な限度に限定されていること，代替的なコミュニケーションの余地が残されていることが要求される。この場合にも合憲性の推定はないと思われるが，ときおり最高裁は議会や執行府の判断を尊重する姿勢を示している。

このような２層分析は，それぞれの層に対してふさわしい合憲性判断基準に関しては異論もあるものの，有力な学説によっても支持されている。ただ学説の中には，表現内容に向けられているかどうかの区別の難しさを指摘し，表現の自由に間接的に制約が及ぶ場合にも緩やかな合憲性判断基準をとる理由はないと批判して，すべて表現の自由の制約に対してやむにやまれない利益の基準をとるべきだとの主張もある。しかし，ここでは最高裁の分析を基本にして，表現内容による制約と表現内容に基づかない制約に区別して，検討することにしよう。

4　表現の自由の派生的法理

事前抑制の原則的禁止

表現の自由の中核的内容を占めていたのが，検閲の禁止ないし事前抑制の禁止である。表現の自由の由来をみると，イギリスにおいてブラックストーンは言論の自由は検閲の禁止を意味するとしていた。それゆえ修正第1条は，最低限検閲ないし事前抑制の禁止を意味すると考えられてきた。検閲ないし事前抑制は，表現に先立ってその内容を審査し，危害の恐れがある場合に表現を禁止する制度であり，表現が受け手に到達する可能性を持たないうちに表現が市場から排除されてしまうこと，事後処罰の場合のような手続的保障がないことから，特に問題であると考えられている[4]。

最高裁が，表現の事前抑制の許容性の問題に初めて直面したのは，Near v. Minnesota, 283 U.S. 697 (1931) においてであった。この事件では，名誉毀損的な記事を掲載する新聞に対し裁判所が差止めを発することを認めた州法のもとで発付された，政府批判的な記事を掲載した新聞に対する出版頒布禁止命令が争われた。最高裁は，事前抑制の原則的禁止を確認し，この法律は検閲そのものであるとして，違憲と宣言したのであった。ただ最高裁も，表現の事前抑制が一切許されないとしたわけではない。戦時中に軍の駐留している場所を公表するようなきわめて例外的な場合以外は許されないとした

---

4)　このような事前抑制の危険性は，とりわけ裁判所の命令に対しては，それが取り消されるまでは従う必要があり，それに違反したときに命令の違法性を主張できないとする付随的攻撃排除ルールが認められるときに，最も明らかである。Walker v. City of Birmingham, 388 U.S. 307 (1967). このルールは，事前の免許制ないし許可制の場合にも妥当する。ただし最高裁は，このルールは法律が文面上違憲であるような許可制の場合には適用されないと判断している。Shuttlesworth v. City of Birmingham, 394 U.S. 147 (1969).

のである。そこで，検閲ないし事前抑制の原則的禁止は確立されたものの，この後もどのような場合に例外が認められるかをめぐって議論が続いてきた。

この問題は，ペンタゴン・ペイパーの公表をめぐるNew York Times Co. v. United States, 403 U.S. 713（1971）で，大きな争点となった。ベトナム戦争に至る政府の決定過程を示すいわゆるペンタゴン・ペイパーを，ニューヨーク・タイムズ紙が入手して公表した際に，執行府が国家の安全を損なうと主張して，裁判所にそれ以上の公表の差止めを求めたのである。最高裁は異例の早さで判断を下し，結局法廷意見のない判断（per curium）として，事前抑制には強い違憲性の推定が働き，政府は厳しい正当化責任をはたさなければならないが，本件ではその責任ははたされていないとして，差止めを認めなかった。しかし，この判決には各裁判官が意見を付しており，差止めを認めない理由として差止訴訟に対し法律上の根拠が欠けていることを指摘する意見や，もっと直接的に回復不可能な害悪発生の恐れがある場合には差止めを認めると示唆する意見などが示され，結局事前抑制が許される基準は明らかにされなかった[5]。

このようにアメリカでは行政的な検閲だけでなく裁判所による差止めまでも検閲の問題として扱われている点が注目される。しかし，わいせつな表現については事前抑制の可能性が認められているが[6]，それ以外にどのような場合に検閲ないし事前抑制の禁止の例外が認められるかはっきりしていない[7]。しかし，名誉毀損的表現に対す

---

5)　その後も，水爆製造の手引を公開しようとして差止めが求められた事例であるUnited States v. Progressive, Inc., 467 F.Supp. 990（W. D. Wis. 1979）でも，同様の問題が提起されたが，他の雑誌にも公表され，訴訟が取り下げられたため，国家の安全を理由に差止めを求めうるか最高裁の判断が下されずに終わった。

6)　Kingsley Books, Inc. v. Brown, 354 U.S. 436（1957）.

る差止めも含め，アメリカでは事前抑制はほとんど認められてはいない。

表現の自由規制における手続的保障

表現の自由を規制する場合には，特に慎重な手続が要請される。このような手続的保障は，とりわけ表現の事前抑制の場合に重要である。最高裁は，映画の検閲制に関する Freedman v. Maryland, 380 U.S. 51（1965）において，このことを認めた。最高裁は，表現が保護されていないことを証明する責任が検閲者にあり，検閲決定が最終的であってはならず，そのためには特定された短期間内に許可するか禁止のために裁判所に訴えなければならないようになっている必要があり，さらに迅速な司法的決定が保障されていなければならないと判断したのである[8)]。

過度の広汎性ゆえの無効の法理

表現の自由の規制は，規制目的を達成するため必要最小限度においてのみ認められる。もし規制が過度に広汎であれば，その規制は修正第1条違反といわざるをえない。この場合，その規制が当該本人の表現に適用される限りでは合憲であっても，規制法律自体の合憲性を争うことが許される。つまり，通常の違憲の主張適格の法理によれば，市民は自分の権利侵害のみを主張できるが，この場合そ

---

7)　最高裁は，Nebraska Press Association v. Stuart, 427 U.S. 539（1976）において，刑事被告人に公正な陪審裁判を保障するため裁判所が発した記事差止命令を違憲とし，事前抑制に対する厳しい姿勢を確認している。最高裁は，事件を具体的事案に限定して，Dennis 判決で修正された明白かつ現在の危険基準を適用し，本件では事前抑制を正当化する蓋然性を欠いていると判断したのである。

8)　なおこれらの要件のうちどれが憲法上のミニマムなのかについては，FW/PBS, Inc. v. City of Dallas, 493 U.S. 215（1990）; Thomas v. Chicago Park District, 534 U.S. 316（2002）を参照。

の法律が違憲的に適用されうるかもしれない第三者の権利の侵害を援用して法律自体の合憲性を争うことができるのである[9)]。これは，過度に広汎な表現規制法律は，合憲的に制限しえない表現まで制約される恐れを生じさせ，本来であれば合憲的になしうる表現行為にまで萎縮的効果（chilling effect）を及ぼすためである。この法理は，過度の広汎性ゆえの無効の法理（overbreadth doctrine）と呼ばれる。

この法理は，とりわけウォーレン・コート時代に広く用いられた。しかしバーガー・コートに入って，最高裁はこの法理に消極的になる。Broadrick v. Oklahoma, 413 U.S. 601（1973）がその典型である。これは，州公務員の政治活動を規制した州法の合憲性が争われた事例である。最高裁は，とりわけ法律が言論ではなく「行動」に向けられている場合には，単なる過度の広汎性ではなく，実質的な過度の広汎性がなければ，過度の広汎性を理由に法律を文面上無効となしえないと判断したのである。最高裁はその後も表現規制立法が過度に広汎な場合には文面上無効だとしてきているが，その射程はかなり限定されている[10)]。

曖昧性ゆえの無効の法理

同様の萎縮的効果に対する配慮が，曖昧ないし不明確な表現制約立法を文面上無効とする法理の背後にも存在する。曖昧な刑罰法規は，いかなる行為が禁止されているかについて市民に告知していな

9）第4章第2節2参照。

10）例えば，City of Lakewood v. Plain Dealer Publishing Co., 486 U.S. 750（1988）（公道上に新聞販売機を設置するのに市長の許可を要求した条例を，内容に基づく際限のない裁量行使を認めるものとして文面上無効と判断）参照。これに対し，Virginia v. Hicks, 539 U.S. 113（2003）（正当な用事のない人に立ち入らないよう通告し，無視すれば不法侵入として逮捕する低所得者向け住宅の管理当局の方針は，著しく過度に広汎であるとの証明がないため，文面上無効とはいえない）参照。

いため手続的デュー・プロセスに反することが認められてきたが，修正第1条の表現の自由については，この配慮が特に強く働く。これが，曖昧性ゆえの無効の法理（void for vagueness doctrine）（日本では明確性の理論とも呼ばれている）である。実際，例えば「他人に迷惑な仕方での」集会等を禁止した条例が，Coates v. Cincinnati, 402 U.S. 611（1971）において，過度に広汎であるとともに，違憲的に曖昧であるとして，無効とされている。

より制限的でない代替手段の準則

表現の自由の制約は，目的の達成のため必要不可欠ないし必要最小限度でしか認められない。それゆえ，目的を達成するために，他により制限的でない代替手段が存在する場合には，とられた手段は修正第1条に反する。より制限的でない代替手段（less restrictive alternative）の準則（LRAの準則とも呼ばれる）である。表現の自由を過度に広汎に制約している場合にもこの準則に反するとされるが，この準則の本来の意義は，とられた手段の侵害性を問題とする点にある。表現内容中立的な制約について問題とされることが多いが，後述するように，現在の最高裁は，表現内容中立的制約の場合，LRAの準則の適用を否定している。

第2節　表現の自由をめぐる具体的諸事例

1　表現の内容に向けられた制約

合憲性審査の枠組み

既に述べたように，表現の内容に向けられた制約は，特に重大な表現の自由の問題を提起し，原則的に憲法上疑わしいものと考えられている。

この原理は，一定の見解のみを制約する場合と一定の表現類型を制約する場合の双方に妥当する。前者の状況が問題とされたと考えられるのが，Grosjean v. American Press Co., 297 U.S. 233（1936）である。この事件では一定の配布数以上の新聞の広告収入に特別の税が課されていたが，最高裁は，これを違憲と判断した。これは国民が政治について知識を得ることに対して課された税金であるというのである。この判断には，実際に課税の対象となっていたのが圧倒的に反政府系の新聞であったことが影響していたものと考えられる[11)]。後者の状況は，Police Department of the City of Chicago v. Mosley, 408 U.S. 92（1972）に示される。この事例では，州法が学校付近のピケを禁止しておきながら，労働紛争に関する平和的ピケのみを例外としていた。そこで最高裁は，表現の自由に言及するまでもなく，平等保護条項のもとでこのような表現内容による区別は許されないと判断したのである[12)]。最高裁は，平等保護条項に言及しているが，修正第1条の観点からもこのような表現内容による禁止は許されない。

ただ最高裁は，City of Renton v. Playtime Theatres, Inc., 475 U.S. 41（1986）で，居住区域等から一定距離内の成人映画を上映する映画館の建設禁止を，内容中立的な時・場所・態様の制約と理解し，実質的な利益に仕えていて合理的なコミュニケーションの余地を残しているから合憲であるとしている。最高裁は，この制約は，

11）最高裁は，その後 Minneapolis Star & Tribune Co. v. Minnesota Commissioner of Revenue, 460 U.S. 575（1983）で，一定の配布数以上の新聞にのみ紙やインクなどの使用に税を課した州法を，プレスのみを，しかもそのうちの少数のもののみを差別的に扱うものだとして，憲法違反と断じている。また，Arkansas Writers' Project, Inc. v. Ragland, 481 U.S. 221（1987）を参照。ただし，Leathers v. Medlock, 499 U.S. 439（1991）は，財産等の売上税について新聞・雑誌には免除を設けながらケーブルテレビには免除を認めないことを修正第1条に反しないとしている。

12）この趣旨はさらにその後，類似の事件に関する Carey v. Brown, 447 U.S. 455（1980）でも確認されている。

映画の内容ではなく映画館の存在に伴う二次的な効果のゆえのものだと捉え，内容中立的制約だと考えたわけである。したがって，いかなる場合に内容に基づく制約とされるのかには，やや不明確さが残されている。ただし，外国の大使館から一定距離内で外国政府に対する反感を抱かせたりする掲示を掲げることの禁止が争われたBoos v. Barry, 485 U.S. 312（1988）では，この制約もRenton判決と同様の二次的効果に向けられた内容中立的制約だという主張は斥けられている。言論に対する聴衆の反応は，二次的効果ではないというのであった。それゆえ，Renton判決の適用範囲は，必ずしも広いものではないと考えられる。

したがって，表現内容を理由とする制約は，原則的に禁止され，それが許されるためには厳格な要件を満たさなければならない。それゆえ例えば，Consolidated Edison Co. v. Public Service Commission, 447 U.S. 530（1980）では，電力会社による毎月の電気料金請求書の中で論争的な公共政策上の論点についての意見を述べることの禁止が違憲とされている。これは表現内容に基づく制約であり，特定の見解のみならず一定の表現類型自体を区別して禁止することも原則的に許されず，このような制約はやむにやまれない利益を促進するための必要不可欠のものでなければ正当化しえないと判断したのである。

また，Metromedia, Inc. v. City of San Diego, 453 U.S. 490（1981）でも一定の例外を除いて屋外広告物が禁止されていることが違憲とされた。この事例では，営利的広告についてはその建物の中で行われている営業についての広告物が例外とされていたが，非営利的広告にはそのような例外がなかった。相対多数意見は，これをこの原則的禁止のもとで許されないと判断したのであった。またここでは，非営利的広告について表現内容に基づいてさまざまな例外が設けられていたことも問題とされている。

学校図書館から「問題のある」あるいは「不適当な」書物を取り除くことが修正第1条に反しないかが争われたBoard of Education v. PICO, 457 U.S. 853（1982）では，意見が大きく分かれたが，相対多数意見は書物の中の思想に反対するという動機から書物が排除された場合には，違憲となると判断している。さらに，Simon & Schuster, Inc. v. Members of the New York State Crime Victims Board, 502 U.S. 105（1991）では，被告人や有罪判決を受けた犯罪者に，その犯罪に関する作品から得た収入を基金に供託させ，被害者に分配する，いわゆるサムの息子法が，やむにやまれない利益確保のため必要不可欠のものとはいえないとされている[13]。

違法な行為の煽動ないし唱道

表現内容を理由とする制約の典型例は，違法な行為の煽動ないし唱道の禁止である。その筆頭は，政府の転覆の煽動ないし唱道の禁止である。この場合，表現を聞いた聴衆が違法な行為を行うことによって危害が生じるが，制約が許されるためには，既に述べたようにBrandenburg判決の基準が適用される。

この趣旨は，学校内での反戦デモの呼び掛けに関するHess v. Indiana, 414 U.S. 105（1973）でも確認されている。問題の発言は，不法な行為の唱道ではなく，直ちに秩序破壊をもたらすべく意図されてもいなければ，もたらしそうもないとして保護が認められたのであった[14]。

13）　このところ著作権法による著作権の保護が表現の自由を侵害するのではないかが問題となってきているが，最高裁は，これを表現内容に基づく制約とは見ていないようである。Eldred v. Ashcroft, 537 U.S. 186（2003）; Golan v. Holder, 565 U.S. 302（2012）.

14）　黒人団体が差別撤廃を主張して白人の店のボイコットを呼び掛けたため店主らが被った損害の賠償を求めた事例であるNAACP v. Claiborne

敵対的聴衆とけんか的言葉

これに関して，表現が敵対的聴衆を刺激して治安破壊の危険性が生じた場合に，表現制約が許されるかの問題がある。いわゆる敵対的聴衆（hostile audience）の事例である。典型的なのは Feiner v. New York, 340 U.S. 315（1951）である。この事件では，被告人が群衆の前で演説していたところ反対する聴衆との間にこぜりあいが生じ，駆けつけた警官が騒動を抑えるため演説を制止した。そして最高裁は，表現制約の理由が被告人の見解を制限するためではなく，公共の安全確保のためであったことを重視し，暴動や交通妨害の明白かつ現在の危険があれば制約も許されると判断したのである。

とはいえ，このような敵対的聴衆のゆえに表現制約を認めることは，反対者に表現拒否権（heckler's veto）を許すに等しく，不人気な見解を事実上排斥する結果となってしまう。そこで最高裁も，Feiner 判決の射程を拡大するのに慎重な姿勢を示している。例えば Edwards v. South Carolina, 372 U.S. 229（1963）では，州庁舎前での人種差別反対デモに大群衆が集まり，公共の安全を理由に退去命令が出されたが，これは平和的な集会であり，Feiner 判決の事例からは「かけ離れた」事例だとして制約は認められなかった。

Hardware Co., 458 U.S. 886（1982）でも，Brandenburg 判決の趣旨が確認されている。最高裁は，平和的な政治的ボイコットに対する保護を認め，ボイコットを呼び掛けた者に，そのボイコットの最中に生じた暴力行為に対する責任を負わすことはできないとしたのである。これに対し，テロ行為への支援の禁止については，最高裁は，Holder v. Humanitarian Law Project, 561 U.S. 1（2010）において，このような手厚い保護を拒否している。連邦法は，指定された外国のテロ組織に知った上で実質的支援を行うことを禁止しているが，最高裁は，いかなる支援も結局はこれらの組織の違法な活動の支援になるとの連邦議会の判断を支持し，これらの組織の合法的活動に対する支援を禁じることは，修正第1条に反するものではないと判断したのである。

もっとも，表現が実質上聞き手にけんかを売っているのと等しい場合には，制約が認められる。いわゆるけんか的言葉（fighting words）の事例である。例えば，エホバの証人の信者が公道上で警察官を罵ってけんかとなり処罰された事例である Chaplinsky v. New Hampshire, 315 U.S. 568（1942）が，これに関する。最高裁は，「それを阻止し処罰することが何ら憲法上問題を生じないと考えられてきた一定のしっかりと確立し限定された言論の種類が存在する」として，わいせつな表現と名誉毀損的表現と並んでけんか的言葉を挙げ，それは表現自体で侵害的行為であり，直ちに治安破壊を生じさせるものであり，また思想表明に不可欠ではないとして，処罰を認めたのである[15)]。

不快な言論

難しいのは，表現がこのように直ちに暴力を引き起こしそうもないが，聞き手にとって不快である場合に，表現制約が許されるかである。いわゆる不快な言論（offensive speech）の問題である。

この問題を典型的に提起したのは，Cohen v. California, 403 U.S. 15（1971）である。これは，裁判所の回廊で「徴兵なんかくそくらえ」（fuck the draft）と書かれたジャケットを着て歩き，不快な活動によって平穏を乱すことを禁止した州法のもとで起訴された事例であった。最高裁は，本件処罰がもっぱら言論を処罰するものだと認め，本件表現はわいせつな表現にもけんか的言葉にも該当せず，単に不快だと思う人がいても表現制約は正当化されず，もっと特定的でやむをえないような理由がない限り制約は許されないと判断した。「ある人にとって下品な言葉でも，別の人にとっては抒情詩か

15）　もっとも最高裁は，その後わいせつな表現の範囲を限定し，名誉毀損的表現にも限定的保護を認め，またけんか的言葉の範囲も，後述する Cohen 判決で厳しく限定するに至っている。

もしれない」というのであった。

この趣旨は，Gooding v. Wilson, 405 U.S. 518（1972）でも確認され，治安破壊を生じさせる傾向のある口汚い言葉の使用を禁止した州法が，保護されないけんか的言葉に限定されていないとして，過度の広汎性ゆえに文面上無効とされている。また Erznoznik v. Jacksonville, 422 U.S. 205（1975）でも，女性の胸などが映っている映画を公道から見られるようなスクリーンで上映するドライブインの映画館を禁止した市条例が，違憲とされている。最高裁は，禁止がわいせつな表現以外にも及んでいることを指摘し，一定の表現を不快だとして規制することは厳格な審査に服するとした。そして規制は，公道上の通行人のプライバシー保護によっては正当化しえず，未成年者の保護には過度に広汎であり，また交通規制とは考えられないし，もし交通規制だとしても対象とされた表現が特に危険だとは思われない以上正当化されないと結論したのである。さらに City of Houston v. Hill, 482 U.S. 451（1987）では，警察官による公務執行に抵抗するような発言を処罰した法律が，過度に広汎であるとして文面上無効だとされている。これらの諸判決により，治安破壊などの具体的危険がない限り，単に公衆に迷惑あるいは不快だからといって表現を禁止できないことは確立していると思われる。

ただ，そうした中で，等しく表現内容による制約でも，一定の表現は表現としての価値が低いからそれほど厳格な要件が要求されるべきでないという考えがしばしば示唆されていることが注目される。その一つが Young v. American Mini Theatres, Inc., 427 U.S. 50（1976）である。ここでは成人映画を分散させるゾーニング条例の合憲性が争われた。4人の裁判官による相対多数意見は，この種の表現の利益は政治的表現より遥かに低く，完全に禁止してしまうことは許されないとしても，内容に基づいて規制することは許されると判断した。このような表現内容によって価値が異なるという見解は他の5人の裁判官によって拒否されたが，そのうち1人が条例を合理的なゾーニング条例として支持したため，結局この条例は合憲とされた。このような考え方は，FCC v. Pacifica Foundation, 438 U.S. 726 (1978) においても再び現れた。この事例では，ラジオで放送された番組が「下品」であるとして，連邦通信委員会 (FCC) によって将来制裁を課すこともあると判断されたことが争われた。そして相対多数意見は，下品な言論は修正第1条の価値の階層の中で低い位置を占めるとして，まったく保護されないわけではないが，低い保護しか受けないと判断したのである[16)]。そして放送が直接家庭に入り，子どもにも接しうるものであることから，このような下品な放送の規制を支持した。

しかし，最高裁は，近年の2つの判決の中で，依然として不快な表現の規制に対して厳しい姿勢を確認している。そのうちの一つは，動物への虐待を描いた表現を禁止した連邦法が問題とされた United States v. Stevens, 559 U.S. 460(2010) である。禁止された動物への虐待は，生きている動物を意図的に不具にし，肢体を切断し，拷問し，傷つけ，殺害する行為で，その表現が行われたところで連邦法もしくは州法に照らし違法である行為と定義され，そのような表

---

16)　もっとも最高裁は，コインを入れればライヴのダンサー演技を見られる個室を設けたところ，そのような行為を規制したゾーニング条例に違反するとされた事例である Schad v. Borough of Mt. Ephraim, 452 U.S. 61 (1981) では，Young 判決の射程を限定している。Young 判決は映画館を拡散させた事例で，表現を縮減した事例ではなかったとして事案を区別し，本件規制には十分な根拠がないと判断したのである。さらに最高裁は，電話をかけて性的メッセージを聞くサービス，いわゆるダイアル・ア・ポルノについて，それがわいせつでない限りは，「下品」であるからという理由で禁止することはできないと判断している。Sable Communications of California, Inc. v. FCC, 492 U.S. 115 (1989).

現物の製造，販売及び所持が禁止されていた。最高裁は，動物への虐待を描いた表現を，表現の自由の保護の範囲内から排除された先例のいずれにもあたらず，また新たに保護から排除することも拒否した上で，法律は過度に広汎だとしてこれを違憲と判断した。

もう一つは，暴力的なビデオゲームの未成年者への販売・貸与を規制したカリフォルニア州法に関する Brown v. Entertainment Merchants Association, 564 U.S. 786 (2011) である。最高裁は，ビデオゲームも修正第1条の保護を受けることを認め，暴力的表現をけんか的言葉やわいせつな表現と同様保護を受けない表現とみることを拒否し，厳格審査を適用した。そして，暴力的なビデオゲームに接することで未成年者が暴力的になるという科学的根拠は証明されておらず，さまざまな暴力的表現の中でビデオゲームだけを規制している点で過小包摂であり，親の権限を保護する手段としては，すべての保護者がこれに反対しているわけではないから，過大包摂だというのであった。

虚偽の表現

虚偽の表現が処罰の対象とされ（例えば詐欺罪など），名誉を毀損する虚偽表現が名誉毀損に問われることはある。最高裁は，ときおり虚偽表現には表現の価値はないと示唆しているが，後述する Sullivan 判決において，自由な討論を確保するためには虚偽の表現は不可避であり，一定の虚偽表現も保護されなければならないと述べている。では，表現が虚偽であることを理由に刑罰を加えることは許されるか。この問題が提起されたのが，United States v. Alvarez, 567 U.S. 709 (2012) である。連邦議会は，武勇窃盗法を制定し，軍隊における功績を理由とする栄誉やメダルについて偽ることを刑罰で禁止した。しかし最高裁は，同法を修正第1条違反で違憲と判断した。4裁判官は，表現内容に基づく制約として例外的に認められてきたものに加えて，虚偽表現を保護から排除することを認めず，厳格審査を適用し，栄誉を保護するため偽りを禁止することの必要性と，手段が必要不可欠のものであることが証明されていないと判断した。そして，2人の裁判官は，中間的審査基準を適用しつつ，害悪を生じさせたり生じさせそうなものだけを禁止するというより制限的でない制約手段がありうるので，本件制約は許されないとしたのである。

名誉毀損

アメリカでは，文書名誉毀損であるライベルに対しては，原告は，名誉毀損的な表現が原告に関して出版されたことを証明できれば，現実的損害の証明をすることなく賠償を請求でき，被告は真実であることを証明するか（真実性の抗弁），免責特権が認められる場合を除いて責任を負わされていた。つまり，ライベルは厳格責任であった。しかも多くの州では，ライベルは刑法上も処罰されていた。

名誉毀損は，Chaplinsky 判決で表現の自由の保護範囲の外にあるとされた表現の一つである。その趣旨は，Beauharnais v. Illinois, 343 U.S. 250（1952）でも確認された。人種的集団などを侮辱する表現を処罰する州法のもとで，黒人進出に対し白人に立ち上がるよう呼び掛けた被告人が起訴された事例で，最高裁は，名誉毀損的表現は表現の自由の射程外だと述べたのである。

ところが，New York Times Co. v. Sullivan, 376 U.S. 254（1964）は，このような立場を大きく修正した。これは，ニューヨーク・タイムズ紙が掲載した市民的権利擁護運動支持を呼び掛けた意見広告に対し，そこに含まれた学生運動への警察の対応に関する表現などによって名誉が毀損されたとして，警察を監督する立場にある市理事が名誉毀損訴訟を提起した事件である。州裁判所は，伝統的法理にしたがって名誉毀損を認め50万ドルに及ぶ賠償を命じた。しかし最高裁は，名誉毀損的表現が一切保護を受けないという立場を斥け，むしろ「公的論点に関する議論は，制約されず，活発で，広く開かれているべきである」という前提から出発する。そして開かれた言論においては虚偽の表現は不可避であり，自由な言論を確保するためには，虚偽の表現も保護されなければならないという。そして，表現が真実であることを被告が証明すれば免責されるという真実性の抗弁では憲法的に不十分であり，公職者がその公的職務に関して名誉毀損訴訟によって損害賠償を得るためには，表現者が虚偽であることを知っていたか，虚偽かどうかを不遜にも無視したこと，つまり「現実的悪意」(actual malice) を持っていたことを証明しなければならないというルールを宣言したのである。New York Times 判決の法理と呼ばれるものである。

最高裁は，その後この法理の射程を公職者から公的人物に拡大した。一緒に下された Curtis Publishing Co. v. Butts と Associated Press v. Walker, 388 U.S. 130 (1967) の2つの判決がその展開を示している。前者は，大学の運動部監督で前フットボール・コーチであった原告が八百長試合をしたと報道された事例であり，後者は大学における人種統合判決の実施に反対する暴動を退役軍人である原告が率いていたと報道された事例であった。原告らは，ともに公職者ではなかったが，コミュニティにおいてよく知られ，重要な社会的役割をはたしている公的人物であった。各裁判官の意見は分かれたが，結果的には過半数の裁判官が，少なくとも New York Times 判決の法理の保護の公的人物への適用を支持したのであった。

さらに Rosenbloom v. Metromedia, Inc., 403 U.S. 29 (1971) では，ヌード雑誌を配布した原告が，わいせつ文書配布容疑で逮捕されたとの報道のあと無罪となり，事件を報道したラジオ局に対して名誉毀損訴訟を提起した事例で，4人の裁判官が，少なくともNew York Times判決の法理の保護を認めた。原告は私人であったが，同法理の適用において決定的なのは原告の地位ではなく，論点が公共の利害に関するか否かだとし，公共の利害に関する報道には同法理が適用されるというのであった。

しかしその後，Gertz v. Robert Welch, Inc., 418 U.S. 323 (1974) は，Rosenbloom判決の相対多数意見によるNew York Times判決の法理の射程の拡張を否定した。原告が私人である場合には，現実的悪意の証明を要せず，州は無過失責任以外であれば自由に責任基準を決定でき，ただ現実的悪意の証明なき以上，現実的損害の賠償のみを命じうると判断したのである。本件は，著名な弁護士が，引き受けた有名な事件の弁護に関し，この事件は捏造であって彼は共産主義者だと報道された事例であった。

これにより，現在では名誉毀損的表現の場合，次のような保護が及ぶことが認められている。まず原告が公人，つまり公職者及び公的人物[17]である場合にはNew York Times判決の法理が適用され，原告は現実的悪意を証明しなければならず，そのためには表現が虚偽であることも原告が証明しなければならない[18]。これに対し，原告が私人であれば，被告に何らかの過失（fault）がある限り

17）なお最高裁は，「公的人物」の範囲をかなり限定してきている。Time, Inc. v. Firestone, 424 U.S. 448 (1976); Hutchinson v. Proxmire, 443 U.S. 111 (1979); Wolston v. Reader's Digest Association, 443 U.S. 157 (1979).

18）「現実的悪意」は，虚偽と知っていたか，虚偽かどうかを不遜にも無視した場合にのみ肯定される。職業専門的な基準から大きく逸脱していたとしても，原告に対して害意を有していたとしても，現実的悪意があったことにはならない。Harte-Hanks Communications, Inc. v. Connaughton, 491 U.S. 657 (1989); Masson v. New Yorker Magazine, Inc., 501 U.S. 496 (1991).

州は自由に責任基準を決定できる。ただし原告はこの場合でも，虚偽であったことを証明しなければならず[19]，州は，被告に現実的悪意があったことを証明できない限り，原告が現実に被った損害の賠償以外の賠償を命じることはできない[20]。

なお，New York Times 判決の法理は，州が名誉毀損的表現に損害賠償を命じる場合だけでなく，刑罰を科す場合にも妥当することが認められている[21]。しかし，煽動的ライベルを成文化した煽動罪法の違憲性は，同判決で既に歴史の法廷で確立されていると判断されており，はたして名誉毀損に対して治安の破壊を招くことを理由に刑罰を加えうるかどうか重大な疑問がありえよう。

プライバシーの権利侵害

この法理は，またプライバシー侵害の訴訟にまで適用された。Time, Inc. v. Hill, 385 U.S. 374 (1967) において，最高裁は，プライバシー訴訟に New York Times 判決の法理の適用を認めたのである。この事例は，脱獄した囚人に人質とされた家族が，そのエピソードを描いた演劇についての雑誌記事に対して，その演劇には事実でない部分が含まれているのに記事ではあたかも事実通りであるかのように説明されているとして，プライバシー侵害を理由に出訴したものである[22]。

---

19) Philadelphia Newspapers, Inc. v. Hepps, 475 U.S. 767 (1986). したがって，修正第1条のもとでは虚偽の思想といったものはありえないから，原則として意見については名誉毀損責任を問うことはできないと考えられた。しかし最高裁は，虚偽であることの証明が不可能な言明には名誉毀損責任を問うことができないが，意見であれば一切名誉毀損責任を負わないとはいえないとしている。Milkovich v. Lorain Journal Co., 497 U.S. 1 (1990).

20) ただし最高裁は，この Gertz 判決の現実的損害の証明要件は，私人による公的関心事項に関する名誉毀損訴訟にのみ及ぶと判断している。Dun & Bradstreet, Inc. v. Greenmoss Builders, Inc., 472 U.S. 749 (1985).

21) Garrison v. Louisiana, 379 U.S. 64 (1964).

しかし，このように虚偽の事実を公表して公衆の目に誤った印象を与えたことを理由とするプライバシー訴訟とは異なり，私事に関して真実を公表したことを理由に賠償を求める純粋のプライバシー訴訟の場合に，どのような憲法上の保護が及ぶかは，その後も明確にされていない。強姦の被害者の氏名を報道して訴訟を提起された事例であるCox Broadcasting Corp. v. Cohn, 420 U.S. 469（1975）では，最高裁は，公表されている裁判所記録から得られた真実の情報の公表に賠償を命じることは許されないとした。また，Florida Star v. BJF, 491 U.S. 524（1989）では，新聞が性犯罪の被害者の氏名を公表したために，それを禁止した州法に反するとして，被害者への損害賠償を命じられた。最高裁は，Cox判決に依拠することを拒否しつつ，新聞社が公共の利害に関わる真実の情報を合法的に入手した場合には，その公表は最大級の重要な州利益がない限り制裁を加えられてはならないと判断した。そして本件の具体的事案では，州は損害賠償を命じることは許されないとした。さらに，Bartnicki v. Vopper, 532 U.S. 514（2001）では，公立高校の教員との労使交渉中に交渉人と教員組合の代表との携帯電話の会話を違法に録音したテープがラジオ局に渡って放送された事例で，公共の利害に関する事項であって公表する公益が優越するとして，違法に録音されたテープであることを知ってもしくは知りうべき場合にその公表を禁止した州法を違憲と判断している。

精神的苦痛

名誉毀損にも，プライバシー侵害にもならないような場合に，表現が著しい精神的苦痛を加えたことを理由に賠償を命じることが許されるであろうか。

22）また，Cantrell v. Forest City Publishing Co., 419 U.S. 245（1974）参照。

Hustler Magazine v. Falwell, 485 U.S. 46（1988）は，まさにこの点が問題とされた事例である。これはある雑誌が，著名な宗教指導者のパロディのインタビューを掲載し，その中で彼が大酒飲みで近親相姦をしたことがあるかのように描いていたため，故意に精神的苦痛を与えたことなどを理由として損害賠償が求められたものである。これがパロディであることは明らかであったが，控訴裁はこの場合は名誉毀損とは異なるとして，New York Times 判決の法理の適用を否定し，賠償を認めた。しかし最高裁は，このようなパロディや風刺の重要性を指摘し，同判決は適用されないが，本件のような場合には，虚偽の事実が現実的悪意でもって公表された場合を除いて，公職者や公的人物は故意に精神的苦痛を与えたことを理由として賠償請求しえないと結論した。

Snyder v. Phelps, 562 U.S. 443（2011）では，軍が同性愛者を受け入れていることなどに抗議するため，ある海兵隊員の葬儀に際して，葬儀を行う教会の周辺の公道上でピケットをはったある教会の指導者らに対し，亡くなった海兵隊員の父親が精神的苦痛を理由に損害賠償を求めた。最高裁は，抗議活動の場所・方法に問題はなく，損害賠償が表現の内容に基づくこと，しかも抗議は公共の関心事項に関するものであることを指摘し，たとえ陪審員が本件葬儀に際する抗議活動を腹立たしいものと認めたとしても，修正第1条により損害賠償を命じることは許されないとした。

ヘイトスピーチないし差別的表現

アメリカでは，ヘイトスピーチないし差別的表現が問題とされ，それを禁止する法律などが制定された。平等を保護するためのこれらの法律は，しかし修正第1条の表現の自由保障との関係で困難な問題を提起する。

最高裁は，R.A.V. v. City of St.Paul, 505 U.S. 377（1992）では，

人種・肌の色・信条・宗教・性別に基づいて他者に怒りを生じさせるような象徴物をたてる行為を処罰した市条例に直面した。被告人らは，火のついた十字架を黒人の家族の土地にたて，条例違反で起訴されたのである。多数意見は，条例がけんか的言葉のみを処罰したものとの州裁判所の解釈を受け入れつつ，許される表現と許されない表現が主題によって区別されている点で，条例は修正第1条に反していると判断した。これに対し少数意見はそのような区別自体はかまわないとしながら，条例がけんか的言葉に限定されていないとして，修正第1条違反とした。その結果，人種的憎悪をあおる言論，いわゆるヘイトスピーチの規制は著しく困難になった。規制は保護を受けないけんか的言葉に限定されていなければならず，しかも主題を限定してヘイトスピーチを規制することができなくなったからである。

しかし最高裁は，被害者を人種によって選んだ場合に刑に加重を行った州法については，Wisconsin v. Mitchell, 508 U.S. 476（1993）で修正第1条に反するものではないとしている。R.A.V. 判決は表現に向けられた事例であるが，これは修正第1条の保護を受けない行為に向けられているというのであった。さらに Virginia v. Black, 538 U.S. 343（2003）では，威嚇目的で他人の土地や公共の場所で十字架を燃やすことを禁止した州法について，この禁止は修正第1条に反しないと判断している。十字架を燃やす行為は，KKK が黒人差別のため行うものであり，このように限定されていれば処罰は可能だというのである。ただし，州法は十字架を燃やす行為自体で威嚇の一応の証拠としていたが，この部分は憲法上許されないとされた。

この結果，威嚇目的で十字架に火をつける行為であれば処罰できるが，それ以外のヘイトスピーチの規制はアメリカでは困難である。

わいせつな表現

わいせつな表現もまた，Chaplinsky 判決で，表現の自由の範囲外とされた表現であった。ここでは，最高裁は，この前提を維持しつつ，何がわいせつな表現かをめぐって判例理論を展開してきた。

わいせつな表現の古典的定義は，Roth v. United States, 354 U.S. 476 (1957) で与えられた。最高裁は，わいせつな表現を，修正第1条の保護の外にあるとし，それは相補うような社会的重要性をまったく欠く表現であり，通常人にとって，その時代の共同体の基準に照らし，その全体としてみた支配的テーマが好色的興味に訴えているものであると定義したのである。

ところが最高裁は，Miller v. California, 413 U.S. 15 (1973) で，わいせつな表現が修正第1条の保護を受けないことを確認しつつ，この定義を修正した。①通常人にとってその時代の共同体の基準を適用して，その作品が全体として好色的興味に訴えているか，②その作品が明らかに不快な仕方で州法によって特定的に定義された性行為を描いているか，③その作品が全体として重大な芸術的政治的科学的価値を欠いているかの3基準で，わいせつかどうかを判断すべきとしたのである。これにより最高裁は，保護を受けないわいせつな表現をいわばハードコア・ポルノに限定したのであった。

では，なぜわいせつな表現は表現の自由の保護を受けないのであろうか。Miller 判決では，わいせつな表現をみたくない人の保護と未成年者保護が規制の根拠として挙げられていた。しかしこれでは，同意した成人がわいせつな表現をみることの禁止は正当化されまい。もしわいせつな表現をみた人が性犯罪に走るという理由であれば，わいせつな表現の禁止は煽動罪の事例に類似する。しかし，わいせつな表現をみた人が性犯罪を起こしやすいとの証拠もなく，煽動罪の事例と比較してもすべてのわいせつな表現の禁止が正当化されるかは疑問であろう。しかもわいせつな表現をみる人は本人が自発的にみている以上，その人に対する危害は禁止の理由とはなりがたい。

最高裁はこの疑問に答え，Paris Adult Theatre I v. Slaton, 413 U.S. 49（1973）で，たとえ同意ある成人がみているからといっても，州には商業的なわいせつの流れを止めるという生活の質及び共同体の全体的環境に対し公衆の有する権利を保護することが許されると宣言した。また最高裁は，わいせつな表現と反社会的行為の関連性に経験的証拠はなくとも，議会が危険性を認め，秩序と道徳の保持のための社会的利益を保護しようとしている以上，その判断を尊重すると宣言した。

最高裁は，その後もこの Miller 判決にしたがって，わいせつな表現は修正第1条によって保護されていないという前提のもと，わいせつか否かを判断してきている[23]。学説は概してこのような最高裁の姿勢に批判的であるが，中には表現の自由の価値論から，わいせつな表現は表現としての価値を欠き，むしろ性的快楽を対象とする営業活動の一つであるという主張もある。このような立場では，わいせつな表現は表現の自由の保護を受けないということになろう[24]。

---

23)　Jenkins v. Georgia, 418 U.S. 153（1974）参照。最高裁は，Brockett v. Spokane Arcades, Inc., 472 U.S. 491（1985）では，わいせつフィルムを禁止した州法を，禁止が通常の性欲を刺激するだけのものにまで及ぶ限りで，修正第1条に反するとしている。また最高裁は，わいせつ文書を家庭で所持することまで処罰することは修正第1条に反するとしている。Stanley v. Georgia, 394 U.S. 557（1969）.

24)　ポルノグラフィーに対しては，女性を性行為の対象として描くもので性差別にあたるという意見がフェミニスト側から出されている。実際そのような見地からポルノグラフィーに対し全女性から民事上の救済を求めることを認めた条例もある。この種の条例は，American Booksellers Associa-

なお最高裁は，児童や未成年者に関する場合は，厳密にわいせつな表現とはいえない性表現の制約についても緩やかな姿勢を示している。例えば最高裁は，Ginsberg v. New York, 390 U.S. 629（1968）で，17歳以下の者に女性の裸の写った「未成年者に有害な」文書等を販売することを禁止した州法を支持している。成人に対してであればわいせつといえないようなヌード雑誌を，未成年者に販売することを禁止しても，修正第1条に反しないというのであった[25]。

児童ポルノ

児童ポルノの問題についても同様のことがいえる。アメリカでは児童を扱った好色刺激的表現が重大な社会問題化し，各州で児童ポルノを禁止する州法が制定された。そして最高裁も，New York v. Ferber, 458 U.S. 747（1982）でその規制の合憲性を支持した。その表現が，表現の自由の保護の範囲外とされるわいせつな表現には該当しないにしても，児童保護という，やむにやまれない利益と，児童虐待の危険と，表現としての価値がごくわずかでむしろ経済的要因が大きいことから，児童ポルノは修正第1条の保護を受けないと結論づけたのである[26]。その結果，連邦でも児童ポルノを禁止する法律が制定されている。

ただし最高裁は，Ashcroft v. Free Speech Coalition, 535 U.S. 234（2002）において，1996年の連邦児童ポルノ防止法が，コンピューターグラフィックによるものや，児童に見える成人モデルを使って

---

tion v. Hudnut, 771 F. 2d 323（7th Cir. 1985), aff'd, 475 U.S. 1001（1986）で違憲とされている。

25）Bethel School District v. Fraser, 478 U.S. 675（1986）（高校生が高校の選挙指名演説において淫らな言葉を用いて懲戒に付された事例で，処分を支持).

26）また，Osborne v. Ohio, 495 U.S. 103（1990）（児童ポルノの家庭における所持の禁止も修正第1条に反しない）も参照。

作られたものも含めて「児童ポルノ」として所持・配布を禁止している点で過度に広汎すぎるとして違憲と判断している。この場合にはモデルとされる児童への虐待の防止の利益がなく，児童ポルノの結果生じる児童虐待との関連性はやや間接的であるのに，価値ある芸術作品までこれによって禁止されてしまうというのであった。

この判決に対し，連邦議会は2003年今日における子どもの搾取を撲滅させるための訴追的救済及び他の手段に関する法（PROTECT ACT）を制定し，児童ポルノを宣伝したり購入を勧めたりすることを禁止した。そして，United States v. Williams, 553 U.S. 285 (2008) は，この規定は過度に広汎でも曖昧でもないし，違法な取引の広告は修正第1条の保護を受けないから，同条に反しないと判断している。同法は，実際の児童の性的な行為を描いたものに加え，そうでなくても実際の児童の性的な行為を描いたものとして宣伝したり購入を勧めたりすることを禁止しており，最高裁はこの禁止を過度に広汎とは考えなかった。Ashcroft判決との整合性を問題とする声もある。

営利的表現

営利的表現については，その規制が経済的規制の面を有していることもあってか，最高裁は伝統的にそれを表現の自由の射程外として扱ってきた。それゆえ潜水艦ショーの広告を配布しようとして認められなかったため，抗議文の裏に広告を書いて配布しようとした事例である Valentine v. Chrestensen, 316 U.S. 52 (1942) では，最高裁はまったく表現の自由の主張を認めなかった。

ところが最高裁は，薬剤師による処方薬の価格の広告の禁止を消費者が争った Virginia Pharmacy Board v. Virginia Consumer Council, 425 U.S. 748 (1976) で，立場を改めた。最高裁は，広告でも情報伝達という機能をはたしているとして表現の自由の保護を認め，その広告が虚偽でも詐欺的でもなく，違法な行為の広告でもないことから，憲法的保護を承認したのである。

しかし最高裁は，営利的広告も他の言論，とりわけ政治的言論などとまったく同じとまではいっていない。このことは，Central Hudson Gas & Electric Corp. v. Public Service Commission, 447 U.S. 557 (1980) でも明確にされている。最高裁は，営利的言論と他の言論との間には「良識的差異」が存在するとして，広告が虚偽であったり，詐欺的であったり，違法な行為に関する場合には制約が認められるし，それ以外の場合でも実質的な利益を直接促進するよう限定されていれば内容に基づく制約も許されるとしたのである。

本件は，電力会社による電力消費促進的広告を州の行政機関が禁止した事例であったが，最高裁は，手段が必要不可欠のものとはいえないとして，禁止を違憲と判断した。しかしその後の判例は，営利的広告の制約に非常に許容的であった[27]。ところが最高裁は，このところ営利的表現の制限にもかなり厳格な姿勢を示すようになってきている[28]。

27) Metromedia, Inc. v. City of San Diego, 453 U.S. 490 (1981)（屋外広告物の禁止); Pasadas de Puerto Rico Associates v. Tourism Co., 478 U.S. 328 (1986)（カジノの広告の禁止); Board of Trustees of the State University of New York v. Fox, 492 U.S. 469 (1989)（州立大学の寮での広告活動の禁止); United States v. Edge Broadcasting Co., 509 U.S. 418 (1993)（州のくじを行っていない州における放送局によるくじの広告の禁止); Tennessee Secondary School Athletic Association v. Brentwood Academy, 551 U.S. 291 (2007)（テネシー州の公立高校で組織する運動競技団体の，中学生を勧誘することを禁止する規則). ただし，City of Cincinnati v. Discovery Network, Inc., 507 U.S. 410 (1993) では，歩道上のニュースラックについて，通常の新聞のものはそのままにして，営利的表現のもののみの撤去を命ずることは，正当化されないとされている。

28) 例えばRubin v. Coors Brewing Co., 514 U.S. 476 (1995)（ビールのラベルにアルコール含有量を表示することの禁止は違憲); 44 Liquor-

最高裁はまた，Bates v. State Bar of Arizona, 433 U.S. 350（1977）において，弁護士による通常の法律サービスの価格広告を禁止することを違憲と判断し，従来の弁護士の広告に対する厳しい制限の再検討を迫った。さらにIn re R. M. J., 455 U.S. 191（1982）では弁護領域の記述の規定や事務所開設の郵便による告知の禁止なども違憲とされている。また，Zauderer v. Office of Disciplinary Counsel of the Supreme Court of Ohio, 471 U.S. 626（1985）では，金銭目的で特定の法律問題に関して情報や助言を与え，依頼を勧誘することを禁止するのは，その情報が虚偽でも詐欺的でもない場合には憲法に反するとされている。そしてShapero v. Kentucky Bar Association, 486 U.S. 466（1988）では，営利目的で特定の人にダイレクト・メールによって依頼を勧誘することの全面的禁止は，憲法に反するとされている。これらによって，弁護士の広告はかなり自由化されてきている。また，In re Primus, 436 U.S. 412（1978）では，人権擁護団体に所属する弁護士がその団体から無料で訴訟代理を受けうることを告げた手紙を送って課された懲戒処分を斥け，政治活動の一環として行われた場合にも，保護が認められている[29]。

---

mart, Inc. v. Rhode Island, 517 U.S. 484（1996）（酒の小売価格の広告の禁止は違憲）; Lorillard Tobacco Co. v. Reilly, 533 U.S. 525（2001）（タバコの広告規制の一部も違憲）; Sorrell v. IMS Health Inc., 564 U.S. 552（2011）（医師の承諾なく，薬局がその医師がどの薬を処方したのかの情報を販売したり販売促進目的で提供したり，製薬会社がその情報を販売促進目的で利用することを禁止した州法は違憲）。ただし，費用負担の義務づけは，別である。United States v. United Foods, Inc., 533 U.S. 405（2001）（マッシュルーム販売促進のための広告費用の負担強制は，修正第1条に反する）; Johanns v. Livestock Marketing Association, 544 U.S. 550（2005）（牛肉と牛肉製品の販売促進のために課された拠出金による基金の創設は修正第1条に反しない）参照。

29）とはいえ，Ohralik v. Ohio State Bar Association, 436 U.S. 447（1978）では，事故にあった人に訴訟代理を申し出るいわゆるambulance

選挙活動の規制

最高裁は，公職者の職務行為に対する批判が名誉毀損に問われたSullivan判決で，「公的論点に対する議論は，制約されず，活発で，広く開かれているべきである」という原則への国民的なコミットメントを宣言している。そして最高裁は，このような視点から，Mills v. Alabama, 384 U.S. 214（1966）において，日刊新聞紙が選挙当日どう投票すべきかを勧める社説を掲載することを禁止した州法を違憲と判断している。修正第1条の主たる目的は，政府に関する事柄について自由な討議を保障することであり，選挙でどう投票すべきかを主張することを禁止するのは，明らかに憲法違反だというのであった。このように，最高裁は，政府や公職者に関する言論保障が修正第1条の中核をなしており，その制約には最も厳しい審査が適用されるという姿勢を示してきている[30]。

選挙資金規制

では，選挙の公正さ確保のためどこまで選挙資金の制約が許されるであろうか。この問題は，Buckley v. Valeo, 424 U.S. 1（1976）において最高裁の判断を受けた。ここでは選挙に関する寄附や支出に

---

chasingの禁止が支持されており，弁護士の広告の規制が一切許されないわけではない。また，Peel v. Attorney Registration and Disciplinary Commission of Illinois, 496 U.S. 91（1990）; Florida Bar v. Went for It, Inc., 515 U.S. 618（1995）参照。なお，最高裁は，公認会計士による広告にも保護を認めるに至っている。Edenfield v. Fane, 507 U.S. 761（1993）; Ibanez v. Florida Department of Business and Professional Regulation, 512 U.S. 136（1994）.

30）FCC v. League of Women Voters of California, 468 U.S. 364（1984）（公共放送局による論説放送の禁止は修正第1条に反する）; McIntyre v. Ohio Elections Commission, 514 U.S. 334（1995）（匿名の選挙文書配布禁止は修正第1条に反する）; Republican Party of Minnesota v. White, 536 U.S. 765（2002）（裁判官候補者が争点の法的問題に意見を述べることの禁止は修正第1条に反する）参照。

限界を設ける連邦選挙運動法の合憲性が争われた。最高裁はこのような選挙活動規制は政府制度の中核に関わる言論の規制として重大な表現の自由の問題を提起するとした。そして個人から候補者への寄附金の制限，政治活動団体から候補者への寄附金の制限，年間の寄附金限度額の設定という寄附金の限定は，巨額の寄附から生じる腐敗等の防止のため正当化されると判断した。これに対し，候補に関連する支出の制限，候補者による支出の制限，選挙運動支出額の限定という支出制限は，表現の自由により重大な制約を及ぼすとして，厳格審査を適用した。そして腐敗防止による正当化を不十分とし，支出の平等化によって選挙結果への影響力を平等化するという目的は，修正第1条と相容れないとして，これを違憲と結論した。

最高裁は，この判決に基づき，寄附金規制には許容的な姿勢を示してきた[31)]。そして，2002年の超党派選挙運動改革法は，連邦選挙運動法などを改正し，従来の特定の選挙の結果に影響を与えることをねらった寄附金制限を，特定の候補者への投票などを呼びかけない一般的な党の広告などの「ソフトマネー」への寄附にも拡張して制限に服させ，特定の候補者に言及しつつも，その候補者への投

31）California Medical Association v. FEC, 453 U.S. 182 (1981)（個人及び法人格のない社団から複数の候補者のための政治活動団体になされる寄附への制限）; FEC v. National Right to Work Committee, 459 U.S. 197 (1982)（会社・労働組合が選挙に関して寄与することを禁止しつつ，基金をもうけて支出し献金を募ることは認めながら，構成員に限って献金を募れるよう制限）; Austin v. Michigan Chamber of Commerce, 494 U.S. 652 (1990)（企業が一般財源から政治活動団体に寄附することを禁止した州法）; FEC v. Beaumont, 539 U.S. 146 (2003)（法人が選挙に関して直接寄附することを禁止した規定を非営利団体に適用）. ただし，Citizens against Rent Control v. City of Berkeley, 454 U.S. 290 (1981)（人民投票において，提案を支持ないし反対することを目的とする団体に個人的に寄附することに限度を設けた条例は違憲）参照。

票を呼びかけたりしない論点広告にも規制を拡大するなど，巨額の政治資金による選挙への影響を排除する改正を行った。McConnell v. FEC, 540 U.S. 93（2003）では，その合憲性が争われ，最高裁は，その主要な部分の合憲性を支持した。最高裁は寄附金の制限であるため Buckley 判決にしたがい厳格審査ではなく，やや緩やかな審査を適用し，全国政党が同法の規定の適用を受けない資金を受領したり支出したりすることの禁止は，腐敗防止のための必要な制限だとしてこれを支持し，政党の州や地方の組織がソフトマネーを利用することの禁止も腐敗防止のため必要だとして，規定が過度に広汎であるとも，過度の負担を加えるともいえないと結論した。最高裁はまた，特定の候補者への投票を呼びかける選挙運動を法人や労働組合の一般財源でまかなうことの禁止も支持した。

ところが Randall v. Sorrell, 548 U.S. 230（2006）では，州の選挙に関して個人が寄附できる金額の上限を定めた州法が，修正第1条に反するとされている。裁判官の意見は個々に分かれたが，相対多数意見は，寄附金に関しては，これまで支持されてきた金額よりも上限がかなり低いことを理由に，あまりにも選挙活動を妨げるとして，これを違憲とした。2人の裁判官は，Buckley 判決は覆されるべきだと主張している。また，McCutcheon v. FEC, 572 U.S. 185（2014）では，候補者1人当たりへの寄附金の上限に加え，合計額の上限を定めた部分について，違憲とされている。合計額の上限を越えれば，寄附ができなくなる点で，Buckley 判決のもとの緩やかな審査によっても，正当化されないというのである。さらに最高裁は，Davis v. FEC, 554 U.S. 724（2008）において，ある候補が自己の資金で法定金額を上回る選挙資金として支出した場合に，対立する候補者が受け取れる寄附金の額を3倍とし，さらに政党からの支出を無制限で受け取れることとしたいわゆる「億万長者修正」について，修正第1条に反すると判断している。対立候補が受け入れることができる寄附金の上限額が引き上げられるだけであるが，これが選挙資金の支出の自由への制限となるとされたことが注目される。さらにFEC v. Ted Cruz for Senate, 596 U.S. —（2022）では，借入金を選挙資金として使った場合に，選挙後に寄附金によってその借入金を支払うことができる限度を定めた規定が，違憲とされている。

これに対し資金の支出の制限については，最高裁は厳格な姿勢を続けている[32]。そしてCitizens United v. FEC, 558 U.S. 310（2010）では，2002年の改革法の，法人や労働組合に対するその一般財源から選挙に関する活動への資金の支出の禁止を修正第1条に反すると結論した。この事件では，大統領選挙にクリントン上院議員が出馬することに反対する非営利団体が，「ヒラリー」という映画を作成し，その映画の宣伝をテレビで行うことに，この禁止規定が適用されることが問題とされた。最高裁は，修正第1条のもとで政治的表現の自由の制限は厳格審査に服し，政府は表現者が誰かによって差別することは許されず，法人だからといって支出を禁止すること

32）　First National Bank of Boston v. Bellotti, 435 U.S. 765（1978）（人民投票に影響を与えるために銀行や企業が資金を支出することの原則的禁止）; FEC v. National Conservative Political Action Committee, 470 U.S. 480（1985）（大統領候補が公の選挙補助を受けている場合に，独自の政治活動団体による支出に上限を設ける）; FEC v. Massachusetts Citizens for Life, Inc., 479 U.S. 238（1986）（選挙に関する法人の支出を禁止した連邦選挙運動法の規定は，妊娠中絶反対団体が選挙に関して自己の主張を載せた新聞を発行することにまで適用される限りで，修正第1条に反する）．また，Randall判決では，州の候補者が選挙に関して支出できる上限を定めた州法が，修正第1条に反するとされている。さらに，FEC v. Wisconsin Right to Life, Inc., 551 U.S. 449（2007）（法人が一般財源から，連邦の選挙の一定期日前の期間候補者に言及する放送へ支出を禁止することは，妊娠中絶反対派の団体が，最高裁裁判官の承認手続への議事妨害に反対するよう訴えた放送に適用される限りで違憲）．

は許されないと判断したのである。

最高裁は，American Tradition Partnership, Inc. v. Bullock, 567 U.S. 516（2012）において，このCitizens United判決を確認し，同様に法人による候補者ないし，候補者または政党を支持もしくは反対する政治団体に資金を支出することを禁止したモンタナ州法を違憲と判断している。

さらに，Arizona Free Enterprise Club's Freedom Club PAC v. Bennett, 564 U.S. 721（2011）では，この趣旨がさらに一歩進められ，アリゾナ州のマッチング・ファンド規定が違憲とされている。アリゾナ州は，選挙運動に公費補助を認め，補助を受ける候補者に一定額を交付するとともに，その金額を超えて自分の資金や寄附金によって集めた私的な財源から資金を支出する候補者がいる場合には，公費補助を受ける候補者にそれと同額のマッチング・ファンドを交付することとした。最高裁は，この州法が候補者や政治団体の表現の自由へ重大な制限になることを認め，厳格審査を適用し，候補者が資金的に同じ土俵で戦うように確保するという州の利益を正当な利益と認めず，腐敗防止の手段としても，候補者が自己の資金を使っている場合には腐敗の恐れは少ないので，州法は正当化されえないと結論した[33)]。

---

33)　ただし，寄附と支出をそう明確に区別しうるか，疑問がある。候補者とは独自に政党が支出した広告が，政党の選挙支出額制限違反に問われたColorado Republican Federal Campaign Committee v. FEC, 518 U.S. 604（1996）では，意見が分かれたが，このような広告にまで適用されれば規制は修正第1条違反となるとされた。しかし選挙に関する政党の支出額制限は文面上無効だとの主張は，FEC v. Colorado Republican Federal Campaign Committee, 533 U.S. 431（2001）で斥けられた。寄附制限の脱法行為を防ぐため，候補者と協調して行われる政党の支出に制限を設けることは修正第1条に反しないというのであった。

このようにロバーツ・コートは，政治資金規制に対してきわめて厳しい姿勢をとってきているように思われる。直接の規制だけでなく，対立候補への寄附金受領の上限の引上げや同額の公費補助などでも，修正第1条への制限と認められていること，候補者が金銭的に同じ土俵で戦えるよう確保するという州の利益の正当性を明確に否定している点が注目される。

刑事司法の妨害

陪審制をとるアメリカでは，刑事事件に関する報道が陪審に偏見を植えつけてしまい，被告人に不利益を与える恐れがある。そこで，伝統的に刑事司法の公正さ確保のため，どこまで表現の自由を制限できるかが問題とされてきた。

もちろん報道によって被告人の公正な裁判を受ける権利が侵害されたときには，Sheppard v. Maxwell, 384 U.S. 333（1966）のように，有罪判決を破棄することができる。これに加えコモン・ローでは公正な裁判を妨げるような報道に対しては裁判所侮辱として処罰することができ，さらに裁判所は報道禁止命令を出すことができた。しかしアメリカでは，最高裁は，被告人の公正な裁判の受ける権利を確保するための報道の制約に消極的な態度をとるようになった。

この点は，とりわけ Nebraska Press Association v. Stuart, 427 U.S. 539（1976）で大きな問題となった。これは，公正な裁判を確保するため，裁判官が被告人の自白などについて報道しないよう命令を発したことが争われた事例である。最高裁は，この命令を違憲と宣言した。表現の事前抑制であることから，本件のように裁判地の変更や陪審員の隔離など他の方法で目的が達成できないと認定されていない場合には，このような命令は許されないとされたのである。この結果，アメリカでは公正な裁判を確保するために報道禁止命令を出すことはほとんど不可能となった。

裁判批判に関しては，Bridges v. California, 314 U.S. 252（1941）がリーディング・ケースである。これは，係争中の事件について裁判官に批判的な記事を新聞に書いたりなどして，裁判所侮辱罪に問われた事例である。最高裁は，刑事司法の公正さに対する明白かつ現在の危険がなかったとして処罰を認めなかった。また最高裁は，Wood v. Georgia, 370 U.S. 375（1962）においても，大陪審に対して裁判官がなした説示をめぐって批判的な見解を新聞社に伝え，記事を書かせたことを理由に裁判所侮辱罪に問われた事例で，明白かつ現在の危険は存在しなかったと判断した。さらに最高裁は，Landmark Communications, Inc. v. Virginia, 435 U.S. 829（1978）では，裁判官に対する査問委員会で調査中の裁判官名を，秘密にされていたにもかかわらず公表して起訴された事例で，明白かつ現在の危険基準を直接適用してはいないが，処罰を正当化するには不十分と判断している。

公務員の表現の自由

公務員の表現の自由についてどこまで制約できるであろうか。この問題は初め反共マッカーシズムのさなか，共産主義者を公職から排除する目的で課された諸規制をめぐって問題化した。そして最高裁は，Garner v. Los Angeles Board of Public Works, 341 U.S. 716（1951）では，政府転覆を唱道ないし助言した者及びそのようなことを行う団体に加入していた者を公職から排除する制度を合憲とした。しかし，Wieman v. Updegraff, 344 U.S. 183（1952）では，州の職員に共産主義前衛団体と認定された団体に直接にも間接にも関係していなかったことの宣誓を求める忠誠の宣誓（loyalty oath）の義務を課した州法が，違憲と判断された。その団体の活動について知っていたかどうかを問わず，構成員だというだけで公職から排除するのは許されないというのであった。

1960年代に入って，最高裁は，さらにこのような宣誓要件に対する表現の自由の保護を拡大した。Shelton v. Tucker, 364 U.S. 479 (1960) では，教師に過去5年間に所属した団体のリストの提出を毎年要求した州法を違憲とし，Keyishian v. Board of Regents, 385 U.S. 589 (1967) では，煽動的言動を解雇事由と認めた規定は曖昧であって，また共産党の構成員を一応の資格排除事由とすることは，団体の不法な活動に加わる具体的意図がなくとも構成員であるというだけで排除する点で過度に広汎であり違憲であるとしたのである。これらの事例を通し，最高裁は，反共規制立法の適用を積極的な構成員や具体的な唱道に限定することによって，表現の自由の保護をはたしたのであった。

では，公務員の政治活動に対する修正第1条の保護は，どうであろうか。最高裁は，United Public Workers v. Mitchell, 330 U.S. 75 (1947) では，連邦公務員が積極的に政治活動を行うことを禁止し，違反に懲戒解雇を認めたハッチ法の合憲性を支持していた。しかし，Pickering v. Board of Education, 391 U.S. 563 (1968) では，教師が新聞に学校当局批判の投書をして解雇された事例で保護を認めるなど，次第に変化の姿勢を示した。ところが最高裁は，CSC v. Letter Carriers, 413 U.S. 548 (1973) において，党派的活動制約の必要性を認め，Mitchell判決を確認し，懲戒解雇を含む制裁を伴う連邦公務員の政治活動の禁止に対し，過度の広汎性ゆえの文面上無効の主張を斥けた。さらに最高裁は，Arnett v. Kennedy, 416 U.S. 134 (1974) でも，上司に対する批判を理由とする解雇に表現の自由の保護を認めなかった[34]。

34)　ただ，United States v. National Treasury Employees Union, 513 U.S. 454 (1995) では，連邦公務員が表現活動に対して報酬を受け取ることを禁止した連邦法の規定が，公務員の表現の自由を侵害し，修正第1条に反

2　表現内容に向けられていない制約

合憲性審査の枠組み

表現内容に向けられていない制約には，2つの類型がある。一つは，表現行為の時・場所・態様を内容中立的に制約している場合であり，いま一つは表現行為以外の行為の制約が表現行為の制約として作用する場合である。これらの場合，原則的に，次の3基準が妥当する。第一は，表現内容に中立的であることであり，第二は，重要な利益を促進すること，そして第三は，そのような利益達成に必要な限度に限定されていること（それゆえLRAの準則までは要求されない)，代替的な表現媒体が十分残されていることである。

前者の状況は，州のお祭り広場で物品の販売・頒布を行うのに，主催団体から賃貸したブースで行うことを要求することが許されるかが問題とされたHeffron v. International Society for Krishna Consciousness, Inc., 452 U.S. 640（1981）に典型的に示されている。ここでは，ある宗教団体が，この制約は自由に宗教文書を配布することを抑圧するものだと争った。最高裁は，修正第1条は時・場所・態様のいかんを問わず，好きなように自己の見解を伝達する権利を保障するものではなく，合理的な時・場所・態様の制約に服するものだと宣言した。そして，制約が許されるためには，①制約が言論の内容や主題のいずれにも基づいていてはならず，②重要な利益を促進するものであって，③代替的な表現の余地が残されていることが必要だとし，本件ではこれらの基準を満たしているとして結

するとされている。一般職公務員を，その政治的立場や政党支持を理由に解雇したりすることには限界がある。Elrod v. Burns, 427 U.S. 347（1976); Branti v. Finkel, 445 U.S. 507（1980); Rutan v. Republican Party of Illinois, 497 U.S. 62（1990). なお，修正第1条の保護は，公務員がその職務として行った行為に対しては及ばない。Garcetti v. Ceballos, 547 U.S. 410（2006).

果的に制約を支持したのであった。

後者の状況は，ベトナム戦争反対の意思表示として徴兵登録証明書を公衆の面前で焼却し，徴兵登録証明書を故意に焼却することによって破損したとして起訴された事例であるUnited States v. O'Brien, 391 U.S. 367（1968）に典型的に示されている。この場合，処罰される行為自体は，徴兵登録証明書の破損という表現と何ら関係のない行為であるが，その行為が表現目的で行われるため，その処罰が表現の自由の問題とされるのである（このような行為は象徴的表現と呼ばれている）。最高裁は，「言論」と「非言論」の要素が一つの行為に結合している場合，①その制約が政府の憲法上の権限の範囲内にあり，②重要なあるいは実質的な利益を促進していて，③その利益が言論抑圧と無関係であり，④付随的な修正第1条の自由の制約がその利益達成に必要な限度を超えていないという4基準が満たされれば，付随的な修正第1条の自由の制約も正当化されると判断した。そして，本件では処罰の合憲性を支持したのであった。

このように，第一の類型と第二の類型では，最高裁の定式に若干の差異がある。しかし，最高裁はしばしば両者の状況を明確に区別することなく扱ってきており，それゆえ，先に述べたように，このような表現内容中立的な制約の場合には，利益が正当であることは当然の前提としつつ，①制約が表現内容中立的であり，②重要な（実質的な）利益を促進していて，③手段が必要な限度であること，そして代替的な表現の余地を残していることの3基準が妥当するといってもよいのではないかと思われる。

表現行為の時・場所・態様の制約

表現内容中立的な表現行為の時・場所・態様の制約の例としては，静寂の確保のための規制や，美観保持のための屋外広告物規制，プライバシー保護のための規制があり，これ以外に，文書配布，募金活動，署名集めの規制などもこれに含まれる。公道上の集団示威行為，デモンストレーションや集会などについても内容中立的規制が問題となるが，その場合は表現行為が行われる場所が重要な意味を持つので，これは別に検討することとする（第2節3参照）。

音量の規制

まず，静寂の保持のため表現の音量や時間・場所を規制することはもちろん許される。最高裁も，Saia v. New York, 334 U.S. 558 (1948) でこのことを認めた。ただこの事件では，包括的な拡声器の許可制であったために，規制が文面上違憲無効とされたのであった。これに対し Kovacs v. Cooper, 336 U.S. 77 (1949) では，最高裁は，高音の騒々しい拡声器使用に対する事後処罰を支持している。授業時間中に学校付近で騒音をたてることに対する禁止も，Grayned v. City of Rockford, 408 U.S. 104 (1972) において，合理的な時・場所・態様の規制として許されるとされている。

表現の音量規制の問題は，Ward v. Rock against Racism, 491 U.S. 781 (1989) でも問題とされた。この事件は，ニューヨークのセントラルパークでの野外コンサートの大音量が周辺住民に及ぼす迷惑に配慮して，当局が規制を加えたことから生じた。ただ，当局は，最大音量を設けるのではなく，当局の音響装置を使用し，その職員が機器操作を担当することを求めた。これは，適切な音量の組み合わせによって，最適な音響効果を達成させるためであった。そして最高裁は，この措置を支持した。最高裁が，最も制約の度合いの少ない代替手段が存在しないことが必要だとの主張を斥け，必要な限度の制約であれば足りると判断し，LRAの準則の適用を拒否している点が特に注目される。

屋外広告物の規制

次に，美観保持のため，屋外広告物を規制することも許される。

先に触れたMetromedia, Inc.判決は，そのような規制の限界が争われた事例であった。ただ本件では，その広告物の建てられている場所で行われている営業の広告と一定のカテゴリーの非営利的表現は例外とされていた。その結果，営利的広告とは異なり，非営利的広告は原則として許されないことになった。そこで相対多数意見は，営利的表現内部での区別はかまわないが，既にみたように，非営利的表現を排除する理由はないと判断した。またここでは，非営利的表現の中で表現内容によって許されるものと許されないものを区別することも問題とされている。また，Reed v. Town of Gilbert, 576 U.S. 155（2015）でも，屋外広告物にその内容によって異なった制限を加え，一時的な方向指示の掲示にも厳しい制限を加えていたが，これは表現内容に基づく制約であり，厳格審査のもとでは支持されえないと判断されている。

ここでは明確にされなかった，屋外広告物の全面的禁止の許容性については，Members of the City Council v. Taxpayers for Vincent, 466 U.S. 789（1984）で問題とされた。公共財産に貼紙することの全面禁止が許されるかが争われたのである。そして最高裁は，規制が特定の見解に向けられたものではなく中立的であり，美観維持という重要な利益達成のため必要であるとして，合憲性を支持した[35)]。

受け手のプライバシー保護のための規制

それでは，表現の受け手のことを配慮して保護するために，内容

35）　しかし最高裁は，City of Ladue v. Gilleo, 512 U.S. 43（1994）では，住宅所有者がその住居に「売家」などのサインを除いてサインを設置することを禁止した市条例を違憲としている。美観保護のためとはいえ，自分の住居に政治的・宗教的サインを設置するのを一切禁止するのは，広汎にすぎるというのであった。

中立的規制を行うことは許されるか。Rowan v. United States Post Office Department, 397 U.S. 728 (1970) は，性的に刺激的なものを売りつける郵便広告に対して申出があった場合，郵送リストからその人の氏名をはずすよう郵政長官が送り主に対して命ずる制度を，プライバシー保護のために許されるとしている。また Carey v. Brown, 447 U.S. 455 (1980) でも，静寂と家庭のプライバシー保護を理由に居住区での表現活動を禁止しうることを示唆している。しかし不動産業者が，その取引を批判する団体による文書配布に対して差止めを求めたが認められなかった Organization for a Better Austin v. Keefe, 402 U.S. 415 (1971) が示すように，プライバシーを主張すれば直ちに表現の制約が認められるわけではない。

この点は，住居の「前あるいは付近」でのピケッティングを全面禁止した条例が問題とされた Frisby v. Schultz, 487 U.S. 474 (1988) でも争われた。最高裁は，この規制が内容中立的であることを認めた上で，もっぱら特定の住居の前でなされるもののみを禁止していると条例を限定解釈し，聞きたくない人の住居のプライバシー保護のための限定的な規制であり，十分代替的なコミュニケーションの余地を残しているとして，この条例を支持した。

文書配布の規制

文書配布にも合理的な内容中立的規制は可能である。しかし包括的な許可制は過度に広汎であって許されないことは，Lovell v. City of Griffin, 303 U.S. 444 (1938) で認められている。また Schneider v. New Jersey, 308 U.S. 147 (1939) では，単に道路をきれいに保つといった利益では公道上での文書配布を全面禁止するには不十分だとされている。

この問題は，City of Lakewood v. Plain Dealer Publishing Co., 486 U.S. 750 (1988) で，重大な争点となった。これは，市が公道上に

構造物を設置することを禁止したために生じた事例である。新聞販売機の設置は例外とされていたが，設置のためには許可を受けなければならず，許可は市長の裁量に委ねられていた。最高裁は，このような制限のない許可制の場合には文面上無効を主張しうることを認めた。そして，市は市民の健康・安全・福祉に関連する理由に基づいてのみ許可を拒絶すると主張しているが，これは市長が法律の文面上存在しない基準にしたがって善意で行為することを期待するものであり，無制約的な裁量禁止の立場からはそのような想定は許されないとした。そこで最高裁は，これを文面上違憲無効と宣言したのであった。

戸別訪問と勧誘行為

同様に，戸別訪問とそれに伴う勧誘行為にも合理的規制は可能である。最高裁は，エホバの証人の信者が戸別訪問して文書配布をすることを禁じた条例を争った Martin v. City of Struthers, 319 U.S. 141（1943）で，戸別訪問を受け容れるかどうかの決定権は個人にあり，あらかじめ拒絶の意思を表明した人を訪ねたような場合以外処罰しえないとした。その後，Breard v. City of Alexandria, 341 U.S. 622（1951）では，雑誌購読の勧誘のため戸別訪問することを禁止した条例が，Martin 判決のような宗教的活動の事例とは異なるとして，家庭のプライバシー保護を理由に支持された。

しかし最高裁は，Hynes v. Mayor & Council of the Borough of Oradell, 425 U.S. 610（1976）では，慈善ないし政治的目的で戸別訪問しようとする人に事前に書面で身分の届出を行うことを要求した条例を，曖昧であって警察に実効的な検閲権限を与えるものだとして，違憲と判断している。同様に，Watchtower Bible & Tract Society v. Village of Stratton, 536 U.S. 150（2002）では，主義主張を説明宣伝するための戸別訪問に町長への登録許可を要求し，住民が拒絶の表示をしていた場合に訪問を禁止した条例も，不人気な見解を持つ人への重大な影響を重視し，手段が広すぎると判断している。

表現行為以外の行為の規制が表現の制約となる場合

行為自体は表現行為ではないが，それが表現目的で行われた場合にそれを規制することが表現の自由の問題を提起する場合がある。いわゆる象徴的表現（symbolic speech）の事例である。

典型的な事例は，先に触れたベトナム戦争反対の意思表示として徴兵登録証明書を焼却して起訴された事例に関する O'Brien 判決である。最高裁は，このように言論的要素と非言論的要素が結びついている場合には，①政府の規制権限内であることに加え，②重要な利益を促進し，③言論抑圧と無関係で，④利益達成に必要な限度に限定されていることの4つの要件を満たしている場合には，付随的な修正第1条の自由の制限も許されるとして合憲判決を下した。ここで示された基準は有力な学説によっても支持されている。ただ本件の場合，問題の規制は意図的に反戦的な表現を狙い撃ちしたものであり，それゆえこのような場合にはやむにやまれない利益達成に必要不可欠であることが要求されるべきであったとの批判もある。

その後最高裁は，Tinker v. Des Moines Independent Community School District, 393 U.S. 503（1969）において，生徒がベトナム戦争反対の意思表示として黒い腕章をつけ，取りはずすのを拒否したため懲戒処分に付された事例で，本件の行為はむしろ純粋な言論に近く，本件では現実の妨害や他の生徒の権利との衝突はなく，禁止は許容されないと判断した。

これに対し，Clark v. Community for Creative Non-Violence, 468 U.S. 288（1984）では，最高裁は象徴的表現への保護を否定している。この事件では，ホームレスの人々の窮状を訴えるためホワイト・ハウス前の公園でテントを張り，抗議のためそこで寝泊りする抗議活動をしようとしたところ，国民公園局はテントを張りそこにとどまることは認めたが，そこで寝泊りすることを拒否した。このような寝泊りすることによる抗議を修正第1条の表現と仮定しながら，最高裁は，本件の不許可は，合理的な時・場所・態様の規制として，あるいは象徴的表現の規制として許されると判断した。それは言論内容中立的であり，国民公園の管理という重要な利益に仕えており，また泊り込みだけを禁じても抗議の余地は十分残されているというのであった。

国旗侮辱処罰の限界

この象徴的表現の問題は，国旗を焼却などして国旗侮辱罪に問われた事例で，大きな争点となった。アメリカには，国旗を焼却したり毀損したりして侮辱することを禁止する国旗毀損禁止法がある。抗議の意思の表明として国旗を焼却したり，毀損したりした場合の処罰は修正第1条に反しないであろうか。

この問題に対し，最高裁は初め微妙な対応を示した。市民的権利擁護運動の指導者が銃撃されたことに激怒し，国旗を取り出して悪口を浴びせながら公道上で燃やしたため起訴された事例であるStreet v. New York, 394 U.S. 576（1969）では，最高裁は，国旗に対する発言を処罰したものと構成した上で，国旗焼却の処罰可能性についての判断を留保しつつ，このような発言に対する処罰を認めなかった。またカンボジア爆撃に抗議して，国旗に平和のシンボルをつけて自宅の窓から垂らしたため，国旗を不当に使用したとして起訴された事例であるSpence v. Washington, 418 U.S. 405（1974）でも，最高裁は処罰を否定した。本件の場合，私人の旗を私人の建物で使用していたし，治安破壊の危険もなく，通行人の感情保護の利益は不十分であり，象徴としての国旗に対する州の利益はたとえ正当だと仮定しても，本件では処罰を正当化する危険はなかったと判断したのである。

これに対し，Texas v. Johnson, 491 U.S. 397 (1989) では，最高裁は，抗議目的の国旗焼却行為に憲法的保護を認め，これを処罰した州の国旗侮辱禁止法を正面から違憲と判断した。この事件は，共和党大会の際に，レーガン政権の政策などに反対するため市役所前で国旗侮辱的な言葉とともに国旗に火をつけ燃やした者が，国旗の破損を禁止した州法違反に問われたものであった。多数意見は，本件国旗破損行為が表現的要素を持つことを認め，治安破壊の防止と国の象徴としての国旗の保護という2つの利益を検討し，本件では治安破壊の証拠がなくそれゆえ後者だけが問題となりうるが，この利益は表現抑圧と無関係とはいえないと結論した。したがってO'Brien判決とは事案が異なるというのである。そして最高裁は，被告人が国の政策に反対する表現のゆえに処罰されようとしていること，国旗の破損が他者に不快であるがゆえに処罰されるものであることを重視して，最も厳格な審査を行い，政府は表現が不快だとかそれを支持しえないからといって禁止することはできず，そのことは国旗についても変わらないとして，本件処罰を違憲と判断したのであった。これに対し，少数意見は，公に国旗を燃やす行為は思想の表明に不可欠ではなく，治安破壊の危険性を持つもので処罰も許されると強く反対した。

この判決は，連邦議会・大統領その他の各方面から激しい批判を招いた。この判決を覆し，国旗を保護する連邦議会の権限を認める憲法改正も提案された。それまでの連邦法はこの判決で指摘されたのと同じ問題点を含んでいたため，連邦議会はその修正を迫られた。そして結局，連邦議会は憲法改正までは行わず，連邦法を同判決に照らして改正し，最高裁の再考を促すことにした。ところが，この連邦国旗保護法の合憲性は直ちに裁判所に持ち込まれることになった。そして最高裁は，United States v. Eichman, 496 U.S. 310 (1990) において再び5対4でJohnson判決の趣旨を確認し，この連邦国旗保護法を修正第1条違反と宣言した[36)]。

3　パブリック・フォーラムにおける表現

パブリック・フォーラム理論の展開

道路や公園などは一般にパブリック・フォーラムと呼ばれているが，そこでの表現活動は，どこまで許されるのであろうか。それ以外の場所における表現活動はどうであろうか。

この問題を考える場合に，憲法は単にパブリック・フォーラムへの平等なアクセスのみを保障しているのか，それとも最低限度のアクセスまで保障しているのかによって，しばしば重要な違いが生じる。前者なら平等であれば表現の全面禁止も許されるが，後者なら表現の全面禁止は許されない。前者の方向を示唆しているのが，Massachusetts v. Davis, 162 Mass. 510, 39 N. E. 113 (1895) であり，公道や公園での表現を禁止しても，私人が自分の土地で行った場合と同様問題は生じないというものである。これに対し後者の方向を示すのが，Hague v. CIO, 307 U.S. 496 (1939) であり，道路や公園は，本来的に表現の場所として公衆が使用する権利を古くから有していると示唆したのである。

最高裁は，1940年代，後者の考え方に立って，道路や広園における表現に保護を認めた。公道上での表現活動を，治安破壊を理由として処罰するためには，明白かつ現在の危険がなければならない

---

36)　ヌードダンシングも表現の自由の保護を受けないわけではないが，象徴的表現に適用される基準のもと，その禁止も正当化されうる。Barnes v. Glen Theatre, Inc., 501 U.S. 560 (1991); City of Erie v. Pap's A.M., 529 U.S. 277 (2000) 参照。

ことが，Cantwell v. Connecticut, 310 U.S. 296（1940）で示されている。ただし，不公正な差別があってはならないが，治安維持・公衆の便宜のために時・場所・態様を規制することが許されることは，Cox v. New Hampshire, 312 U.S. 569（1941）で示されている。

ところが，公道上での集団行進の問題は，1960年代，ベトナム反戦運動や市民的権利擁護運動が活発化するに至ってとりわけ厄介な問題となってきた。最高裁は，実際これに対して，一般論としては規制の許容性を認めながら，具体的事件の文脈では処罰を否認するという巧妙な対応を示した。例えばCox v. Louisiana, 379 U.S. 536（1965）（Cox I）は，裁判所付近のデモについて，治安破壊容疑については治安破壊的行為がなく，また法律が過度に広汎であるとして憲法違反と判断した。また，交通妨害罪については，行動の規制で許されるとしつつ，ただ本件ではデモが許されるかどうかが当局のまったくの裁量に委ねられているがゆえに許されないとした。さらにCox v. Louisiana, 379 U.S. 559（1965）（Cox II）は，裁判所付近でのピケッティングの禁止について，裁判の公正とその外観の維持という正当な利益のために限定されており，行動を規制するものであるとして，禁止は憲法に反しないとした。ただ本件では初めデモを認めておいて，あとで処罰しようとしたものであって，処罰は許されないとした。

しかし表現行為の場が，伝統的なパブリック・フォーラムからそうでない所へと拡大するにしたがって，最高裁は戸惑いを見せ始める。公立図書館での人種差別に抗議するため館内で黙って座込みを行った事例であるBrown v. Louisiana, 383 U.S. 131（1966）では，最高裁は，治安破壊の事実はなかったとして治安破壊罪の成立を否定した。しかし刑務所の敷地内で人種差別に抗議するデモを行って不法侵入罪に問われたAdderley v. Florida, 385 U.S. 39（1966）では，最高裁は，州は私人同様その敷地を本来の目的のために用いうるとして処罰を認めたのであった。

伝統的パブリック・フォーラム

今日，この表現が行われたフォーラムをめぐる法理は，フォーラムの性質に応じて，3つの類型に区分されている。

第一は，長い伝統や政府の決定により討議と集会の場として開かれている場所である。道路や公園といった伝統的パブリック・フォーラムであり，ここでは州の規制権限は厳しく制約される。それゆえ表現活動の全面禁止は許されず，表現内容に基づく規制はやむにやまれない利益を達成するための必要不可欠のものであることが必要とされ，規制が合理的な時・場所・態様の規制として許されるためには，表現内容中立的で，重要な利益促進のため必要な限度を超えておらず，十分代替的な表現の経路を残していることが必要とされる。

表現内容に向けられた規制の事例としては，ナチ党がユダヤ人の多く住む郊外の住居地区でデモを行おうとしたため，そのようなデモを禁止した条例を制定したSkokie事件がある。この事件では，控訴裁は，暴力を招く危険性があるというだけでは規制を支持するに不十分だとして，この条例を違憲と判断したが，最高裁は，Smith v. Collin, 439 U.S. 916（1978）で，この判決に対する裁量的上訴を受け容れることを拒否した。

また，先に触れたBoos判決では，外国の大使館から一定距離内でその外国政府に反感を抱かせたり，その名誉を侵害したりするような掲示を掲げることを禁止したコロンビア特別区の法律が争われた。最高裁は，この規制が表現内容に基づくものであることを認め，しかもそれが政治的言論を制限するもので，公道というパブリック・フォーラムで行われる表現の規制であったことから，最も厳格な審査が妥当するとした。そして公共事項に関する言論は開かれていて自由であるべきだとの観点から，外国の外交官の尊厳の保護という目的は，本件のような表現の全面的禁止を正当化するものではないと結論した。さらに，Capitol Square Review and Advisory Board v. Pinette, 515 U.S. 753（1995）では，申請があれば表現活動が認められる州政府前の広場に，KKK が十字架をたてることを拒否した事例で，最高裁は，拒否を違憲と判断している。

また時・場所・態様の合理的制限の例としては，学校が授業中に付近でのデモを禁止した騒音防止条例が，学校での静寂と秩序を現実に妨害するか，そのような切迫した危険を持つもののみが禁止されているとして支持された Grayned 判決がある。また，先の Boos 判決では，外国の大使館から一定距離内で3人以上の人が集合し，解散を命じられて拒否した場合の処罰が，支持されている。集会が大使館に向けられていて大使館の安全や平穏への脅威が存在すると信じる合理的な理由がある場合にのみ解散を命じうると限定解釈されていたため，それに基づいて修正第1条に反しないとしたのであった。また，先に触れた Frisby 判決でも，住居の「前あるいは付近で」のピケッティングの禁止が，支持されている。最高裁は，住居地域であっても公道はパブリック・フォーラムだと認めた。だが，これは表現内容中立的な規制であり，もっぱら特定の住居の前で行われるピケッティングのみを禁止していると限定解釈した上で，住居地域のプライバシー保護のための限定的な制限であり，代替的なコミュニケーションの余地は十分にあると判断したのであった[37]。

37）なお，Burson v. Freeman, 504 U.S. 191（1992）では，選挙当日，投票所から100フィート以内で投票を勧めたり選挙活動用の文書を配布したりすることを禁止した州法が支持されている。

これに対し最高裁の土地建物内で旗等を掲げることの禁止の合憲性が争われたUnited States v. Grace, 461 U.S. 171 (1983) では，問題の表現が敷地内の施設に通じる歩道上で行われている以上，内容中立的な合理的な時・場所・態様の規制は許されるが，最高裁内での秩序と品性保持を理由にこのような行為の全面的禁止までは許されないとされている。

この種の規制として最も議論となってきたのは，妊娠中絶反対派による妊娠中絶クリニックに対する抗議活動に関するものであった。クリニックの求めに応じて裁判所が抗議活動に差止めを命じた事例に関するMadsen v. Women's Health Center, Inc., 512 U.S. 753 (1994) では，最高裁は，規制が表現内容に基づくものだとの主張は斥けつつも，差止めであったことを理由にやや厳格な審査を行った。そして，クリニックの入り口付近から一定距離内の集会・ピケ・デモの禁止や平日の午前中患者の聞こえるところで歌を歌ったり，叫んだり，拡声器を使用したりすることの禁止は支持したが，クリニックに入る患者へのアクセスの禁止やプラカード掲示の禁止は違憲とした。この趣旨は，Schenck v. Pro-Choice Network of Western New York, 519 U.S. 357 (1997) でも確認され，診療所の入り口付近への立入禁止は支持されたが，出入りする人から一定距離内に近づかないよう命じた部分は違憲とされた。これに対し，診療所施設の入り口の一定距離内でビラ配布や抗議・教育を行うために同意なく人に接近することを禁じた州法は，Hill v. Colorado, 530 U.S. 703 (2000) において支持された。表現内容中立的な規制であり，プライバシー保護という重要な利益のための限定的な規制といえ，事前抑制にはあたらないというのであった。

ところが，McCullen v. Coakley, 573 U.S. 464 (2014) では，妊娠中絶が行われている病院以外の施設の付近の一定距離内の公道上に事情を知った上で立つことを一定の例外を除いて禁止した州法を，表現内容中立的な制約ではあるが，必要最小限度の規制ではないとして違憲と判断している。治安の保持，患者への嫌がらせの防止，患者の診療所へのアクセスの確保といった利益はもっと限定的な手段で達成できるはずだというのである。Hill 判決は明示的に覆されてはいないが，同判決が維持されているのかどうか疑問もありうる。

創出されたパブリック・フォーラム

第二は，州がその財産を公衆の表現の場として開いた場合である。この場合には，州にはそれを公衆の表現に対して開いておく義務はないが，公衆に対して開かれている間は，第一のパブリック・フォーラムと同様の規制権限への制約が存在する。したがって，公衆に開かれている限りでは，表現内容に基づく規制は，やむにやまれない利益達成に必要不可欠でなければならず，内容中立的な時・場所・態様の規制は，表現内容中立的であって重要な利益を促進していて，手段が必要な限度で代替的なコミュニケーションの余地を十分残していることが必要である。

この場合の内容に基づく規制の例としては，Southeastern Promotions, Ltd. v. Conrad, 420 U.S. 546 (1975) がある。ここでは市の劇場でロック・ミュージカルが拒否されたことが争われた。最高裁は，劇場が創出されたパブリック・フォーラムであると認め，内容を差別的に区別して使用を拒否することは事前抑制であって許されないとしたのであった。また，Widmar v. Vincent, 454 U.S. 263 (1981) では，州立大学がその施設を学生に開放しておきながら，宗教目的での使用を禁止することは許されないとされている。また，Rosenberger v. University of Virginia, 515 U.S. 819 (1995) では，大学の行っている学生団体による出版物に対する補助が特定の宗教的新聞に対して拒否されたことが，表現の自由の侵害とされている。

補助は，国教樹立禁止条項に違反せず，それゆえ国教樹立禁止条項は拒否の理由とならないというのであった。同様に，Good News Club v. Milford Central School, 533 U.S. 98（2001）でも，放課後の教室の利用を宗教クラブに対し拒否したことが，修正第1条に反するとされている。さらに Shurtleff v. Boston, 596 U.S. —（2022）でも，ボストン市議会前の旗の掲揚柱の利用を公衆に認めておきながら，宗教団体のキリスト教の旗の掲揚を認めなかったことは，修正第1条に反するとされている。

これに対し表現内容中立的規制であれば，先に触れた Heffron 判決のように，州のお祭り広場で交通の安全確保のため，許可された場所以外での販売・文書配布を禁止することは，合理的な時・場所・態様の規制として許されるとされている。同様に，Christian Legal Society Chapter of the University of California, Hastings College of the Law v. Martinez, 561 U.S. 661（2010）では，大学の公認学生団体としての恩恵を受けるための登録に際し，大学の差別禁止原則に則り，すべての希望する会員の入会を認めることが条件とされていたことが問題とされた。ある学生団体が，同性愛者の入会を拒否しつつ，登録を申請したが登録が認められなかったため，これを修正第1条違反として争ったのである。しかし最高裁は，大学の措置を限定的なパブリック・フォーラムの理論に基づいて審査し，大学の課した条件は合理的で，見解に対して中立的だとして，これを支持している。

ノン・パブリック・フォーラム

そして第三は，それ以外の場であり，ここでは公衆にはアクセスの権利はなく，合理的な時・場所・態様の規制のほか，見解による差別とならなければ，その場所本来の目的のために合理的な規制を加えることが許される。したがって，ここではとりわけ表現内容に基づく規制も広く認められることになる。

この類型での表現内容に基づく規制の例としては，Lehman v. City of Shaker Heights, 418 U.S. 298 (1974) がある。市バスの広告から政治的広告を排除することが争われたが，最高裁は，パブリック・フォーラムは存しないとして，市は商業活動の一環としてどのような広告を受け容れるかについて裁量を有しており，政治的広告の排除も許されると判断したのである。

また排他的代表が認められた教員組合にのみアクセスが認められている学校間郵便制度と教員の郵便受けの利用を，他の組合が要求した事例である Perry Education Association v. Perry Local Educators' Association, 460 U.S. 37 (1983) も，この類型と考えうる。最高裁は，これはパブリック・フォーラムではなく，アクセスの限定は表現主体に基づく区別であるが，フォーラムの目的に合致した合理的なものであり，代替的表現経路を残していると判断したのである。また Cornelius v. NAACP Legal Defense & Educational Fund, Inc., 473 U.S. 788 (1985) では，毎年行われる連邦の職員を対象とする職場での慈善寄附運動の機会から，選挙結果や公共政策決定に影響を与えるためのものが除外されていたことが争われた。最高裁は，そのような機会は伝統的なパブリック・フォーラムではないとして，このような除外は不合理ではないと結論したのである。

内容中立的な規制としては，郵便局の承認を受けた家庭の郵便受けに，郵送可能な物を，切手を貼らずに入れることを禁止した連邦法を，文書を配布したいと考える市民団体が争った事例である U.S. Postal Service v. Council of Greenburgh Civic Associations, 453 U.S. 114 (1981) がある。最高裁は，家庭の郵便受けは伝統的パブリック・フォーラムではないとして，禁止を簡単に支持した。また，Arkansas Educational Television Commission v. Forbes, 523 U.S.

666（1998）では，州所有の公共放送局が独立系候補を討論会に招かなかったことについて，討論会はパブリック・フォーラムではないとし，十分な支持がないという理由による内容中立的な合理的排除だとされた。

パブリック・フォーラム論の問題点

このような最高裁の定式のもとでは，フォーラムが，パブリック・フォーラムかどうかが非常に重要になる。しかし，はたしてこのようにパブリック・フォーラムかどうかで決定的な差を設けることが妥当か批判もある。

実際，しばしばパブリック・フォーラムかどうかの判断は困難な問題を提起する。先に触れたGrace判決では，裁判所構内がパブリック・フォーラムかどうか判断されると期待されたが，最高裁は歩道であったことを理由に事件を処理してしまった。また，Board of Airport Commissioners of Los Angeles v. Jews for Jesus, Inc., 482 U.S. 569（1987）では，空港のターミナルにおける「すべての修正第1条の活動」の禁止が争われ，空港ターミナルがパブリック・フォーラムかどうか議論されたが，最高裁はすべての表現行為の禁止は過度に広汎であるから違憲であるとして，結局フォーラムの性質については判断を示さなかった。さらに，United States v. Kokinda, 497 U.S. 720（1990）では，郵便局の敷地内の歩道がパブリック・フォーラムかどうかが争われたが，この点についての判断は4対4に分かれ，結果的に敷地内の寄附勧誘の禁止が支持されて終わってしまっている。

そして，International Society for Krishna Consciousness, Inc. v. Lee, 505 U.S. 672（1992）及び Lee v. International Society for Krishna Consciousness, Inc., 505 U.S. 830（1992）では，空港のターミナルにおける寄附金の募集と文書配布の禁止が争われたが，結局空港ター

ミナルがパブリック・フォーラムかどうかは決着がつかなかった。前者の判決では，多数意見は，ターミナルが古典的なパブリック・フォーラムにあたらないとして，寄附金募集の禁止を合理的だとして支持した。ところが後者の判決では，ターミナルはパブリック・フォーラムではないが，規制の合理性を判断するにあたっては空港にショッピング・モールも含まれていることを考慮すべきだとする裁判官と，乗客のみが通行を許される部分を除いてターミナルはパブリック・フォーラムと認めるべきだとする4人の裁判官が加わって，文書配布の禁止が違憲とされたのであった。

4　情報を受領する自由・取材の自由

情報を受領する自由・取材の自由

表現の自由が意味を持つためには，表明された情報を受領し，また表現のために必要な情報を収集することが不可欠である。この点修正第1条は，もっぱら言論や出版の自由にのみ言及しているが，第2次世界大戦後，戦争中の報道統制への反省から，国民の「知る権利」を強調する考え方が有力となり，現在では，修正第1条は情報の受領や収集をも保護していると考えられている。

まず，情報を受領する自由」については，最高裁は，「思想の流布は情報を受け取りたいと思う人がそれを自由に受領し考慮することができなければ何も意味をなさない。売り手だけがいて買い手がいないような思想の市場は不毛であろう」と述べ，また「もっと重要なことに，思想を受領する権利は，その受け手が自ら言論，出版の権利そして政治的自由を有意義に行使するために不可欠な前提である」として，その保護を認めている[38]。次に，情報を収集する

38）Board of Education v. PICO, 457 U.S. 853, 867 (1982). 情報受領権が問題となった事例として，Thornburgh v. Abbott, 490 U.S. 401 (1989)

自由，いわゆる取材の自由についても，最高裁は，Branzburg v. Hayes, 408 U.S. 665 (1972) において，「取材が修正第1条の保護に値しないとは言わない。ニュースを探すことに対する何らかの保護なしには，プレスの自由は死滅しうる」と述べて，取材の自由が修正第1条の保護を受けることを認めている。それゆえ問題は，どこまでこれらの自由に保護が認められるかである。

取材源開示拒否及び報道機関の捜索

Branzburg 判決では，取材活動を行うためには取材源秘匿特権が認められるべきかが問題とされた。しかし最高裁は，5対4により，大陪審において調査中の刑事事件については，そのような特権を認めなかった。プレスといえども一般人以上の特権を有するものではないというのであった[39]。同様の姿勢は，大学構内で行われた暴力的デモに関し，証拠を得るため，警察が写真報道した学生新聞社を捜索し，ネガ等を差し押さえた事例である Zurcher v. Stanford Daily, 436 U.S. 547 (1978) でもみられた。最高裁はここで，修正第1条は修正第4条の捜索令状発付の際の一考慮要素ではあるが，それ以上の保護は受けられないとしているのである。

しかし，Branzburg 判決には批判も強く，実際同判決で多数意見に加わったパウエル裁判官は個別事例で利益衡量すべきだとしている。またステュアート裁判官は，取材源秘匿の重要性を指摘して，①特定の法律違反と思われる行為と明白な関連性のある情報を記者が持っていると考える相当な理由があり，②求められている情報が

(刑務所での雑誌等の閲読制限を支持) 及び Beard v. Banks, 548 U.S. 521 (2006) (最も監視の厳しい受刑者に対する新聞雑誌等への一切のアクセス禁止を合理的であるとして支持) を参照。

39) 取材源秘匿の約束を守らなかったとして，情報提供者が損害賠償を求めたときも，最高裁は，修正第1条はプレスに特別の免責を与えてはいないとしている。Cohen v. Cowles Media Co., 501 U.S. 663 (1991).

修正第1条の権利を破壊する度合の少ない代替手段では得られず，③その情報に対するやむにやまれない圧倒的な利益があることが証明されない限り，取材源秘匿が認められるべきだとしている。学説ではこの立場を支持する声が有力であり，州の中には州法で報道機関の記者に取材源秘匿特権を認める規定（shield law と呼ばれる）を設けるところが少なくない。報道機関の捜索に関しても，Zurcher 判決に対し，文書提出命令ではなぜ不十分で，捜索・差押えを行う必要があったのか批判もある（実際その後連邦法改正によってこのような報道機関の捜索・押収は原則として禁止されるに至っている）。

政府情報へのアクセスの制限

国民が国政について自由に表現を行うためには，国民に国政に関する情報が与えられることが必要である。そこでアメリカでは，国民の知る権利を確保するため，連邦及び州において情報公開法（情報自由化法）が制定されている（ただし，政府情報開示請求権は修正第1条の権利とまでは考えられてはいない）。

では，プレスはどこまで，一般人に公開されていない情報にまでアクセスを主張できるであろうか。Pell v. Procunier, 417 U.S. 817 (1974) と Saxbe v. Washington Post Co., 417 U.S. 843 (1974) では，刑務所の個々の受刑者とのインタビューを許可しないことが，修正第1条に反しないかが争われた。最高裁は，受刑者とのコミュニケーションの余地が十分あることを前提に，修正第1条はプレスに一般公衆には与えられていない特別のアクセスの権利を保障してはいないとして，一般人の場合と同様プレスに受刑者との個別的面会を認めなくとも，憲法に反しないと判断した。そして，ほとんど同種の事例が問題とされた Houchins v. KQED, Inc., 438 U.S. 1 (1978) でも，修正第1条は政府の持つすべての情報へのアクセスの権利を保障したものではなく，取材の権利は疑いなく存在するが，それは相手が私人であれ政府であれ，他者に対して情報提供を強制しうるものではないとされている。

裁判の公開と取材の自由

このようなアクセスの権利は，裁判手続について特に問題とされる。Gannett Co., Inc. v. DePasquale, 443 U.S. 368（1979）は，公開裁判を保障した修正第6条は被告人の権利を保障したものであり，証拠排除を決定する公判前審査にアクセスする権利をプレスに付与していないと判示した。しかし，Richmond Newspapers, Inc. v. Virginia, 448 U.S. 555（1980）では，修正第1条に基づいて刑事裁判へのアクセスの権利が認められている。この事例は，ある刑事裁判で被告人の申出に基づいて裁判官が公判を非公開にしたものであるが，最高裁は非公開とすることを認めなかった。相対多数意見は，刑事裁判の公開という伝統を重視し，修正第1条はこの伝統の上に存在し，何人でも公判を傍聴することができる権利を保障していると判断した。そして本件では非公開とする正当化理由が示されていないと結論したのであった。

ただ，このような公判にアクセスする権利が認められるといっても，その権利は絶対的ではない。しかし，Globe Newspaper Co. v. Superior Court, 457 U.S. 596（1982）が明確にしているように，裁判を非公開とすることは，やむにやまれない利益の達成のために必要不可欠の場合でなければならない。この事件では，性犯罪の被害者となった未成年者が証言する際に法廷を非公開と定めた州法が問題とされた。しかし最高裁は，被害者保護の利益は法廷を強制的に非公開とすることを正当化するものではないとして，これを違憲としたのであった。また，Press-Enterprise Co. v. Superior Court, 464 U.S. 501（1984）では，裁判の公開の推定は，非公開とすることがより高い価値を達成するために必要不可欠であるという認定によってのみ破られうるとし，しかもそのような利益は，具体的な認定とともに明示されなければならないとされている。この事件は，強姦罪の裁判で陪審員選任手続が実質的に非公開とされたものであった。そして最高裁は，本件では非公開を正当化する認定がなされておらず，代替的な手段の検討もなされていないとして，非公開は正当化されないと判断した。

しかも最高裁は，この裁判にアクセスする権利を公判以外の手続にも拡張してきている。先の Press-Enterprise 判決では，刑事裁判の陪審員選任手続についてもアクセスする権利が原則として認められるとされており，さらに Press-Enterprise Co. v. Superior Court, 478 U.S. 1 (1986) では，この限定的なアクセスの権利は，カリフォルニア州の刑事裁判の予備審問手続にも適用されると判断されている[40]。

5　放送，ニュー・メディア，インターネット

放送の自由

テレビやラジオ等の放送メディアに対しては，伝統的に周波数の稀少性を理由に政府による規制が加えられてきた。そしてまた既に触れた Pacifica 判決が示すように，テレビの直接的影響性（テレビが直接家庭に入ってくること）と児童への影響を理由に内容規制が許されている。

アメリカでは，ラジオやテレビは無線電波を利用した通信として「放送」と位置づけられ，放送局の設置には免許制がとられ，連邦通信委員会が免許による周波数の割当てと，それに伴うさまざまな

40)　また，El Vocero de Puerto Rico v. Puerto Rico, 508 U.S. 147 (1993)（プエルトリコの予備審問手続にもアクセスの権利が適用される）参照。

放送規制が行われてきた。そして，委員会に対する一般的な「公益」基準のもとでの規制権の授権に基づき，委員会は「公正原則」(Fairness Doctrine)（「公平原則」とも訳されている）と呼ばれる放送の基本原則を展開し，放送局が重要な論争的な論点を取り上げること，さらにそのような論争的な論点を取り上げる際には，対立する見解が公正に伝達されるように確保するという要求を行ってきた。

こうした状況のもと最高裁は，Red Lion Broadcasting Co. v. FCC, 395 U.S. 367（1969）で，このような「公正原則」の合憲性を支持した。この事件では，公正原則の派生ルールである個人攻撃ルールが問題とされた。このルールは，放送によって個人攻撃された場合，攻撃された人に反論の時間を提供することを求めていた。最高裁は，至高なのは多様な見解について情報を与えられるという視聴者の知る権利であり，その権利は政府，行政機関だけではなく放送事業者によっても不当に侵害されるべきでないという。そして，電波周波数の稀少性のゆえに，放送免許制度が許され，さらに免許を受けた者が免許を受けられなかった者の受託者としてそれらの見解を公衆に伝達するように要求することは，修正第1条に反するものではないと判断したのであった。そして最高裁は，この公正原則の派生ルールである個人攻撃ルールの合憲性を支持したのである。

とはいえ，このような理由でどこまで政府による内容規制が許されるかは微妙であり，実際，FCC v. League of Women Voters of California, 468 U.S. 364（1984）では，非営利的な公共放送局による論説放送を禁止した連邦法を違憲と判断するに際して，電波の稀少性を理由として認めず，このような禁止は，政府や外部の私人による影響排除という利益では正当化できないとした。そして，「公正原則」は修正第1条と相容れないという批判の高まりに応じて，1987年ついに連邦通信委員会は「公正原則」を放棄している。

このほか，品性を欠く放送の規制については，Pacifica 判決がその合憲性を支持している。

ニュー・メディア

アメリカでは，多くの家庭がケーブルテレビに加入しているが，ケーブルテレビについては，アメリカでは「放送」とは区別され，ケーブルテレビ政策法により地方公共団体のフランチャイズ取得が求められるほか[41]，さまざまな規制が問題とされてきた。

そのうち，地元の地上波放送局を保護するため，放送の再送信を義務づけたマスト・キャリー規則については，Turner Broadcasting System, Inc. v. FCC, 512 U.S. 622（1994）（Turner I）で，電波周波数稀少性の考え方は妥当しないが，ケーブルテレビ局が送信内容のボトルネックとして機能していることから，中間的基準を満たせば規制が許されると判断され，実際 Turner Broadcasting System, Inc. v. FCC, 520 U.S. 180（1997）（Turner II）において，地上波放送局保護の必要性についての連邦議会の判断には実質的根拠があり，制限はそのための必要な規制だとして支持された。

インターネット

これに対しインターネット上の表現行為に対しては，最高裁は，Reno v. ACLU, 521 U.S. 844（1997）において，青少年に対し品性を欠く表現を送信することと，あからさまに不快な性的表現を青少年に送信・掲示することを禁止した1996年通信品位保持法（CDA）を違憲と判断している。インターネット上の表現行為には電波周波数の稀少性などの放送規制の根拠は妥当しないとして，表現の自由の原則をそのまま適用し，法律の規定が曖昧で著しい萎縮的効果を持ち，成人の表現の自由を過度に広汎に制限すると判断したのであ

41）　ケーブルテレビの地域独占が認められるかについて，City of Los Angeles v. Preferred Communications, Inc., 476 U.S. 488（1986）参照。

る。

ただし，インターネット上の青少年保護の限界は未確定であり，最高裁は Ashcroft v. ACLU, 535 U.S. 564（2002）において，連邦議会が通信品位保持法に続いて制定した子どもをオンライン上保護する法律（COPA）を違憲とすることを拒んでいる。ウェブ上禁止される青少年に有害な表現の判断基準として「共同体の基準」を使っていることが過度に広汎に表現の自由を侵害するのではないかが争われたが，共同体の基準を使っているだけで違憲とはいえないとされたのである。ところが，差戻し後，控訴裁は再び COPA の規定が必要最小限度の規制ではないとしてこれを違憲とする判断を示し，今度は最高裁も，Ashcroft v. ACLU, 542 U.S. 656（2004）において，この判断を支持した。最高裁はフィルタリングの方が効果も大きくまた制約の度合いが少なくてすむので，同法の刑罰規定は必要不可欠な手段とはいえない可能性が高いと結論したのである。ただ最高裁は，インターネットの世界の技術の進展は目覚ましいものがあるので，現在の技術水準に添って審査をし直すよう，控訴審に事件を差し戻した。控訴裁は，再度同法を違憲と判断し，最高裁は審理を拒否し，違憲判決が確定した（ACLU v. Mukasey, 534 F.3d 181（3d Cir. 2008), cert. denied 555 U.S. 1137（2009））。

さらに Packingham v. North Carolina, 582 U.S.—（2017）では，性犯罪者登録をされている者が，未成年者が会員となったり個人的なウェブページを開設できることを知りながらソーシャル・メディア・ウェブサイトにアクセスしたりすることを全面的に禁止した州法が違憲とされている。連邦最高裁は，現在サイバースペース，とりわけソーシャル・ネットワーク上で表現を行うことの重要性にかんがみ，たとえソーシャル・ネットワークが犯罪者に悪用される危険性があり，児童を性的虐待から保護することが重要であったとしても，全面禁止はとても必要最小限度の制約とはいえないという。それゆえ，たとえ本件制約が内容中立的制約で，中間的な審査に服するだけだとしても，正当化されえないというのである。本件の被告人は，フェイスブックの個人のプロファイルの中で交通裁判所での良い経験について書き込みをして，この法律違反に問われていた。

6　アクセス権

現代社会ではマス・メディアが一部に集中しており，一般人にはマス・メディアを通して表現する機会がほとんどないことから，市民にメディアへのアクセスの権利を認めるべきだとの主張が現れてきた。これが，アクセス権論である。この主張は，古典的な表現の自由理論が想定していたような思想の自由市場は今日存在せず，情報の送り手と受け手が互換性を欠き，分離している現状では，修正第１条からマス・メディアに対するアクセス権を認めるか，あるいは立法府はマス・メディアへのアクセスを保障すべきだとした。

このようなアクセス権論は，とりわけ放送メディアに関して有力である。そして公正原則の公的論点に対する公正な報道の要求及びその具体的要件としての個人攻撃がなされた場合の反論時間の付与要件を課した個人攻撃ルールの合憲性は，先に触れた Red Lion 判決で支持された。しかも最高裁は，この判決では，至高なのは放送者の自由ではなく視聴者の利益であるとして，アクセス権論にきわめて好意的であった。ところが最高裁は，CBS, Inc. v. Democratic National Committee, 412 U.S. 94（1973）では，放送局の編集裁量権を強調して，放送局が意見広告を拒否したことを支持しアクセス権論に消極的姿勢を示した。この両者をどう調和させて理解するか難しいところであったが，最高裁は，CBS, Inc. v. FCC, 453 U.S. 367（1981）において，連邦の選挙の立候補者に合理的な放送時間の付与を義務づけた法律を支持し，この法律は限定的なアクセスの権利を付与したもので，これは憲法に反しないとしている。

しかし，放送と新聞とでは状況は異なる。公職候補者による新聞に対するアクセス権を認めた反論権法は，Miami Herald Publishing Co. v. Tornillo, 418 U.S. 241 (1974) で違憲とされている。このような制度は編集権に干渉するもので許されないというのであった[42]。

実際アクセス権を認めることは，それがいかに実質的な表現の平等な機会を保障するためとはいえ，修正第1条の権利を行使する主体に政府が干渉することを導くだけに，重大な修正第1条の問題を提起する。それだけに，そのような権利を修正第1条から導けるかについては，アメリカでも見解は一致していない。

第3節　結社の自由

1　結社の自由の保障

修正第1条は結社について明記してはいないが，結社の自由が修正第1条による保護を受けうることに，今日疑問の余地はない。最高裁も，黒人の地位向上をはかる団体である有色人種地位向上協会

---

42) 同様の問題は，放送や新聞に限られない。私人のショッピングセンターにおける市民の表現活動を州法によって保障することは，Pruneyard Shopping Center v. Robins, 447 U.S. 74 (1980) において，所有者の財産権も修正第1条の権利も侵害するものではないとされている。しかし，ガス電気会社が毎月の請求書の封筒内にニュースレターを同封し論説を掲載していたところ，州の委員会がそれに反対する集団に対し年数回その封筒の中の空間を利用させるよう命令した事例である PG & E Co. v. Public Utilities Commission of California, 475 U.S. 1 (1986) では，反対の結論が導かれた。最高裁は，ガス電気会社の表現の自由を認め，何人も自分の反対する見解の伝達を強制されないとした上で，本件命令は内容中立的でなく，やむにやまれない利益達成のため不可欠とはいえないと判断したのである。

(NAACP) の構成員の名前と住所を明らかにするよう州裁判所が命令したのを協会が争った NAACP v. Alabama, 357 U.S. 449 (1958) において，このことを認めている。ここで最高裁は，この命令が結社の自由を制限することを認め，本件では一般構成員の氏名まで開示させることを正当化する利益は示されていないとして，これを違憲と判断したのである。それゆえ，修正第1条の自由を行使するために結社を形成することは，修正第1条によって保護されるし，これによって結社に加入する権利，加入を強制されない権利が保障されることが認められている[43]。

また近時最高裁は，憲法はこのような表現目的の結社の他に「親密な結びつきの自由」(freedom of intimate association) をも保護していると認めている。家族の形成維持，出産，子どもの養育と教育，親族との同居等といった一定の親密な個人的な関係を形成し維持することは憲法によって保護されているというのである。

2　結社の自由の制限

共産主義団体の規制

結社の自由は，1960年代主として共産主義団体や破壊活動を行う団体の規制をめぐって問題となった。とりわけ問題とされたのは，公務員に対する宣誓義務であった。そして最高裁は，Dennis 判決でスミス法自体の合憲性を支持しておきながら，これらの包括的な団体規制に厳しい姿勢を示した。例えば Wieman v. Updegraff, 344 U.S. 183 (1952) では，州がその公務員に対して共産党や共産主義前衛団体・破壊活動団体と公的に決定された団体に加入していなかったという宣誓を要求することが問題とされた。そして，最高裁は，

43) Citizens against Rent Control v. City of Berkeley, 454 U.S. 290 (1981) 参照。

その団体の違法な，あるいは破壊活動的な目的を知らなくても，加入したというだけで公職を拒否することは，憲法的に許されないとしている。また，Shelton v. Tucker, 364 U.S. 479（1960）でも，最高裁は，過去5年間に加入していたすべての団体を記載した宣誓供述書を教師に提出させる州法を，このような無制約的な規制は正当化されないとして無効としている。そして，Elfbrandt v. Russell, 384 U.S. 11（1966）では，最高裁はWieman判決をさらに一歩進め，州公務員に宣誓を要求し，暴力によって政府転覆をはかる団体にその違法目的を知っていて加入した場合に解雇を認めることを違憲と判断した。違法目的を知っていただけでは不十分で，違法な目的を達成しようという具体的意図が必要だというのであった。

政　党

政党に関する規制も，しばしば重要な結社の自由の問題を提起する。合衆国憲法には政党についての定めはなく，それゆえ政党も結社として保護を受けるにとどまる。しかし，現代のアメリカの選挙においては政党がきわめて大きな役割をはたしている。そのため，州は政党の組織・予備選挙の手続・活動などについて規制を加えており，しばしばこれらの規制が修正第1条違反だとして争われてきたのである。

例えば最高裁は，Tashjian v. Republican Party of Connecticut, 479 U.S. 208（1987）では，党の予備選挙で党員しか投票できないとして閉鎖型予備選挙を義務づけた州法を無効としている。この州法は，党員の結社の自由を制限するもので，やむにやまれない利益によって正当化されないというのである。また，Eu v. San Francisco County Democratic Central Committee, 489 U.S. 214（1989）では，政党の執行部が予備選挙で候補者を推すことを禁止した州法が政党の結社の自由を侵害すると認められた。この事例では，さらに州法が政党の執行部の組織及び構成，州中央委員会の席に在籍できる任期などに規制を加えていたことも問題とされた。そして最高裁は，これらの規制が政党及びその構成員の結社の自由を制約することを認め，本件の場合，選挙過程の公正さ確保という目的にとって政党の内部組織への制限が必要であることを州は示していないとして，これらを違憲と判断している。さらにCalifornia Democratic Party v. Jones, 530 U.S. 567（2000）では，政党の予備選挙において党員以外の参加を認めるだけでなく，投票者に他政党の候補者への投票も認め，最大得票を得た候補者をその政党の候補者とする完全公開型予備選挙を定めた州法が，政党の結社の自由を侵害するとされている。この州法は政党の結社の自由に重大な負担を負わすが，これを正当化する，やむにやまれない利益は示されていないし，最も制限的でない手段ともいえないというのであった。

これに対しClingman v. Beaver, 544 U.S. 581（2005）では，半閉鎖型予備選挙（党員と独立派の有権者のみ参加できる）を公開型の予備選挙にしたいと希望する政党が，これができないことを争ったが，最高裁は，結社の自由に重大な影響を与えるので，厳格審査が必要だとする主張を斥け，本件州法はTashjian判決で問題とされた閉鎖型予備選挙と異なり結社の自由に重大な影響を与えず，政党の独自性を確保するなどの正当な利益によって正当化されうると判断している。また，Washington State Grange v. Washington State Republican Party, 552 U.S. 442（2008）では，予備選挙で候補者は所属政党を明示しなければならず，投票者は誰にでも投票でき，最大得票をとった2人が自動的に本選挙に進出できるとする完全公開型予備選挙に対する文面上違憲の主張を斥けている。さらに，New York State Board of Election v. Lopez Torres, 552 U.S. 196（2008）では，選挙で選ばれる裁判官の候補者を各政党が党員の代表者集会で選出するよう要求した州法に対する修正第1条違反の主張も斥けられている。

また，2大政党制のもとで新党や独立系の候補はしばしばさまざまな不利益を受ける。最高裁は，これについて，Munro v. Socialist Workers Party, 479 U.S. 189 (1987) では，公職者の選挙において予備選挙で1% 以上の得票を得ていない限り選挙立候補を認めないという州法を，選挙人の混乱の防止と泡沫候補阻止のためのものだとして支持している。また，アメリカでは伝統的に有権者が投票用紙に記載されていない候補者に投票することも認められてきたが，Burdick v. Takushi, 504 U.S. 428 (1992) では，投票用紙に名前が記載されていない人への投票を認めない州法を支持し，さらに Timmons v. Twin Cities Area New Party, 520 U.S. 351 (1997) において，候補者が複数の政党の候補者として投票用紙に掲載されることを禁止した州法を支持している。ただし最高裁は，Anderson v. Celebrezze, 460 U.S. 780 (1983) では，独立系候補に対する特別の締切り要件を違憲としているし，Norman v. Reed, 502 U.S. 279 (1992) では，新党が候補者を投票用紙に記載してもらうための署名要件などについて，厳格な審査を適用し，修正第1条違反と判断している。

結社の自由と平等保護

1980年代に入って重大な争点となってきたのは，結社の自由と市民的権利保護法による規制の関係であった。私的な結社に対し，議会はどこまで男女平等の要求や性的指向に基づく差別の禁止を求めうるのかが問題となってきたのである。

この問題が争われた典型例は，Roberts v. United States Jaycees, 468 U.S. 609 (1984) である。この事件では，青年の育成を目的とする結社組織であるジェイシーズが女性の加入を認めてこなかったところ，女性の加入を認めた地方組織が資格を剝奪されそうになったため，公の場所での性差別を禁止した州法のもとで，救済を求めた。そして州の市民的権利保護委員会がその申立てを認めたため，ジェイシーズの全国組織が出訴したものである。ここで最高裁は，憲法的に保護された結社の自由に2種類あることを認めた。まず最高裁は，憲法は，一定の親密な人間関係の権利，すなわち親密な結びつきの自由を保護しているという。しかし最高裁は，ジェイシーズは，団体の規模・目的等から見ても，そのような保護を受けうる団体とはいえないと判断した。次に最高裁は，表現等のために結社する権利が修正第1条によって保護されており，ジェイシーズもその保護を受けうると認めた。しかし最高裁は，結社の自由も絶対的ではなく，思想の抑圧と関係しない，やむにやまれない利益達成のため，他により制限的でない規制手段がない場合には，制約もやむをえないとして，本件規制は性差別排除のために正当化されると判断したのであった。

この趣旨は，Board of Directors of Rotary International v. Rotary Club of Duarte, 481 U.S. 537 (1987) でも確認された。この事例は，全国的なロータリー・クラブの方針に反して女性を入会させた地方組織が，会員資格を剝奪されたため，州市民的権利保護法による救済を求めたものである。この事件でも，最高裁は，憲法の保護を受ける親密な関係について，ロータリー・クラブはそのような親密な関係とはいえないとして，市民的権利保護法の平等規定の適用は私的な結社の自由を不当に侵害するものではないとしたのである。そして，「政治的，社会的，経済的，教育的，宗教的，そして文化的といった広くさまざまな諸目的を達成するため他人と結びつく権利」についても，ロータリー・クラブに女性を入会させることによって，そのような権利の重大な侵害となるものではないと判断した。

また，New York State Club Association, Inc. v. New York, 487

U.S. 1（1988）では，純粋に私的なクラブを除いて，ホテルやレストランなど公衆の利用できる場所における差別を一切禁止した州法が，私的なクラブの連合によって文面上違憲無効だと争われた。しかし最高裁は，その主張を斥けた。この法律が適用されたら憲法問題を生じさせるような集団があるかもしれないが，だからといって文面上違憲無効とはいえず，また結社の自由に対する重大な制約を課すものでもないから，文面上違憲無効の主張を行うことはできないというのであった。

これに対し Hurley v. Irish-American Gay, Lesbian and Bisexual Group of Boston, 515 U.S. 557（1995）では，公共の利用する場所における性的指向による差別を禁止した州法のもとで，民間の団体が主催するアイルランド系住民のお祭りであるセント・パトリック・ディのパレードに，同性愛者の団体の参加を受け容れるよう州裁判所が命じたことが，主催団体の表現の自由を侵害するとされている。さらに Boy Scouts of America v. Dale, 530 U.S. 640（2000）では，同性愛者を拒否するボーイスカウツが，同性愛者と分かったメンバーのスカウツマスター助手としての身分を剥奪したため，州の差別禁止法違反で訴えられていた事例で，ボーイスカウツは表現行為を行う団体で，州法の適用はこの団体の表現の自由を著しく侵害するもので，州法の目的とする利益によってもそのような重大な侵害は正当化されないと判断されている。

結社の自由と構成員の表現の自由

結社強制も一定の場合には許される。ただし，結社強制が存在する場合，構成員の表現の自由に照らし，結社の政治活動には限界がある。それゆえ，弁護士が州の法曹に属さなければならないとされているとき，この結社強制自体は憲法に違反しないが，その会員の弁護士は会費を反対する法曹の政治活動に使用されない権利を有する[44]。

労働組合の場合にも，エージェンシー・ショップ制がとられ，非組合員に分担金の支出が強制される場合，非組合員の表現の自由の保護を図る必要がありうる。最高裁は，公務員の組合について，労使交渉を図り，フリーライドを排除するため非組合員から分担金を徴収することは修正第1条に反するものではないとしてきた[45]。ただし組合は，非組合員から政治的イデオロギー的活動への負担を強制することは許されない。それゆえ，非組合員の表現の自由の侵害を最小限度にするような手続がとられ，非組合員の権利への影響を特定し争う機会が保障されなければならないとされてきた[46]。ところが最高裁は，Janus v. AFSCME, 585 U.S. — (2018) において，先例を変更し，そもそも同意しない非組合員からの強制的な分担金徴収は修正第1条に反すると判断するに至っている。

▶参考文献

表現の自由一般について，伊藤正己・言論・出版の自由 (1959)，榎原猛・表現権理論の新展開 (1982)，T. I. エマーソン（小林直樹＝横田耕一訳）・表現の自由 (1972)，芦部信喜・現代人権論 (1974)，奥平康弘・表現の自由Ⅰ～Ⅲ (1983–84)，同・なぜ「表現の自由」か (1988)，同・「表現の自由」を求めて (1999)，市川正人・表現の自由の法理 (2003)，松井茂記「レーンキスト・コートと表現の自由」比較法学39巻2号 (2006)，阪

44)　Keller v. State Bar of California, 496 U.S. 1 (1990).

45)　Abood v. Detroit Board of Education, 431 U.S. 209 (1977); Chicago Teachers Union v. Hudson, 475 U.S. 292 (1986).

46)　Knox v. Service Employees International Union, Local 1000, 567 U.S. 298 (2012)（公務員の組合が選挙に関する特別負担金を徴収するためには，非組合員に負担金の内訳が告知され，争う機会が与えられることが必要とされる); Davenport v. Washington Education Association, 551 U.S. 177 (2007)（公務員の組合がその負担金を政治活動に支出するために非組合員から積極的な同意をとることを要求する州法は修正第1条に反しない).

口正二郎＝毛利透＝愛敬浩二（編）・なぜ表現の自由か――理論的視座と現況への問い（2017），横大道聡・現代国家における表現の自由（2013）。**表現内容に基づく規制の諸問題**について，松井茂記・表現の自由と名誉毀損（2013），伊藤正己・プライバシーの権利（1963），藤井樹也「ヘイト・スピーチの規制と表現の自由――アメリカ連邦最高裁のR.A.V.判決とBlack判決」大阪大学国際公共政策研究9巻2号（2005），奈須祐治「ヘイト・スピーチの害悪と規制の可能性（1）（2・完）――アメリカの諸学説の検討」関西大学法学論集53巻6号・54巻2号（2004），武田誠「猥褻概念の再検討――主に米連邦最高裁判決を素材にして」関西大学法学論集31巻5号（1982），太田裕之「営利的言論をめぐる判例法理の展開」同志社法学38巻4＝5号（1987），佐々木秀智「アメリカ合衆国憲法修正第1条における営利的言論の自由論」明治大学法律論叢80巻4＝5号（2008），松井茂記「公正な裁判を受ける権利と取材・報道の自由」阪大法学53巻3＝4号（2003），辻雄一郎「選挙活動と表現の自由に関する考察――2010年シティズンユナイテッド判決を中心に」駿河台法学24巻1＝2号（2010），村山健太郎「ロバーツ・コートと選挙運動資金規制（1）～（3・完）」ジュリスト1415号・1417号・1419号（2011），金澤誠「政府の言論と人権理論（1）～（4）」北大法学論集60巻5号，61巻2号・5号，64巻3号（2010–13）。**表現内容中立的な諸規制**について，橋本基弘「時間・場所・方法規制に対する司法審査」法学新報101巻8号（1995），紙谷雅子「表現の自由（1）～（3・完）」国家学会雑誌101巻1＝2号，102巻1＝2号・5＝6号（1988–89），同「パブリック・フォーラムの落日」芦部信喜古稀祝賀・現代立憲主義の展開（上）（1993），同「象徴的表現（1）～（4・完）」北大法学論集40巻5＝6号，41巻2号・3号・4号（1990–91）。**放送，ニュー・メディア，インターネット**については，松井茂記「『公正原則』（Fairness Doctrine）と放送の自由」榎原猛古稀記念・現代国家の制度と人権351頁（1997），松井茂記・インターネットの憲法学〈新版〉（2014），小倉一志・サイバースペースと表現の自由（2007），山口いつ子「サイバースペースにおける表現の自由」東京大学社会情報研究所紀要51号（1996）。**結社の自由**について，藤井樹也「予備選挙の規制と結社の自由――アメリカ連邦最高裁の動向」帝塚山法学11号（2006），高橋和之「アメリカの予備選挙制度と政党の法的地位研究序説――党大会代議員選出過程の法的統制」明治大学法科大学院論集10号（2012）。

第 10 章　国教樹立禁止と信教の自由

第 1 節　国教樹立禁止

1　国教樹立禁止の意味

国教樹立禁止条項の意義

宗教的弾圧を逃れてアメリカに渡ってきた植民地の人々にとって信教の自由は重要な権利であった。しかし，こうして海を渡ってきた植民地人の間でも，自分達の植民地の中で自分達の国教を定め，それ以外の宗教に対する弾圧を行うところも少なくなかった。バージニアでも，1776 年の権利宣言で信教の自由がうたわれていたが，国教に反対しマディソンらが信教の自由法を制定させることができたのは，ようやく 1785 年になってからであった。合衆国憲法も，第 6 条第 3 節で公職者に宗教上の資格要件を課すことを禁止したが[1]，政教分離まで定めてはいなかった。

しかし修正第 1 条は，連邦議会が国教樹立をもたらす法律を制定し，信教の自由を禁止する法律を制定することを禁じた。今日では信教の自由の保障は，修正第 14 条のデュー・プロセス条項を通して州にも適用され，国教樹立禁止条項も修正第 14 条によって州に

1)　Torcaso v. Watkins, 367 U.S. 488（1961）（神への信仰を告白しない限り公証人となることを認めない州法を修正第 1 条違反としつつ，憲法 6 条第 3 節違反については判断を回避）; McDaniel v. Paty, 435 U.S. 618（1978）（牧師から憲法改正会議への代議員資格を排除した州法は修正第 1 条に反し違憲）.

も及ぶことが認められている。両者はともに，不可欠な信仰の自由を確立するためのものである。しかし，ときに両者は微妙な緊張関係を招くこともある。国教樹立禁止条項は，しばしば「教会と国の分離」と呼ばれている。しかし最高裁は，この条項は文字通り国教樹立のみを禁止したものとは解していないし，また教会ないし宗教団体と政府との結びつきのみを禁止したものとも考えていない。

この国教樹立禁止の意味が正面から争われた事例である Everson v. Board of Education, 330 U.S. 1 (1947) において，最高裁は，同条項が最低限，次のことを意味すると判示した。①連邦・州による教会の設立の禁止，②ある宗教を補助したり，すべての宗教を補助したり，ある宗教を他より優先することの禁止，③教会に行くまたは行かない，宗教を信じまたは信じないことを告白することを強制したり，それに影響を与えたりすることの禁止，④宗教を信じまたは信じないこと，またそのことを告白したこと，教会に出席しまたは出席しないことのゆえに制裁を科されないこと，⑤宗教的活動や制度を支えるために租税を徴収することの禁止，⑥連邦・州が宗教組織・団体の事項に関与すること，あるいは逆のことの禁止，である。国教樹立禁止条項は，教会と州の間に「分離の壁」を設けたというのであった。

政治と宗教の関わりの限界

しかし，政府と宗教の何らかの関わりは不可避であり，分離の壁は文字通り絶対的とはいいがたい。そこで最高裁も，School District of Abington v. Schempp, 374 U.S. 203 (1963) で，国教樹立禁止条項のもとで合憲とされるためには，州の行為が「世俗的な立法目的を持っていて，その主たる効果が宗教を促進も抑止もしない」ことが必要だとした。その後最高裁は，Walz v. Tax Commission of the City of New York, 397 U.S. 664 (1970) でさらに「宗教との政府による過度の関わり合い」をもたらさないことが必要だと示唆し，この「過度の関わり合い」の基準は，Lemon v. Kurtzman, 403 U.S. 602（1971）において，世俗的目的と効果に加えた第三の基準として定式化されるに至った。その結果，国教樹立禁止条項に反しないためには，「第一に，法律は世俗的な立法目的を有していなければならない。第二に，その主たるないし主要な効果が宗教を促進しあるいは抑圧するものであってはならない。……第三に，法律は『政府の宗教との過度の関わり合い』を促進してはならない」とされた。このうちのいずれの基準に反しても，その政府行為は国教樹立禁止条項違反とされる。このLemon判決の3基準（レモン・テスト）は，主として宗教に対する政府の補助の合憲性をめぐる事例の中で展開されたものであるが，その後最高裁は，この基準を広く国教樹立禁止が問題となるすべての事例に適用するようになった。

しかし，この基準に対しては批判的な声も根強く，最高裁自身もときおりこの基準を無視してきた。また最高裁は，ときに宗教への「支援（エンドースメント）」となるかどうかを問題としてきた（エンドースメント・テスト）。さらに最高裁は，その後，レモンテストの第三の要件を別個の要件とみない考え方を打ち出した。しかし，現在では，どうやら最高裁は，公式にレモンテストもエンドースメントテストも斥けるようである。最高裁は，Kennedy v. Bremerton School District, 597 U.S.―（2022）において，レモンテストの欠点のゆえに，もう既にレモンテストは放棄されているという。エンドースメントテストもまた採用できないという。代わりに，国教樹立禁止条項は，「歴史的な慣行と理解」に照らして解釈されるべきであり，当初の意味と歴史こそが鍵となるべきだというのである。今後，この理解が確立された場合には，国教樹立禁止条項の意味は大きく変わることになり，先例の見直しを余儀なくされることであろう。

2　宗教活動や宗教団体に対する政府の補助

私立学校への政府の補助

政府と宗教の関係が問題となる一つの典型的事例は，私立学校への補助である。とりわけこれは，下級教育機関の重要な部分を占める私立学校の多くが教会区学校であることから，重大な問題となる。つまり，私立学校への助成は必然的にこれら教会区学校への補助となるのである。

先に触れたEverson判決では，子どもの通学に要する費用に対し州が親に補助を認めることが争われた。補助が，教会区学校の生徒にまで適用されるのは，国教樹立禁止条項に反するというのであった。しかし最高裁は，州は確かに特定の教義を教える制度を支持するために公金を支出してはならないが，宗教を理由に福祉立法の恩恵を与えることを拒否することは許されないとして，一般的な通学費用援助プログラムの一環として教会区学校の生徒に対して公金を支出してもかまわないと判断した。

揺れ動く判例

ところが，1960年代以降，教会区学校に対する政府の援助の許容性が重大な争点となってきた。そしてこの点での最高裁の対応は，必ずしも一貫したものとはいいがたかった。教会区学校の生徒に教科書の無償貸与を認めることはBoard of Education v. Allen, 392 U.S. 236（1968）において合憲とされた。

しかし教会区学校で行われる世俗的教育に対する補助については，先に触れたLemon判決において，私立学校の世俗的教育に対し教師の給料の一部を補助し，教科書，教材の費用を学校に支払うことが違憲とされた。またLevitt v. Committee for Public Education & Religious Liberty, 413 U.S. 472（1973）で，州によって義務づけられた試験の実施費用の払戻し制度のもとで，私立学校の教師が作成した試験の費用を支払うことは許されないとされた。さらに，一定の基準を満たした私立学校に維持修繕費用を補助し，親には学費を払い戻し，あるいは税金控除を認めるという制度は，Committee for Public Education & Religious Liberty v. Nyquist, 413 U.S. 756 (1973) で違憲と宣言された。Meek v. Pittenger, 421 U.S. 349 (1975) では，Allen 判決にしたがって生徒への教科書の無償貸与は支持されたが，教材等の私立学校への貸与と私立学校の生徒に対するカウンセリング等の派生的サービスの提供は違憲とされた。また Wolman v. Walter, 433 U.S. 229 (1977) では，私立学校の生徒への教科書の無償貸与，学習到達度を測る試験の費用の支払いや私立学校の生徒の視聴覚能力の診断や治療のサービスの提供は合憲とされたが，教材等の購入に対する援助，野外旅行の交通費の援助は，違憲とされた。

1980年代の展開

しかし80年代に入って，最高裁は次第に私立学校への補助に許容的姿勢を示し始めた。例えば Committee for Public Education v. Regan, 444 U.S. 646 (1980) では，Levitt 判決を受けて修正された州法が，義務づけられた試験等の費用を教会区学校にまで支払うことが支持された。目的は市民に教育の機会を保障するという世俗的なもので，試験は政府が作成したもので私立学校教師の作成したものは含まれておらず，採点する教会区学校教師は内容に干渉することはできず，それゆえ効果も世俗的であり，そして過度の関わり合いも生じないというのであった。

さらに Mueller v. Allen, 463 U.S. 388 (1983) では，授業料や通学費用等の教育関係支出に所得控除を認めた州法の合憲性まで支持された。Lemon 判決の3基準のもと，州法は教育に伴う出費を補い，健全な私立学校制度を維持するという世俗的目的に仕えており，控除は多くの所得控除の一つにすぎず，しかもすべての親に適用されるから効果も世俗的であり，過度の関わり合いも生じないというのであった。しかし，この制度のもとでは，実際には公立学校に子どもを送っている親はほとんど控除の恩恵にあずかれず，もっぱら私立学校，しかも圧倒的に教会区学校に通う子どもを持つ親のみが恩恵を受けることから，強い反対意見が付されていた。

ところが最高裁は，School District of Grand Rapids v. Ball, 473 U.S. 373 (1985) 及び Aguilar v. Felton, 473 U.S. 402 (1985) では，再び厳格な姿勢を示した。前者では，私立学校で行われるコミュニティ教育プログラムの合憲性が争われた。この制度は，学校教育を補うための教育に公費の支出を認めていたが，最高裁は，Lemon 判決の3基準のもと，公費を受ける教師がその学校の宗教的教育にしたがってしまう危険や生徒に政府と宗教との共生的関係を印象づけたり，制度が宗教的使命を援助する効果を持ったりする恐れがあり，宗教を促進する効果を持つとした。要するに，宗教教育と世俗的教育が十分分離されていないため，政府が宗教的教育を援助する結果となる実質的危険性があるというのであった。後者も類似の補習授業への補助が問題にされたが，こちらは宗教的要素を除外するよう市による監視プログラムが制度化されていた。最高裁は，今度はこのような広汎な監視制度は Lemon 判決の第三の基準に反するとして，違憲と判断したのである。

現在の立場

もっとも，その後は，最高裁は，教会区学校との関わりをより緩やかに認めるようになった。例えば Zobrest v. Catalina Foothills School District, 509 U.S. 1 (1993) では，教会区学校に通う聴覚障害者に，教会区が公費で補助される手話通訳をつけさせたとしても，国教樹立禁止条項違反とならないとされた。中立的な社会福祉プログラムがたまたま宗教的組織に便益を与えることになっても問題はないというのであった。Agostini v. Felton, 521 U.S. 203（1997）は，Aguilar判決及びBall判決を覆し，公立学校の教師が困難を抱える子どもに対する補習授業を教会区学校で行うことは，国教樹立禁止条項に反しないと判断した。両判決のよって立つ論拠は，その後の判例理論の展開と合致していないというのであった。またMitchell v. Helms, 530 U.S. 793（2000）では，連邦の補助によって宗教系学校を含む私立学校に教育のための資材等を貸し出すプログラムは国教樹立禁止条項に反しないとされた。

さらに最高裁は，生徒に就学支援金（バウチャー）を支給し，学校を選択させるバウチャー制度についても，Zelman v. Simmons-Harris, 536 U.S. 639（2002）で国教樹立禁止条項に違反しないと判断した。貧困な子どもに対しよりすぐれた教育の機会を与えるという世俗的な目的のためのもので，参加は自由で中立的であり，圧倒的多数の場合宗教系学校に通うために利用されたとしても，重大ではないというのであった。

大学への補助

以上のような下級教育機関の場合と異なり，大学への補助の場合には，最高裁は一貫して緩やかな姿勢をとってきた。例えば，教会系大学への連邦の建設補助金支払いが争われたTilton v. Richardson, 403 U.S. 672（1971）では，最高裁は，補助の対象がもっぱら世俗的教育に用いられる施設に限られているとして，そのほとんどについて合憲判断を下した[2)]。この場合，大学生は宗教を教え込まれ

2)　最高裁はその後，Hunt v. McNair, 413 U.S. 734（1973）で同趣旨を確認し，さらにRoemer v. Board of Public Works of Maryland, 426 U.S. 736（1976）では，世俗的目的に用いられるという限定さえついていれば，一般的な形で宗教学校を含む教会系大学に補助を与えてもかまわないとして

る危険が少なく，また大学にあっては，宗教教育が限定されていることが，このような違いを導いた理由であろう。

私立学校以外の宗教団体への補助

このような私立学校への補助以外の文脈での宗教団体への補助の許容性の問題は，Bradfield v. Roberts, 175 U.S. 291 (1899) において争われている。教会系の私立病院の建物を公費で補助したことが国教樹立禁止条項違反に問われたが，この病院では信者だけでなく一般の人の治療も行われており，補助の目的は疾病の治療のためであり，正当な権限行使だとされたのであった。

この問題は，Bowen v. Kendrick, 487 U.S. 589 (1988) でも争われた。ここで問題とされた法律は，若者の婚前の性交と妊娠から生じる諸問題に対処するため制定されたものであり，妊娠した若者へのカウンセリングや予防などの活動を行う団体に補助金を与えていた。そして，補助金は，妊娠中絶を唱道したり奨励したりするプログラムには支払われないものとされていた。そのため，実際に補助を受けた団体の多くは特定の宗教団体であった。ところが最高裁は，Lemon判決の3基準を適用して，まずこの法律は国教樹立禁止条項に文面上反するものではないと結論した。立法目的は十代の若者の性交や妊娠から生じる問題に対処しようとする世俗的なものであり，主たる効果という点でも，宗教関係の団体の関与を認めていたり，宗教関係の団体の活動を援助する効果を持ったりしていても，宗教を促進するものとはいえないとされた。そして，過度の関わり

いる。またWitters v. Washington Department of Services for the Blind, 474 U.S. 481 (1986) では，教会系大学で牧師になろうと勉強している視覚障害学生に州の職業リハビリ補助プログラムの援助を与えることについて，Lemon判決の3基準のもと，目的は世俗的であり，効果も宗教援助にはならないと判断している。

合いも存しないというのであった。

宗教活動への政府の援助の拒否

宗教への補助が許されるか否かの問題と異なり，宗教を理由にして政府が一般人に許された行為を認めないという場合はどうであろうか。表現の自由の文脈で触れた Widmar v. Vincent, 454 U.S. 263 (1981) は，そのような問題を提起した事例とみることができる。公立大学の施設を学生に開放しておきながら宗教活動に使うことを禁止した措置を正当化するため，大学側は，施設利用を認めると宗教を促進することになって国教樹立禁止条項に反することになると主張した。しかし最高裁は，学生に等しく施設を開放する結果，宗教活動に便益を与えることになっても，Lemon 判決のもとで宗教を促進する効果を持つものではないと述べ，国教樹立禁止条項は宗教を理由とする施設利用からの排除を正当化しないと結論している[3]。後述するように，このような宗教的活動ないし宗教的団体のみの排除は，排除された個人ないし団体の信教の自由をも侵害する。

逆に，一般市民に課されている義務を宗教団体や宗教的活動に適用しても，つまり宗教団体や宗教的活動に対して免除を認めなくても，国教樹立禁止条項に反しない。それゆえ例えば，Tony & Susan Alamo Foundation v. Secretary of Labor, 471 U.S. 290 (1985)

---

3)　この判決を受けて，連邦議会は，1984年に平等アクセス法を制定し，連邦の補助を受ける学校が授業と関係のない生徒団体に教室の使用を認め「限定的な開かれたフォーラム」を設けた場合には，宗教その他を理由に差別をしてはならないことを義務づけた。この合憲性は，Board of Education of Westside Community Schools v. Mergens, 496 U.S. 226 (1990) で支持された。そして，この趣旨は，Lamb's Chapel v. Center Moriches Union Free School District, 508 U.S. 384 (1993) でも確認されている。また，Rosenberger v. University of Virginia, 515 U.S. 819 (1995); Capitol Square Review and Advisory Board v. Pinette, 515 U.S. 753 (1995); Good News Club v. Milford Central School, 533 U.S. 98 (2001) 参照。

では，公正労働基準法の雇用者の記録・報告義務を宗教団体による雇用に適用しても，国教樹立禁止条項違反ではないとされている。

宗教活動間での差別

国教樹立禁止条項は，一つの宗教を他より有利に扱うことも禁止している。政府による補助を一定の宗教に対してのみ認めることの許容性は，Larson v. Valente, 456 U.S. 228（1982）で問題とされた。慈善団体による寄附金規制の事例で，資金の50％より多くを構成員からの寄附でまかなっている宗教団体のみを登録・報告義務から免除していることが，伝統的な確立した宗派のみを有利に扱うものだとして争われたのである。最高裁は，やむにやまれない利益達成に不可欠な規制かどうかを問題とする厳格審査を用い，この制度は募金の乱用から市民を保護するという目的と密接な関連性を欠くとして，この規制を違憲と判断した。

3　公立学校における宗教

宗教的教育の許容性

憲法が国教樹立を禁止しているとはいえ，アメリカに渡ってきた人々はそれぞれ信仰を持っており，宗教的意味を持った政府行為が，生活のさまざまな側面に存在する。そのため，しばしば憲法は政府の活動の一切の非宗教性を要求するのか，それとも特定の宗派の優遇を禁止しているだけなのかが問題とされる。その最も厄介な問題が，公立学校における教育と宗教との関係である。

まず，公立学校における宗教教育の許容性についてであるが，最高裁は，McCollum v. Board of Education, 333 U.S. 203（1948）において，州法上義務づけられた公立学校での授業時間中に教会区学校の教師による宗派的授業に参加することを認めた州法を違憲と判断した。ところが，Zorach v. Clauson, 343 U.S. 306（1952）では，生徒が授業時間中宗教教育のため学校を抜け出すことを認めた州法が支持された。ここでは，すべての費用は宗教組織が負担し，宗教教育のため外出するかどうかは自由であった。そこで最高裁は，政教分離は絶対的であるがすべての側面においてそうだというわけではなく，政府は宗教教育を受けるよう強制はできないが，それを受けようとする人のために授業を中断することはかまわないとしたのであった。

祈禱・聖書朗読・黙禱

次に公立学校での祈禱・聖書朗読の許容性については，Engel v. Vitale, 370 U.S. 421（1962）と，School District of Abington v. Schempp, 374 U.S. 203（1963）の両判決で問題とされた。前者は神の祝福を祈るだけの非宗派的な祈禱に関する事例であったが，最高裁は，これは明らかに宗教的行為であって，それを毎日強制することは，国教樹立禁止条項とまったく相容れないと宣言した。後者は，公立学校で聖書の一節を朗読し祈禱を斉唱することを命じた州法が問題とされた事例である。最高裁は，目的・効果の基準のもとで，これを違憲とした。

この両判決は，保守派の激しい反発にあい，憲法改正ばかりか公立学校における祈禱・聖書朗読に関する連邦裁判所の管轄権を否定しようとするなどさまざまな試みが行われてきた。そのうち，声を出して聖書を読み上げるのではなく，黙禱するだけの祈禱について，再び最高裁の判断を受けるに至った。Wallace v. Jaffree, 472 U.S. 38（1985）で問題とされた州では，何とか公立学校での祈禱を行おうと，毎日学校開始時に希望する生徒による祈禱・朗読や瞑想と任意的祈禱のための黙禱時間などの制度を実施してきた。しかし最高裁は，このような黙禱制度に対する世俗的目的の証明はなく，宗教促進の目的としか考えられないとして，Lemon 判決の3基準の第一基準違反で違憲と結論した。ただ多数の裁判官は，このような沈黙の時間を設けることが正当化されうる可能性を認めているため，問題の根本的解決は将来に残された。

さらに，Lee v. Weisman, 505 U.S. 577（1992）では，公立学校の卒業式に牧師を招き，祝福と祈禱をしてもらうことの合憲性が争われ，最高裁は結局これを違憲と判断したが，各裁判官の意見は大きく分かれた。学校側は，祈禱が特定の宗派に偏っていないこと，卒業式への出席は義務的ではないことを強調したが，多数意見はそれでも生徒に対し圧迫となることを問題とした。古くから行われてきたこのような祝福・祈禱を違憲とすることに強い反対の声もあったが，最高裁は，Santa Fe Independent School District v. Doe, 530 U.S. 290（2000）でも，ホームのフットボールの試合前に生徒に祈禱を許す公立学校のポリシーを国教樹立禁止条項違反と判断し，この姿勢を確認している。生徒の祈禱は純粋に私的な言論とはいえず，宗教の支援と考えられ，しかも強制の要素がぬぐいきれないというのであった。

進化論と十戒

また公立学校で進化論を教えることを禁止した州法はEpperson v. Arkansas, 393 U.S. 97（1968）において違憲とされている。進化論は，人が猿から進化したとするが，この世界は，人間も含めて造物主である神が創ったと信じる宗教がある。そこで，進化論が禁止されたわけである。最高裁は，禁止は特定の宗教理論に反することを理由とするもので，正当化されないとしたのであった。これに対し，進化論とならんで世界は神によって創造されたとする創世説を教えることを義務づけた州法が制定されたが，この州法も，Edwards v. Aguillard, 482 U.S. 578（1987）で，違憲とされている。Lemon判決の3基準のもとで，州はこのような要求に対する世俗的な目的を示しておらず，それゆえ立法の目的は明らかに宗教的であるとしたのである。

また，私的献金で購入された十戒のコピーを教室の壁に掲示することを要求した州法は，Stone v. Graham, 449 U.S. 39（1980）で，もっぱら宗教的目的によるものだとして違憲とされている。十戒とは，旧約聖書の「出エジプト記」で，迫害を受けてきたイスラエルの民を率いてエジプトから脱出する際，シナイ山でモーセが神から授かったとされる石の板に，宗教的・道徳的戒律を記したものであるが，ユダヤ教やキリスト教で重要な役割をはたしている。教室における掲示は，このような宗教を促進する目的としか考えられないというのであった。

4　それ以外の政府と宗教の関わり

日曜休日法

これら以外にも，さまざまな領域で政府と宗教の関わりが国教樹立禁止条項違反として争われている。

例えば日曜日を休日と定めその日の労働や商業を禁止した日曜休日法の合憲性は，McGowan v. Maryland, 366 U.S. 420（1961）で問題とされた。明らかにこの州法は，日曜日を安息日と考えるキリスト教の宗教的見地から制定されたものであった。しかし最高裁は，法律が宗教的動機で制定されたことを認めたが，今日では市民に統一的な休日を与えるという世俗的目的を持っているといえるとした上で，偶然それが日曜日であっても問題はないとして，この州法を支持した。

州議会における牧師の祈禱

政府と宗教の関わりは，1980年代に入って，州議会が毎日牧師の祈禱で活動を開始することをめぐって争われるようになり，最高裁は，この事件では，Lemon 判決の基準から逸脱したように思われる。それが，Marsh v. Chambers, 463 U.S. 783（1983）である。この事例では，牧師が長老派によって占められていて祈禱もキリスト教式であり，しかも公費で行われていたにもかかわらず，最高裁は，議会の活動を祈禱で始めることが古くから行われてきたこと，特に連邦議会の第 1 回議会もそうであったことを強調して，起草者達には国教樹立禁止条項でこれを禁じる意図はなかったものと結論した。この趣旨は，Town of Greece v. Galloway, 572 U.S. 565（2014）でも確認されている。ただし，多数意見は，お祈りが議事を格式ある厳粛なものであるようにする目的でなければならず，また少数派の宗教を非難したり改宗することを説くものであることは許されないし，またお祈りをする人が宗教的に差別的に選出されている場合には，別だとしている点が注目される。

キリスト生誕の飾り

もう一つ重大な論点となったのが，クリスマスに自治体がキリスト生誕の飾りを飾ることの許容性であった。その事件が，Lynch v. Donnelly, 465 U.S. 668（1984）である。クリスマスツリーやサンタクロースと異なり，キリスト生誕の飾りには，どうしても宗教的な色彩が漂う。しかし最高裁は，起草者達が宗教のはたす役割を認めていたこと，そして市民生活における宗教の特別の役割を強調して，審査基準の柔軟性を打ち出した。そして特定の宗教的メッセージを唱道する意図はなく，祝日を祝いその祝日の起源を描いたものにすぎず，飾りの設置は世俗的目的を有しており，また宗教を援助する効果を持たないとして，これを支持した。反対意見が，キリスト生誕の飾りの設置は世俗的目的を欠き，サンタクロースやキャロルとは異なり特別の宗教的意味を持っているとしたにもかかわらずである。Lemon 判決の基準を適用しているが，はたして同判決の基準を本来の趣旨にしたがって適用したかどうか疑問があった。

County of Allegheny v. ACLU, 492 U.S. 573 (1989) は，この問題に対する最高裁の姿勢の不明確さを浮き彫りにする結果となった。この事件では，ピッツバーグ市の郡庁舎の大階段に設けられたキリスト生誕の様子を再現した飾りと，市郡庁舎の外に飾られたユダヤ教の燭台（メノラー）との合憲性が争われた。最高裁は，結果的に前者については5対4で違憲とし，後者については6対3で合憲と判断した。しかし，裁判官の意見は多岐に分かれた。相対多数意見は，Lemon判決の基準に言及しつつ，特に政府の行為が宗教を「支援」する目的ないし効果を持つものかどうかを重視した。そして前者については，それが単独で設けられていたことから，一宗教の「支援」にあたるとして違憲とし，後者については，それがクリスマスツリーと共に並べられていたことなどから，祝日を祝う飾りの一部として設けられたものと認め，これを合憲としたのであった。しかし，この結論を支持したのは他に1人であり，しかも理由づけは若干異なっていた。これに対し他の3人の裁判官は双方とも違憲と判断し，別の4人の裁判官は双方とも合憲と判断した。その結果，2つの事案の間で結論が分かれたのであった。双方を合憲とした4人は，Lemon判決の基準のもとで合憲の結論を導いているが，同時に同判決の基準に強い不満を表明し，国教樹立禁止条項は政府が宗教のための便宜をはかることを禁止してはいないと示唆している[4]。

---

4)　Elk Grove Unified School District v. Newdow, 542 U.S. 1 (2004) では，公立学校で毎朝復唱させられる忠誠の誓いの中にある「神の下に」の文言が問題とされた。公立学校に通う子どもの無神論者の父親がこれを国教樹立禁止条項・信教の自由条項違反だとして訴訟を起こし，控訴審ではこの主張が認められた。しかし最高裁は，子どもの母親が単独で監護権を持っており，その母親が訴訟を取り下げるよう申立てをしている以上，原告には原告適格はないとして訴えを斥け，「神の下に」の文言が憲法に反するかどう

記念碑

さらに，Van Orden v. Perry, 545 U.S. 677（2005）及び McCreary County v. ACLU, 545 U.S. 844（2005）では，十戒との関わりの限界が問題とされた。前者の事例では，最高裁は，テキサス州の州都に立てられた 2 メートルの十戒の記念碑は国教樹立禁止条項に反しないと判断した。最高裁は，Lemon 判決の基準に依拠することを避け，記念碑の性格とこの国の歴史が重要だとし，22 エーカーの公園に建てられた 17 の記念碑のうちの一つにすぎず，たまたま宗教的意義を持っていたとしても，国教樹立禁止条項に反することにはならないとした。5 対 4 の判決であった。これに対し，同じく十戒が問題とされた後者の事例では，ケンタッキー州の郡裁判所の内部に掲示された十戒について，宗教を促進する目的だとして国教樹立禁止条項に反するとされている。こちらも 5 対 4 の判決であった。

さらに American Legion v. American Humanist Ass'n, 588 U.S. —（2019）では，州の公園局が，第 1 次世界大戦で亡くなった兵士の記念碑である十字架及びその下の土地を取得した後も，そのままの形状で，在郷軍人会に十字架を管理させてきたことが国教樹立禁止条項違反だとして争われた。しかし，最高裁は，時代の移り変わりによって，現在ではこの十字架は宗教的意味よりも記念碑的な意義を強く持っているとして，訴えを斥けている。

宗教に対する特権付与

宗教に特権を付与することに対しては，Larkin v. Grendel's Den, Inc., 459 U.S. 116（1982）が厳しい姿勢を示した。教会等の付近のレストランへの酒販売免許の拒否権を教会等に与えた州法は，許されないとしたのである。また Texas Monthly, Inc. v. Bullock, 489 U.S.

かについては判断を下さなかった。レーンキスト主席裁判官と他の 2 人の裁判官は，これを合憲とする判断を示している。

1（1989）では，宗教的文書に対する販売税免除が，違憲とされている[5)]。

これに対し，Corporation of the Presiding Bishop of the Church of Jesus Christ of Latter-Day Saints v. Amos, 483 U.S. 327（1987）では，宗教団体を一般的な義務から免除することの合憲性が支持された。市民的権利保護法は，雇用における宗教を理由とする差別を禁止しているが，この禁止は，宗教団体がその団体のために行う雇用については適用されないとしていた。最高裁は，Lemon判決の基準を適用して，この除外の目的は宗教的活動への関与を避けるという世俗的なものであり，特定の宗教を促進・抑止する効果を持たず，過度の関わり合いでもないとして，この除外を支持したのである。ここでは，宗教的行為に十分な余地を残すような政教分離原則の理解の必要性が強調されている[6)]。

また一般に提供される政府の利益を宗教団体にだけ拒否することが許されないことは，Trinity Lutheran Church of Columbia, Inc. v. Comer, 582 U.S.―（2017）でも確認されている。この事件では，教会系の幼児教室・デイケアセンターが運動場の整備のために，州の補助金による助成を申し込んだが，補助金は教会ないし宗教団体には提供できないとして拒否された。最高裁は，このような宗教団体にのみ利益の付与を拒否する行為は少なくとも厳格審査のもとで

5）　また，ある宗教の信者のみからなる村に独立の学校区を認め，教育についての権限を与えることは，Board of Education of Kiryas Joel Village School District v. Grumet, 512 U.S. 687（1994）で国教樹立禁止条項に反するとされている。

6）　Hernandez v. CIR, 490 U.S. 680（1989）では，逆に宗教活動にかかった費用に控除が認められなかったことが，国教樹立禁止条項に反すると争われた。しかし最高裁は，Lemon判決の基準のいずれの基準にも反していないとして，その主張を斥けている。

正当化されなければならないが，最大限国教樹立禁止条項に抵触しないようにするという利益では，やむにやまれない利益とはいえないので，正当化されないと判断したわけである。

便宜供与

この点は，個人の信教の自由を尊重して政府が便宜をはかる場合にとりわけ問題となる。なぜなら，憲法は信教の自由を保障しているが，信教の自由を実質的に保護するためには，宗教的行為に対しては，非宗教的行為とまったく同一視するのではなく，一定の配慮を行う必要がある。このような便宜をはかる措置を国教樹立禁止条項に反しないというためには，国教樹立禁止条項をそのように解釈しなければならないのである[7]。

しかし，いくら宗教的行為に便宜をはかるとしても，限度がある。最高裁も，既に Estate of Thornton v. Caldor, Inc., 472 U.S. 703 (1985) において，このことを明らかにしている。これは，労働者が特定の曜日を安息日と指定した場合に，労働者にその日に働かされることがない権利を保障した州法が問題とされた事例である。最高裁は，この法律は労働者の宗教的確信にしたがって労働を拒絶する絶対的権利を保障したもので，宗教を促進するとして，国教樹立禁止条項に反すると結論したのである。

特定の宗教に対する敵意と国教樹立禁止条項

トランプ大統領が就任早々に打ち出した移民入国制限は，難しい国教樹立禁止条項違反の問題を生じさせた。当初，執行府命令は国

7)　Cutter v. Wilkinson, 544 U.S. 709 (2005)（刑務所に収容されている受刑者の宗教を尊重するよう刑務所に求めた連邦法の規定は国教樹立禁止条項に反しない）．なお，市民的権利保護法は雇用における宗教を理由とする差別を禁止しており，これは企業に対し，著しい負担とならない限り，労働者の宗教的信念または宗教的行為に合理的配慮を払うことを義務づけていると考えられている。

家の安全を理由に，中東7カ国からの入国を90日間停止したが，これがイスラム教に対する敵意に基づく行為で国教樹立禁止条項に反するなどとして訴訟で争われた。しかし最高裁は，Trump v. Hawaii, 585 U.S.—（2018）において，国教樹立禁止条項違反の主張を斥けた。最高裁は，大統領の個別の発言などに依拠することを拒否し，国家の安全の利益を確保するための合理的な措置であったと結論したのである。

第2節　信教の自由

1　信教の自由の保障とその限界

伝統的な立場

信教の自由が問題となる事例は，大別すればその意に反して政府によって宗教的行為を強いられた場合と，宗教的行為に対して不利益が課された場合に区分できよう。しかし，アメリカでは前者の問題は，ほとんど表現の自由の問題として処理されており，実際に信教の自由の問題とされているのは後者の事例である。

典型的な問題は，既に Reynolds v. United States, 98 U.S. 145（1878）で提起された。これは，重婚を禁止した連邦法に違反したとして，一夫多妻制を信仰するモルモン教徒が起訴された事例である。そして，最高裁は，信仰と行動を区別し，行動については社会秩序のために制約しうると判断したのである。もし宗教を理由に例外を認めれば，誰でも宗教を理由に法律に違反することができることになってしまうというのであった。

最高裁はその後も，宗教を理由として一般市民法への例外を認めることに消極的であった。国旗への敬礼を義務づけた公立学校規則をエホバの証人の信者が争った Minersville School District v. Gobitis, 310 U.S. 586（1940）でも[8]，児童による文書配布を禁止した州法をエホバの証人の信者が布教活動は子どもにとっても宗教的義務だと争ったPrince v. Massachusetts, 321 U.S. 158（1944）でも，そのような主張は認められなかった。土曜日を宗教上の休日とする古典派ユダヤ教徒が日曜休日法を争ったBraunfeld v. Brown, 366 U.S. 599（1961）でも，特定の宗教を強制することはできないが，行動は制約に服し，本件の場合，法律は世俗的目的と効果を有している以上，結果的に間接的な不利益を被ることがあっても憲法に反しないとされた[9]。

Sherbert v. Verner

しかしSherbert v. Verner, 374 U.S. 398（1963）に至って，最高裁の姿勢は変化する。これは，土曜日を宗教上の休日とする宗派の人が仕事を拒んだため解雇されたところ，失業補償を受けられなかったという事例である。そして最高裁は，このような失業補償の拒否が信教の自由への制限となると認め，やむにやまれない利益の基準による厳格審査を行い，詐欺的な請求を阻止するという州の利益には証拠がなく，そのような利益では不十分であると判断した。

さらにWisconsin v. Yoder, 406 U.S. 205（1972）では，16歳までの子どもの義務教育を定めた州法を，一定年齢以上の高度な学校教

8）　ところがWest Virginia State Board of Education v. Barnette, 319 U.S. 624（1943）では，国旗への敬礼の強制を表現の自由の問題と捉え，これを憲法に反すると結論した。

9）　宗教活動に対する課税については，最高裁は，1940年代，エホバの証人の信者に関する2つの事例で，課税を違憲と判断していた。Murdock v. Pennsylvania, 319 U.S. 105（1943）; Follet v. Town of McCormick, 321 U.S. 573（1944）. しかし，その後の事例では，宗教活動への課税がすべて許されないわけではないことが明らかにされている。Texas Monthly, Inc. v. Bullock, 489 U.S. 1（1989）; Hernandez v. CIR, 490 U.S. 680（1989）; Jimmy Swaggart Ministries v. Board of Equalization of California, 493 U.S. 378（1990）.

育に反対し農耕を通じての教育を重視する宗派の両親が争ったところ，最高裁はその主張を支持した。最高裁は，この法律が信教の自由を制限することを認め，教育を施すという州の利益は，16歳の子どもに，学校教育とは異なる教育方法を否定してまで，学校教育を強制するに足るほどやむにやまれないものではないとしたのである。

2　宗教的理由による例外の限界

Yoder判決の方は，州が義務づけた行為自体が自らの信仰に反する行為である場合であったが，Sherbert判決の方はそれ以上の文脈への強い意味を持っていた。そして最高裁は，工場が閉鎖になってエホバの証人の信者が兵器関連工場に配転され，宗教上の理由で労働を拒否して，失業補償を受けられなかったことが争われたThomas v. Review Board of the Indiana Employment Security Division, 450 U.S. 707（1981）でも，Sherbert判決を適用してその主張を認めている。このような失業補償の拒否は，信仰に対する制約となると認め，個人的理由での労働拒否には失業補償を支給しないといった州の利益は，やむにやまれないものとはいえないと結論したのである。

最高裁は，これ以降も，宗教的理由で働くことを拒否して解雇され，失業補償給付を拒否された事例では，これを信教の自由の侵害と判断してきている[10)]。しかし最高裁は，宗教を理由にして一般

10)　Hobbie v. Unemployment Appeals Commission of Florida, 480 U.S. 136（1987）. また最高裁は，Frazee v. Illinois, 489 U.S. 829（1989）において，特定の宗派や教会に属しておらず，日曜日を休息日とするのは彼自身の宗教的信念にすぎないようなキリスト教信者に失業補償給付を拒絶することはできないと判断している。

市民の負う義務に反したり，その適用を争ったりしているそのほかの場合には，それほど好意的な態度を示してはいない[11]。他方で，Trinity Lutheran Church of Columbia, Inc. v. Comer, 582 U.S. — (2017) では，学校の運動場整備のための補助金の受給対象から宗教系学校が除外されていたことが，信教の自由の侵害とされ，Espinoza v. Montana Department of Revenue, 591 U.S. — (2020) でも，私立学校の授業料に対する奨学金を支給する団体への寄附に税の控除が認められていながら，宗教系学校への奨学金使用が排除されていたことが，信教の自由の侵害と判断されている。さらに，Carson v. Makin, 596 U.S. — (2022) でも，学校区内に高校のない保護者に，自らの選ぶ高校に子供が進学するのに必要な費用を補助するプログラムの受給要件として，学校がどの宗派にも属さないもので

---

11) United States v. Lee, 455 U.S. 252 (1982)（社会保険負担金の支払いを宗教上の理由で拒んだ事例で，修正第1条違反の主張を斥ける); Bob Jones University v. United States, 461 U.S. 574 (1983)（以前から宗教に基づいて白人のみの入学を認めてきた大学が，黒人の入学を認めてからも異人種間のデートや結婚を禁止していたため，内国歳入庁が公序違反を理由に課税免除を受ける資格を否定したことを支持する); Tony & Susan Alamo Foundation v. Secretary of Labor, 471 U.S. 290 (1985)（労働基準を定めた公正労働基準法を宗教団体の営業活動に従事する人に対して適用することを支持する); Goldman v. Weinberger, 475 U.S. 503 (1986)（ユダヤ教信者が頭の上にユダヤ教の装飾品ヤムルカを着用していて，制服着用を義務づけた空軍の服装規則違反を理由に懲戒処分を受けたことを支持する); Bowen v. Roy, 476 U.S. 693 (1986)（インディアンが宗教的信念に基づいて福祉給付金を受領するために必要な社会保険番号を拒んだところ，信教の自由の主張を斥ける); Lyng v. Northwest Indian Cemetery Protective Association, 485 U.S. 439 (1988)（従来インディアンが宗教活動に使用してきた土地に，政府が道路を建設し，材木を伐採することを支持する); Locke v. Davey, 540 U.S. 712 (2004)（低所得の家庭の優れた能力を有する子どもに高等教育を受ける奨学金を支給しながら，大学で司祭向けの神学を学ぶ者を対象から除外したことを支持する).

あることを要求したことが，宗教の自由を侵害するとされている[12]。

また，失業補償給付拒否の理由が，刑法違反の行為である場合にも，たとえ信教の自由の行使であっても，最高裁は消極的な姿勢を示している。この問題は，Employment Division, Oregon Department of Human Resources v. Smith, 494 U.S. 872（1990）で争われた。この事件では，原告は，インディアンの教会の宗教儀式でペヨーテと呼ばれる興奮剤を使用し，州法がそのような興奮剤の使用を禁止していたため解雇され，そして失業補償も受けられなかった。ところが最高裁は，宗教の自由への制約が一般的に適用されうる法律の単なる付随的効果である場合には修正第1条に反しないと判断し，さらにSherbert判決の基準は，本件のような刑罰法規に触れるような行為に対しては適用されないと宣言したのであった[13]。

12）国教樹立禁止条項及び信教の自由条項により，政府は教会内の自治に干渉することが禁止される。それゆえ，立法者も教会内部の争いに口出しすることはできない。Kedroff v. St. Nicholas Cathedral, 344 U.S. 94（1952）. 裁判所も，同様に教会内部の事項について口出しできない。Gonzales v. Roman Catholic Archbishop of Manila, 280 U.S. 1（1929）; Presbyterian Church v. Mary Elizabeth Blue Hull Memorial Presbyterian Church, 393 U.S. 440（1969）; Serbian Eastern Orthodox Diocese for the United States of America and Canada v. Milivojevich, 426 U.S. 696（1976）. 雇用関係における差別は連邦の市民的権利保護法で禁止されているが，それゆえこの禁止規定は教会における聖職者の雇用・解雇には適用されないとする聖職者例外が認められてきた。Hosanna-Tabor Evangelical Lutheran Church and School v. EEOC, 565 U.S. 171（2012）; Our Lady of Guadalupe School v. Morrissey-Berru, 591 U.S.—（2020）.

13）連邦議会は，このSmith判決を立法的に覆そうとして，信教の自由に実質的な負担を及ぼす場合に常に厳格審査の適用を求めた信教の自由回復法を制定したが，最高裁は，この法律は州に関する限り修正第14条第5節の権限を超えていると判断している。City of Boerne v. Flores, 521 U.S. 507（1997）. 第8章注11）参照。しかし，連邦政府の行為に関する場合の，

3　信教の自由の現在

それゆえ，信教の自由が理由で失業し失業補償を受けられなかった事例を除いては，信教の自由の侵害の主張はあまり好意的に受け止められていないようである。宗教的行為だけを規制しているのではない一般的に適用される法律に対し，信教の自由を理由に例外を主張することは困難である。

とはいえ，規制が実質的に宗教的行為を狙い撃ちにしているような場合には，最高裁も厳しい態度をとっている。Church of the Lukumi Babalu Aye, Inc. v. City of Hialeah, 508 U.S. 520（1993）では，宗教的儀式で動物の生け贄を捧げる宗教の教会が礼拝所建設を計画したところ，市が動物虐待禁止法に加え，動物を宗教的儀式で生け

連邦議会の立法権限の根拠はなお定かではない。ただし，Gonzales v. O Centro Espirita Beneficente Uniao Do Vegetal, 546 U.S. 418（2006）では，アマゾン原産の植物からとれる覚醒剤を宗教儀式で使用する宗教に対し連邦の薬物規制法を適用することについて，信教の自由回復法の要件を満たしていないと判断しており，連邦議会の権限を問題とはしていない。またCutter v. Wilkinson, 544 U.S. 709（2005）は，連邦の土地利用及び施設収容者に関し，信教の自由に実質的負担となる場合に厳格審査の適用を義務づけた連邦法を，国教樹立禁止条項違反の主張に対して擁護している。信教の自由の行使に便宜を図ったもので，国教樹立にはならないというのであった。この判決も連邦議会の立法権の根拠の問題をそのまま残した。なお，Burwell v. Hobby Lobby Stores, Inc., 573 U.S. 682（2014）では，一定の雇用主に対して，その団体健康保険プランの中で避妊のサービスがカバーされていることを求めることが，信教の自由回復法のもとで争われた。これには個人の宗教的な信念を持つ雇用主や宗教的な非営利法人の例外が認められていたが，営利法人に例外はなかった。最高裁は，非公開の営利法人に対しても同法の適用があることを認め，避妊サービスへのアクセスを保証することがやむにやまれない利益だと仮定しても，信教の自由に重大な負担を負わせることなく他の手段で目的を達成できないことが示されていないと判断している。さらに，Holt v. Hobbs, 574 U.S. 352（2015）では，受刑者にヒゲを伸ばすことを禁止し，イスラム教の信者で宗教上の理由でヒゲを伸ばしたいと希望する受刑者にこれを拒否したことが同法のもとで違法と判断されている。

賛とすることを禁止する条例を制定した。最高裁は，これはまさに宗教的行為を狙い撃ちにしたものだとし，やむにやまれない利益達成のための必要不可欠の規制とはいえないとしたのであった。

また，Roman Catholic Diocese of Brooklyn v. Cuomo, 592 U.S. —（2020）では，新型コロナウイルス感染症対策の一環として導入された集会の人数制限が，宗教施設に特別厳しくなっていたことに対する緊急の差止めの求めが認められている。宗教施設にだけ特別厳しい制限を課すべき正当化根拠がないというのであった。そして，Fulton v. Philadelphia, 593 U.S. —（2021）では，市と契約の上養子縁組の世話をする民間団体から，長い間サービスを提供してきたカソリックの団体が，同性愛者の養親を認めないことを理由に，契約を拒否されたことを，厳格審査のもとで信教の自由の侵害に当たると判断されている。

さらに，国教樹立禁止条項違反となることを理由に信教の自由を制限することにも，最高裁は否定的な立場を示している。Kennedy 判決では，公立学校のフットボールのコーチが，試合後フィールドでひざまずき，祈りをささげたことを理由に解雇されたが，学校側は，これを許せば国教樹立禁止条項違反となるとして解雇を正当化しようとした。しかし，最高裁は，このような行為は国教樹立禁止条項に反するものではなく，国教樹立禁止条項違反の恐れは信教の自由の行使の排除を正当化しないと判断している。また，最高裁は，教師やコーチがこのような祈りをささげることは生徒に対する強制となるので，いかなる宗教的な行為も避ける必要があるとの主張に対し，歴史的根拠がないとして否定した。

▶参考文献

政教分離ないし国教樹立禁止条項について，熊本信夫・アメリカにおける政教分離の原則（1972），同「政教分離原則の形成と発展（1)～(3・完)」北海学園法学研究 24 巻 2 号・3 号，25 巻 1 号（1989），滝沢信彦・国家と宗教の分離（1985），高柳信一「政教分離判例理論の思想」下山瑛二＝高柳信一＝和田英夫（編）・アメリカ憲法の現代的展開（2）統治機構（1978），土屋英雄「アメリカ合衆国における政教分離」国家学会雑誌 98 巻 11＝12 号（1985），同「アメリカにおける政教分離と“保証”テスト」芦部信喜古稀祝賀・現代立憲主義の展開（上）（1993），長岡徹「宗教に対する便宜供与」佐藤幸治還暦記念・現代立憲主義と司法権（1998），神尾将紀「レーンキスト・コートにおける信教の自由および政教分離原則の判例法理」比較法研究 69 号（2007），諸根貞夫「アメリカ連邦最高裁にみる政教分離条項の審査基準をめぐる最近の動向について」龍谷法学 46 巻 3 号（2014）。**信教の自由**について，藤田尚則「アメリカ合衆国における『宗教の自由な活動』条項をめぐる司法審査基準の展開」法学新報 96 巻 11＝12 号（1990），同「合衆国憲法修正第一条にいう『宗教の自由な活動』条項の解釈原理の新展開について」創価法学 22 巻 1 号（1992），松本哲治「信教の自由に対する新型コロナウイルス感染症関連規制と合衆国最高裁」立命館法学 2020 年 5＝6 号。

第11章　財産権の保護

第1節　収用条項

1　公用収用権の意義

合衆国憲法には，財産権を保障した明文規定はない。したがって，財産権は，憲法上は収用条項や契約条項によって間接的に保護されているにとどまる。そこで，これらの条項を超えて自然権ないし「付与された権利」(vested rights)，あるいはもっと広い経済活動の自由を実体的に保護する機能は，デュー・プロセス条項によってはかられることになった。ただし，いずれにしても，財産権は，合衆国憲法によって創出されるのではなく，基本的に州によって創出され，その範囲が定義されることになる。

修正第5条は，私的財産は，正当な補償なしには公共の用のために収用されないと定めている。公用収用権（eminent domain）は，主権に固有の権限とされており，修正第5条は，その権限を付与したものではなく，条件を定めているにすぎないと考えられている。州はその固有の権限に基づき，連邦政府は，憲法で列挙された諸権限行使の手段として，この権限を行使できる。公用収用権は立法府に属する立法的性格の権限である。収用は立法による場合と，裁判所に出訴して行われる場合がある。公共目的要件と補償要件は，修正第14条のデュー・プロセス条項により，州の財産収用についても，妥当する[1]。

そこで問題となるのは，「収用」に該当するかどうか，それが

「公共の用のため」かどうか，そして補償が正当かという3点である。

2　収用の意義

公用収用権とポリス・パワーの関係

まず，どのような州の行為が，収用にあたるのであろうか。土地の所有権を剥奪するのはもちろん収用であるが，それ以外の財産権の規制，財産の使用を妨げる規制も，収用となりうる。財産が無体財産であっても，同様である。しかし伝統的には，公用収用権と州のポリス・パワーが区別され，ポリス・パワーによる財産規制の場合には補償を要しないと考えられてきた。そこで財産権の規制が，補償を要しない狭義の意味でのポリス・パワーの規制なのか，補償を要する収用なのかが問題とされてきた。

最高裁は，Pennsylvania Coal Co. v. Mahon, 260 U.S. 393 (1922) において，この問題に直面した。これは，地下で石炭を掘ることを条件に石炭会社から土地を譲り受けた人が，住居を危険にさらすような地下の採鉱を禁止した州法が制定されたことを理由に，石炭会社による石炭の採鉱に対し差止めを求めた事例である。最高裁は，土地価格の著しい減少を正当化する公益が存在しないとして，それはポリス・パワーの行使として正当化しえないと判断した。これは収用にあたるというのである。財産権の規制も一定の限度に達すれば収用に該当するというのであった[2]。

---

1)　Chicago, B. & Q. R. Co. v. Chicago, 166 U.S. 226 (1897).

2)　これに対し，近隣のリンゴ園に病気を移す恐れがあることを理由にアメリカ杉の除去を命じうることを定めた州法が争われた Miller v. Schoene, 276 U.S. 272 (1928) では，樹木除去に対する補償はあっても樹木自体に対する補償がなかったが，最高裁は，これは近隣のリンゴ園を救うためのポリス・パワーの行使であって，不合理ではないとした。

土地利用規制と規制的収用

このような収用にあたるかどうかの問題は，土地利用規制を行うゾーニング条例が制定され，それが争われるに至って，一層重大になってきた。

建物の高さ等を規制する伝統的なゾーニングを超え，居住区域から商工業施設を排除するような新しいゾーニング条例の適用は，Euclid v. Ambler Realty Co., 272 U.S. 365（1926）で，ポリス・パワーによる規制として合憲とされた。最高裁は，共同体の健康・安全保持の利益と合理的関連性を有しているとして，このゾーニングのため財産価値が低下したという主張を斥けたのであった。しかし，どのような場合に補償を要しないポリス・パワーの行使を超えた補償を要する収用となるのかについては，その後も明確にならなかった。

実際 Pennsylvania Coal 判決では，規制が財産の価値を一定限度以上制限すれば収用にあたると示されていたのに，Goldblatt v. Hempstead, 369 U.S. 590（1962）では，収用となるかどうかを決定する公式は存在しないとして，規制の目的・手段・生じる侵害の観点から検討し，それまでの財産の価値が完全に奪われてしまっても，その規制を合理的なポリス・パワーの行使として支持していた。これは，水面下の浚渫（しゅんせつ）を禁止した条例を，業者が争った事例であった。

個別具体的考察のアプローチとカテゴリカルなアプローチ

このような個別具体的考察のアプローチは，Penn Central Transportation Co. v. New York City, 438 U.S. 104（1978）でもとられている。ここでは，史跡保存法によって史跡と指定された結果，所有者は外装修繕義務のほか，外装変更に承認を受けることが要求されたため，これが収用に該当するかが問題とされた。最高裁は，問題は個別具体的に判断されざるをえないとして，規制の及ぼす影響，州の行為の性格などの要素を考慮することが必要だとし，本件では所有権者の所有権への制限はそれほど著しいものではなく，所有者の権限も十分残されていることから，収用に該当しないと結論したのである。

また Agins v. Tiburon, 447 U.S. 255 (1980) では，ゾーニングの変更により住宅建設のために取得した土地の上に建築しうる住居が大きく制限されたことが争われた。最高裁は，Euclid 判決にしたがって，本件規制は都市化による悪影響を防止するという正当な目的を実質的に促進するもので，規制は土地の最善の利用を妨げず，所有権の基本的属性を消滅させるものでもない以上，正当な補償なしに収用したものとはいえないと結論した。

ところが最高裁は，Loretto v. Telepromoter Manhattan CATV Corp., 458 U.S. 419 (1982) では，それまでの個別具体的分析を斥け，財産を「永久的に物理的に占拠」する場合は，その目的がいかに公共の利益のためでも収用に該当すると結論した。これは，土地所有者はその賃貸している土地にケーブルテレビ施設の設置を許さなければならない，と定めた州法が問題とされた事例であった。

これに対し，建造物の沈下を生じるような地下の石炭採掘を禁じた州法が争われた Keystone Bituminous Coal Association v. DeBenedictis, 480 U.S. 470 (1987) 及び浜辺にある家屋の建て直しの許可条件として公衆に公共の浜辺への通行権を認めるよう要求された事例である Nollan v. California Coastal Commission, 483 U.S. 825 (1987) では，最高裁は，Agins 判決にしたがって，土地利用規制は「正当な州の利益を実質的に促進」し，所有者に経済的に不可欠な土地利用を否定しない限り収用にあたらないというアプローチをとった。ただ前者では，Pennsylvania Coal 判決と事案を区別し，公共の福祉への重大な危険を避けようという公共目的がはっきりしていて，所有者の投資に基づく期待を侵害するほどの制限ではないから，収用にはあたらないとされた。これに対し，後者では，州は浜辺が見えるようにしておくことが公衆による浜辺の利用を促進すると主張したが，最高裁はこれを認めず，収用条項違反だと結論している。

現　在

このように何が収用かをめぐっては，最高裁は利益衡量的手法と定義的手法を用いており，必ずしも整合的とはいいがたい。

例えば，定義的な手法をとったもっと近年の判決として，Lucas v. South Carolina Coastal Council, 505 U.S. 1003（1992）がある。最高裁は，住宅建設のため浜辺の土地を購入した人による，州法が浜辺に永続的建造物建設を禁止したことを理由とする訴えを認めた。その際，財産所有者に物理的な財産の侵害を被らせる規制及びすべての土地の経済的便益ないし利用を否定する規制の場合には，カテゴリカルに収用にあたると判断したのである[3)]。

これに対し，店の拡張申請の承認条件として，公衆のための芝生地帯の設置と歩道・自転車道のための土地提供が求められたDolan v. City of Tigard, 512 U.S. 374（1994）では，Nollan判決にしたがって正当な州利益と許可要件との間に必要な関連性があったかが問

3）　また，Horne v. Department of Agriculture, 576 U.S. 350（2015）（農産物のような動産を政府に譲り渡す義務も収用にあたる）参照。これに対し，Yee v. City of Escondido, 503 U.S. 519（1992）では，そのような物理的な財産侵害が否定され，収用にあたらないとされた。また，浸食された海岸を州が修復し，州が修復された海岸部分について権利を取得することが問題とされたStop the Beach Renourishment, Inc. v. Florida Department of Environmental Protection, 560 U.S. 702（2010）でも，海岸の土地所有者はもともと州が盛り土して造成された部分についてまで所有権を有しなかったので，剥奪された財産権がなかったとして，収用にあたらないとされている。

題とされている。そして「おおまかな比例性」が欠けていれば，修正第5条違反となることが認められている。

最高裁は，Lingle v. Chevron, 544 U.S. 528 (2005) において，この収用条項の適用に対し一定の指針を示している。この事件では，ガソリン小売価格の寡占状態に対する配慮から，ハワイ州議会が，ガソリン元売り業者がガソリンスタンドを貸し出す際の賃貸料金に上限を設ける法律を制定したため，ガソリン元売り業者大手のシェヴロンが，これを違憲的な収用にあたるとして差止めを求めた。最高裁は，まず収用にあたるかどうかについて，次のような指針を示したのである。まず，土地所有権の物理的な剝奪は収用にあたる。次に，それ以外の財産権の規制でも，一定の場合にはカテゴリカルに収用にあたりうる。第1の場合は，土地所有者に土地の物理的な制約を恒久的に義務づけている場合であり，この場合はその制約がいかに軽微でも，これはカテゴリカルに収用にあたる。第2の場合は，土地の経済的利用を完全に妨げられてしまう場合であり，この場合にもカテゴリカルに収用にあたる。それ以外の場合，開発許可の条件として土地の利用に一定の物理的な制約を課すような場合を除いては Penn Central 判決の基準によって諸事情の総合考慮によって判断されるというのである。その上で最高裁は，正当な州の利益を実質的に促進しなければ収用になるとの基準は収用条項の適切な基準とはいえないと判断したが，この判決の指針は今後の収用条項の適用の重要な指針となるであろう[4]。

---

4)　その後最高裁は Arkansas Game and Fish Commission v. United States, 568 U.S. 23 (2012) では季節ごとの人工的な洪水は，たとえ一時的なものであっても収用にあたりうるとし，また Koontz v. St. Johns River Water Management District, 570 U.S. 595 (2013) では，開発許可の要件としての負担については，たとえそれが金銭的な負担であっても，Nollan 判決及び Dolan 判決の要件を満たさなければならないと判断している。

Murr v. Wisconsin, 582 U.S.— (2017) は，これと同じような枠組みを取りつつ，土地利用規制をカテゴリカルな収用にはあたらないとし，Penn Central 判決の基準に従って諸要素を考慮した上で，結局収用にはあたらないと判断した。一方，Cedar Point Nursery v. Hassid, 594 U.S.— (2021) では，組合組織化の活動のため，農場への自由な立ち入りを義務付けた州法に対して，これはカテゴリカルな収用にあたるので，正当な補償が必要だと判断している。

土地利用規制以外の経済的規制

土地利用規制以外の経済的規制については，最高裁は利益衡量的手法をとっている。例えば鷲保護法が鷲及びその一部の取得，所持，販売，購入等を原則として禁止しつつ，法律以前に取得された場合にはその所持と輸送のみに免責を与えていた。そこで，法律以前に取得された鷲の一部を使ってできた製品を販売したため法律違反に問われた被告人が，正当な補償のない収用だとして修正第5条違反を主張したことがある。しかし最高裁は，Andrus v. Allard, 444 U.S. 51 (1979) において，Penn Central 判決に従い，財産権の一部を制約しただけであって財産が剝奪されてはおらず，収用にはあたらないと判断している。

また Ruckelshaus v. Monsanto Co., 467 U.S. 986 (1984) は，営業上の秘密という無体財産に関する事例である。殺虫剤を市販するには環境庁に薬品の組成式と製造方法についてのデータを提出しなければならないことになっているところ，提出されたデータが法律改正により一般に公表されることになったため，このような開示は収用にあたると主張されたのである。最高裁は，①政府の行為の性質，②経済的影響，そして③合理的な投資に裏づけられた期待への干渉，の3要素を検討した。そして主張を一部認め，州法上保護された営業上の秘密が収用条項にいう財産にあたると判断しつつ，その所有者が，その情報が秘密にされるであろうという合理的な投資に裏づけられた期待を有している場合には，その開示は収用とみられると結論した。そして本件では，部分的に収用があったとして，補償を命じたのであった。

また最高裁は，Connolly v. Pension Benefit Guaranty Corp., 475 U.S. 211 (1986) でもこの3要素を検討すべきものとしている。ここでは，民間企業の年金に関する制度の枠組みの中で，企業が複数企業による年金プログラムから脱退し単一企業によるプログラムに移行するには，一定の金額の支払いを義務づけていたことが，収用にあたるとして争われた。そして最高裁は，この3要素を審査して，本件の規制は収用にあたらないと判断したのである。

3　公共の用のため

私有財産権の収用は，公共の用のためでなくてはならない。しかし，経済的実体的デュー・プロセス理論崩壊後の最高裁は，財産権の収用が公共の用のためか否かについては，議会の判断をきわめて尊重する態度をとってきている。例えば，コロンビア特別区の再開発のため，計画にしたがって土地を取得し業者に譲渡ないし貸与しうることになっていた制度が争われたBerman v. Parker, 348 U.S. 26 (1954) では，最高裁は，収用が公共の目的のためかどうかの司法的決定の余地はきわめて狭いと述べ，公共の福祉の概念は広く包括的であることを明らかにしている。

このような公共目的の審査の緩やかさを典型的に示したのが，Hawaii Housing Authority v. Midkiff, 467 U.S. 229 (1984) であった。問題となったハワイ州では，歴史的な背景から土地の半分近くが少数の人によって所有され，それ以外の私有地はほんのわずかしかなかった。そこで州は，この土地の寡占状態を改革するため，当時その土地を借りていた人への土地配分の制度を設けた。これが公共の目的のものではなく私的目的のための再配分だとして争われたが，最高裁は，公共目的はポリス・パワーの範囲と同じ広さをもっており，何らかの公共目的と考えられるものと合理的に関連しておればよいと判断した。そして最高裁は，本件制度は土地の寡占状態から生じる害悪を除去しようとするもので合理的であり，収用された土地が私人に譲渡されるという事実は，収用を私的目的のものとするものではないとした。この趣旨は，先のMonsanto判決でも確認されている[5)]。

4　正当な補償

修正第5条は，公共の用のため収用が行われる場合に「正当な補償」を要求している。この要件は，収用の要件を示したものであって，公用収用権を制限するものではない。土地利用規制のように収用となるかどうかが問題とされる事例では，所有者は，補償を求めて「逆収用」(inverse condemnation）訴訟を起こすことができる。

何が「正当な補償」かについて，最高裁は，所有者が失った価値を問題とし，通常その公正な市場価値を補償すべきものとしている。しかし，窮極的な基準は公平ないし公正さだとされているだけで，それ以上の具体的な基準は必ずしも明確ではない[6)]。

---

5)　Kelo v. City of New London, 545 U.S. 469（2005)（経済的発展を促進するため私人の所有地を収用し，開発業者に譲り渡すことも公の使用の目的といえる）参照。

6)　United States v. Fuller, 409 U.S. 488（1973). 修正第5条は，補償が収用に先立って，あるいは収用と同時に支払われることを要求しないとされてきた。Williamson County Regional Planning Commission v. Hamilton Bank, 473 U.S. 172（1985). ところが最高裁は，Knick v. Township of Scott, Pennsylvania, 588 U.S.—（2019）において，この先例を覆し，正当

第2節　契約条項

1　1960年代までの展開

憲法第1条第10節第1項は，契約上の債権債務関係を侵害する州法を禁止している。これは，もともとの憲法の中に挿入された数少ない州立法権への制限の一つであり，主として債務者救済法，つまり債務支払いを免除したり，延期したり，分割支払いを認めたりする州法を禁止する趣旨で設けられた規定であった。

19世紀前半まで，この契約条項は，むしろ市民が州との間の契約を修正・廃棄する州の行為を争い，それによって州に対して財産権保護をはかるため，重大な機能をはたした[7)]。しかし最高裁も，契約を変更する法律を法律制定後の契約に適用することはでき，それゆえ契約条項は遡及的な変更のみを排除するとしていたし[8)]，また同条項は契約上の債権債務関係のみを保護し，立法者は「救済」については変更しうるとしていた[9)]。したがって，契約条項が財産権に与えた保護は限定的であった。そのうえ最高裁は，Proprietors of Charles Bridge v. Proprietors of Warren Bridge, 11 Pet.（36 U.S.）420（1837）が示しているように，競争に対して既得権を擁護するために契約条項を利用することには慎重であった。この事

な補償なしに収用が行われた場合には，所有者は直ちに補償を直接求めうると判断している。

7）　その代表的な例は，州からの土地払下げを認めた州法を，収賄があったとして取り消したことを違憲とした Fletcher v. Peck, 6 Cranch（10 U.S.）87（1810）や，法人としての特許状を与えられた大学の理事会に理事任命権を認めた特許状を破棄し，理事の数を増やして州に任命権を認めた法律を違憲とした Dartmouth College v. Woodward, 4 Wheat.（17 U.S.）518（1819）である。

8）　Ogden v. Saunders, 12 Wheat.（25 U.S.）213（1827）.

9）　Sturges v. Crowninshield, 4 Wheat.（17 U.S.）122（1819）.

件は，有料の橋を架けて利用者から料金徴収が認められていたが，近くに別の橋を架けることが認められ，料金収入が減少したことが契約条項違反と争われたが，その主張が斥けられたのであった。

そして，19世紀末から実体的デュー・プロセス理論が「付与された権利」に対し憲法上の保護を与え，経済的自由保護の役割をはたすに至って，次第に契約条項の役割は減退していく。そのうえ，1930年代末から実体的デュー・プロセス理論が次第に崩壊していくにつれて，この契約条項による保護も姿を消していくことになった。そのことを示す典型例は，Home Building & Loan Association v. Blaisdell, 290 U.S. 398（1934）である。この事件では大恐慌の間に制定された，担保買戻し期間を延長することを認めた州担保猶予法が争われたが，最高裁は，これは合理的な立法であって契約条項に反しないと判断したのである。最高裁は，ここでは実体的デュー・プロセスのようにまったくの無干渉的姿勢にまでは至らなかった。だが，それでも，公用地の取得者が支払いを滞った場合に，遅延利息を支払って，権原を取り戻す権利が認められてきたが，これを限定した州法を支持したEl Paso v. Simons, 379 U.S. 497（1965）が示しているように，契約条項のもとでの審査は著しく議会の判断尊重的であった。ここでは単に救済だけでなく契約上の債権債務関係を変更するものであったが，それは，公的な利益の重要性のゆえに正当化されるとされたのであった。

2　1970年代以降の展開

ところが，1970年代後半，最高裁は，突然契約条項のもとでの審査を強化した。United States Trust Co. v. New Jersey, 431 U.S. 1（1977）で，契約条項違反を認めたのである。この事例では，公債で運営されている港湾局が利用者に補助しうる限度について，公債保有者保護のため州の間の規約で定められていた。これを取り消した法律が，公債所有者によって契約条項違反だとして争われたのである。最高裁は，この主張を認めた。これは4対3の判決であったが，最高裁は，州が私人間の契約に干渉した場合と，州自身の契約を変更した場合とを区別し，前者の場合には議会の判断が尊重されるべきであるが，後者の場合にはより厳格な審査が必要で，重要な公的目的達成のために合理的で必要でなければならないとした。そして，本件の場合，取消しは合理的とはいえないと結論したのであった。

そして最高裁は，Allied Structural Steel Co. v. Spannaus, 438 U.S. 234 (1978) でもこの趣旨を確認しつつ，州自身の契約の変更ではなく，私人間の契約変更であったにもかかわらず，かなり厳しい審査を行った。この事例では，会社が年金制度を自発的に設立している場合に，会社が州内の事業所を閉鎖したときに，労働者が10年以上勤務していれば，これまでの制度のもとで年金を受ける権利がなくとも，その労働者のために年金基金を残さなければならなくなった。要するに，労働者と会社との間の契約について，新たな義務を会社に加えたわけである。最高裁は，法律の影響が著しいことから立法の性質と目的を慎重に審査しなければならないとして，この法律が会社のまったく予期しなかった義務を新たに加えたもので，しかもそれが一般的な経済社会的問題に対処するためのものではなく，一部の労働者保護のためのものであることなどから，法律を無効としたのである。

この判決は，反対意見によって，先例から大きく逸脱し，契約条項の射程を大きく拡大し，州の権限を著しく狭めるものだと批判された。ところが，Energy Reserves Group v. Kansas Power & Light Co., 459 U.S. 400 (1983) 及び Exxon Corp. v. Eagerton, 462 U.S. 176

(1983) の両判決では，最高裁は，再び以前の議会尊重的な姿勢に戻っているように思われる。前者は，連邦が天然ガスの規制緩和を行った際に，従来より高い価格が設定されたところ，ガス提供事業者は電力会社との契約で政府の価格に応じて自動的に価格上昇を認める条項が含まれていたのに，州が料金引上げを行わないようにガス供給者に義務づけた事例である。最高裁は，全員一致で，3段階の分析を確立した。①契約関係の実質的侵害があったか，②あった場合には重要で正当な規制目的があるか，そして③合理的で適切な手段であったかの3段階である。さらに最高裁は，州が州自身の契約を変更した場合を除いて，私人間の契約を変更した場合には議会の判断が尊重されるべきであるとした。そして本件の場合，供給者は州による規制の余地を知っていたのであるから契約関係の実質的侵害はなかったし，あったとしても消費者保護のため重要で正当な目的に仕える適切な合理的手段であったと結論したのである。後者は，石油とガスに対する分離課税の税率を上げ，それを消費者に転嫁することを禁止した法改正が，そのような転嫁を認めた契約を侵害するものだと争われた事例である。最高裁は，ここでも全員一致で，そもそも Energy Reserves Group 判決の3段階分析に入ることなく契約条項違反の主張を斥けた。これは契約上の債権債務関係を変更するものではなく，一般的に適用される行動のルールを定めたもので，契約への影響は一般的なルールの付随的な副産物にすぎないというのであった[10]。

---

10)　私人間の契約に干渉した事例における議会尊重的審査の姿勢は，さらに Keystone Bituminous Coal Association v. DeBenedictis, 480 U.S. 470 (1987); General Motors Corp. v. Romein, 503 U.S. 181 (1992) でも確認されている。

なお最高裁は，このような契約条項のもとでの分析を，修正第5条のデュー・プロセス条項のもとで連邦政府に対しても適用している。National

それゆえ現在では，契約条項のもとにおける憲法的保護も限定されているといえよう。

▶参考文献

収用条項については，リチャード・A・エプステイン（松浦好治監訳）・公用収用の理論（2000），中村孝一郎・アメリカにおける公用収用と財産権（2009），米沢広一「土地使用権の規制(1)〜(3・完)」法学論叢107巻4号，108巻1号・3号（1980），寺尾美子「アメリカ土地利用計画法の発展と財産権の保障(1)〜(5・完)」法学協会雑誌100巻2号・10号，101巻1号〜3号（1983-84），同「アメリカ法における『正当な』補償と開発利益」法学協会雑誌112巻11号（1995）。**契約条項**については，田中英夫・デュー・プロセス（1987），米沢広一「経済規制領域における司法審査(1)〜(2・完)」神戸学院法学13巻4号・14巻1号（1983），常本照樹「『経済・社会立法』と司法審査(2)」北大法学論集35巻5号（1985）。

Railroad Passenger Corp. v. Atchison, Topeka & Santa Fe Railway Co., 470 U.S. 451 (1985).

第12章　デュー・プロセス

第1節　手続的デュー・プロセス

1　デュー・プロセスの意味

合衆国憲法修正第5条は，何人も法のデュー・プロセスによらずしてその生命，自由もしくは財産を剥奪されないと規定している。この規定は，南北戦争の後，修正第14条にも挿入された。

このデュー・プロセスが何を意味するかは，アメリカ憲法学の重大な争点になってきた。一般的な説明によれば，同条項は，イギリスのマグナ・カルタの国法（law of the land）規定に由来し，国王の恣意的な権力行使に対する保障として，正規の裁判所手続の保障，とりわけ陪審による起訴手続と陪審裁判を意味していた。

アメリカにおいて，この国法条項が諸邦の憲法に引き継がれ，さらに合衆国憲法の権利章典に引き継がれたわけであるが，ここでは早くに，それが議会をも拘束し，裁判所が，議会の定めた手続が適正であるかどうかを審査できることが確立した[1]。しかし，ここでは陪審による起訴は必ずしもデュー・プロセス条項の絶対的要求ではないとされるに至り[2]，デュー・プロセスの具体的内容は，それぞれの事件における全体状況を考慮して判断されることになった[3]。

1）　Murray's Lessee v. Hoboken Land & Improvement Co., 18 How. (59 U.S.) 272 (1856).

2）　Hurtado v. California, 110 U.S. 516 (1884).

3）　Davidson v. New Orleans, 96 U.S. 97 (1878).

そして，19世紀末までには，デュー・プロセス条項が，刑事手続のみならず民事裁判手続，そして行政手続にまで及び，告知と聴聞を中核とする手続を要求することが確立した。

ところが，デュー・プロセス条項は，次第にこの手続的要求を超えた役割を期待されるに至った。それは，同条項が，明文根拠を欠く憲法的権利の保障規定として，また権利章典の諸規定を州に適用するための根拠規定として機能したからである。そこで，ここではまず手続的要求をみた後，次節以下で実体的要求を検討することにしよう（編入の問題については，第8章2参照）。

2　手続的デュー・プロセス理論

デュー・プロセスの革命

手続的デュー・プロセスの要求は，1960年代までは比較的安定していた。行政が，一般的な形で規則を制定する場合には，すべての個人に告知・聴聞を与えることは要求されないが[4]，例外的に特定の人に影響する場合には，告知と聴聞が不可欠であるとされた[5]。したがって，行政の行為が財産権や市民の身体の自由を制限する場合には，一般に裁判所手続類似の告知・聴聞が要求されると考えられてきた。しかし，この告知・聴聞の要求は，伝統的な権利が問題とされない広汎な領域では，排除されてきた。刑務所の受刑者の処遇，公務員の解雇，学生の懲戒，福祉受給権の打切りなど，「権利」ではなく「特権」が問題であり，したがって手続的デュー・プロセスは適用されないというのであった。

しかしこのような状況は，Goldberg v. Kelly, 397 U.S. 254（1970）

4）　Bi-Metallic Investment Co. v. State Board of Equalization 239 U.S. 441（1915）.

5）　Londoner v. Denver, 210 U.S. 373（1908）.

を契機にして，大きく変化した。この事件では，福祉受給金の打切り前に証拠聴聞が憲法的に要求されるかが争われた。そして最高裁は，「権利」—「特権」区分論を否定し，事前の証拠聴聞，しかもかなり厳密な裁判所手続に近い聴聞が不可欠だと判断したのである。そして最高裁は，これ以後，これまで手続的デュー・プロセスが認められてこなかったさまざまな領域に手続的デュー・プロセスの要求を認めるに至った。そしてこの趣旨は，下級裁判所によってさらに拡大され，「デュー・プロセスの革命」とか「デュー・プロセスの爆発」と呼ばれる状況となった。

二段階審査理論の確立

しかし最高裁は，Board of Regents v. Roth, 408 U.S. 564（1972）において，このような拡張に歯止めをかけた。この事件では1年間の期間で雇用された州立大学教師が再雇用されなかった際に，事前に手続を与えられなかったことが憲法に反すると争われた。ところが最高裁は，修正第14条の手続的デュー・プロセスの要求は，同条項によって保護された自由ないし財産が存在しない限り適用されないと述べ，そしてそもそも本件の場合そのような保護された「財産」が存在しないとして，手続的デュー・プロセスの要求の適用自体を否定したのである。同時に下された Perry v. Sindermann, 408 U.S. 593（1972）では，再雇用拒否であっても事実上長年にわたって再雇用されてきたような場合には，保護されうる可能性があることが認められたため，Roth 判決の厳格さはやや緩められた。しかし，この両判決の結果，手続的デュー・プロセスの要求がそもそも適用されるためには，実体的に保護された利益が存在しなければならないこととなったのである。

この手続的デュー・プロセスの要求が適用された場合，いかなる手続がデュー，つまり適正であるかが問題となる。この問題は，

Mathews v. Eldridge, 424 U.S. 319 (1976) で，利益衡量によって確定されることが明らかにされた。①影響を受ける私的利益，②その利益が誤って剝奪される危険性と手続を付加することの持つ価値，そして③手続をより厳密にすることから生じる政府の負担を含む政府利益の3つを衡量すべきだというのであった。このようにして，第1段階で保護された利益が存在するかどうかを審査し，手続的デュー・プロセスの要求が適用された場合に，第2段階として利益衡量を行って手続の適正さを検討するという二段階審査理論が確立したのである。

最高裁は，必ずしもこの二段階審査理論を整合的に適用してきてはいないが，それでも基本的にはこれにしたがってきているといえる。しかし，この審査理論のもと，最高裁は，第1段階で手続的デュー・プロセスの要求が適用される条件として，何らかの実定法によって保護された実体的利益の存在を要求し，手続的デュー・プロセスの要求の射程はかなり収縮してきている[6)]。また最高裁は，第2段階の利益衡量においても，しばしば手続を要求することによって生じるコストを強調して，与えられた以上の手続を裁判所が要求するのを拒んできている[7)]。学説では，手続的デュー・プロセスの

6) Paul v. Davis, 424 U.S. 693 (1976); Bishop v. Wood, 426 U.S. 341 (1976); Meachum v. Fano, 427 U.S. 215 (1976); Olim v. Wakinekona, 461 U.S. 238 (1983); Town of Castke Rock v. Gonzales, 545 U.S. 748 (2005).

7) Goss v. Lopez, 419 U.S. 565 (1975); Mathews v. Eldridge, 424 U.S. 319 (1976); Ingraham v. Wright, 430 U.S. 651 (1977); Cleveland Board of Education v. Laudermill, 470 U.S. 532 (1985); Heller v. Doe, 509 U.S. 312 (1993); Gilbert v. Homar, 520 U.S. 924 (1997); Kansas v. Crane, 534 U.S. 407 (2002); Connecticut Department of Public Safety v. Doe, 538 U.S. 1 (2003) (子どもに対する性犯罪者の登録と氏名等の公表を命じたメーガン法はデュー・プロセスに反しない). なお，手続的デュー・プロセス違反が認められた事例として，Memphis Light, Gas & Water Division v.

要求をもっぱら実体的利益が誤って剝奪されないように確保する手段としてのみ理解する最高裁の姿勢は妥当でないとして，最高裁の手続的デュー・プロセス理論を批判する主張もある。

第2節　経済的実体的デュー・プロセス理論

1　実体的デュー・プロセス理論の背景

歴史的背景

このように具体的内容はともかくとして，デュー・プロセス条項が手続的適正を要求する点では確立している。ところが，同条項は，一定の実体的権利保護規定としても機能してきた。実体的デュー・プロセス理論と呼ばれるのがそれである。既に述べたように，デュー・プロセス条項はイギリスのマグナ・カルタの国法規定に由来するが，これはもともと恣意的権力行使に対する保障だったという理解から，同条項は一定の自然権ないし「付与された権利」を政府に対して保護したものだという見解が展開されてきたのである。実際最高裁も，Dred Scott v. Sandford, 19 How.（60 U.S.）393（1857）で，奴隷所有者が奴隷を伴って奴隷禁止州に行ったというだけで奴隷所有者から奴隷を奪うのは修正第5条のデュー・プロセスに反すると判断して，このような実体的デュー・プロセス理論を受け容れていた。

修正第14条は，このDred Scott判決を否定しようとしたものであるだけに，はたしてそれが実体的デュー・プロセス理論を承認したものか疑問とする声もある。起草者達の意図は定かではないが，修正第14条成立直後のSlaughter-House Cases, 16 Wall.（83 U.S.）

Craft, 436 U.S. 1（1978）; Logan v. Zimmerman Brush Co., 455 U.S. 422（1982）; United States v. James Daniel Good Real Property, 510 U.S. 43（1993）を参照。

36 (1873) では，実体的デュー・プロセス違反の主張は簡単に斥けられていた。

実体的デュー・プロセス理論への道程

ところが，実体的デュー・プロセス理論は，19世紀末から20世紀初頭にかけて，全国的商業資本が形成され，多くの賃金労働者が都市に集中するに至って，州が社会経済規制に積極的に乗り出したため，にわかに注目を集めるに至った。既に述べたように，契約条項のもとでの保護ではそのような経済的利益を保護するには足りず，また修正第14条の特権・免除条項のもとでの保護も拒否され，企業側は，結局修正第14条のデュー・プロセス条項に着目し始めたのである。そして裁判所も次第にこの主張に応じるに至り，これら州の社会経済立法が，合理性を欠くか否かを審査するようになったのである[8)]。

その第一歩は，Munn v. Illinois, 94 U.S. 113 (1877) で示された。州の倉庫料金規制に関するこの事件で，最高裁は財産が公共の利益に関する場合は州のポリス・パワーによる規制に服するとして，合理性をほとんど吟味することなく規制を支持した。しかし最高裁は，同時に公共に関しない私的な活動に対する規制について，政府による規制に限界があることを示唆したのである。この示唆は，州の禁酒法に基づく起訴を支持した Mugler v. Kansas, 123 U.S. 623 (1887) でも確認された。州のポリス・パワーの行使がすべて正当だというのではなく，そこには限界があり，裁判所はその実質を審査し，立法目的と実質的関連性を有していなければ，憲法違反と判断しなければならないと宣言したのである。

---

8)　法人も，修正第14条の保護を受ける「人」に含まれる。Santa Clara County v. Southern Pacific Railroad Company, 118 U.S. 394 (1886).

そして，ついに Allgeyer v. Louisiana, 165 U.S. 578 (1897) において，最高裁は，実体的デュー・プロセス理論を承認し違憲判断を下した。この事件は，ある保険会社が，州法にしたがわない海上保険会社を規制した州法のもとで，州の外で締結された保険契約についての郵便を州内で発送したことを理由に起訴されたものである。最高裁は，修正第14条によって保護された「自由」を契約の自由等を含む形できわめて広く定義し（「自由」は，「市民がその能力すべてを自由に享受する権利，それらをすべての合法的な方法で自由に用いる権利，自ら希望するところに行き働く権利，いかなる適法な職業によってであれ，それによって生活を支える権利，いかなる職業であれ副業であれそれに従事する権利，そのために上述の諸目的を成功裏に遂行するために適正で，必要で，不可欠なすべての契約を締結する権利を含む」)，問題の行為は州によって規制しえない適法な行為であり，この法律はその「自由」をデュー・プロセスによらずに制約するもので，違憲だと結論したのである。

2　経済的実体的デュー・プロセス理論

Lochner v. New York

このような経済的実体的デュー・プロセス理論を典型的に示したのが，Lochner v. New York, 198 U.S. 45 (1905) であった。この事件では，パン製造労働者の最高労働時間を定めた州法が争われた。最高裁は，この法律が修正第14条によって保護された「契約の自由」を制約することを認め，そして規制が州の有するポリス・パワーの合理的で適切な行使か，それとも契約の自由への不合理な干渉であるかを問題とした。州は，2つの規制目的を主張した。一つは，労働者の保護である。しかし最高裁は，パン製造労働者の立場が劣っているというわけではなく，したがってこのような純粋に「労働法」的目的から干渉することは許されないと判断した。いま一つは，公衆の健康保持の目的であった。最高裁は，ここでは目的の正当性を認めたが，労働時間の制限と製造されるパンの安全性との間の関連性を疑問とし，手段としてのもっと直接的な関連性が必要であると結論した。こうして，労働者保護のための最高労働時間規制法が憲法に反するとされたのであった。

この判決には，法廷意見が社会の支持しない経済哲学に基づいており，特定の経済政策を憲法に読み込むのは妥当でないとするホームズ裁判官の反対意見と，公共の安全性確保のための措置として，手段としての関連性は十分認められるとするハーラン裁判官の反対意見が付されていた。

Lochner 判決以降

この反対意見にもかかわらず，この時代最高裁は，この Lochner 判決の理論を適用して，さまざまな社会経済立法を憲法違反と判断し，連邦及び州の議会と対立した。例えば，労働者に組合に加入しないことを約束させる「黄犬契約」を禁止した連邦法は Adair v. United States, 208 U.S. 161（1908）で，また同趣旨の州法は Coppage v. Kansas, 236 U.S. 1（1915）で，また女性労働者に対する最低賃金を定めた法律は Adkins v. Children's Hospital, 261 U.S. 525（1923）で，それぞれ違憲と宣言された。最高裁は，自由放任主義（レッセ・フェール）経済哲学の擁護者となったのであった。

もちろん，最高裁がすべての社会経済立法を憲法違反と判断したわけではない。実際この時期においても，工場における女性労働者の最高労働時間を定めた法律は，Muller v. Oregon, 208 U.S. 412（1908）で支持されていたし，工場労働者の最高労働時間を定めた州法は，Bunting v. Oregon, 243 U.S. 426（1917）で支持され，Lochner 判決は事実上覆されていた。したがって，実体的デュー・プロセス理論によって国の社会経済政策が破壊されたというわけではない。にもかかわらず，通商条項のもとにおける連邦議会の規制権に対する厳格な態度と，ニュー・ディール立法を委任禁止理論で違憲とした判決等とあわせ，この時期実体的デュー・プロセス理論は，国の社会経済政策を大きく阻害したのであった。

3　実体的デュー・プロセス理論の崩壊

経済的実体的デュー・プロセス理論の崩壊

このような裁判所と議会・執行府の対立は，ついに大統領が，最高裁裁判官の人数を増やし，自分の考えを受け容れる裁判官を送り込もうとする抱き込み計画（コート・パッキング・プラン）にまで至った。結局この計画は失敗に終わったが，最高裁はその間に姿勢を変えるに至った。

その契機となったのが，Nebbia v. New York, 291 U.S. 502（1934）である。この事件ではミルクの小売価格の最低・最高額を定める規制の合憲性が争われ，最高裁は，デュー・プロセス条項違反の主張を斥けたのである。デュー・プロセス条項は，法律が不合理でなく，手段が目的と現実の実質的関係を有していることのみを要求するとしつつ，州は公共の福祉を促進すると思われる経済政策を自由にとることができ，その政策の是非は裁判所の関知しないことであると宣言したのである。そして最高裁は，女性労働者に対する最低賃金法に関する West Coast Hotel Co. v. Parrish, 300 U.S. 379（1937）において，Adkins 判決を明示的に覆し，女性労働者が弱い立場にあるとして議会がその保護をはかり，そのために最低賃金を定めても恣意的ではないと結論したのである。

これ以降，最高裁が社会経済規制を実体的にデュー・プロセス条項違反として違憲とした例は一つも存在しない。最高裁は，依然法律の合理性を要求しつつも，きわめて緩やかに合理性を審査し，いずれの場合にも社会経済規制を支持してきているのである。例えば，United States v. Carolene Products Co., 304 U.S. 144 (1938) では，脱脂ミルクの州際輸送の禁止に対するデュー・プロセス条項違反の主張を斥けて，立法府の判断を支える事実の存在は推定されるとして，合理性を争うことの困難さを明確にした。そして Olsen v. Nebraska, 313 U.S. 236 (1941) では，職業紹介費の最高額を定めた州法を支持して，立法政策の是非には裁判所は関知しないとして，Lochner 判決のホームズ裁判官の反対意見に依拠し，憲法の中に経済政策を読み込むことを拒否した。

最高裁が，Williamson v. Lee Optical Co. of Oklahoma, 348 U.S. 483 (1955) で示した態度は，まさにこの時期の典型であった。本件では，眼科医・検眼士以外の者が眼鏡レンズを複製すること等を禁じ，眼鏡屋が新しいレンズをフレームに付けることなどを否定した州法が争われた。立法目的は州法の上で明記されていなかった。ところが最高裁は，議会はこのような区別が必要だと考えたかもしれないとして立法目的をあれこれ推測し，本件法律はその推測される立法目的と合理的関連性を有するとし，結局州法は合理的だと結論した。さらに最高裁は，Ferguson v. Scrupa, 372 U.S. 726 (1963) で，正規の弁護士以外の者に債務取立ての仲立ちをしてはならないとした州法を支持し，裁判所は立法政策の是非を判断する超立法府として座すものではないと述べ，実体的デュー・プロセス理論の終焉を宣言した。こうして経済的実体的デュー・プロセス理論は崩壊したのであった[9]。

9) 最高裁は，その後も社会経済立法が実体的デュー・プロセス理論違反に問われたときにきわめて消極的な姿勢を示している。Exxon Corp. v. Governor of Maryland, 437 U.S. 117 (1978); Minnesota v. Clover Leaf Creamery Co., 449 U.S. 456 (1981); Regents of the University of Michi-

実体的デュー・プロセス理論の問題点

このようにして，Lochner判決は，正当な憲法解釈を逸脱したものとして広く糾弾されてきた。しかし，振り返ってみると，実体的デュー・プロセス理論とはいかなる理論で，一体同判決のどこが誤っていたのかは，必ずしも定かではなかった。

実体的デュー・プロセス理論は，デュー・プロセス条項が「生命，自由もしくは財産」を不合理な制約から実体的に保護していると理解する理論である。しかし重要なことは，そこで実体的に保護された権利は，憲法に明文で保障されていない権利であるという点である。明文規定がないため，実体的デュー・プロセス理論が用いられたわけである。しかも実体的デュー・プロセス理論の特徴は，立法目的と，目的と手段の関連性の双方で，きわめて厳格な審査を行っていることであった。それゆえ，明文根拠を欠く契約の自由を「自由」の中に読み込み，それに厳格審査を適用したことに問題があったことは明らかである。だが，問題は，実体的デュー・プロセス理論そのものにあったのか。それとも契約の自由を「自由」の中に読

gan v. Ewing, 474 U.S. 214 (1985); General Motors Corp. v. Romein, 503 U.S. 181 (1992); Concrete Pipe & Products of California, Inc. v. Construction Laborers Pension Trust for Southern California, 508 U.S. 602 (1993); United States v. Carlton, 512 U.S. 26 (1994) 参照。ただし，学説の中には，このような不干渉主義を批判し，合理性審査を少し活性化させようという見解もあるし，中にはLochner判決は妥当な判決だったとして，経済的自由の侵害にも厳格審査を及ぼすべきだとの見解もないではない。もっとも，最高裁は，実際の損害額とあまりにかけ離れた巨額の懲罰的賠償について，デュー・プロセス条項に反する可能性を認めており，その限りで財産的利益に対する実体的保護がまったく否定されているわけではない。BMW of North America, Inc. v. Gore, 517 U.S. 559 (1996); Cooper Industries, Inc. v. Leatherman Tool Group, Inc., 532 U.S. 424 (2001): State Farm Mutual Automobile Insurance Co. v. Campbell, 538 U.S. 408 (2003).

み込んだことが問題だったのか。それともそれに厳格審査を適用したことが問題だったのか。契約の自由以外の自由であればよかったのか。

しかし，実体的デュー・プロセス理論の崩壊とともに，一体そのどこに問題があったのか十分明確にされないままに，検討は放棄されてしまった。実体的デュー・プロセス理論をどう考えるかは，実は裁判所による憲法解釈の限界として，民主主義社会において司法審査権のはたすべき役割をどう考えるかにかかっている。だが，この問題が再び重要な論点になるのは，次に述べるように実体的デュー・プロセス理論が復活してからのことであった。

第3節　プライバシー保護の実体的デュー・プロセス理論

1　実体的デュー・プロセス理論の復活

Lochner 判決の時代の遺産

1970年代に入って，最高裁は，この実体的デュー・プロセス理論を復活させた。ただ今度は，保護されたのは契約の自由ではなく，プライバシーの権利であった。

振り返ってみれば，最高裁は，Lochner 判決時代，社会経済立法以外の領域でも，デュー・プロセス理論によって保護された実体的権利を認めていた。外国語を児童に教えることを禁止した州法を違憲と判断した Meyer v. Nebraska, 262 U.S. 390（1923）は，その典型例である。最高裁は，この法律が，デュー・プロセス条項によって保護された教師の職業の自由に干渉し，親の教育権を不合理に剝奪するものだとしたのである。公立学校への通学を義務づけた法律を親の教育権の侵害として違憲と宣言した Pierce v. Society of Sisters, 268 U.S. 510（1925）も同様である。そして道徳的に卑しい重罪の常習者に対する強制的断種を定めた州法を平等保護条項のもとで覆したSkinner v. Oklahoma, 316 U.S. 535（1942）は，実体的デュー・プロセス理論崩壊後も，これらの諸判決が支持される余地があることを示していた。この判決は，結婚と生殖は人類のまさに生存に不可欠なものであるとして，人の基本的な市民的権利が問題となっている以上，厳格審査が正当化されると述べ，まさに後のプライバシー保護の実体的デュー・プロセス理論を予兆していた。

復活への道程

その実体的デュー・プロセス理論の復活は，まずGriswold v. Connecticut, 381 U.S. 479（1965）で示唆された。避妊具の使用を禁止した州法が争われたこの事件で，最高裁は，Lochner判決の哲学を否定し，超立法府として座すことを拒絶しながら，この法律を違憲と結論したのである。多数意見は，それでもこの結論を何とか憲法規定と結びつけようとして，修正第1条，修正第3条，修正第4条，修正第5条（自己負罪拒否特権），修正第9条の各条を挙げ，憲法の諸規定から投影された半影部分（penumbras）にプライバシーの権利が含まれ，避妊具の使用禁止は正当化されないと考えた。この判決には，修正第9条に明示的に訴える意見と修正第14条のデュー・プロセス条項に違反するという意見も付されていた。このような権利には憲法上根拠がないとして反対したのは，2人だけであった。

このGriswold判決は，まださまざまな憲法条文に訴えており，実体的デュー・プロセスを正面から復活させたものではない。また同判決は，まだ夫婦が避妊具を寝室で用いることに政府が覗き込むべきでないという趣旨とも解釈しえた。しかし最高裁は，この判決が問題としたのは個人の権利としての避妊具使用であったと再構成した[10]。ここに至って，明文根拠を欠く個人の権利をデュー・プロセス理論のもとで実体的に保護する実体的デュー・プロセス理論復活への道が開かれた。

Roe v. Wade

そして最高裁は，Roe v. Wade, 410 U.S. 113（1973）において，まさにデュー・プロセス条項に訴えて，憲法のどこにも明文で保護されていない女性の妊娠中絶の権利をプライバシーの権利として認めるに至った。

この事件で問題とされたテキサス州法は，母体の生命を救う場合を除いて妊娠中絶を禁止していた。最高裁は，ブラックマン裁判官の法廷意見により，Lochner 判決のホームズ裁判官の反対意見を引きながらも，プライバシーの権利を修正第14条の「基本的」な権利であるとして，修正第14条のデュー・プロセス条項によって保護された「自由」の中に認め，中絶するかどうかの女性の決定権もそれに包摂されると判断した。最高裁は，この権利も絶対的なものではないとしながら，それは基本的な権利だとし，その制約はやむにやまれない利益達成に不可欠でなければ正当化できないとした。そして，胎児は修正第14条にいう「人」に該当せず，それゆえ中絶規制は，母体保護と胎児保護という2つの目的によってのみ正当化されうるという。

だが，最高裁は妊娠期間を3分割し，初めの3分の1の期間は，自然出産より中絶の方が危険だとはいえず，母体保護のための規制は許されないという。母体保護という目的がやむにやまれないものとなるのは，3分の1の期間が過ぎてからであり，それ以後であっても，規制は母体保護に合理的に関連していなければならないというのであった。また胎児保護の利益がやむにやまれないものとなる

10）　Eisenstadt v. Baird, 405 U.S. 438（1972）.

のは，胎児が母胎と離れても生育しうる時期（生育可能性と呼ばれ，それは通常28週，早ければ24週とされていた）になってからであり，それ以後であれば母体の生命・健康を維持するのに必要な場合を除いて中絶を禁止することも許されるとされた。こうして，禁止がこのような場合に限定されていない本件の中絶禁止法は，デュー・プロセス条項違反として違憲と宣言されたのであった。

コモン・ローの伝統を引き継いでアメリカでは胎児の胎動以降の妊娠中絶が禁止されるに至っていた。しかし妊娠中絶を求める声に押され，1960年代には妊娠初期においては妊娠中絶を例外的に認める州が増えていた。テキサス州は，母体の生命を救う場合を除いて妊娠中絶を禁止していた点で，全体の流れの中では例外的な州に属していた。だが，最高裁の違憲判断のためにすべての州の妊娠中絶規制が違憲とされたことになる。

2　Roe v. Wade 以後

妊娠中絶規制の限界

このRoe判決は，女性の中絶権を認める立場からは歓迎されたが，中絶に反対する立場からは激しく攻撃された。Roe判決に反対する者は，憲法改正によって同判決を覆すことから，中絶に対する連邦裁判所の管轄権を否定して事実上同判決を無意味にすることまで，さまざまな主張を行ってきた。共和党政権は，この立場から最高裁にRoe判決を覆すよう求め，さらに最高裁裁判官の任命に際し同判決に批判的な者を選んできた。連邦議会も，共和党支配下では中絶に対する医療費補助を拒否するなど中絶に消極的な立場をとってきた。

しかし政治的立場は別にしても，この判決が実体的デュー・プロセス理論を復活させ，憲法典に明文根拠を欠くプライバシーの権利をデュー・プロセス条項で保護したこと，しかもやむにやまれない利益の基準のもと，きわめて厳格な審査を行ったことは，Lochner判決の繰返し（Lochnerizing）だという批判を招いた。Roe判決は，かつての実体的デュー・プロセス理論同様，正当な憲法解釈権の限界を超えた不当な司法審査権の行使だというのである。こうしてRoe判決は，1970年代後半から80年代にかけて最も論争を呼んだ最高裁判決となった。

しかし最高裁は，その後もこのRoe判決を確認してきた[11]。そして最高裁は，中絶禁止のみならず，実質的に中絶決定権の制約になる諸制度を覆してきた。Doe v. Bolton, 410 U.S. 179（1973）では，認可された病院でなければ中絶を行ってはならないという規定，中絶には病院の委員会の事前承認を必要とする規定，そして2人の医師による確認要件規定が違憲と宣言された。これ以後も，Planned Parenthood of Central Missouri v. Danforth, 428 U.S. 52（1976）では，配偶者の事前同意要件が，またAkron v. Akron Center for Reproductive Health, Inc., 462 U.S. 416（1983）では，初めの3分の1の期間以後の中絶は病院で行わなければならないという要件や[12]，同意のための情報提供義務という名のもと中絶を思いとどまらせるよう細かい事項の告知を要求した規定なども覆された。そして

11） Akron v. Akron Center for Reproductive Health, Inc., 462 U.S. 416（1983）; Thornburgh v. American College of Obstetricians and Gynecologists, 476 U.S. 747（1986）.

12） この中絶を病院に限った規制が許されないことは，Planned Parenthood Association of Kansas City v. Ashcroft, 462 U.S. 476（1983）でも確認されたが，外来だけの診療所まで含まれていれば許されるとされている。Simopoulos v. Virginia, 462 U.S. 506（1983）. また，のちにThornburgh判決で限定されたが，Ashcroft判決では，生育可能性が認められた後の中絶にもう1人の医師が立ち会うことの要求も支持されていた。

Thornburgh v. American College of Obstetricians and Gynecologists, 476 U.S. 747（1986）でも，事前の詳細な告知要件が中絶を思いとどまらせようという試みだとして違憲だとされ，さらに胎児の生育可能性が認められる場合の医師の注意義務を定めた規定及び緊急時の例外なくもう1人の医師の立会いを義務づけた規定も，違憲とされた[13)]。

しかし中絶に対する政府補助となると，最高裁の態度は大きく異なる。治療的でない，つまり医学的に必要ではない中絶に対する医療補助を否定した州法を，最高裁はMaher v. Roe, 432 U.S. 464（1977）で平等保護条項違反の主張に対して支持した。州は中絶を禁止できないが，出産を奨励することはでき，この法律はRoe判決で認められた基本的権利を侵害するものではないというのであった。さらにHarris v. McRae, 448 U.S. 297（1980）では，母体の生命保護のため必要な場合等を除いて，州に対する中絶のための連邦の補助金支出を禁止した法改正規定を今度はデュー・プロセス条項違

13）　もっとも，未成年者の中絶については，最高裁も若干異なった態度をとってきた。Danforth判決では，未成年者の中絶に先立ち親の同意を要求することは許されないとされ，その趣旨はその後Bellotti v. Baird, 443 U.S. 622（1979）及びAkron判決でも確認された。しかしここでは同時に，裁判所によって同意が与えられる余地があれば，親の同意を要求することも許されうると示唆され，実際Planned Parenthood Association of Kansas City v. Ashcroft, 462 U.S. 476（1983）ではそのような余地があるとして親の同意要件が支持されている。またH. L. v. Matheson, 450 U.S. 398（1981）では，中絶に先立って親への通知を要求する制度が支持されている。これらの趣旨は最近の判例によっても確認されている。Ohio v. Akron Center for Reproductive Health, 497 U.S. 502（1990）; Hodgson v. Minnesota, 497 U.S. 417（1990）, Planned Parenthood of Southeastern Pennsylvania v. Casey, 505 U.S. 833（1992）; Lambert v. Wicklund, 520 U.S. 292（1997）. また，Ayotte v. Planned Parenthood of Northern New England, 546 U.S. 320（2006）参照。

反の主張に対して支持し，この趣旨を確認した。

Webster と Casey

ところが1980年代，共和党政権のもとでRoe判決に対する批判が強まり，そして最高裁も，ついにWebster v. Reproductive Health Services, 492 U.S. 490（1989）において姿勢を変えた。この事件では，中絶にさまざまな制限を設けたミズーリ州法の合憲性が争われた。同法は，前文で胎児の生命は妊娠の時点で生じ，胎児は生命権を持つと宣言した上で，さらに妊娠した女性の生命を救うために必要な場合を除いて，州の職員が中絶を行い，それを援助すること，あるいは公共の施設で中絶を行うことを禁止していた。

最高裁は，この前文と州による中絶の禁止を支持した。レーンキスト主席裁判官の法廷意見は，前文の解釈について州裁判所に判断を委ね，州には中絶を行い援助する義務はないとして州による中絶の禁止を支持したのであった。さらに同法は，妊娠20週以降の中絶には胎児が母胎を離れて生育しうるかどうかのテストを医師が行うことを義務づけていた。Roe判決によれば，州が胎児の生命保護のため規制を行いうるのは，胎児が母胎を離れて生育しうる時期になってからであったが，レーンキスト主席裁判官らの3裁判官による相対多数意見は，Roe判決の妊娠期間を3分割した厳格な分析に疑問を投げかけ，この州法の要件を支持したのであった。そしてこの判断は，結果的に他の2人の裁判官の支持を得た。

しかし相対多数意見は事案が異なるとして，Roe判決を修正するにとどめ，同判決を覆すことを拒絶した。Roe判決を明示的に覆すべきだと強く主張したのはスカリア裁判官のみであった。

最高裁は，Planned Parenthood of Southeastern Pennsylvania v. Casey, 505 U.S. 833（1992）でも，先例拘束性を理由にRoe判決を確認した。しかし各裁判官の意見は大きく分かれ，Roe判決の将来はますます不確定となった。オコナー裁判官ら3人の意見は，先例拘束性を理由にRoe判決の中核的判示を確認し，女性の妊娠中絶の権利がプライバシーとして修正第14条で保護される「自由」に含まれることを確認しつつ，妊娠期間を3分割した枠組みは同判決の中核的部分ではなかったとして斥け，「不当な負担」基準をとる。そして，配偶者告知要件だけは違憲としつつ，インフォームド・コンセント要件や24時間の待機要件などを合憲とした（そしてAkron判決とThornburgh判決をその限りで覆した）。そして，配偶者告知要件だけは，他の2人の裁判官の同意により違憲とされた。しかし，Roe判決を確認し，厳格審査を適用したのはブラックマン裁判官1人であった。これに対し，レーンキスト主席裁判官ら4人の裁判官は，Roe判決は誤って下されたとしてその破棄を主張した。そして妊娠中絶の権利はそもそも修正第14条によって保護された「自由」に含まれないし，また含まれたとしても，その制約には合理的根拠テストが適用されるべきで，制約は合理的だとしたのである[14]。

その後最高裁は，Stenberg v. Carhart, 530 U.S. 914（2000）では，母親の生命を救うために必要な場合を除いて「部分的出産中絶」と定義された中絶方法（妊娠後期にまれに用いられる，中絶の前に胎内で胎児を解体するのではなく，胎児の一部を生きたまま子宮頸部から取り出した後で，大きな部分を潰して全部を取り出す方法を指す）を用いること

14)　この他最高裁は，Rust v. Sullivan, 500 U.S. 173（1991）では，家族計画に対する連邦の補助を，中絶を行う医院に与えてはならないという連邦法の規定に関する行政規則が，中絶に関するカウンセリングをも排除し，中絶を行う施設から切り離されていることまで要求していても，違憲とはいえないとしている。また，Mazurek v. Armstrong, 520 U.S. 968（1997）では，妊娠中絶の実施資格を，免許を受けた医師に限定した州法が支持されている。

を刑罰でもって禁止した州法を，女性の中絶の権利に不当に重い負担となるとして，違憲とした。

しかしGonzales v. Carhart, 550 U.S. 124（2007）では，これとは反対に，部分的出産中絶の禁止に許容的な判断が示された。Stenberg判決に対し，連邦議会は，一般に用いられている拡張吸引方法の中絶のうち，一部の後期の中絶に用いられている「傷をつけない拡張と牽出」（intact dilation and extraction）の方法の中絶を禁止した2003年の部分的出産中絶禁止法を制定した。そして最高裁は，この中絶方法はまれにしか用いられないことを強調し，中絶を求める女性に不当な負担を負わすものでもないと判断したのであった。

これに対し，Whole Woman's Health v. Hellerstedt, 579 U.S. 582（2016）では，テキサス州の妊娠中絶規制が違憲とされた。問題とされたのは，妊娠中絶を施す医師は，その施設の30マイル以内の病院に患者を入院させる特権を持っていなければならないという要件と，妊娠中絶を行う施設は緊急手術を行う施設の基準を満たしていなければならないという要件であった。最高裁は，このような要件が，妊娠中絶を受ける権利に重大な負担を及ぼすと判断したのであった。そして最高裁は，June Medical Services L. L. C. v. Russo, 591 U.S.—（2020）でも同趣旨の判断を下した。

現　在

ところが，最高裁は，Whole Woman's Health v. Jackson, 595 U.S. —（2021）で，妊娠6週間以後の中絶を禁止したテキサス州の法律を違憲とするのを拒否した。この法律は，州の機関がその禁止を執行するのではなく，州法に違反して中絶を実施したり，それを補助した人に対して誰からでも民事訴訟の提起を認めていた。最高裁は，州の機関による執行が禁じられているため，州の機関に対する違憲の訴えのほとんどを斥け，私人による執行の余地を残したのであった。そして，ついに2022年，Dobbs v. Jackson Women's Health Organization, 597 U.S.—（2022）において，最高裁はRoe判決自体を覆し，憲法による妊娠中絶の権利の特別な保護を否定するに至った。問題とされたのは，胎児が15週と判断された場合に，医学的な緊急事態か重大な致死的遺伝子異常の場合を除いて妊娠中絶を禁止した州法であった。下級審は，Roe判決に従ってこの州法を違憲としたが，最高裁は，妊娠中絶を受ける権利は歴史にも伝統にも深く根ざしたものではなく，妊娠中絶の権利は他の事例で問題とされた自由と異なり，胎児という潜在的な生命の否定である点で異なっているので，Roe判決自体が判決時点で大きく誤っていたという。先例拘束性に基づいてRoe判決の破棄に反対する主張を一蹴し，Roe判決は大きく誤っていて，先例拘束性を理由にそれを確認しつつ，不当な負担にならない限り制限を許したCasey判決のとった基準も，憲法条文にも歴史にも先例にもよらないもので，その基準も明確な基準とはなり得ないことを理由に，正面から否定した。そしてRoe判決及びCasey判決を覆し，妊娠中絶の問題をそれぞれの州の選挙民とその代表者の判断に委ねたのであった。

これによって約半世紀にわたって構築されてきた，妊娠中絶の権利に関する憲法法理は，完全に崩壊したのであった。中西部や南部などの州では，既に妊娠中絶をほぼ全面的に禁止する州法が制定されており，Roe判決が覆された時点で施行されることになっているか，あるいはその後で制定されるところが多い。これらの州では，妊娠中絶を受けるためにそれが合法的な州まで行かなければならないか，オンラインで妊娠中絶の薬を入手するかなどの選択に迫られることになった。今，州の裁判所には，州の憲法を根拠にして妊娠中絶の権利を擁護するための訴訟が次々と提起されている。

3　妊娠中絶以外のプライバシーの権利

リプロダクションに関わるプライバシーの権利

また最高裁は，Roe判決で認められた妊娠中絶の権利に加え，避妊を含み子どもを産むかどうかの権利[15]を承認し，広くリプロダクションに関わるプライバシーの権利を認めてきた。これには，性行為の自由も含まれよう。しかし，最高裁は，不倫の自由を認めるのかどうかはっきりとした態度を示していない[16]。

これに対し，最高裁は，同性愛者の権利について微妙な立場を示した。ソドミー禁止法が同性愛者のプライバシーの権利の侵害であるとして違憲確認が求められたBowers v. Hardwick, 478 U.S. 186 (1986) では，最高裁は，同性愛者のソドミー行為を，これまで認められてきたプライバシーの権利から区別し，ソドミー行為は伝統的に許されてきた行為とはいえず，修正第14条のデュー・プロセス条項によって保護された「自由」に含まれないとした。

ところがLawrence v. Texas, 539 U.S. 558 (2003) は，警察の捜索中に性行為を発見された男性2人がこのような同性愛者によるソドミー行為を禁止した州法違反で起訴された事例で，このBowers判決を覆し，州法が憲法の保護する性行為の自由を侵害すると判断している。最高裁は，ソドミー禁止が，Bowers判決がいう程古くからの伝統であったわけではなく，さらに同判決には強い批判があり，

---

15)　Carey v. Population Services International, 431 U.S. 678 (1977) では，免許を有する薬剤師以外は未成年者に避妊具を販売してはならないという州法が争われた。そして最高裁は，子どもをつくるかどうかは憲法的に保護された選択権であり，この法律がそれを侵害する以上，厳格審査が適用されるとして，結局この州法を違憲としたのである。

16)　最高裁は，姦通関係にあったため公立図書館から解雇された者からのプライバシー侵害の主張を検討するのを拒否している。Hollenbaugh v. Carnegie Free Library, 439 U.S. 1052 (1978).

同性愛者の性行為が最近は認められるようになってきたことを指摘し，家庭での親密な性行為を保護された自由と認め，州にはこれを剝奪する正当な理由はないと結論したのであった。

同性愛者の性行為はリプロダクションとはいえない。それゆえ，これに対する憲法的保護を認めたLawrence判決は，憲法的保護の範囲をリプロダクションに限定せず，より広く親密な性行為にまで拡大したものと思われる。しかし，最高裁の判断の中に保護を受ける行為の厳密な定義はなく，どのような行為が保護を受けうるのかまだはっきりしない。

家族の形成・維持に関わるプライバシーの権利

さらに最高裁は，家族の形成・維持に関わる事項にもプライバシーの権利を認めている。例えば，Moore v. City of East Cleveland, 431 U.S. 494（1977）では，同居家族の範囲を限定したゾーニング条例が争われ，最高裁は，祖母が孫と同居できないのは，家族の同居に関する決定権を侵害するもので，厳格審査のもと正当化されえないと判断した。またZablocki v. Redhail, 434 U.S. 374（1978）では，別居している未成年者に対し扶養義務を有している人は裁判所の承認を得なければ結婚できないという州法が争われ，最高裁は，平等保護条項のもとで結婚する権利を基本的な権利と認め，立法目的の正当性は認めながら，手段の点で厳格審査を満たさないとしている。最高裁は，全体としては伝統的な家族関係を前提にして，そのような家族関係の形成・維持の権利を保護してきているような印象を受ける[17]。

17）このような伝統と歴史を重視する姿勢は，Michael H. v. Gerald D., 491 U.S. 110（1989）の相対多数意見にも窺われる。不倫関係から生まれた子どもに会うという生物学上の父親の権利について，伝統に支えられていないとして，修正第14条の「自由」に含まれないと判断したのである。

これに対し，同性婚の問題は伝統的な家族観の変更を迫った。従来アメリカでは，コモン・ローの婚姻の定義にしたがい男女の異性間の結合しか婚姻と認められてこなかった。しかし，州の中では，同性婚の排除を州憲法違反とするところが現れ，中には州法によって同性婚を容認する州も現れた。そして最高裁は，Obergefell v. Hodges, 576 U.S. 644 (2015) において，婚姻を異性間に限定し同性婚を認めないことは，デュー・プロセスに反すると判断し，合衆国内のいずれでも同性婚が認められることを命じた。最高裁は，デュー・プロセス条項によって保護を受ける基本的な自由の中に，「個人の同一性と信念を定義する親密な選択を含む，一定の個人の尊厳と自律にとって中核的な個人的選択」が含まれ，それは歴史と伝統によっては限定されないと宣言する。そして婚姻の自由がそれに含まれることを認め，州は異性間の婚姻と同様に同性婚をも認めなければならないと結論したのである[18]。

そして最高裁は，Pavan v. Smith, 582 U.S.— (2017) において，この趣旨を一歩進め，出生証明書の記載についても，異性婚と同性婚とで異なった取扱いをすることは正当化されないと判断した。問題の州では，婚姻中の女性が出産すると，母親としてその出産した女性の氏名と父親として夫の氏名が子どもの出生証明書に記入されることになっていた。女性の同性婚カップルのうちの女性が匿名の精子提供によって妊娠し，出産した時，州はパートナーの女性の氏名を父親欄に記入することを拒否したが，連邦最高裁は，同性婚のカップルにも異性婚のカップルと同じ取り扱いが必要だと判断したわけである。

また，親の子どもに対する養育権・教育権は，Meyer 判決や

---

18)　この問題はまた平等権の問題としても問題とされてきた。第13章404頁参照。

Pierce判決でも認められていたが，Troxel v. Granville, 530 U.S. 57 (2000) では，祖父母に孫への訪問権を認めた州法が，母親の子どもに対する養育権を侵害すると判断されている。ワシントン州では誰でも子どもへの訪問権を申し立て，裁判所は子どもの利益となると判断すれば親が反対しても訪問権が認められたが，親の意向を全く尊重することなくこのような訪問権を認めることはあまりに広汎に親の養育権を侵害するとされたのである。

生命・身体の処分に関するプライバシーの権利

プライバシーの権利には，自己の身体への干渉について決定する自由が含まれる。治療に対する同意権はこの権利の一部である[19]。Cruzan v. Director, Missouri Department of Health, 497 U.S. 261 (1990) では，生命を絶つ自由，いわゆる「死ぬ権利」が問題とされ，大きく注目を集めた。この事件では，交通事故の結果植物状態になった女性の両親が，治癒の見込みもないことから生命維持装置の取り外しを裁判所に申し立てた。ところが，州法は患者の生前の希望を明確かつ納得のゆくように証明することを要求していたため，両親の申立ては不十分であるとして，申立てが認められなかった。そこでこの両親は，州法の要件は生命維持装置の取り外しを求める憲法上の基本的権利の違憲的な侵害だと争ったのである。

しかし最高裁は，5対4でこの主張を認めなかった。相対多数意見は，そのような権利が修正第14条のもとで存在すると仮定しても，州法は，植物状態となった患者の代理人が患者の意思を伝える際に慎重な手続をとろうとしたものであって，違憲とはいえないと判断したのであった。だが，個々の裁判官の意見を総合すると，過

19)　なお，このほかに，強制的に精神病院に拘禁された精神障害者の身体の安全と身体の拘束からの自由並びにそのための最低限の治療を受ける権利を承認した Youngberg v. Romeo, 457 U.S. 307 (1982) がある。

半数の裁判官は生命維持装置の取り外しを求める権利を，保護された「自由」に含まれると考えていたようである。

さらに最高裁は，Washington v. Glucksberg, 521 U.S. 702 (1997) において，自殺幇助の権利に直面した。死期を迎えた患者やその医師が自殺幇助を禁止した州法の違憲の確認を求めたこの事件で，最高裁はCruzan判決が生命維持装置の取り外しを求める自由を承認したものと解釈しつつ，本件をCruzan事件から区別し，医師の助けによって自殺する権利はデュー・プロセス条項によって保護された基本的権利とはいえないと判断した。自殺幇助は過去の歴史と伝統においてずっと禁止されてきたし，現在でもほとんどの州で禁止されているからである。そして最高裁は，この禁止規定は，生命を保護し医師の倫理を維持するため合理的なものであるとして，その合憲性を支持したのであった[20]。

ライフスタイルのプライバシーの権利

Roe判決を受けて，下級裁判所などでは，ライフスタイルに関するさまざまな権利が保護されるようになった。大麻を吸う権利，シートベルトをつけずに自動車を運転する権利，ヘルメットをかぶらずにバイクに乗る権利，髪の毛を伸ばす自由，ひげをはやす自由などなどさまざまな権利がプライバシーの権利として主張された。

しかし最高裁は，まだそこまでプライバシーの権利を認めてはいない。例えば，警察官の長髪規制がプライバシーの侵害だとして争われたKelley v. Johnson, 425 U.S. 238 (1976) では，最高裁はこのような自由はRoe判決等で認められた権利とは異なるとしつつ，

---

20)　その後，オレゴン州などいくつかの州では，末期患者が医師に自殺のための薬物の処方を求める権利を保障した尊厳死法が制定されている。連邦政府はこれを阻止しようとしたが，成功しなかった。第5章123頁参照。ワシントン州でもこの判決の後，同趣旨の法律が制定されている。

たとえそのような権利が保護されているとしても，警察官に関する限り緩やかな審査が妥当だとして，結局規制を支持しているのである[21]。

4　プライバシー保護の実体的デュー・プロセス理論再考

このようにみると，確かに最高裁は結婚，避妊，出産，中絶などの権利を修正第14条によって保護された「自由」であるとしてその制約に厳格審査を及ぼしてきたが，その範囲は広くはない。その意味ではむしろ最高裁は，伝統的な家族秩序を維持しようとしていたのではないかとも思われる。そしてRoe判決が覆され，妊娠中絶の権利が否定された今，これらの他の権利が果たしてそのまま認められるのか不安の声が強く寄せられている。Dobbs判決は，妊娠中絶の特殊性を強調しているため，それ以外の判例には直接影響しないが，実体的デュー・プロセスの権利の範囲の確定基準を歴史と伝統に求める新しい手法で，これらの権利や自由が保護されうるのか不安に思われるのも無理はないかもしれない。

学説の支配的な立場は，Lochner判決の実体的デュー・プロセス理論と異なり，このプライバシー保護の実体的デュー・プロセス理論を支持してきた。そのような立場からいえば，むしろ最高裁が，プライバシーの権利を十分認めてこなかったことこそが問題だということになろう。実際学説では，まだ最高裁が支持するに至ってはいない個人の容姿の自由，それ以外の一切の「親密な結びつきの権

21）　アラスカ州最高裁は，家庭で大麻を吸うことを州憲法で保護されたプライバシーの権利と認めた。Ravin v. Alaska, 537 P.2d 494 (Ala. 1975) だが，連邦最高裁はまだそこまでは認めていない。いくつかの州では，苦痛緩和目的での医療上の大麻使用を認めるようになったが，最高裁は，大麻使用を禁止する連邦議会の権限を容認している。第5章123頁参照。

利」ないしライフスタイルの権利等をも，実体的デュー・プロセス理論によって保護しようとする見解も少なくない[22]。そしてDobbs判決には厳しい批判が投げかけられている。

これに対し，既に触れたように，このような実体的デュー・プロセス理論は，Lochner判決時代のそれ同様，正当な司法審査権の限界を超えるのではないかとの批判もあった。とりわけプライバシー権とされているものが憲法条文との結びつきに欠けることから，憲法解釈の正当な源泉を起草者意思と憲法条文，憲法の構造，あるいはせいぜい代表プロセスの保持と捉える解釈主義の立場からは，結局最高裁が基本的だと考えた価値が議会と人民に対し保護される結果にならないかと批判されたのである。しかし，非解釈主義者はこの批判に納得せず，起草者意思，条文，構造を超えた憲法解釈あるいは憲法的政策形成を認め，Roe判決の正当性を支持しようとしてきた。この立場の場合，最大の問題は，なぜ契約の自由の場合には積極的な裁判所による保護が適切とはいえないのに，プライバシーの場合にはそれが適切だといえるのか，であろう。司法審査の正当性をめぐる論争は，この領域で最も鮮烈な形で現れるといえよう。

▶参考文献

手続的デュー・プロセスについて，松井茂記「非刑事手続領域に於ける手続的デュー・プロセス理論の展開（1）〜(5・完)」法学論叢106巻4号・6号，107巻1号・4号・6号（1980)。**経済的実体的デュー・プロセス**につ

22)　実際最高裁は，Roberts v. United States Jaycees, 468 U.S. 609 (1984）において，実体的デュー・プロセス理論によって保護されている権利の大部分がこのような「親密な結びつきの自由」として特徴づけうる可能性を示唆している。

いて，田中英夫・デュー・プロセス（1987），常本照樹「『経済・社会立法』と司法審査（1）」北大法学論集35巻1＝2号（1984）。**プライバシー権保護の実体的デュー・プロセス**について，橋本公亘「プライバシーの権利」芦部信喜＝奥平康弘＝橋本公亘（編）・アメリカ憲法の現代的展開（1）人権（1978），髙井裕之「レーンキスト・コートにおける実体的デュー・プロセス論の展開」宮川成雄（編）・アメリカ最高裁とレーンキスト・コート（2009），藤井樹也「レーンキスト・コートと実体的デュー・プロセス」比較法研究69号（2007）。**個別の論点**については，石井美智子「プライバシー権としての堕胎決定権」東京都立大学法学会雑誌19巻2号（1979），同・人工生殖の法律学（1994），根本猛「人工妊娠中絶とアメリカ合衆国最高裁判所（1）〜(3・完)」静岡大学法政研究1巻1号・2〜4号，2巻2号（1996-97），小竹聡「アメリカ合衆国における妊娠中絶をめぐる法と政治の現況」愛敬浩二＝水島朝穂＝諸根貞夫（編）・現代立憲主義の認識と実践（2005）147頁，同「アメリカ合衆国における妊娠中絶問題の政治化の過程」比較法学40巻1号（2006），同「アメリカ合衆国における妊娠中絶判決の形成——中絶法の廃止に向けた運動の展開」早稲田法学85巻3号（2010），駒村圭吾「道徳立法と文化闘争——アメリカ最高裁におけるソドミー処罰法関連判例を素材に」慶應義塾大学法学研究78巻5号（2005），羽渕雅裕「同性婚に関する憲法学的考察」帝塚山法学10号（2005），松本哲治「憲法上の『死ぬ権利』の行方」奈良法学会雑誌11巻2号（1998）。

第13章　平等保護

第1節　平等保護理論の展開

1　平等保護条項の背景

歴史的背景

独立を求めた植民地人にとって自由と平等は自明の真実であった。ただ独立宣言のいうすべての人には奴隷は含まれていなかった。合衆国憲法にも権利章典にも平等権は明記されておらず，むしろ合衆国憲法には奴隷を前提とする規定が置かれていた。結果的にアメリカで平等権が明示的に保障されるに至ったのは，南北戦争のあと，修正第13条によって奴隷制が禁止され，修正第14条が制定され，そこに初めて平等保護条項が挿入されてからのこととなった。既に述べたように，修正第14条の主たる目的は，黒人が合衆国市民ではないとしたDred Scott v. Sandford, 19 How.（60 U.S.）393（1857）を覆し，奴隷から解放された黒人達に平等な保護を保障することであった。そこで，南北戦争後，平等保護条項が初めて援用されたSlaughter-House Cases, 16 Wall.（83 U.S.）36（1873）では，最高裁は修正第14条をもっぱら黒人への平等保護を目的とするものと理解していた。しかし，平等保護条項の文言は，人種平等に限られない一般的文言になっており，最高裁も，その後同条は人種以外の点でも平等を保障したものと解するに至っている。

その結果，平等保護条項は，その保障の中核である人種差別に対して最高裁がどのような態度で臨むべきか，そしてそれ以外の差別の場合にどうすべきかの2つの側面の問題を提起してきた。

平等の意味

平等保護の問題は，一般に，立法の目的と手段の関係の問題として理解されている。立法は，その性質上一定の範囲の人をカテゴリー的に区分して，一定の取扱いを定めている。そこで，このような区分に対して，どのような目的ないし政府利益に仕えているか，そしてその目的のために選ばれた手段としての区分が，その目的とどのような関連性を有しているかという疑問が提起される[1)]。差別自体が目的でなく，そこに正当な目的があり，手段がその目的と合致していれば問題はない。逆に目的と手段との関連性がまったくなければ，平等保護条項違反は明白である。難しいのはその中間であり，目的は正当でも，選ばれた手段が目的を達成するには不十分な場合（過小包摂），そして手段が目的達成に必要な限度を超えている場合（過大包摂）である。

しかし，本来このように目的と手段の関係のみを問題とする平等保護理論に対し，その後新たな意味が与えられることになった。一つは，平等保護の実質化であり，単に形式的に平等に扱うのではなく，いかにしたら実質的な平等が確保されるかを問題とするものである。これは，人種差別の違憲性が確認されたあと，現に存在する差別をどう解消して，実質的な人種平等を達成しうるかという形で

---

1)　他の者と共有する特徴のゆえに差別されたのではなく，個人に対し恣意的に不利益が加えられたときにも，平等権侵害の主張が許されるであろうか。最高裁は，Village of Willowbrook v. Olech, 528 U. S. 562（2000）において他の同様の立場の人と異なって恣意的差別的に取り扱われたときには，1人の集団であっても平等保護条項違反の主張が可能であると判断したが Engquist v. Oregon Department of Agriculture, 553 U.S. 591（2008）では，公務員の雇用関係におけるこのような1人だけへの差別の主張に否定的な姿勢を示している。

問題とされたが，しばしば経済的な不平等に対しても主張された。また，いま一つは実体的な平等保護理論であり，これは一定の基本的な実体的権利については，目的と手段の関連性は厳密でなければならないという形で展開された。この実体的平等保護理論は，実体的デュー・プロセス理論の崩壊のあと，実質的に実体的権利を保護する機能をはたしたのであった。

2　平等保護理論の歴史的展開

ウォーレン・コート

歴史的に振り返ってみると，平等保護条項は，黒人に対する差別の場合を除いては，もっぱら目的に対する手段の関連性を問題にするものとみられ，しかもかなり緩やかな審査が行われてきた。20世紀初頭，最高裁が社会経済立法に干渉したのも平等保護条項のもとでではなかった。

しかし最高裁が，デュー・プロセス条項のもとでの社会経済立法への干渉主義を放棄したため，平等保護条項が注目されるに至った。そして最高裁は，社会経済立法については緩やかな審査を行いつつ，United States v. Carolene Products Co., 304 U.S. 144（1938）の脚注4が示唆したように，人種的少数者など「切り離され孤立した」少数者に対する差別には厳格審査を確立するようになる。

ウォーレン・コートの時代，この2分論はきわめて厳格になった。この時代，一方で社会経済立法に対する平等保護審査である合理性審査の緩やかさは，ほとんど不干渉の段階にまで至ったが，最高裁は人種差別などの場合の審査を強化し，人種差別を「疑わしい」区分とみて，厳格審査の名のもと，ほとんど審査を通る法律がないほどにまで厳格な審査を行うに至った。最高裁のこの2層分析においては，厳格審査と伝統的な議会尊重的な緩やかな審査の区別は，どの審査基準が適用されるかで，ほとんど違憲となるか合憲となるかが決まってしまうほど厳密であった。

しかも，ここで注目すべきことは，この厳格審査に服する場合として，人種を典型とするいわゆる疑わしい区分を拡大する動きがみられたこと，そしてそれに加えて，「基本的権利」が問題となる場合が付加されたこと（基本的権利理論），そこで厳格審査において従前からの手段審査に加え，目的審査が行われるに至ったことである。つまり，厳格審査の場合，区分がやむにやまれないほど重要な利益達成のため不可欠な手段でなければならないとされたのであった。そして，この基本的権利理論は，初め選挙権や裁判所へのアクセス権，居住移転の自由といったまだ穏当なものにのみ適用されるものであったが，ウォーレン・コート末期には一部の学説はそれを遥かに超えた平等主義実現の手段として捉えるに至り，貧困者に対する政府の積極的な生存保障や富の再配分をも導くものと主張されるようになった。そこでこれに対して，これは「実体的平等保護」理論だとする激しい批判が寄せられた。

現在の枠組み

バーガー・コート以降，このような極端な2層分析はかなり変化し，より複雑な様相を呈している。第一に，同じ議会尊重的な緩やかな審査と厳格審査の区別がなされているが，その区別は現在ではかつてのように極端なものではなく，合理性審査によっても違憲とされることがあるなど，柔軟な対応になってきている（もっとも，合理性基準のもとで違憲とされた事例は，今日ではほとんどより厳格な基準が適用されたものと理解されている）。最高裁裁判官の中にも，従来のような2層分析に代え，スライディング・スケールで対処すべきだという主張も現れた。第二に，最高裁も，このような配慮から厳格審査と伝統的な議会尊重的な審査に加え，中間的審査を展開してきている。ここでは，やむにやまれないほどでなくとも重要な利益達成のためであって，不可欠でなくとも実質的関連性を有していればよいというのである。性差別がその典型である。しかし第三に，これと対応して，基本的権利理論の射程は，これ以上拡大しないことが明らかになった。最高裁は，厳格審査の適用される射程を厳格に解する方向に転じたのである。

いずれにしても，今日疑わしい区分や基本的権利に関する区分の場合には厳格審査が適用され，区分はやむにやまれない政府利益を達成するために必要不可欠でなければ支持されない。したがって，この場合ほとんどの事例で区分は違憲とされる。性差別のような場合には中間的審査が行われ，区分は重要な政府利益を促進し，区分の目的と実質的関連性を有していることが要求される。社会経済立法の場合，緩やかな審査が行われ，区分は正当な立法目的と合理的関連性を有していれば支持される。合憲性が推定され，議会の判断が尊重される結果，この場合ほとんどの事例で区分は支持される。

このように，平等保護審査において，緩やかな審査と人種差別の場合のような厳格審査が必要であることには合意がみられるが，今日なおどのような場合に厳格審査が正当化されるのか，その根拠をめぐっては意見の対立がある。疑わしい区分の根拠として，先天的な特性であること，本人ではどうすることもできない特性であること，ステレオタイプであることなどが指摘されている。しかし，そのいずれも，十分な根拠といえるか疑問があろう。

おそらくこの点で，平等保護に対する 2 つの異なったアプローチの対立を指摘しておくことが有益であろう。一つの視点は，差別に至るプロセスに焦点をあてるものである。すなわち，そのプロセスが偏見等のために公正に利益を代表していない場合に，厳格審査が妥当すると考えるものである。したがってプロセスが利益を公正に代表していれば，その結果については，裁判所は干渉しないという結論となる。これに対し，これと対立する視点は，平等を一つの実体的価値とみなし，プロセスの欠陥の是正を超えた平等価値の実現を裁判所に求める。このいずれの視点をとるかによって，厳格審査の根拠と範囲についての見解が分かれることになる。

また，平等権は，差別的行為を禁止するだけではなく，それぞれの個人の状況に応じた合理的配慮を求めるかもしれない。例えば，市民的権利保護法は，雇用において宗教に基づく差別を禁止しており，この規定は，著しい負担とならない限り，企業に労働者の宗教的信念または宗教的行為に合理的配慮を払うことを求めていると解されている。さらに障害者差別禁止法も，障害を理由とする差別を禁止しており，この規定も，著しい負担とならない限り，企業に労働者の障害に合理的配慮を払うことを義務づけていると解されている。平等保護条項がそこまで求めているのかどうかも，重大な争点となるものと思われる。

第2節　厳格審査

1　人種差別と疑わしい区分

法律上の人種差別

既に述べたように，黒人に対する人種差別こそが修正第14条の平等保護条項の主たる標的であった。現在でも人種は，疑わしい区分とみられ，厳格審査に服する。

この趣旨は，既に，Slaughter-House判決にしたがって修正第14条の中核目的を黒人の平等保護と捉え，黒人を陪審員から排除した州法のもとで黒人の被告人を有罪とすることを同条違反としたStrauder v. West Virginia, 100 U.S. 303 (1880) でも示唆されていた。だが，人種が疑わしい区分として，厳格審査に服することが初めて明確にされたのは，Korematsu v. United States, 323 U.S. 214 (1944) であった。この事件では，第2次世界大戦中，日系アメリカ人を強制的に収容所に隔離した軍の行為の合憲性が争われた。このような民族的出自を人種と同様に扱いながら，最高裁は，人種差別が疑わしいもので，厳格審査に服することを初めて宣言したのであった。

このKorematsu判決では，最高裁は，厳格審査を適用しながら，日系アメリカ人全員を隔離することが必要とする軍の立場を支持した[2)]。しかしこれには強い反対意見があり，その後の最高裁は，法律上人種を理由に差別することに対してはきわめて厳しい態度をとってきている。

このことは，黒人だけに法律上不利益を加える法律の場合に限られない。例えばMcLaughlin v. Florida, 379 U.S. 184 (1964) では，人種の異なる未婚の男女の同居を禁止した州法が無効とされている。そして，Loving v. Virginia, 388 U.S. 1 (1967) では，異なる人種の間での結婚を禁止した州法が，違憲とされた。厳格審査のもと，それを正当化するためには合理的根拠があるというだけでは足りず，人種差別以外の許容されうる圧倒的目的の達成のために必要でなければならないとして，本法はこの基準を満たしていないとされたのである。白人も黒人も等しく処罰されるのであるから，差別ではないという州の主張は認められなかった。

最高裁は，その後も人種差別に対しては厳しい姿勢を維持してい

---

2)　最高裁は，Hirabayashi v. United States, 320 U.S. 81 (1943) でも，日系人に対する夜間外出禁止命令の合憲性を支持している。ただし，Ex parte Endo, 323 U.S. 283 (1944) では，合衆国への忠誠が認められた市民の拘禁を続けることは許されないと判断している。連邦議会は，1988年この強制収容を人種的偏見に基づくものとして謝罪する法律を制定し，収容された日系人及び遺族に補償を支払っている。1993年クリントン大統領も公式に謝罪している。

る。離婚したのち母親が子どもの監護権を有していたところ，元の夫が，母親が黒人と同居していることを理由に監護権を渡すよう要求した Palmore v. Sidoti, 466 U.S. 429（1984）でも，子どもの監護権者決定に人種を考慮することが許されるかが争われ，人種をこのように考慮に入れることは許されないとされている。また，Baston v. Kentucky, 476 U.S. 79（1986）では，黒人の被告人の刑事裁判で，検察官が専断的忌避を使って白人だけの陪審となったことが問題とされた。そして最高裁は，人種のみを理由とする専断的忌避は許されないとしている。

「別々ではあるが平等」理論の崩壊

人種差別の合憲性が最も激しく問題とされたのは，公立学校における人種別学制度についてであった。白人の生徒と黒人の生徒を別の学校で教育すること自体は，修正第14条制定以後ずっと続けられてきた。そして，同じような制度である鉄道の乗客の席を人種で区分する法律が問題とされた Plessy v. Ferguson, 163 U.S. 537（1896）では，このような制度は平等保護条項に反しないとされていた。このような場合，白人と黒人は別扱いされているが，黒人が排除されているわけではなかった。そこで「別々ではあるが平等」だと考えられていたのであった。

しかし最高裁は，公立学校における人種別学の合憲性が争われた Brown v. Board of Education, 347 U.S. 483（1954）（Brown I）において，ウォーレン主席裁判官による全員一致の判決によって，教育における「別々ではあるが平等」の考え方を否定し，教育の重要性を強調して，人種別学は黒人の子どもに劣等感を与え，黒人の教育を疎外する以上，平等保護条項の要求に反すると宣言した[3]。そして

3）最高裁は，その同じ日，Bolling v. Sharpe, 347 U.S. 497（1954）において，連邦の管轄地であるコロンビア特別区の公立学校における人種別学

最高裁は，Brown判決では教育の重要性を重視して人種隔離政策を違憲としたが，この趣旨をなんら説明することなく，学校教育以外の場面でも認めるようになった[4)]。

Brown判決は，画期的な判決であった。この判断は，起草者意思から導かれたものではなく，教育における人種別学の影響に関する社会科学的研究に大きく依存したものであったため，学説には批判もあった。またこの判決は，このような人種別学を支持する立場の者からの激しい抵抗を呼んだ。そこで最高裁は，このBrown判決を実施させるため，その後も難題に取り組まざるをえなくなった[5)]。

は，修正第5条のデュー・プロセス条項に含まれた平等保護の要請に反すると結論した。

4）Johnson v. California, 543 U.S. 499（2005）では，刑務所の相部屋に収容する際に人種に基づき隔離政策をとるカリフォルニア州の方針が平等保護条項に反すると争われた。下級審では厳格審査ではなく合理性の基準に基づいて支持されたが，最高裁は人種による区分である以上厳格審査が必要だと判断している。州の側は，この政策は人種にかかわらず平等に適用されていると主張したが，人種に基づく隔離政策は既に50年前に否定されており，現時点でも否定されなければならないとされている。

5）最高裁は，Brown v. Board of Education, 349 U.S. 294（1955）（Brown II）において，Brown判決を迅速に完全実施するよう宣言した。しかし，既に人種別学の制度ができてしまっている以上，単にこれ以後は別学を強制しないというだけでは，別学の現実は解消されない。そこで，最高裁は次第に別学解消から人種統合へと力点を移していく。Green v. County School Board of New Kent County, 391 U.S. 430（1968）では，学校の選択を生徒に委ねた「自由選択」制度では不十分とし，積極的な統合に向けて行動をとるべきとしたのである。ところが，白人と黒人の居住地区が隔離している現実のもとでは，単に近隣の学校に生徒を振り分けただけでは，人種の統合は達成されえない。結局，生徒をバスで輸送して人種的統合をはかるしかない。実際最高裁は，Swann v. Charlotte-Mecklenburg Board of Education, 402 U.S. 1（1971）において，このようないわゆる強制的バス通学制度の許容性を承認した。また最高裁は，住民投票による強制的バス通学の

事実上の差別

法律上人種による区分が行われている場合と異なり，法律上は人種と無関係なのに，人種的に不利益な結果を招く制度の場合どうであろうか。このような差別的な結果だけで平等保護条項に反するであろうか，それとも何らかの差別の意図が必要であろうか。

この問題についての古典的事例は，Yick Wo v. Hopkins, 118 U.S. 356（1886）である。これは，木造の建物でクリーニング業を営むことに対して許可制をとる市条例のもと，中国系の人の申請だけが拒否されたという事例である。そして最高裁は，このような差別的な結果に対し正当な理由はなく，法の適用に際して差別があったと認めたのであった。しかし，公営プールにおける人種差別をなくすよう裁判所から命令を受けた市が，そのプールを閉鎖した事例であるPalmer v. Thompson, 403 U.S. 217（1971）においては，最高裁は，この行為を平等保護条項に反するものではないと判断した。閉鎖は黒人をプールから排除するための差別だという主張に対しては，市は人種を統合すれば経済的に運営できないと考えたのかもしれないとして，立法の動機を詮索して無効とすることはできないと一蹴したのであった。

ところが，Washington v. Davis, 426 U.S. 229（1976）において，最高裁は，平等保護条項に違反するのは意図的差別だけであると宣言した。ここでは，コロンビア特別区の警察官採用に関し，試験の結果黒人の方が多い割合で不合格になっていることが争われた。最

禁止を違憲と判断している。Washington v. Seattle School District, 458 U.S. 457（1982）. しかし，強制的バス通学を裁判所が命じることには批判も根強く，裁判所の救済権限の限界の問題はますます厄介な問題となってきている。Missouri v. Jenkins, 495 U.S. 33（1990）; Board of Education v. Dowell, 498 U.S. 237（1991）; Missouri v. Jenkins, 515 U.S. 70（1995）参照。

高裁は，人種的に不釣合いな結果をもたらすというだけで違憲となるのではなく，違憲とするには差別の目的あるいは意図が必要だとして，本件の場合そのような意図は見出されえないと結論したのである。さらに Village of Arlington Heights v. Metropolitan Housing Development Corp., 429 U.S. 252 (1977) では，低所得の黒人でも入居できる複数家族用の住居を建設しようとして，ゾーニング条例のもと拒絶された場合にも，違憲とするためには人種差別的意図ないし目的の証明が必要であり，本件の場合もそのような意図は見出されないと判断した。この結果，非差別的な法律を平等保護条項違反というためには，差別的な結果が存在するだけでは足りず，あくまで差別的な意図ないし目的の証明が必要だという立場が確立されたのであった[6]。

しかし，人種差別的な結果が全然意味を持たないというわけではない。そのことは，Rogers v. Lodge, 458 U.S. 613 (1982) で明確に示されている。この事例では，郡を治める委員会の委員の選挙が選挙区ごとに分かれているのではなく，それぞれの職について郡全体で選ばれるいわゆる複数人選挙方式であったため，黒人が人口の約 4 割を占めるのに，黒人の委員が選ばれたことがないという結果になっていた。そこで黒人が，この制度は黒人の投票権の価値を薄めるもので平等保護条項に反すると争ったのである。最高裁は，このような複数人選挙方式が当然に違憲というわけではないとしながら

6) このことは，性差別に関する事例である Personnel Administrator of Massachusetts v. Feeney, 442 U.S. 256 (1979) でも確認された。ここでは，退役軍人に公務員となる優先権を付与した制度について，女性の退役軍人は圧倒的に少ないため，制度は中立的であるが結果的には女性に著しく不利に作用することが問題とされた。しかし，ここでも最高裁は，平等保護条項違反というためには差別的意図が存在することが必要であるとした上で，本件では差別的意図は存在しなかったとしたのである。

も，この郡における政治が黒人に対する配慮に欠けていたことなども考慮して，差別的意図があったものと認定した地裁の判断を支持したのであった。したがって，建前としては差別的意図の証明が必要であるが，裁判所は，差別的結果からそのような意図を推測することができるといえよう[7]。

2　人種的優遇措置

優遇措置の許容性

では，政府は人種という特徴を一切考慮してはならないのであろうか。つまり，憲法は政府に対し人種考慮禁止（color-blind）を命じているのであろうか。それとも，場合によっては人種を考慮に入れてもよいのであろうか。

この問題は，まず違憲とされた人種別学を解消し，人種統合を達成するための措置をめぐって表面化した。このような人種統合を達成するためには，黒人と白人の居住区が異なる多くの地域において，

7）差別的な意図の証明は必ずしも容易ではない。しかし，例えば Hunter v. Underwood, 471 U.S. 222（1985）では，道徳的に卑しい罪を犯した者の選挙権剥奪を定めた州憲法の規定が，黒人差別の動機から制定されたものだとして，平等保護条項違反と判断されている。さらに，このところ投票に際し写真付きの身分証明書の提示を義務づける州法が増えているが，これは圧倒的にアフリカ系アメリカ人を排除する意図ないし結果を伴うとして争われている。最高裁は，かつて Crawford v. Marion County Election Board, 553 U.S. 181（2008）でこのような州法の合憲性を支持しており，Frank v. Walker, 768 F.3d 744（7th Cir. 2014), cert. denied, 575 U.S. 913（2015）ではこれが踏襲されたが，North Carolina State Conference of the NAACP v. McCrory, 831 F.3d 204（4th Cir. 2016), cert. denied, 581 U.S. —（2017）では違憲とされている。しかし，いずれの事件でも最高裁は上告を斥けている。なお，市民的権利保護法は，雇用における人種に基づく差別を禁止しており，意図的な差別だけでなく，著しい差別的効果を持つ行為も禁止される場合があると解されている。

生徒を強制的にバスで遠隔地の学校に連れていって人種の均衡をはかるしかない。しかし，このような強制的バス通学制度は強い反対を巻き起こし，これを禁止する州が現れた。これに対し最高裁は，North Carolina State Board of Education v. Swann, 402 U.S. 43 (1971) で，人種に基づく強制的バス通学の禁止は違憲であると宣言した。過去の差別を是正するためには，人種を考慮した是正手段をとらざるをえないのであって，これを禁止することは許されないというのであった。

では，そのような救済は過去の具体的な差別の除去に限られるのか，それともより広く過去における差別から生じた現在における不利益を改善するためのものも含むのであろうか。この問題を提起したのが，過去の差別を償うための黒人に対する優遇措置（アファーマティヴ・アクション）の許容性の問題であった。

Bakke 判決

最高裁は，Regents of the University of California v. Bakke, 438 U.S. 265 (1978) でこの問題に直面した。州立の医学校への入学を拒否された白人の原告が，黒人のための特別枠は平等保護条項に反するとして争ったのである。パウエル裁判官は，このような人種による優遇措置の場合も疑わしい区分として，厳格審査が妥当すると判断した。そして，①黒人の少ない医学校に黒人を補う，②社会的な差別を是正する，③現在医者が少ない地区に対して医者を増加させる，④民族的に多様な学生集団を確保する，という4つの政府目的について検討した。ところが第一の目的は正当でなく，第二の目的は当該大学にそのような差別があったのであればやむにやまれないものであるが，そうでなければ社会的差別の是正といった目的は正当とはいえないと結論した。しかも第三の目的については関連性が示されておらず，結局第四の目的のみ正当であると認めた。しかし人種を一考慮要素とする制度と異なり，特別枠（クォータ）を設けることまでは許されないと結論したのであった。

ところが，このパウエル裁判官の意見に対して，他の4人の裁判官は，黒人に対する優遇措置の場合疑わしい区分とはいえず，後述する性差別の場合に妥当する中間的基準でよく，本件の制度は過去における差別への救済と理解できると判断したし，他の4人は，優遇措置を審査する場合の審査基準について判断しなかった。そのため人種に基づく優遇措置の審査基準について疑わしい区分として厳格審査を適用したのは，パウエル裁判官1人であった。

Bakke判決以降

その後最高裁は，Fullilove v. Klutznick, 448 U.S. 448 (1980) において，連邦の補助を受けた地方の公共事業の実施に少数民族に対し特別枠を設けた連邦法の合憲性を支持した。しかしこの事件では，3人の相対多数意見は，本件の制度はBakke判決のいずれの基準でも支持されうるとしており，この3人には厳格審査を適用しながら合憲の結論を導いたパウエル裁判官も含まれていた。他の裁判官は，3人が中間審査基準のもとで合憲としたのに，1人は慎重な審査により，また残りの2人は厳格審査により違憲の結論を導いていた。その結果，人種による優遇措置に対しては，裁判所が注意深く審査すべきことは確定したが，それ以上に審査基準については，合意はみられなかった[8]。

8）この問題は，その後雇用関係における優遇措置をめぐって，重大な争点となってきた。Wygant v. Jackson Board of Education, 476 U.S. 267 (1986)（教育委員会と労働組合との間で結ばれた労働協約の中にある，一定の少数者をレイオフから保護した規定について，相対多数意見は厳格審査を適用し，平等保護条項に反すると結論）; Local 28 of Sheet Metal Workers' International Association v. EEOC, 478 U.S. 421 (1986)（労働組合による人種差別に対する救済命令が，一定の期日までに，組合の非白人構成員の比

しかし最高裁は，City of Richmond v. J. A. Croson Co., 488 U.S. 469（1989）において，州による人種的優遇措置にも厳格審査の適用を認めた。この事例では，市と建設契約を結んだ建設業者は，その総額の少なくとも30％を少数者集団の支配する企業に下請けさせなければならないとするプランをとっていた。そして最高裁は，本件の場合，同市の建設業界に人種差別があったと示されてはおらず，人種に基づく区分を正当化するやむにやまれない利益があったとはいえず，また人種による数値の設定は，差別是正のために限定的に仕組まれているともいえないとして，同市のプランを違憲と判断したのであった。

これに対し連邦の優遇措置の場合には，最高裁は，Metro Broadcasting Inc. v. FCC, 497 U.S. 547（1990）において，より緩やかな基準が適用されると判断した。ところが最高裁は，Adarand Constructors, Inc. v. Pena, 515 U.S. 200（1995）において，人種に基づく優遇措置には連邦によるものでも厳格審査が適用されるべきだと判断し，Metro Broadcasting 判決を覆した。問題とされたのは，連邦政府が契約を行う場合，少数者支配企業を下請とするように優遇した条項であった。最高裁は，5対4で，厳格審査を適用して合憲とされるかどうか検討するよう事件を差し戻した。この判決は，最高裁が人種に基づく優遇措置に厳しい姿勢をとるようになったことを明らかにした。しかも，この法廷意見に加わったスカリア裁判官は，過去の差別を埋め合わせることは人種差別を正当化するやむにやまれない利益とはなりえないと判断している。その結果，優遇措置の将来はかなりけわしいものとなっている。

率をその職種の人種構成に応じた数字にするよう組合に義務づけたことに対し，相対多数意見は，審査基準について明確な態度をとることなく，本件命令は厳格審査のもとでも支持されると判断).

優遇措置が許される限度

ただし最高裁が優遇措置に全く否定的になったわけではない。最高裁はミシガン大学の優遇措置が争われた2つの事件のうち，Gratz v. Bollinger, 539 U.S. 244 (2003) では，大学の入学に際し100点のうち20点を少数者に付与し，ほとんど自動的に入学を認める制度を，多様性確保のための限定的手段とはいえないとして平等保護条項違反と判断した。しかし，Grutter v. Bollinger, 539 U.S. 306 (2003) では，成績以外の要素も考慮し，少数者の入学を不可欠な数確保するというロー・スクールの優遇措置について，Bakke判決のパウエル裁判官の立場に従い，厳格審査を適用しつつも，多様性確保という，やむにやまれない利益を実現するための限定的手段であるとして，その合憲性が支持されている。ただ，最高裁は，いつまでも優遇措置を認めることに躊躇し，25年を経過すれば，優遇措置も必要なくなることを示唆した。

さらに，Parents Involved in Community Schools v. Seattle School District No.1, 551 U.S. 701 (2007) では，シアトルの学校区が，生徒をどの学校に割り振るのかを決定する際に人種をタイブレイカーとして考慮していたことが平等保護条項に違反しないかどうかが問題とされ，最高裁は，当該学校区では人種別学制度はとられていなかったことを指摘し，当該措置がやむにやまれない利益を達成するために必要不可欠な措置であるとの証明がはたされていないと判断している。本件の場合，人種は多様な学生を確保するという目的のための一要素として考慮されているのではなく，場合によっては人種が決定的な意味を持っている点が問題とされたものと思われる。

また，高校の成績上位トップ10パーセントについては自動的に入学を認めながら，残りについては人種を含む総合考慮で入学を認めるテキサス大学の入学基準の合憲性が争われ，初め下級審ではこの基準が善意に基づいていれば許されると判断したが，最高裁は，Fisher v. University of Texas at Austin, 570 U.S. 297（2013）（Fisher I）において厳格審査の適用を命じ，事件を差し戻した。下級審は，厳格審査を適用した上で，多様性を確保するための措置として厳格審査のもとでも許されると判断したところ，最高裁は，Fisher v. University of Texas at Austin, 579 U.S. 365（2016）（Fisher II）においてこれを支持した。

これらに照らすと，優遇措置は過去における差別の埋め合わせとしてではなくもっぱら学校における多様な学生の確保の目的でのみ許され，しかも人種的な特別枠を設けたり，人種を理由に自動的に入学を認めることは許されず，人種はあくまで考慮すべきさまざまな事情の一つとして考慮することが許されるに過ぎないことになろう。ただし，Fisher II でも強い反対意見があり，特に唯一のアフリカ系アメリカ人の裁判官であるトーマス裁判官は，人種の考慮は一切許されるべきではないと強く主張している。そのため，人種的優遇措置の許容性にはなお疑問が残されている。また，ミシガン州のように，州民投票によって州憲法を改正し，公立学校における人種的優遇措置を禁止した場合，最高裁も，Schuette v. BAMN, 572 U.S. 291（2014）においてその合憲性を支持している。他にもこのような人種的優遇措置を禁止している州があり，こういった州では，人種的優遇措置はとれないことになる[9)]。

9）　最高裁は，ハーバード大学やノースカロライナ大学など，有力大学の入学選抜における人種の考慮の合憲性を問題とした訴訟を審査することを決めた。アジア系の受験者は，たとえ成績が優れていても，多様な人種的構成を確保するために入学が認められないことを争っている。ノースカロライナ大学は公立大学であるため憲法の平等権の要求を満たさなければならず，私立大学であるハーバード大学は連邦の補助金を受け取るためには法律上の平

3　人種以外の疑わしい区分

人種以外の疑わしい区分の可能性

このように最高裁は，人種を典型的な疑わしい区分と扱ってきたが，はたして人種以外にも厳格審査が妥当する疑わしい区分があるかについては，意見が分かれている。最高裁は，民族的出自を人種同様にみてきており，平等保護条項の厳格審査の射程を同条項の歴史的中核に限定すべきだと主張していたレーンキスト主席裁判官も，この点までは反対していなかった。さらに一般に宗教に基づく差別も疑わしい区分とみられている。だが，これ以外にも，性別，外国人，非嫡出子，年齢，精神的障害者，そして貧困などが，疑わしい区分とみられるべきだと争われてきた。

このうち，性別については，一時期合理性基準のもとで違憲判決が下されたが，その後中間的審査基準が妥当することが確立している。外国人については疑わしい区分と宣言されはしたものの，緩やかな審査が適用される場合が例外的に認められている。また非嫡出子については，判例の立場は揺れ動きながら，現在は中間的審査が適用されているようである。これに対し，最高裁は，年齢については疑わしい区分とみるのを拒絶しており[10]，精神障害者については判断を回避している[11]。そして貧困については，最高裁は1960

等権の要求に従う必要がある。保守化した最高裁が，アファーマティブアクションをどう判断するのか注目されている。

10）Massachusetts Board of Retirement v. Murgia, 427 U.S. 307 (1976). この事件は，州警察官に対する50歳定年制の合憲性が争われたもので，最高裁は50歳以上の人は「切り離され孤立した」少数者といえず，それゆえ疑わしい区分とはいえないとした。

11）Schweiker v. Wilson, 450 U.S. 221 (1981). ただし，City of Cleburne v. Cleburne Living Center, 473 U.S. 432 (1985) 参照。また，Heller v. Doe, 509 U.S. 312 (1993)（精神発達遅滞者と精神障害者の間の民事拘禁手続の違いを合理性基準のもとで支持）参照。

年代後半，富によって区別したり，貧困な者に不利となったりする制度は疑わしいと示唆していたが（ただし明確に判断したわけではなかった），1970年代に入って次第に単に貧困な者に不利になるだけでは憲法に反しないという姿勢を明らかにしてきている[12]。ただし，最高裁は，後述するように，精神発達遅滞者と健常者の間の差別及び同性愛者に対する差別については，合理的審査基準のもとで違憲判断を下しており，一定の事由は，「疑わしい」に準じる地位を与えられているということもできるかもしれない。

この問題は，結局何をもって疑わしい区分とみるべきか，つまり疑わしいと考えられる理由が何であるかにかかっている。既に述べたように，この点についてはさまざまな考え方がありうるが，最高裁の立場は必ずしもはっきりしていない。学説の立場も対立しているのが現状である。

外国人

1970年代に入ってバーガー・コートは，外国人を厳格審査が妥当する疑わしい区分とみるに至った。しかしその後の展開の中で，外国人に対する差別がしばしば支持され，厳格審査が適用されない場合があることが明らかになってきた。

最高裁が，外国人を疑わしい区分と宣言したのは，Graham v. Richardson, 403 U.S. 365（1971）である。州が外国人に対して福祉受給金付与を拒否しうるかが争われたこの事件で，最高裁は，外国人がCarolene Products判決のいう「切り離され孤立した」少数

12）　James v. Valtierra, 402 U.S. 137（1971）．これは，低所得者向けの低家賃住居の建設に住民投票を要求した州憲法規定が争われた事件である。最高裁は，これは人種に基づくものではなく，偏見によるものではないし，また特定の集団に不利益を課す法律が常に平等保護条項に反するわけではないとして，この州憲法を支持した。また，San Antonio Independent School District v. Rodriguez, 411 U.S. 1（1973）参照。

者であると認め，福祉受給金配分において外国人に比し市民を優遇することはできないと判断したのであった。そしてこの姿勢は，居住外国人が弁護士業を営むことを禁止した州法を違憲としたIn re Griffiths, 413 U.S. 717 (1973)，そして競争職一般公務員を合衆国市民に限定した州法を違憲と宣言したSugarman v. Dougall, 413 U.S. 634 (1973) においても踏襲された。

ところが，Foley v. Connelie, 435 U.S. 291 (1978) では，州が外国人を警察官から排除することが支持された。外国人に対する差別を常に厳格審査に服させるのは，市民と外国人の間の差異をなくしてしまうことになるとして，警察官のように政治共同体に実質的影響を与える裁量的決定や政策執行に関わる職からの排除の場合には，手段に合理的関連性があればよいというのであった。

このような「統治体としての州の作用に結びついた」機能，あるいは「政治的機能」から外国人を排除してもかまわないという姿勢は，さらに外国人を小・中学校教師から排除することを支持したAmbach v. Norwick, 441 U.S. 68 (1979)，そして保護観察官などの治安職員を合衆国市民に限定した州法を支持したCabell v. Chavez-Salido, 454 U.S. 432 (1982) でも踏襲された。もっとも外国人を公証人から排除した州法を厳格審査のもと違憲と宣言したBernal v. Fainter, 467 U.S. 216 (1984) において，これらがあくまで例外であることが明らかにされている。

このような差異が平等保護の観点からどのように説明されうるのかはっきりしない。学説では平等保護より連邦主義の考慮の方がこのような差異をうまく説明できるのではないかという見解も有力に主張されている[13]。しかし，いずれにしても，このように外国人

13) 実際，州住民に授業料等で優遇しておきながら州内在住外国人をその恩恵から排除している大学の方針は，平等保護条項ではなく，最高法規条

に対する平等保護審査基準は，厳格審査を原則とするといわれつつも，例外がある[14]。

4　基本的権利理論

基本的権利理論の意義

既に述べたように，当初もっぱら手段と目的との関連性の問題とされていた平等保護理論が，実体的権利保護の役割をはたすに至り，「新しい」平等保護理論と呼ばれるに至ったのは，1960年代からであった。最高裁が，一定の実体的権利を基本的権利であるとして，それに関する差別に厳格審査を要求し始めたのである。それは，後述する選挙権，裁判所へのアクセス権，そして居住移転の自由の領域であった。これらは初めむしろ限定的な領域にとどまっていたが，居住移転の権利などに関する事例で，貧困である者に不利益となることが許されないと示唆された。そして学説では，この基本的権利理論のもと，生活必需品について貧困者に不利にすることは許されないとか，そして政府の生活保護義務までも要求されると主張されるに至った。そのため逆に，この理論は実体的デュー・プロセス理論の別名にすぎず，「実体的平等保護」理論ではないかという学説の批判を招いた。基本的権利の平等保護理論は，区分を行う政府行為の特徴にではなく実体的権利に重点があり，しかも憲法に列挙さ

項のもとで違憲とされている。Toll v. Moreno, 458 U.S. 1 (1982).

14)　Hampton v. Mow Sun Wong, 426 U.S. 88 (1976) では，外国人を連邦の競争職職員から排除した人事委員会規則の合憲性が問題とされたが，委員会の行為は議会の授権を超えていると判断され，外国人差別の問題には踏み込まなかった。また Mathews v. Diaz, 426 U.S. 67 (1976) では，永住を認められ5年間の居住要件を満たす外国人にのみ連邦の医療補助プログラムへの加入を認めたことが支持されたが，ここでは外国人に対する差別ではなく，外国人の間における差別の問題とされていた。

れた修正第1条の表現の自由等の場合には厳格審査を及ぼしても問題とならないであろうから，結局憲法に列挙されていない基本的権利を平等保護の名のもとに手厚く保護する場合に重大な争点となる。それゆえ，基本的権利の平等保護理論は，実体的デュー・プロセス理論同様，司法審査の正当性という点で，困難な問題を提起したのである。

バーガー・コートに入って，最高裁は，このような基本的権利理論を拡張する意図がないことを明確にした。1960年代末期から争点となってきた教育を受ける権利について，最高裁はSan Antonio Independent School District v. Rodriguez, 411 U.S. 1 (1973) において，それを「基本的権利」と認めることを拒絶したのである。問題となったのは，学校区の財政がその区内財産に対する課税によって維持されるため，裕福な人が住む学校区と貧困な人が多い学校区とでかなりの格差が生じることであった。そこで，このような差別は，貧困であるという疑わしい区分による差別であり，また教育を受ける権利という基本的権利における差別であるとして争われたのである。最高裁は，教育を基本的な憲法的権利と認めることを拒絶し，またこの制度がそのような権利を侵害するものともいえず，また伝統的な合理性審査においても，財政問題であることからきわめて緩やかな審査を行って，結局格差の存在を是認したのであった。

最高裁は，これに先立ち，Dandridge v. Williams, 397 U.S. 471 (1970) において，生計を依存している子どものいる家族への補助金に家族当たりの最高支給額を設定していることが，大家族に対する差別になると争われたのに，違憲の主張を斥けている。社会経済立法が問題であり，憲法的権利が含まれていないとして，きわめて緩やかな審査のもとで，そのような格差は憲法に反しないとしたのであった。またLindsey v. Normet, 405 U.S. 56 (1972) においては，家賃滞納を理由とする強制立退き手続に対し，最高裁は，居住権は基本的権利であるという主張を斥け，合理性審査より厳しい基準が正当化される理由はないとした。憲法は，すべての社会問題に対する裁判所の救済を与えてはいないというのであった。こうして最高裁は，実体的平等保護理論によって貧困者に対する生存保障の役割をはたすことにも著しく消極的姿勢をとるに至ったといえよう。

ところが Plyler v. Doe, 457 U.S. 202 (1982) において，最高裁は必ずしもこれで基本的権利理論の将来がないわけではないことを示した。違法入国者の子どもに無償教育を拒否した州法が平等保護条項のもとで争われ，最高裁はこれを違憲と判断したのである。最高裁は，親が違法入国したことは子どもにはどうしようもないことであり，親の違法な行為を理由に子どもに不利益を課すのは不合理であると判断した。しかし，その判断には，それとともに，教育の重要性が大きく影響しており，教育は基本的権利ではないがその剝奪は実質的利益によって正当化されていなければならないとされたのであった。これはまさに Rodriguez 判決で拒否された立場ではないかと思われる。したがって，基本的権利理論はなお拡張の可能性を残しているのかもしれない。

選挙権

基本的権利として承認されている第一の領域は，選挙権である。最高裁は，Harper v. Virginia State Board of Elections, 383 U.S. 663 (1966) において，選挙権行使に人頭税支払いを条件づけた州法に対し，選挙権は基本的な政治的権利であり，貧困であるからといって差別することは平等保護条項の要求に反すると判断したのである。さらに最高裁は，Kramer v. Union Free School District, 395 U.S. 621 (1969) でも，学校区の選挙資格を学校に子どもを通わせている親か区内に不動産を所有している人に限定していることは，たとえその学校区の教育に利害を有している人に選挙権を与えるという目的を正当と仮定しても，その目的を正確に達成する手段とはいえないとした。そしてこの法理は，それ以外の選挙の場合にも拡張されている[15]。

さらに選挙区の間で投票の価値に格差を生じる議席配分不均衡の問題にも，最高裁は，Wesberry v. Sanders, 376 U.S. 1 (1964) で，第1条第2節の下院議員が人民によって選挙されるという規定から下院議員選挙における可能な限りの投票結果への影響力の平等の要求を導くと同時に，Reynolds v. Sims, 377 U.S. 533 (1964) で，州においては平等保護条項のもと，選挙権の重要性を強調して投票結果への影響力の平等の要求を導き，人口比例を原則として要求した。各人が持っている1票の影響力に選挙区の間で不平等があるの

15) Cipriano v. City of Houma, 395 U.S. 701 (1969); City of Phoenix v. Kolodziejski, 399 U.S. 204 (1970); Hill v. Stone, 421 U.S. 289 (1975). But see Salyer Land Co. v. Tulane Klake Basin Water Storage District, 410 U.S. 719 (1973); Ball v. James, 451 U.S. 355 (1981). また，これ以外の事例でも，最高裁は選挙権に関する差別に厳しい態度をとっている。Dun v. Blumstein, 405 U.S. 330 (1972)（選挙資格としての1年間の居住要件は違憲); Hunter v. Underwood, 471 U.S. 222 (1985)（道徳的に卑しい罪で有罪とされたものからの選挙権剝奪は黒人排除の目的として違憲). さらにRice v. Cayetano, 528 U.S. 495 (2000)（「ハワイ人」のための行政組織を管理運営する理事会の選挙資格を「ハワイ人」に限定することは，修正第15条に反する）も参照。ただし，最高裁はすべての選挙権への制限を違憲としているわけではない。Lassiter v. Northampton County Board of Elections, 360 U.S. 45 (1959)（選挙権資格としての識字テストは人種中立的であり違憲ではない); Richardson v. Ramirez, 418 U.S. 24 (1974)（重罪で有罪とされたものからの選挙権剝奪は違憲ではない). このところ，共和党の支配する州では，有権者の本人確認のために政府発行の写真入り身分証明書の提示を求めるなど，厳しい本人確認手続が要求されるようになっており，これが黒人有権者の排除につながるのではないかとして争われている。本章注7）参照。

は，平等保護条項の要求と相容れないというのである（1人1票原則）。そして，選挙制度の決定は基本的に州に委ねられているが，州議会が不均衡是正の責任をはたさない場合には，裁判所が是正を行ってもかまわないとした。この議席配分不均衡是正判決（reapportionment cases）は，公立学校における人種別学禁止判決と並んで，ウォーレン・コートの平等保護判決の最も特徴的な判決となった[16)]。

16）最高裁は，連邦の選挙については厳格な絶対的平等を要求している。Kirkpatrick v. Preisler, 394 U.S. 526（1969）; Wells v. Rockefeller, 394 U.S. 542（1969）; White v. Weiser, 412 U.S. 783（1973）; Karcher v. Daggett, 462 U.S. 725（1983）. ただし Abrams v. Johnson, 521 U.S. 74（1997）（裁判所が命じた選挙区割における最大35％の人口比例からの逸脱について，当該状況のもとで許されると判断）参照。しかし，州議会の選挙についてはいくぶん緩やかである。Abate v. Mundt, 403 U.S. 182（1971）; Mahan v. Howell, 410 U.S. 315（1973）; Gaffney v. Cummings, 412 U.S. 735（1973）; White v. Regester, 412 U.S. 755（1973）; Harris v. Arizona Independent Redistricting Commission, 578 U.S.—（2016）.

このような議席配分不均衡の文脈と異なり，投票制度が実質的に特定の集団の影響力を薄めてしまっており，憲法に反するという主張がなされた場合には，最高裁は，このような主張を受け容れるのに著しく消極的である。City of Mobile v. Bolden, 446 U.S. 55（1980）; Brown v. Thomson, 462 U.S. 835（1983）; Davis v. Bandemer, 478 U.S. 109（1986）; Voinovich v. Quilter, 507 U.S. 146（1993）. ただし，Rogers v. Lodge, 458 U.S. 613（1982）参照。また，Bush v. Gore, 531 U.S. 98（2000）では，大統領選挙に関し，投票と認められなかった票を基準を示すことなく手作業で再集計することは平等保護条項に反するとされている。第3章62頁参照。

なお，人種に基づき黒人を排除する選挙区割り（ゲリマンダリング）が修正第15条に反し許されないことはGomillion v. Lightfoot, 364 U.S. 339（1960）で明らかにされているが，逆に黒人が多数者となることだけを目的に高速道路に沿って異常に細長い選挙区をつくることも許されないとされている。Shaw v. Reno, 509 U.S. 630（1993）. また，Miller v. Johnson, 515 U.S. 900（1995）; Shaw v. Hunt, 517 U.S. 899（1996）; Bush v. Vera, 517 U.S. 952（1996）参照。このように選挙区割りが人種的ゲリマンダリングであるかが争われた場合，最高裁は，当該選挙区の区割りに際して人種が「圧この厳格審査はまた，被選挙権，つまり立候補の自由についても妥当する。それゆえ最高裁は，Williams v. Rhodes, 393 U.S. 23（1968）において，新党からの立候補に15％の投票者による署名の提出を要求した州法を，厳格審査のもとで正当化されないと結論している。また手数料の支払要件も，Anderson v. Celebrezze, 460 U.S. 780（1983）で違憲とされている。

裁判所へのアクセス

第二の領域は，裁判所へのアクセスである。そのリーディング・ケースは，Griffin v. Illinois, 351 U.S. 12（1956）である。この事件では，有罪判決に対して控訴するには訴訟記録を提出しなければならないとされていたが，貧困であるがゆえに記録が得られず控訴できなくなるのは平等保護条項に反するとして争われた。最高裁は，この主張を認め，州は貧困であるという理由で差別しえないと判断したのである。

この趣旨は，Douglas v. California, 372 U.S. 353（1963）でも確認され，権利としての最初の控訴に，貧困であるがゆえに弁護人を得

倒的な」考慮要素であったかどうか，もしそうであった場合，やむにやまれない利益を達成するための必要不可欠な手段であったかどうかという厳格審査を満たすかどうかを問題としている。Alabama Legislative Black Caucus v. Alabama, 575 U.S. 254（2015）; Bethune-Hill v. Virginia State Board of Elections, 580 U.S.—（2017）; Cooper v. Harris, 581 U.S.—（2017）. ただし最高裁は，Easley v. Cromartie, 532 U.S. 234（2001）において，このように圧倒的に黒人が多く異常な形をした選挙区であっても，民主党の支持を狙って作られた選挙区の場合は，違憲とはいえないと判断しており，Shaw判決そのものの先例性に疑問が投げかけられている。政治的ゲリマンダリングの合憲性については，Vieth v. Jubelirer, 541 U.S. 267（2004）（政治的ゲリマンダリングの主張には違憲性を判断する適切な基準がないため司法判断適合性がない），Rucho v. Common Cause, 588 U.S.—（2019）（政治的ゲリマンダリングの問題は，裁判所の司法権が及ばない政治的問題）を参照。

られないのは平等保護条項に反するとされた。さらに M. L. B. v. S. L. J., 519 U.S. 102（1996）は，この趣旨を民事事件にも適用し，子どもの親権剝奪判決に対する控訴に記録準備手数料支払いが要求され，それが支払えないため控訴できなかったことを違憲と判断している。

居住移転の自由

そして第三の領域は，居住移転の自由に関する。ここでのリーディング・ケースは，Shapiro v. Thompson, 394 U.S. 618（1969）である。これは，その土地に1年以上居住していない人に福祉受給金支払いを拒否した法律が争われた事例である。最高裁は，旅行の自由を基本的な権利と認め，その行使に制裁を科そうとすることはできず，また福祉受給金だけを求めて移ってくる人を排除するというのも正当でなく，行政上の便宜ではやむにやまれないものとはいえないとして，このような居住要件は平等保護条項に反すると結論したのであった。

最高裁は，その後も，一定の権利や利益の享受・行使に一定期間の居住を要件とすることに厳しい姿勢をとっている。選挙権行使のための居住期間要件は，Dunn v. Blumstein, 405 U.S. 330（1972）で違憲とされた。さらに，Memorial Hospital v. Maricopa County, 415 U.S. 250（1974）で，緊急時以外の公費での入院治療に1年間の居住要件を課している州法が Shapiro 判決にしたがって厳格審査のもとで違憲とされている。条文根拠は定かではないが，最高裁は旅行の自由ないし住居移転の自由を憲法的に保護された基本的権利と考えており，ここにもそれが反映されている。

さらに最高裁は，長期の居住者を優遇したり，一定時点で居住者であった人に優遇したりすることに対して，厳しい姿勢を続けてきている。Zobel v. Williams, 457 U.S. 55（1982）では，石油から得られた歳入を成人住民に居住年数に応じて配分するアラスカ州法が問題とされた。最高裁は，居住年数によって一定の利益を受ける条件としたものではないとして，適用されうる審査基準について明確にしなかった。しかし，合理性基準のもとであっても，過去の貢献度に応じて利益を配分するという目的は正当でなく，支持しえないと結論した。また最高裁は，Hooper v. Bernalillo County Assessor, 472 U.S. 612（1985）では，ある期日以前に州内に居住していたベトナム戦争帰還兵に対し免税措置を認めた州法を違憲としている。この区分は，退役軍人の州への居住を促進し，軍務についた州の居住者に報いるといういずれの目的にも合理的関連性を欠いており，合理性基準のもとでも違憲だというのであった。さらにAttorney General of New York v. Soto-Lopez, 476 U.S. 898（1986）では，州公務員の採用に際し，入隊時に州に居住していた退役軍人には加点する優遇措置が平等保護条項に反するとされた。州際移動の憲法的権利を行使した者に制裁を科すように作用する州法は厳格審査に服するとした上で，やむにやまれない利益達成に不可欠な手段であるとはいえないというのであった[17)]。

もっとも，州外居住者や新しく居住者となった者に対する不利益がすべて違憲とされているわけではない。例えばSosna v. Iowa, 419 U.S. 393（1975）では，非居住者を相手とする離婚訴訟を提起するための1年間の居住要件が支持されている。離婚を認めるというのは州の重大な関心事であり，州との一定の結びつきができるまで裁判所へのアクセスを延期してもかまわないというのであった。

17）　修正第14条第1節の特権・免除条項のもとで，新しい住民が最初の1年間に受給できる福祉給付金の額をそれ以前に住んでいた州で受けていた額に限定した州法を違憲と判断したSaenz v. Roe, 526 U.S. 489（1999）にも，同様の配慮が窺われるように思われる。第8章注1）参照。

プライバシーの権利

第四の領域は，プライバシーの権利に関する。最高裁は，Eisenstadt v. Baird, 405 U.S. 438（1972）で，避妊具の配布を結婚している者に対しては認めつつ，そうでない者には禁止していることを平等保護条項違反とし，また Zablocki v. Redhail, 434 U.S. 374（1978）では，結婚する権利を基本的権利と認め，別居中の未成年者の扶養義務を負っている人の結婚に裁判所の許可を要求した州法を，厳格審査のもと平等保護条項違反としている。さらに，Obergefell v. Hodges, 576 U.S. 644（2015）では，婚姻を異性間に限定し同性婚を認めないことが，婚姻の権利という基本的な権利を侵害し，平等保護条項に反すると判断されている。

しかし，家族関係に関するすべての区分が，基本的権利理論によって厳格審査に服するわけではない。例えば Lyng v. Castillo, 477 U.S. 635（1986）では，連邦の食料スタンプ制度が個人を基準とせず家計単位を基準としていることが，修正第5条のデュー・プロセスに含まれた平等保護の保障に反すると争われた。しかし最高裁は，この法律は，疑わしい区分に関するものではないし，家族関係の基本的権利に直接かつ実質的に干渉するものではないとして，厳格審査を拒否し，合理性基準のもとで合憲と判断した[18)]。また Bowen v. Gilliard, 483 U.S. 587（1987）では，児童手当支給の資格を判定する際に別居中の親から子どもが受けている生活費も考慮することが争われたのに，厳格審査を拒否し，合理性審査により合憲と判断している。

18）また，Maher v. Roe, 432 U.S. 464（1977）及び Lyng v. International Union, UAW, 485 U.S. 360（1988）参照。

第3節　中間的審査

1　性差別に関する平等保護理論の展開

古典的な事例

1960年代までの平等保護理論は，厳格審査が妥当する疑わしい区分とそれ以外の2分論に基づいていた。そこで疑わしい区分に該当するか否かが，最大の争点になってきたわけである。ところがバーガー・コートになって，その中間に，厳格審査ほど厳格ではないが，社会経済規制領域に対する緩やかな審査ほど緩やかでない中間的審査基準が存在することが明らかになってきた。性差別が，その典型である。

アメリカでも女性差別は長い歴史を有している。しかし，平等保護条項違反として女性差別が初めて争われたときも，裁判所は好意的ではなかった。その典型例が，Goesaert v. Cleary, 335 U.S. 464 (1948) である。この事例では，バーの男性所有者の妻あるいは娘でなければ，女性はバーテンダーとしての免許を受けられないという州法が争われた。ところが最高裁は，女性がバーテンダーとして働くことから生じる道徳的・社会的問題を考えて，一定の範囲でのみ認めてもかまわないとしたのであった[19]。

新しい展開

ところが女性の社会進出が進み，女性の社会における役割につい

---

19)　修正第14条第1節の特権・免除条項に関する事例であるが，Bradwell v. Illinois, 83 U.S. 130 (1873) は，女性差別の古典的事例と考えうる。これは，女性であるがゆえに弁護士資格が認められなかった事例である。最高裁は，弁護士資格は同条項によって保護された特権・免除にあたらないとして違憲の主張を斥けたが，同意意見の中には，このような区別は家庭を女性の本分とする創造主の定めるところだとするものもあった。女性差別を当然とみる典型的な立場をよく表していよう。

ての考え方も次第に変化してきた。女性解放運動も盛んになってきて，性差別は人種差別同様疑わしい差別ではないかという声が高まってきたのである。最高裁も，Reed v. Reed, 404 U.S. 71（1971）においてこの気運に応えるに至った。この事例では，死亡した子どもの不動産管理者として両親の間で常に女性より男性を優先させる制度が争われた。最高裁は，伝統的な合理性審査を行いつつも，個別審査を省くという便宜ではこのような性差別は正当化しえないと述べ，性差別に対するより厳格な姿勢の可能性を示唆したのである。

続いて，男性将校には配偶者手当を自動的に認めておきながら女性将校には配偶者が生計を依存していることを示さない限り手当を支給しないことが争われたFrontiero v. Richardson, 411 U.S. 677（1973）でも，この傾向が確認された。最高裁は，たとえ事実上女性の方が配偶者として生計を依存していることが多いにしても，行政上の便宜を理由にしてこのような性による区分を正当化することはできないと結論したのである。

ただ，性差別を疑わしい差別と認める裁判官は多数を占めることができず，審査基準の確定は先に延ばされた。Stanton v. Stanton, 421 U.S. 7（1975）では，子どもの扶養義務を負う年齢に関し，男女で成年となる年齢が異なるのは，どの基準のもとでも違憲だとされ，状況は変化しなかった。

2　性差別の許容性

中間的審査基準の確立

結局，性差別に対する審査基準が確定されたのは，Craig v. Boren, 429 U.S. 190（1976）になってからであった。ここではビールを18歳以上の女性に販売することを認めながら，男性については21歳以上でなければならないとする州法が平等保護条項違反として争われた。最高裁は，Reed判決やFrontiero判決から，性差別は重要な目的に仕え，その目的達成に実質的に関連していなければならないという基準を導いた。そして，18歳から20歳の間は女性より男性の方が飲酒運転をする傾向があるという統計が差別の根拠として持ち出されたが，最高裁はこの統計は性差別を正当化するに足るものではないと結論したのである。

こうして，性に基づく差別には，厳格審査は妥当しないが，かといって議会の判断尊重的な緩やかな審査が適用されるのでもなく，中間的な審査基準が適用されることが明らかにされた。この中間的審査のもと，最高裁は，性による区分が重要な目的に実質的に関連していることを要求している。しかも最高裁は，性別が手段として関連性を欠くものと考えており，それゆえ目的達成のため性的に中立な区分が利用可能であれば，なぜ性的区分を用いる必要があったのかを厳しく問題としているのである。注意すべきは，この中間的審査基準は，女性に不利益的な差別のみならず，男性に不利益的な差別の場合にも適用されていることである。これは，男性に不利益的な差別も，しばしば女性は弱い存在であるとか，女性は男性に依存しているといったステレオタイプによって成立しているからである。したがって，表面的には女性は有利に扱われていても，女性差別的な思考が作用していることがあるのである。

Craig判決以降

最高裁は，その後もこのCraig判決の中間的審査基準にしたがって，性差別を審査してきている。例えばOrr v. Orr, 440 U.S. 268 (1979) では，離婚の際に扶養料支払いを夫の側にだけ命じうることにしている州法が争われた。最高裁は，確かに結婚中の差別を償い，離婚後経済的に苦しい状況にある女性を助けるという目的は正当で重要であると認めたが，手段として個別的審査を省くことは正当化しえないとしている。さらに Wengler v. Druggists Mutual Insurance Co., 446 U.S. 142（1980）でも，夫が労働に関連して死亡した場合と異なり，妻が労働に関連して死亡した場合には，夫が生計を依存していたなどの証明をしない限り死亡補償が受けられないことになっていたことが争われた。そして，ここでも最高裁は，個別的審査を省くという行政的便宜では性差別を正当化するに不十分だとして，これを違憲と判断している。

しかし，最高裁は，Michael M. v. Superior Court, 450 U.S. 464（1981）及び Rostker v. Goldberg, 453 U.S. 57（1981）の両判決では，この Craig 判決の姿勢から逸脱したように思われる。前者は，18歳より下の女性と性関係を持った男性を強姦として処罰するいわゆる「法律上の強姦」罪に関する事例である。最高裁はここで，Craig 判決に言及しつつ，本法は，十代の少女の妊娠を防止するという目的に仕えるもので，男性のみを処罰しているのは妊娠から特に女性が不利益を被ることを考慮したものだとして，十分な関連性を認めこれを支持した。Craig 判決の基準からいえば，なぜ性による区分が必要なのかが問われなければならないはずなのに，ここでは最高裁はそのような姿勢を示していない。後者は，男性のみに軍隊への登録義務を負わすことが平等保護条項に反すると争われた事例である。最高裁は，この決定が軍隊に関するものであることなどを強調しつつ，女性が実戦配備から除外されていることを前提に，登録は実戦配備のためのものであるから男性のみに登録を命じてもかまわないと結論した。ここでも最高裁は，両性平等に登録義務を負わすのではなく，なぜ男性のみに登録義務を負わすことが必要なのか，問題にしていない。

ところが最高裁は，Mississippi University for Women v. Hogan, 458 U.S. 718（1982）では，Craig 判決の基準がなお意味を持ってい

ることを明らかにした。この事例では，州立女子大学の看護学部のプログラムへの男性の入学を拒否したことが争われ，最高裁は中間的審査基準を適用して，片方の性のみを保護したり排除したりするという目的であれば不当であり，たとえ正当で重要な目的があるとしても，手段は実質的関連性を有していないとして，平等保護条項違反と結論したのである。また，J.E.B. v. Alabama, 511 U.S. 127 (1994) では，州が未成年の子どもの母親のため，認知と扶養料支払いを求める訴訟を提起し，専断的忌避によって男性を排除し，陪審員が全員女性となってしまった事例で，性別による区分は厳格な審査に服するとして，これを違憲としている。

さらに United States v. Virginia, 518 U.S. 515 (1996) では，男性のみの入学を認めるバージニア州立軍学校について，中間的審査のもとで，平等保護条項違反と判断された。女性の入学を認めると極めて厳しい訓練を課す同校の独特の教育方法を変更せざるをえなくなり，同校の存在意義がなくなるとの主張が斥けられ，女性の排除は正当化されないと判断された。しかも是正策として，女性のために別の軍学校を創設するとの州の提案も拒否されたことが注目される。別の学校でバージニア州立軍学校と同等の教育が与えられるとの保証がなく，学生が同校の卒業生と同等の地位を得られるとの保証もないというのであった。

また最高裁は，Sessions v. Morales-Santana, 582 U.S.— (2017) において，国外で合衆国市民から生まれた子どもへの市民権付与について，父親と母親の場合に異なったルールを設けていることを修正第5条違反と判断している。この場合の原則は，市民権付与のためには親が合衆国内に子どもの出産以前に10年間居住していたことが必要であったが，婚姻関係にない合衆国市民の母親が国外で出産した場合には，1年間で足りるものとの例外規定があった。最高裁は，性別に基づく区分には中間的審査基準が少なくとも妥当し，この厳しい基準のもとでこの区分は到底今日正当化されないという。法律ができた当時の，子どもの養育は母親がするもので父親はほとんど関係しないというステレオタイプに基づくもので，現在このような性に基づく異なった取扱いを正当化するような利益はないというのである[20]。

20）性に基づく差別かどうかは，しばしば困難な問題となる。この問題が生じる一例は，非嫡出子の父親と母親の異なった扱いである。非嫡出子の養子縁組に関し母親には拒否権を認めながら本当の父親にはそれを認めない州法が，Caban v. Mohammed, 441 U.S. 380（1979）で平等保護条項違反とされている。母親の方が父親より子どもと深い結びつきを有しているといった過度の一般化は許されないというのである。ところが Parham v. Hughes, 441 U.S. 347（1979）では，非嫡出子が死亡した場合に，母親と異なり認知していない父親は賠償を請求できないとする州法が支持された。非嫡出子の父親はしばしば不確定であり，自発的な認知の途も開かれている以上，本法は男性であることを理由に差別しているわけではないというのであった。さらに Miller v. Albright, 523 U.S. 420（1998）では，国外で生まれた非嫡出子について，父親が市民で母親が外国人の場合，その逆の場合と異なり，特別の要件を満たさなければ市民権が認められないことが性差別だと争われたが，その主張は認められなかった。ただその根拠は，異なった扱いが重要な目的に十分関連しているという立場と，子どもには性差別を主張する適格がないという立場と，裁判所には市民権を付与する権限はないという立場に分かれた。また，Nguyen v. INS, 533 U.S. 53（2001）では，合衆国の国外で生まれた非嫡子の国籍について，母親が合衆国市民であればアメリカ国籍が付与されるのに，父親が合衆国市民の場合には一定の要件を満たさないとアメリカ国籍が付与されないことが性差別だとして争われたが，最高裁は，これは子どもが父親と一定の関係にある場合に国籍を付与するという重要な目的を達成するために実質的関連性を有しているとして，違憲の主張を斥けている。

いま一つの例は，妊娠や出産である。Geduldig v. Aiello, 417 U.S. 484（1974）では，州の傷害保険から妊娠と出産に伴う傷害が除外されていることが争われたが，最高裁はこれを妊娠と出産という身体の状況に基づく区分だと捉え，性差別と認めず，合理性審査のもとでこの法律を支持した。妊娠と出産は，女性にしかありえないが，それでも女性であるがゆえの差別ではこのような最高裁の姿勢に対し，学説では，性差別は疑わしい区分とみて厳格審査すべきだという意見がある一方で，今日女性は少数者とはいえず政治参加が十分認められていることから，なぜ合理性審査以上の審査が正当化されうるのか問題とする意見もある（なお，女性差別を禁じた憲法改正――ERA: Equal Rights Amendment――を行おうという試みがなされたが，結局成功しなかった）。

なお，現在では，性的指向や性的同一性に基づく差別が，性差別を禁止した市民的権利保護法に違反するとされるに至っているが[21]，これが修正第14条に反する性差別かどうか，中間的審査が適用されるのかどうかは定かではない。

3　非嫡出子

非嫡出子に関する最高裁の態度は，激しく揺れ動いている。

最高裁は，Levy v. Louisiana, 391 U.S. 68（1968）において，認知されていない非嫡出子が母親の死亡に対し損害賠償請求できないとした州法を違憲と判断した。最高裁は合理性基準を用いながら，実際には厳格な審査を行っていた。その後最高裁は，Labine v. Vincent, 401 U.S. 532（1971）で，相続権等で非嫡出子に対し差別する法律を合理性審査のもとで支持したが，Gomez v. Perez, 409 U.S. 535（1973）では，父親からの扶養料請求権を嫡出子には認めながら非嫡出子には認めない州法を違憲と判断した。このように，この領域での最高裁の姿勢は必ずしも一致していなかった。

しかし最高裁は，Trimble v. Gordon, 430 U.S. 762（1977）において，両親が結婚したか父親によって認知された場合を除いて非嫡出

ないというのであった。これに対し学説の中には，女性のみにしかない妊娠・妊娠中絶・出産に関する制約は厳格審査に服すべきだとの批判もある。

21）　Bostock v. Clayton County, 590 U.S.―（2020）.

子の父親からの相続権を否定した州法をLabine判決と事案を区別して無効と判断し，非嫡出子に関する平等保護審査がまったく無審査ではないことを明らかにした。最高裁は，正当な家族関係を促進するという目的の正当性は認めたが，子どもに制裁を加えることによって男女関係に影響を与えようとすることは許されず，父親確定の困難性は相続権の全面否定を正当化しないと判断したのであった。

その後最高裁は，Lalli v. Lalli, 439 U.S. 259（1978）では，妊娠中ないし出産後2年以内に訴えを起こし父親の生存中に裁判所で父性を確定してもらっていない限り，非嫡出子の父親からの相続権を認めない州法を支持し，この領域での審査基準がなお確定していないことを示した。ところが，さらにその後，Mills v. Habluetzel, 456 U.S. 91（1982）では，最高裁は，非嫡出子の扶養料を得るためには子どもが1歳になる前に父親を確定する訴訟を起こしていなければならないとする州法を違憲と判断し，依然非嫡出子に対する差別に対する審査が緩やかな審査でないことを認めた。この要件は，非嫡出子による扶養料請求を認めなかった法律が無効とされたため，州法改正の結果加えられたものであった。最高裁は，詐欺的請求を防ぐという目的にとって，この1年という限定はあまりに短すぎ，実質的関連性を欠いているとしたのであった。このような限定は，Pickett v. Brown, 462 U.S. 1（1983）で，2年でも足りないと判断されている。そして最高裁は，Clark v. Jeter, 486 U.S. 456（1988）において，非嫡出子に対する差別に中間的基準が適用されるとした上で，非嫡出子に対する扶養料請求訴訟のための父性確定に生まれてから6年間の時効を定めた州法を違憲としている。6年の時効期間は，非嫡出子にその権利を主張させるのに十分長いとはいえず，しかも詐欺的請求を阻止するという目的にとっても実質的関連性を欠いているというのであった。

このように，最高裁は非嫡出子が疑わしい区分であるとしたことはない。しかし，少なくともここでは緩やかな合理性審査以上の審査が行われてきた。そして最高裁は現在のところ中間的基準が適用されるとしている。しかし，この領域における審査の基準は，まだ確立したとまではいえないように思われる。

第４節　合理性審査

1　合理性審査の展開

疑わしい区分も存在せず，基本的権利も問題となっておらず，中間的審査基準も適用されない場合，平等保護の合憲性判断基準は，合理性の基準（合理的根拠基準）である。したがって，その区分が正当な合理的目的に合理的に関連していれば，それで平等保護の要請に合致するとされる。社会経済立法についての実体的デュー・プロセス理論の要求と同様，この合理性審査はきわめて緩やかであり，基本的には合憲性を推定し，議会の判断を尊重した審査が行われる（合憲性の推定）。

このことは，自分の営業の広告を書く者を除いて広告のための車両を運転することを禁止した市条例の合憲性が争われた Railway Express Agency v. New York, 336 U.S. 106 (1949) において明らかにされた。最高裁は，自分の営業について広告する者とそうでない者との間に交通の安全という点で差異があると議会は考えたかもしれないとして，この区別を是認したのである。

ウォーレン・コートの時代，このような議会の判断を尊重する態度は，ほとんどまったく無干渉の域に達した。Williamson v. Lee Optical Co. of Oklahoma, 348 U.S. 483 (1955) がその典型である。ここでは，眼科医・検眼士以外の人による眼鏡レンズの複製禁止が平等保護条項に反すると争われたが，既に見たように最高裁は，立法目的が州法上定かではなかったにもかかわらず，立法目的をあれこれと推測し，議会の判断を尊重し，その推測される立法目的と合理的関連性を有していると判断された。その際最高裁は，議会は一度に問題に対処しようとしたのではなく，とりあえず最も明白な問題から対応しようとしたかもしれないとして，この区別を支持したのである。さらにMcGowan v. Maryland, 366 U.S. 420（1961）では，たばこや食料品等を除いて日曜に商品の販売等を行うことを刑罰でもって禁止した，いわゆる日曜休日法が争われたが，最高裁は，議会はこのような例外が公衆の健康等に必要と考えたのかもしれないとしてこれを支持した。McDonaldo v. Board of Election Commissioners, 394 U.S. 802（1969）では，未決拘禁者に不在者投票を認めないことが平等保護条項に反すると争われたが，最高裁は選挙権という基本的権利の行使に不利益を及ぼすものではないとして，合理性基準を適用し，正当な立法目的に合理的関連性を有していればよく，議会の判断は尊重されるとして，これもまた支持したのであった。

これらの事例で最高裁は，議会の判断を尊重し，考えられる立法目的を推測することによって関連性を認めている。また議会は一度に問題に対処するのではなく段階的に対応してもかまわないとし（過小包摂でもかまわない），また当該事件については差別に理由はなくとも，類型的にみて理由があれば差別も許される（過大包摂でもかまわない）としている。このような結果は，差別された集団が，政治プロセスから排斥された少数者ではないという理由で正当化されうるかもしれない。しかし，他方このような極端な消極主義は，社会経済立法への干渉に対する過剰反応であって，せめて手段の関連性の審査においてはもう少し厳格に審査してもよいのではないか，あるいは立法目的についても裁判所があれこれ推測するのではなく，せめて明示された立法目的との間でだけ関連性を検討すべきだとの声も出ていた。

2　バーガー・コート以降の展開

バーガー・コートになって，最高裁は，このような合理性審査におけるまったくの無干渉主義的アプローチを修正した。最高裁は，しばしば合理性審査を用いながら，平等保護条項違反を認めたのである[22]。しかしこれらの領域は，今日からみればほとんどが合理性基準を超える厳格な審査が行われていた事例であり，それ以外の場合，この領域での最高裁の審査は，明らかに著しく議会の判断尊重的であった[23]。

22）典型例は，女性差別に関する Reed v. Reed, 404 U.S. 71（1971）である。注目されるのは，親族以外の者を含む家庭を食料スタンプ制度の受給資格から排除した連邦法を，合理性審査のもとで，ヒッピーを排除するという制度の目的とまったく関係のない目的になされたもので，正当性を欠くと結論した U.S. Department of Agriculture v. Moreno, 413 U.S. 528（1973）である。

23）New Orleans v. Dukes, 427 U.S. 297（1976）（8年以上営業している者を除いて屋台で食料品を販売することの禁止）（1930年代以降社会経済立法を平等保護条項のもとで違憲と判断した唯一の事例である Morey v. Doud, 354 U.S. 457（1957）を，適切な平等保護理論から著しく逸脱したものとして覆した); Massachusetts Board of Retirement v. Murgia, 427 U.S. 307（1976）（州警察官の定年制); Gregory v. Ashcroft, 501 U.S. 452（1991）（州裁判官の70歳定年制); U.S. Railroad Retirement Board v. Fritz, 449 U.S. 166（1980）（定年に際し受けられる年金支給に，勤続年数や，法律制定時に既に退職しているかどうかで区別を設けた連邦法の改正); Schweiker v. Wilson, 450 U.S. 221（1981）（連邦の医療補助を受けていない公的施設に収容されている人への生活費補助の拒否); Vacco v. Quill, 521 U.S. 793（1997）（例外を設けず自殺幇助を禁止した規定). なお，州際通商に影響する民間企業における定年制は，雇用における年齢による差別禁止法によって禁止された。州でも定年制を禁止する州が増えている。

3　現　在

そしてついに，Logan v. Zimmerman Brush Co., 455 U.S. 422 (1982) において，通常の社会経済的立法の場合であっても合理性審査のもとでも平等保護条項違反とされる可能性が示された。これは職場における差別の申立てについて一定期間内に審査すべきものとされていたところ，審査機関の不注意で期間が徒過してしまい，請求が認められなくなってしまった事例であった。最高裁は，これを手続的デュー・プロセス違反と結論したが，さらに4人の裁判官が，このような制度には理由がないとして，主張された立法目的を斥け，平等保護条項にも反すると判断したのである。そしてこれ以外にも2人の裁判官が合理性基準のもとでこの制度は平等保護条項に反するとしており，結局6人の裁判官が平等保護条項違反を認めたことになった。

このように，社会経済立法に関する場合，最高裁は，原則的に合理性審査を緩やかに用いているが，この審査はかつてのようにまったく無干渉的ではない[24]。

---

24)　最高裁はまた，他州の住民に不利益に作用するような州の税法を合理性審査のもとで平等保護条項違反と判断している。Metropolitan Life Insurance Co. v. Ward, 470 U.S. 869 (1985); Williams v. Vermont, 472 U.S. 14 (1985). ここには通商条項や憲法第4条の特権・免除条項のもとにおけるのと同趣旨の配慮が窺われるように思われる。しかし最高裁は，Allgheny Pittsburgh Coal Co. v. County Commission of Webster County, 488 U.S. 336 (1989) において，そのような他州の住民に不利益となるのではない州の課税をも平等保護条項のもとで違憲との判断を下した。この事例では，郡は，新たに土地を取得した場合には購入価格を基礎に課税評価しながら，以前から所有していた土地については評価額の調整をあまり行わなかったため，両者の間で著しい不均衡が生じたことを平等保護条項に反すると宣言したのである。ところが資産評価が土地取得時の価値によって行われるため，古くからの住民と新しく土地を取得した人の間の土地資産評価の著しい不均衡が問題とされたカリフォルニアの事例では，合理性基準が適用され，

4　少数者保護のための合理性審査？

さらに最高裁は，City of Cleburne v. Cleburne Living Center, 473 U.S. 432 (1985) でも，合理性基準を適用しつつ違憲の判断を下した。この事例では，精神発達遅滞者等のための施設の建設に特別の許可を要求する市のゾーニング条例のもとで，精神発達遅滞者のための集合住宅に対する許可が拒否されたことが問題とされた。最高裁は，精神発達遅滞者であることが「疑わしい」に準ずるような区分であるとの主張を斥け，通常の合理性審査を適用した。ところが本件では，許可の拒否に対して正当な目的が示されていないとして，拒否は精神発達遅滞者に対する偏見に基づくものではないかと述べ，違憲と結論したのである。この結論については，全員一致であった。

その上 Romer v. Evans, 517 U.S. 620 (1996) では，州及び地方の政府の機関が同性愛者を差別から保護することを禁止した，住民投票によって可決された州憲法改正規定について，合理性基準のもとでさえ許されないと判断した。これはある特定の集団から法による保護を包括的に剥奪したもので，明らかに敵意によって制定されたもので，正当な目的に仕えるものではないというのであった。そして最高裁は，United States v. Windsor, 570 U.S. 744 (2013) において，同性婚が州によって認められていても連邦法の解釈として婚姻と認めず，さらに他の州にもこれを適法な婚姻と認めないことを許す婚姻擁護法を修正第5条のデュー・プロセス条項に含まれる平等保護の原則に反し，違憲と判断している。州によって適法に婚姻と認められたものを，同性婚に限って否定することには正当な目的はなく，同性婚を行ったカップルを傷つけるというのである。その上，最高裁は，既に見たように，Obergefell v. Hodges, 576 U.S. 644

不均衡は違憲ではないとされた。Nordlinger v. Hahn, 505 U.S. 1 (1992). また Quinn v. Millsap, 491 U.S. 95 (1989) を参照。

(2015) では，婚姻を異性間に限定し同性婚を認めないことが，婚姻の権利という基本的な権利を侵害し，平等保護条項に反すると判断している。いずれも，同性愛者に対する差別を疑わしい差別としたものではなく，しかもどのような審査基準が適用されたのかはっきりしないが，明らかに両者とも，同性婚の否定が正当な目的を持たず，同性愛者に対する偏見に根ざしていることを問題としているのではないかと思われる。

これらの判決をどう理解するのかは，難しい問題である。Cleburne Living Center の事例は，障害者に対する偏見が問題とされた事例であるし，3人の裁判官は，多数意見が実際には厳格な審査を行っていると指摘している。Romer 判決も，Windsor 判決も，Obergefell 判決も同性愛者に対する偏見に基づく差別が問題とされた事例とみることができ，しかもどのような基準が適用されたのか必ずしも明確でない。したがって，これらの事例は，ある意味では弱者保護のため合理性基準を厳格に適用した事例，または合理性審査よりもやや厳格な審査を適用した事例ともみることができるかもしれない。今後の展開が注目される。性的同一性に基づく差別にも，同様のことがいえるかもしれない[25]。

▶参考文献

平等保護一般について，戸松秀典・平等原則と司法審査（1990），藤倉皓一郎「平等条項と連邦最高裁判所」川又良也（編）・総合研究アメリカ④平

25）　軍隊内における同性愛者の取扱いが問題となり，尋ねないから告白しないでほしい（don't ask, don't tell）という政策がとられてきた。その結果，同性愛者であることを告白した者は除隊を余儀なくされ，裁判所でその合憲性が争われてきたが，オバマ政権のもとでこの政策は廃止され，同性愛者の軍隊からの排除はなくなった。トランプ大統領は，トランスジェンダーの人を軍隊から排除したが，バイデン大統領がこれを覆した。

等と正義（1977），松平光央「平等保護条項と経済的不平等の是正」芦部信喜＝奥平康弘＝橋本公亘（編）・アメリカ憲法の現代的展開（1）人権（1978），吉田仁美・平等権のパラドクス（2015）。**人種差別とアファーマティヴ・アクション**については，西村裕三・アメリカにおけるアファーマティヴ・アクションをめぐる法的諸問題（1987），吉田仁美「米国におけるアファーマティブ・アクションの合憲性審査基準の動向」同志社法学53巻7号（2002），同「レーンキスト・コートとアファーマティブ・アクション」比較法研究69号（2007），紙谷雅子「大学とアファーマティヴ・アクション」アメリカ法2004（1）（2004），藤井樹也「学校における人種統合とアファーマティヴ・アクション（1）（2・完）」筑波ロー・ジャーナル2号・3号（2007–08），松井茂記「平等保護理論の展開とアファーマティブ・アクション」アメリカ法2009（1）（2009）。**基本的権利と選挙権**については，中村良隆「投票権の平等とレーンキスト・コート」宮川成雄（編）・アメリカ最高裁とレーンキスト・コート（2009），畑博行「アメリカ合衆国最高裁判所と議員定数再配分問題」広島法学14巻4号（1991）。**性差別**については，釜田泰介「性による差別とアメリカ憲法（1）～（3・完）」同志社法学28巻5号・6号，29巻1号（1977），君塚正臣・性差別司法審査基準論（1996）。**同性愛者に対する差別と同性婚**については，紙谷雅子「同性婚――過去・現在・未来」アメリカ法2015（1）（2015），同「Obergefell v. Hodgesについて――アメリカ法の立場から」アメリカ法2016（2）（2016）。

より詳しい学習のために

(1) 本書は，一応のアメリカ法及び法制度の知識を前提に書かれている。したがって，初めてアメリカ法に接する人は，次のような入門書を読まれることを勧める。

伊藤正己＝木下毅・アメリカ法入門〈第5版〉(日本評論社，2012)

田中和夫・英米法概説〈再訂版〉(有斐閣，1981)

田中英夫・英米法総論（上・下）(東京大学出版会，1980)

丸山英二・入門アメリカ法〈第4版〉(弘文堂，2020)

木下毅・アメリカ公法——日米比較公法序説（有斐閣，1993)

樋口範雄・はじめてのアメリカ法〈補訂版〉(有斐閣，2013)

(2) また本書では，概説書としての性格上，個々の領域における詳細な問題を扱うことはできなかった。より詳しいアメリカ憲法の学習のためには，次のような書物を参照されたい。

T. I. エマスン＝木下毅・現代アメリカ憲法（東京大学出版会，1978)

川又良也（編)・総合研究アメリカ④平等と正義（研究社，1977)

芦部信喜＝奥平康弘＝橋本公亘（編)・アメリカ憲法の現代的展開（1）人権（東京大学出版会，1978)

下山瑛二＝高柳信一＝和田英夫（編)・アメリカ憲法の現

代的展開（2）統治構造（東京大学出版会，1978）
阿川尚之・憲法で読むアメリカ史（上・下）（PHP 新書，2004）
同・憲法で読むアメリカ現代史（エヌ・ティ・ティ出版，2017）
宮川成雄（編）・アメリカ最高裁とレーンキスト・コート（成文堂，2009）
樋口範雄・アメリカ憲法〈第2版〉（弘文堂，2021）
大沢秀介＝大林啓吾（編）・アメリカ憲法判例の物語（成文堂，2014）
大沢秀介＝大林啓吾（編）・アメリカ憲法と民主政（成文堂，2021）
大沢秀介＝大林啓吾・アメリカの憲法問題と司法審査（成文堂，2016）
大林啓吾（編）・アメリカの憲法訴訟手続（成文堂，2020）
大林啓吾＝溜箭将之（編）・ロバーツコートの立憲主義（成文堂，2017）
山本龍彦＝大林啓吾（編）・違憲審査基準（弘文堂，2018）
山本龍彦＝大林啓吾（編）・アメリカ憲法の群像　裁判官編（尚学社，2020）
小竹聡・アメリカ合衆国における妊娠中絶の法と政治（日本評論社，2021）

(3)　アメリカ憲法の学習には，最高裁の憲法判例を知ることが不可欠である。本書では，判例の具体的事案等について詳しく触れることはとてもできなかったので，樋口範雄＝柿嶋美子＝浅香吉幹＝岩田太（編）・アメリカ法判例百選（有斐閣，2012），憲法訴訟研究会＝芦部信喜（編）・アメリカ憲法判例（有斐閣，

1998）及び憲法訴訟研究会＝戸松秀典・続・アメリカ憲法判例（有斐閣，2014）を是非参照していただきたい。

(4) アメリカ憲法を，アメリカのロー・スクールで学習する場合，判例と共に検討資料や質問を加えたケース・ブックと呼ばれる教科書が一般に用いられる。この種のケース・ブックは数多くあるが，実際に読んでみようと思う人には，Noah Feldman & Kathleen Sullivan, *Constitutional Law*（20th ed. 2019, Foundation Press）を勧める。これはオーソドックスなケース・ブックであり，アメリカのロー・スクールで広く用いられているものである。本書もまた，これを基底にしている（毎年 Supplement が出ているので入手する場合は，一緒に入手されたい）。これ以外にも Geoffrey R. Stone, Louis M. Seidman, Cass R. Sunstein, Mark V. Tushnet & Pamela S. Karlan, *Constitutional Law*（8th ed. 2017, Aspen), Erwin Chemerinsky, *Constitutional Law*（6th ed. 2019, Aspen）及び Jesse H. Choper, Michael C. Dorf, Richard H. Fallon Jr. & Frederick Schauer, *Constitutional Law: Cases, Comments and Questions*（13th ed. 2019 West）など。日本で用いられているような論述式の教科書としては，Laurence H. Tribe, *American Constitutional Law*（I 2d ed. 1988, II 3rd ed. 1999 Foundation Press）と Erwin Chemerinsky, *Constitutional Law: Principles and Policies*（6th ed. 2019 Aspen）を挙げておく。前者は，意欲的な教科書で魅力的であるが，かなり独自のものであり，判例の理解や位置づけには特異な点がある（しかもかなり古くなってしまった）。後者は，その点判例理論を抑制的に整理してあり，参考になろう。入門的な本としては，David P. Currie, *The Constitution of the United States*（2d

ed. 2000, University of Chicago Press）や Jerome A. Barron & C. Thomas Dienes, *Constitutional Law in a Nutshell*（10th ed. 2020, West），Mark Tushnet, *The Constitution of the United States of America*（2nd ed. 2015, Hart）などがある。

(5) 判例を読みたい方は，判例集をみる必要がある。本書が引用する判例のほとんどは合衆国最高裁の判例であるが，慣例に従い当事者名で引用され（上告人対被上告人の順で表示される），判例集の巻数と頁数（U.S. は U.S. Reports で最高裁の公式の判例集）を指す。Marbury v. Madison, 1 Cranch（5 U.S.）137（1803）は，マーベリー対マディソン事件で，その判決は 1803 年に下され，最高裁判例集 5 巻 137 頁に掲載されていることを示している。初期のころの判例は，公式の判例集ではなく，編纂者の名前で編纂されており，1 Cranch は編纂者である Cranch の編纂した判例集第 1 巻に掲載されていることを示している。他に企業による判例集も出ている。検索は，コンピューターを利用するのが便利である（Lexis-Nexis と West Law が一般的である）。合衆国最高裁の URL は http://www.supremecourt.gov，判例は http://www.supremecourt.gov/opinions/opinions.aspx，その他 FindLaw のウェブページ（http://www.findlaw.com/casecode/supreme.html）及びコーネル大学ロー・スクールの法律情報協会のウェブページ（http://www.law.cornell.edu/supct）などで見ることができる。

アメリカ合衆国憲法

前　文

われわれ合衆国人民は，より完全な結合体（Union）を形成すること，正義に基づく法秩序を樹立すること，国内の平穏を確保すること，共同の防衛に備えること，一般的福祉を促進すること，そして，われら自身とその子孫に自由の恵沢を確保することを目的として，アメリカ合衆国のため，ここにこの憲法を制定し，かつこれを確立する。

第1条

第1節

この憲法によって与えられるすべての立法権は，合衆国連邦議会に属する。連邦議会は，上院及び下院によって構成される。

第2節

① 下院は，各州の人民によって2年ごとに選出される議員によって組織される。各州においてこの選挙に参加しうる選挙権者は，その州議会のうち議員数の最も多い部門の選挙権者に必要な資格を備えていなければならない。

② 何人も，年齢が25歳に達していて，合衆国市民となってから7年を経ており，そして選挙されたときに選出された州の住民でなければ，下院議員となることはできない。

③ 〔下院議員の数及び直接税の徴収額は，この連邦に加わる各州に，それぞれの人口に応じて割り当てられる。その人口は，自由人の総数に，すべての他の人の5分の3を加えて算出する。ただし，自由人は一定期間服役している人を含むが，課税されていないインディアンを除く。〕* 実際の人口計算は，合衆国連邦議会の最初の開会の後3年以内に，そしてそれ以後は10年ごとに，法律の定める方法で行われなければならない。下院議員の数は，3万人に1名の割合を超えてはならない。ただし，各州は，少なくとも1名の下院議員を有する。上述の人口計算がなされるまでは，ニュー・ハンプシャー州は3名，マサチューセッツ州は8名，ロード・アイランド州は1名，コネティカット州は5名，ニュー・ヨーク州は6名，ニュー・ジャージー州は4名，ペンシルヴァニア州は8名，デラウェア州は1名，メリーランド州は6名，ヴァージニア州は10名，ノース・カロライナ州は5名，サウス・カロライナ州は5名，ジョージア州は3名の下院議員を選ぶことができる。　*修正第14条第2節及び修正第16条により修正

④ 州からの代表に欠員が生じた場合には，その州の執行府は，欠員補充のために選挙の令状を発しなければならない。

⑤ 下院は，その議長及び他の役員を選任する。弾劾訴追の権限は下院に専属する。

第3節

① 合衆国上院は，各州から6年の任期で〔その州の議会によって〕* 選出され

た2名の上院議員によって構成される。各上院議員は，1票の投票権を有する。
＊修正第17条第1項により修正

② 第1回の選挙の結果に基づいて招集された直後に，上院議員は可能な限り等しい数で三つの組に分けられる。2年ごとに3分の1ずつが改選されるように，最初の組の上院議員は2年が経過したとき，2番目の組の上院議員は4年が経過したとき，そして3番目の組の上院議員は6年が経過したとき議席を失う。〔州の議会が休会中，辞任その他の理由で欠員が生じた場合，その州の執行府は，次の議会が開会され欠員補充が行われるまでの間，臨時の上院議員を任命することができる。〕＊　＊修正第17条第2項により修正

③ 何人も，年齢が30歳に達していて，合衆国市民となってから9年を経ており，選出時に選出された州の住民でなければ，上院議員となることはできない。

④ 合衆国副大統領は，上院議長を務める。ただし，可否同数の場合を除いては，表決に加わることはできない。

⑤ 上院は，議長以外の役員を選出する。また上院は，副大統領が不在の場合または合衆国大統領の職務を行う場合には，臨時議長を選任する。

⑥ すべての弾劾裁判をする権限は，上院に専属する。弾劾裁判を行うために開会するには，宣誓または確約を行わなければならない。合衆国大統領が弾劾裁判される場合には，最高裁判所長官が議長を務める。そして何人も，出席議員の3分の2の同意がなければ有罪の判決を受けない。

⑦ 弾劾の事件における判決は，解職すること及び合衆国のもとでの名誉，信任または報酬を伴う公職に就任し，在職する資格を剥奪すること以上に及ぶことはできない。ただし，有罪判決を受けた当事者が，なお法律にしたがって責任を問われ，起訴，裁判，判決及び処罰を受けることを妨げるものではない。

第4節

① 上院議員及び下院議員の選挙を行う日時，場所及び方法は，各州において，その立法府によって規定されるものとする。ただし，連邦議会は，上院議員を選出する場所を除いて，法律でもっていつでもそれに関する規則を定め，それを変更することができる。

② 連邦議会は，毎年少なくとも1回は開会する。開会日は，法律で別の日を定めない限り，〔12月の第1月曜日とする〕＊。　＊修正第20条第2節により修正

第5節

① 各議院は，その議員の選挙，得票結果及び資格についての裁判官である。議事を行うための定足数は，各議院の議員の過半数である。ただし，定足数に達しない場合，そのつどその日は休会とし，各議院が定める方法で，そして制裁をもって欠席議員の出席を強制することができる。

② 各議院は，その議事手続についての規則を定め，秩序を乱す行為をした議員に懲罰を科し，3分の2の同意があれば議員を除名することができる。

③ 各議院は，議事録を作成する。議事録は，秘密を要するものと判断されたものを除いて，いつも公開されなければならない。各議院の議員の賛成及び反対の票は，いかなる論点についてであれ，出席議員の5分の1の希望があれば，議事録に記載されなければならない。

④　いずれの議院も，連邦議会の会期中，他の議院の同意なくしては，3日を超えて休会し，あるいは両議院の開会中の場所とは異なる場所に議場を変えることはできない。

第6節

①　上院議員及び下院議員は，その職務に対し，法律によって定められるように，合衆国の国庫から支出された歳費を受ける。議員は，反逆罪，重罪，及び治安破壊罪の場合を除いて，いかなる場合にもそれぞれの議院の会議に出席中，出席及び退出の途中，逮捕されない特権を有する。また議員は，院内での発言または討議に対して，院外において責任を問われない。

②　上院議員及び下院議員は，その在任中，新たに設けられたり，あるいはその報酬がその期間中に増額された，合衆国の権限のもとのいかなる文官職にも任命されることはできない。合衆国のもとで職を有する者は，その在職中いずれの議院の議員となることもできない。

第7節

①　歳入を徴収するすべての法律案は，先に下院に提出されなければならない。ただし，上院は他の法律案の場合と同様に，修正案を提案し，修正を付して同意することができる。

②　下院及び上院を通過したすべての法律案は，法律となる前に，合衆国大統領に送付されなければならない。大統領は，それを承認する場合にはこれに署名をし，承認しない場合には，これを拒否理由を添えて法律案が先に可決された議院に差し戻す。その議院は，その拒否理由を議事録にそのまま記載し，再議に付すことができる。その再議の結果，その議院の3分の2の多数が法律案可決に合意すれば，法律案を拒否理由を添えて他の議院に回付する。回付を受けた議院が，同様に再議の結果3分の2の多数でその法律案を承認すれば，それは法律となる。ただし，すべてこれらの場合には，両議院の表決は，指名により賛成及び反対の票を投じることによって確定され，法律案に賛成する者及び反対する者の氏名がそれぞれの議院の議事録に記載されなければならない。法律案が大統領に送付された後10日（日曜日を除く）以内に議院に差し戻されなかった場合には，法律案は，大統領がそれに署名した場合と同じように法律となる。ただし，差戻しが連邦議会の休会のために妨げられた場合には，それは法律とはならない。

③　上院及び下院の合意が必要なすべての命令，決議，ないし表決（休会の問題を除く）は，合衆国大統領に送付されなければならない。それらは，大統領によって承認されて，はじめてその効力を生ずる。大統領が承認しない場合には，法律案の場合に定められた規則と制限にしたがって，上院及び下院の3分の2の多数によって再可決されなければならない。

第8節

①　連邦議会は，次の権限を有する。税，関税，賦課金及び消費税を課し徴収すること，合衆国の債務を支払い，共同の防衛及び一般的福祉のために支出すること。ただし，すべての関税，賦課金及び消費税は，合衆国を通し均一でなければならない。

②　合衆国の信用に基づいて借入れをすること。

③　外国との通商及び州際間の通商，及びインディアン部族との通商を規制すること。

④　合衆国を通して統一的な帰化の規則，及び破産の事項に関する統一的な法律を確立すること。

⑤　貨幣を鋳造し，その価値及び外国貨幣の価値を規律し，度量衡の標準を定めること。

⑥　合衆国の証券及び現行貨幣の偽造の処罰を定めること。

⑦　郵便局及び郵便道路を設立すること。

⑧　著作者及び発明者に対し，それぞれの著作及び発見に対する排他的な権利を一定期間保障することにより，科学及び有用な芸術の進歩を促進すること。

⑨　最高裁判所のもとに下級裁判所を創設すること。

⑩　公海上で犯された海賊及び重罪，そして国際法に対する犯罪を定め処罰すること。

⑪　戦争を宣言し，拿捕及び報復の特許状を発し，陸上及び海上の捕獲に関する規則を定めること。

⑫　陸軍の兵士を募りこれを維持すること。ただし，そのための歳出は，2年を超える期間であってはならない。

⑬　海軍を設けこれを維持すること。

⑭　陸海軍の統制及び規律のための規則を定めること。

⑮　連邦の法律を執行し，反乱を鎮圧し，侵入を撃退するため民兵の招集について定めること。

⑯　民兵の編制，装備及び規律について定め，その一部が合衆国の兵として用いられた場合にその部分の統制について定めること。ただし，将校の任命及び連邦議会によって規定された規律にしたがって民兵を訓練する権限は，各州に留保される。

⑰　特定の州の割譲と連邦議会の受領により合衆国政府の所在地となる（10マイル平方を超えない）地区について，すべての事項に排他的に立法権を行使すること。そして要塞，弾薬庫，兵器庫，造船所その他の必要な建造物の建造のために，その州の議会の同意によって購入されたすべての土地に対して，同様の権限を行使すること。

⑱　上述の諸権限及びこの憲法によって合衆国政府またはその部局もしくは職員に付与されたすべての他の権限を実施するのに必要かつ適切であるようなすべての法律を制定すること。

第9節

①　1808年までは，現に存在する州が入国を適当と認める人物の移民または輸入は，連邦議会によって禁止されてはならない。ただし，1人当たり10ドルを超えなければ，輸入に対して租税ないし関税を課すことができる。

②　反乱または侵略の際に公共の安全のために必要な場合を除いて，人身保護令状を求める特権は停止されてはならない。

③　私権剝奪法または事後法は制定されてはならない。

④　〔人頭税または他の直接税は，先にこの憲法の中で行われるよう定められた人口調査または人口集計に比例してでなければ課すことはできない。〕*　　*修正第

16条により所得税について修正

⑤　州から輸出された物品に対してはいかなる租税も関税も課してはならない。

⑥　通商または歳入の規制によって，ある州の港に他州の港に対して優遇を与えてはならない。またある州行きの船舶またはある州からの船舶に対して，他州において入港し，出港許可を得ること，関税を支払うことを強制してはならない。

⑦　国庫から金銭を支出することは，法律による歳出の結果によらなければできない。すべての公金の収支の正式の報告及び決算は，随時公表されなければならない。

⑧　いかなる貴族の称号も合衆国によって授与されてはならない。そして合衆国のもとで報酬または信任を受ける公職についている者は，何人も，連邦議会の承認なしに，国王，王族，もしくは外国から，いかなる種類であれ贈与，報酬，官職ないし称号を受けてはならない。

第10節

①　いかなる州も，条約を締結し，同盟を結び，もしくは連合を結成すること，拿捕及び報復の特許状を発すること，貨幣を鋳造すること，信用証券を発すること，金銀以外の物を債務支払いの弁済となし，私権剝奪法，事後法，あるいは契約上の債権債務関係を侵害するような法律を制定すること，貴族の称号を授与することはできない。

②　いかなる州も，連邦議会の同意なくして，輸入品または輸出品に賦課金または関税を課すことはできない。ただし，みずからの検査法を執行するのに絶対必要であるものは除く。輸入品または輸出品に対し州が課した関税及び賦課金の純収入は，合衆国の国庫の用途に充当される。ここに述べたすべての州法は，連邦議会の修正と統制に服する。

③　いかなる州も，連邦議会の同意なくして，トン税を課し，平時に軍隊または戦艦を持ち，他の州または外国の力と協定または規約を結び，現実に侵略されているときまたは猶予を許さないような急迫した危険がある場合を除いて，戦争行動を行ってはならない。

第2条

第1節

①　執行権は，アメリカ合衆国大統領に付与される。大統領の任期は4年とし，同じ任期で選出される副大統領と共に，次の方法で選出される。

②　各州は，その議会が定める方法に従って，その州が連邦議会に送ることができる上院議員及び下院議員の総数に等しい数の選出人を選任する。ただし，上院議員または下院議員，合衆国のもとで信任または報酬を受けている公職にある者は，選出人に選任されることはできない。

〔③　選出人は，各々の州で集会し，無記名投票により2名の者に，票を投じる。そのうち少なくとも1名は選出人と同じ州の住人であってはならない。選出人は，票を投じられたすべての者及びそれぞれの得票数のリストを作成し，署名し認証した上で，封印を施して上院議長に宛て，合衆国政府の所在地に送付する。上院議長は，上院及び下院の議員の出席のもとで，すべての認証を開封し，投票を数える。

最大得票を得た者は，その数が選出された選出人の総数の過半数であれば，大統領となる。過半数を得た者が2名以上存在し，同得票数であれば，下院は直ちに投票によりそのうちの1名を大統領に選ぶ。過半数を得た者がいなかった場合には，リストの上で得票数の多い5名のうちから，下院が同様の方法で大統領を選ぶ。ただし，大統領を選ぶ際には，投票は州を単位にして行われ，各州の議員団は1票を有する。この場合の定足数は，3分の2の州から各州1名以上の議員が出席していることであり，選出のためにはすべての州の過半数を要する。いずれの場合にも，大統領を選出したあと，選出人の最大得票数を得た者が副大統領となる。ただし，同得票数を得た人が2名以上いた場合は，上院がその中から投票によって副大統領を選出する。〕* ＊修正第12条により修正

④ 連邦議会は，選出人を選任する時期，選出人がその投票を行う日を決定することができる。その日は，合衆国中同一でなければならない。

⑤ 生まれながらの合衆国市民またはこの憲法が採択されたときに合衆国市民であった者でなければ，大統領になる資格を有しない。また年齢が35歳に達していない者及び合衆国内に居住して14年がたっていない者は大統領になる資格を有しない。

⑥ 〔大統領が解職された場合，死亡した場合，辞任した場合，もしくは大統領の職の権限と義務を遂行しえなくなった場合，その権限と義務は副大統領に承継される。連邦議会は，大統領及び副大統領の双方が解職され，死亡し，辞任し，また職務遂行不能となった場合に，どの職員が大統領の職務を行うかを法律によって定めることができる。その職員は，職務遂行不能の状態が終了するまで，または大統領が選出されるまで，それにしたがって職務を行う。〕* ＊修正第25条により修正

⑦ 大統領は，定められた時期に，その職務に対し歳費を受ける。歳費は，在任期間中増減されてはならず，大統領は，その任期中合衆国または州から他のいかなる報酬も受けてはならない。

⑧ 大統領は，その職務の遂行を開始する前に，次の宣誓または確約を行わなければならない――「私は，合衆国大統領の職務を誠実に遂行し，全力を尽くして，合衆国憲法を保持し，保護し，擁護することを，誠心誠意誓います（確約します）」。

第2節

① 大統領は，合衆国の陸軍及び海軍及び現に合衆国の兵役のため招集された各州の民兵の最高司令官である。大統領は，執行部門のそれぞれの主要な職員に対し，それぞれの職の職務に関するいかなる事項についても，書面で意見を求めることができる。大統領は，弾劾の場合を除いて，合衆国に対する犯罪について刑の執行停止や恩赦を与える権限を有する。

② 大統領は，上院の助言と承認を得て，条約を締結する権限を有する。ただし，この場合には出席する上院議員の3分の2の同意がなければならない。また大統領は，全権大使，その他の公の外交使節及び領事，最高裁判所裁判官及びその任命について憲法の中に他に定めがなく，法律で定められた他の合衆国職員を指名し，上院の助言と承認を得て任命する。ただし，連邦議会は，法律によって，適当と認める下級職員の任命権を，大統領のみに，また，法律裁判所，各部局の長に付与することができる。

③　大統領は，上院の休会中に生じたすべての職員の欠員を辞令を与えることにより補充する権限を有する。ただし，その辞令は，次の会期の終了により効力を失うものとする。

第3節

大統領は，随時，連邦議会に国の現況についての情報を提供し，必要かつ便宜と思われる措置を考慮してもらえるよう勧告を行う。大統領は，非常事態には，両議院またはいずれかの一院を招集することができる。休会の時期について両議院に意見の不一致がある場合には，大統領は適当と認める時期まで休会させることができる。大統領は，全権大使その他の公の外交使節を接受する。大統領は，法律が誠実に執行されるよう配慮し，合衆国のすべての職員に辞令を発する。

第4節

大統領，副大統領及びその他の合衆国の文官は，反逆罪，収賄罪その他の重大な犯罪及び非行のため弾劾の訴追を受け，有罪判決を受けたときには解職される。

第3条

第1節

合衆国の司法権は，一つの最高裁判所と，連邦議会が随時創設し設置する下級裁判所に付与される。最高裁判所及び下級裁判所双方の裁判官は，罪過なき限り，その職を有する。裁判官は，定められた時期にその職務に対し歳費を受ける。歳費は，在職中減額されない。

第2節

①　司法権は，この憲法，合衆国の法律及びその権限に基づいて締結され，または将来締結される条約の下で生ずる法律及び衡平法上のすべての事件，全権大使その他の公の外交使節及び領事に関係するすべての事件，海事及び海上管轄権のすべての事件，合衆国が当事者である争訟，二つ以上の州の間の争訟，〔ある州と他州の市民との間の争訟,〕* 相異なる州の市民の間の争訟，それぞれ異なる州から付与された土地だと主張する同じ州の市民の間での争訟，州またはその市民と外国，〔外国市民または被統治者〕* との間の争訟に及ぶ。　＊修正第11条により修正

②　全権大使その他の公の外交使節及び領事に影響するすべての事件及び州が当事者である事件においては，最高裁判所は第1審管轄権を有する。前項のうち他の事件においては，最高裁判所は，連邦議会が定める例外を除き，連邦議会が定める規則のもとで，法律及び事実の双方について控訴審管轄権を有する。

③　弾劾の事件を除き，すべての犯罪の裁判は，陪審によって行われなければならない。裁判は，その犯罪が行われた州において行われなければならない。ただし，犯罪がいかなる州にも属さないところで行われた場合には，裁判は連邦議会が法律で定めた場所で行われる。

第3節

①　合衆国に対する反逆罪を構成するのは，合衆国に対し戦争を行い，敵に援助を与え便宜を図って加担する行為に限られる。何人も，同一の公然となされた行為について2名の証人の証言があるか，公開の法廷で自白した場合を除いて，反逆罪で有罪とされない。

② 連邦議会は，反逆罪に対する刑罰を宣言する権限を有する。ただし，反逆罪に対する権利剝奪は，権利剝奪を受けた人の存命中を超えて，血統汚辱をもたらしたり，財産没収を行ってはならない。

第4条

第1節

それぞれの州においては，すべての他州の公の法律，記録及び司法手続に対して，十全な信頼と信用が与えられなければならない。連邦議会は，一般的な法律でもって，それらの法律，記録及び手続を証明する方法及びその効力について定めることができる。

第2節

① 各州の市民は，他のいずれの州においてもその市民が有するすべての特権と免除を享受する。

② ある州において反逆罪，重罪もしくは他の犯罪の罪に問われた者が，その州の裁判を逃れようと逃亡し，他州で発見された場合，その者は逃亡元の州の執行権の要求に応じて，その犯罪に対して裁判管轄権を有する元の州に移送されるよう，引き渡されなければならない。

〔③ ある州において，その法律のもとで役務ないし労働に従事する義務を負う者が他州に逃亡した場合，その逃亡元の州の役務ないし労働は，逃亡先の州のいかなる法律または規則によっても解除することはできず，その者は役務または労働の義務を負っている相手方当事者の要求に基づいて引き渡されなければならない。〕*

*修正第13条により修正

第3節

① 新しい州は，連邦議会によってこの連邦への加入を認められることができる。ただし，ある州の管轄権の範囲内に新しい州を形成し創設すること，もしくは2つ以上の州または州の一部の合併によって州を形成することは，関係する州の議会並びに連邦議会の同意なくしてはできない。

② 連邦議会は，合衆国に属する領地もしくは他の財産を処分する権限，及びそれに関する必要なすべての準則と規則を制定する権限を有する。この憲法中のいかなる規定も，合衆国または特定の州の権利を損なうように解釈されてはならない。

第4節

合衆国は，この連邦内のすべての州に共和政体を保障し，侵略に対してそれぞれの州に保護を与え，また立法府もしくは（立法府が集会できない場合には）執行府の申出に基づいて，州内の暴動に対しても，同様の保護を与える。

第5条

連邦議会は，両議院の3分の2が必要と判断した場合には，この憲法の改正を提案する。またそれぞれの州の3分の2の立法府からの要請があった場合には，改正を提案する憲法会議を招集しなければならない。いずれの場合にも，憲法改正は，各州の4分の3の立法府によって採択され，あるいはその4分の3の憲法会議によって採択された場合には，あらゆる意味において完全に，この憲法の一部として効力を有する。いずれの採択の方法によるかは，連邦議会によって提案されたところによる。ただし，1808年までになされた改正によっては，第1条第9節第1項及び第4項にいかなる方法であれ変更を加えることはできない。また，いかなる州も，その同意なくしては，上院における平等な投票権を剥奪されてはならない。

第6条

① この憲法の採択に先だって結ばれた債務及び約定は，この憲法のもとでも，連合規約のもとでそうであったのと同様，合衆国に対して有効なものとする。

② この憲法及びそれにしたがって制定された合衆国の諸法律，合衆国の権限のもとで締結され，将来締結されるすべての条約は，国の最高法規である。そして各州の裁判官は，それぞれ州の憲法または法律にそれに反する定めがあったとしても，それによって拘束される。

③ 先に述べた上院議員及び下院議員，各州の議会の議員，合衆国及び各州のすべての執行府及び司法府の職員は，宣誓または確約によって，この憲法を支持する義務を負う。ただし，合衆国のもとでのいかなる公職または公の信任についても，その資格要件として宗教上の審査は課されてはならない。

第7条

この憲法は9つの邦の憲法会議で批准された場合に，その批准を行った諸邦の間で確定され効力を発する。

紀元1787年，アメリカ合衆国独立12年，9月17日の憲法会議において，出席した諸邦の一致の同意により，この憲法を制定する。その証明のため，ここに署名する。

ジョージ・ワシントン
(以下略)

＊＊＊

もともとの憲法の第5条に従って，連邦議会によって提案され各邦によって採択された合衆国憲法付加及び修正条項

修正第1条 (1791年)

連邦議会は，国教の樹立をもたらす法律，もしくは自由な宗教活動を禁止する法律あるいは，言論または出版の自由，平和的に集会し，苦情の救済を求めて政府に請願する人民の権利を縮減する法律を制定してはならない。

修正第2条 (1791年)

良く規律された民兵は自由な州の安全にとって必要であるから，武器を保持し携帯する人民の権利は侵害されてはならない。

修正第3条（1791年）

平時においては，所有者の同意なしに兵士を家宅に宿営させてはならない。戦時においても，法律で定められた方法によらない限り同様とする。

修正第4条（1791年）

不合理な捜索及び逮捕・押収に対してその身体，住居，書類及び所有物が保障されるという人民の権利は侵されてはならない。また令状は，宣誓または確約によって裏づけられた，相当な理由に基づいていて，かつ，捜索される場所及び押収される人または物を特定的に記述していない限り，発せられてはならない。

修正第5条（1791年）

何人も，大陪審の告発または起訴によらなければ死刑を科される罪または他の不名誉な重罪について責を負わされない。ただし，陸海軍内で生じた事件及び戦争または公共の危害に際して現に軍務についている民兵内で生じた事件は，この限りではない。何人も，同一の犯罪について生命または身体を二重の危険にさらされない。何人も，刑事事件において自己に不利益をもたらす証言を強制されない。何人も，法のデュー・プロセスによらずして生命，自由もしくは財産を剝奪されない。何人も，正当な補償なしに私的財産を公共の用のために収用されない。

修正第6条（1791年）

すべての刑事訴追の場合に，被告人は，犯罪が行われた州のそれが行われた地区（その地区はあらかじめ法律で定められる）の公平な陪審員による迅速な公開の裁判を受ける権利を有する。被告人は，嫌疑の性質と原因を告知され，自己に不利な証人に対決し，自己に有利な証人を強制的な令状により喚問してもらい，弁護のために弁護士の補助を受ける権利を有する。

修正第7条（1791年）

争われている額が20ドルを超すコモン・ローの訴訟においては，陪審裁判の権利が保持されなければならない。そして陪審で裁判された事実は，コモン・ローの準則に基づくほかは，合衆国のいかなる裁判所においても再審理されてはならない。

修正第8条（1791年）

過大な保釈金は要求されてはならず，過重な罰金が科されてはならない。また，残虐で異常な刑罰は科されてはならない。

修正第9条（1791年）

この憲法における一定の権利の列挙は，人民によって保持されている他の権利を否定したり軽視するものと解釈されてはならない。

修正第10条（1791年）

この憲法によって合衆国に委ねられておらず，また憲法によって州に禁じられていない権限は，それぞれの州または人民に留保されている。

修正第11条（1795年）

合衆国の司法権は，合衆国のある州に対し，他の州の市民または外国の市民ないし被統治者から提起され追行されたコモン・ロー及び衡平法上の訴訟に及ぶものと解釈されてはならない。

修正第12条（1804年）

選出人は，それぞれの州で集会し，大統領及び副大統領を無記名投票で選出する。そのうち少なくとも1名は，選出人と同じ州の住民であってはならない。選出人は，無記名投票で大統領として投票する者を，そして別の無記名投票で副大統領として投票する者を指名する。選出人は，大統領として投票されたすべての者と副大統領として投票されたすべての者及びそれぞれの得票数の別個のリストを作成し，署名し認証した上で，封印を施して上院議長に宛て，合衆国政府の所在地に送付する。——上院議長は，上院及び下院の議員の出席のもとで，すべての認証を開封し，投票を数える。——大統領としての最大得票を得た者は，その数が選出された選出人の総数の過半数であれば大統領となる。過半数を得た者がいなかった場合には，下院は大統領として投票された者のリストの中から3名を超えない最多得票数の者の中から，直ちに投票によって大統領を選ぶ。ただし，この方法で大統領を選ぶ際には，投票は州を単位にして行われ，各州の代表者は全体で1票を有する。この場合の定足数は，3分の2の州から各州1名以上の議員が出席していることであり，選出のためにはすべての州の過半数を要する。そして下院に選出する権利がありながら〔次の3月4日までに〕* 大統領を選出しなかった場合には，大統領が死亡した場合や他の憲法上の職務執行不能の場合と同様，副大統領が大統領として職務を行う。——副大統領として最多数の得票を得た者は，その数が選出された選出人の総数の過半数である場合には，副大統領となる。過半数を得た者がいない場合は，上院がリストの最多数を得た2名のうちから副大統領を選ぶ。このための定足数は，上院議員の総数の3分の2であり，選出には総数の過半数を要する。しかし憲法上の大統領の職につく資格を欠く者は，合衆国副大統領の職につく資格を有しない。

＊修正第20条第3節により修正

修正第13条（1865年）

第1節

奴隷制は合衆国またはその権限の及ぶいかなる場所においても存在してはならない。その意に反する苦役も，当事者が適法に有罪判決を受けた犯罪に対する処罰の場合を除いては，同様とする。

第2節

連邦議会は，適当な法律で本条を執行する権限を有する。

修正第14条（1868年）

第1節

合衆国に生まれ，または帰化し，その管轄権に服しているすべての人は，合衆国及びそれぞれの居住する州の市民である。いかなる州も，合衆国市民の特権または免除を縮減する法律を制定し執行してはならない。いかなる州も，人から法のデュー・プロセスによらずして生命，自由もしくは財産を剝奪してはならない。またいかなる州も，その管轄権の中で何人にも法の平等な保護を否定してはならない。

第2節

下院議員の数は，各州に，それぞれの人口に応じて割り当てられる。人口は，課税されていないインディアンを除いてその州のすべての人の総数を数える。ただし，合衆国大統領及び副大統領の選出人，連邦議会の下院議員，州の執行府及び司法府職員，あるいはその議会の議員の選出のための選挙において，年齢21歳の男性であって，その州の住民であり，かつ合衆国の市民については，反乱に加わったことその他の犯罪以外の理由でその選挙権を否定した場合，またはいかなる方法であれそれを制限した場合，その州への下院議員割当ての基礎人数は，その男性市民の数がその州の21歳の男性市民の総数に対して占める割合に応じて減少される。

第3節

連邦議会の議員，合衆国の職員，州議会の議員，もしくは州の執行府または司法府の職員として，合衆国憲法を支持するとかつて宣誓していながら，合衆国への反逆ないし反乱に加わり，その敵を援助し便宜を図った者は，連邦議会の上院または下院の議員となり，大統領及び副大統領の選出人となり，合衆国または州の下で文官または武官の職につくことはできない。ただし，連邦議会は，各議院の3分の2の投票でもって，そのような欠格を解除することができる。

第4節

反逆ないし反乱を鎮圧するための服務に対する恩給及び恩典を支払うために負った債務を含み，法律によって認められた合衆国の公的債務の有効性は疑われてはならない。ただし，合衆国も州も，合衆国に対する反逆または反乱を助けるために負った債務または義務，もしくは奴隷の喪失または解放を理由とする請求を引き受け，これを支払ってはならない。そのような債務，義務及び請求は違法であって無効であるとされなければならない。

第5節

連邦議会は，適当な法律でもって本条の諸規定を執行する権限を有する。

修正第15条（1870年）

第1節

合衆国市民の投票権は，合衆国及び州によって，人種，肌の色あるいはかつて強制労役の状況にあったことを理由として，否定され縮減されてはならない。

第2節

連邦議会は，適当な法律で本条を執行する権限を有する。

修正第16条（1913年）

連邦議会は，いかなる源泉に由来する所得に対しても，徴収額を各州に割り当てることなく，また人口調査や人口計算に関わりなく，税を課し徴収する権限を有する。

修正第17条（1913年）

[1] 合衆国の上院は，各州からその人民によって選ばれた任期6年の2名の上院議員から構成され，各上院議員は1票の投票権を有する。それぞれの州の選挙人は，州の立法府のうち議員数の最も多い部門の選挙人として必要な資格を有していなければならない。

[2] 上院における州の代表に欠員が生じた場合には，その州の執行府はその欠員を補充するために選挙の令状を発しなければならない。ただし，州の立法府は，人民が立法府の定めにしたがって選挙で欠員を補充するまで臨時の任命を行う権限を，その執行府に授権することができる。

[3] この修正は，それが憲法の一部として効力を発する前に選ばれた上院議員の選挙または任期に影響を及ぼすものと解釈されてはならない。

修正第18条（1919年）

〔**第1節**

本条の採択の1年経過後，合衆国及びその管轄に服するすべての領域内で，飲用目的でアルコール飲料を製造し，販売ないし輸送し，それを輸入または輸出することは，これにより禁止される。

第2節

連邦議会及び各州は，本条を適当な法律で執行する競合する権限を有する。

第3節

本条は，連邦議会によって州の採択に付されてから7年以内に，憲法に定められた仕方で各州の議会によって憲法修正として採択されない限り，その効力を発しない。〕* ＊修正第21条により廃止

修正第19条（1920年）

[1] 合衆国市民の投票権は，合衆国または州によって，性別のゆえに否定されあるいは縮減されてはならない。

[2] 連邦議会は，適当な法律で本条を執行する権限を有する。

修正第20条（1933年）

第1節

大統領及び副大統領の任期は，本条が採択されなかったとしたら任期が終了したであろう年の1月20日の正午に終了し，上院議員及び下院議員の任期は，同様の年の1月3日の正午に終了する。その後任者の任期は，その時に開始する。

第2節

連邦議会は，少なくとも年1回開会する。その開会日時は，法律で別の日を定め

ない限り，1月3日の正午とする。

第3節

大統領の任期の開始日と定められた時点で大統領に当選した者が死亡していた場合には，副大統領に当選した者が大統領となる。その任期の開始日と定められた時点になっても大統領が選出されていなかったり，大統領に当選した者が資格を満たさなかった場合には，大統領の資格が満たされるまで副大統領に当選した者が大統領として職務を行う。大統領に当選した者も副大統領に当選した者も資格を満たさないような場合に，誰が大統領として職務を行うか，あるいはその職務を行うべき者がどのように選出されるかは，連邦議会が法律で定める。その者は，それによって大統領または副大統領が資格を満たすまで職務を行うものとする。

第4節

連邦議会は，下院に大統領選出の権利があるときに，大統領として選出されるべき者の中に死亡者が生じた場合，及び上院に副大統領選出の権利があるときに副大統領として選出されるべき者の中に死亡者が生じた場合について，法律で定めることができる。

第5節

第1節および第2節は，本条が採択されたのちの10月15日に発効する。

第6節

本条は，それが州の採択に付された日から7年以内に，4分の3の州の議会によって憲法修正として採択されない限り，効力を生じない。

修正第21条（1933年）

第1節

合衆国憲法修正第18条は，これにより廃止される。

第2節

合衆国のいかなる州，領地または所有地のどこであれ，そこにおける法律に違反して，これらの地域においてアルコール飲料を配送しまたは使用するために行われる，これらの地域への輸送または輸入は，これにより禁止される。

第3節

本条は，連邦議会によって州の採択に付された日から7年以内に，憲法に定められているところにしたがい各州の憲法会議によって憲法修正として採択されない限り，効力を発しない。

修正第22条（1951年）

第1節

何人も，2度を超えて大統領の職に選出されることはできない。また何人も，他の者が大統領に選出された場合に，その任期のうち2年を超えて大統領の職につき，または大統領として職務を行ったときは，1度を超えて大統領の職につくことはできない。ただし，本条は，本条が連邦議会によって提案されたときに大統領の職にある者には適用されない。また本条は，本条が効力を生じたときに，大統領の職にありまたは大統領として職務を行っている者が，その任期の残余の期間中大統領の職にありまたは大統領として職務を行うことを妨げるものではない。

第2節

本条は，連邦議会によって州の採択に付された日より7年以内に，各州の4分の3の議会によって憲法修正として採択されない限り，効力を生じない。

修正第23条（1961年）

第1節

合衆国政府の所在地を構成する地区は，連邦議会の定める方法で，この地区が州であれば選出できたであろう数の連邦議会における上院議員及び下院議員の総数に等しい数の大統領及び副大統領の選出人を任命する。その数は，いかなる場合にも，最も人口の少ない州の選出人の数より多くてはならない。その選出人は，州によって任命された者に加えて認められるが，大統領及び副大統領の選挙に関しては，一つの州によって任命された選出人としてみなされる。この選出人は，同地区で集会し，修正第12条によって定められたような職務を行う。

第2節

連邦議会は，適当な法律で本条を執行する権限を有する。

修正第24条（1964年）

第1節

大統領または副大統領，大統領または副大統領の選出人，連邦議会の上院議員または下院議員の予備選挙もしくは他の選挙における合衆国市民の投票権は，合衆国または州によって，人頭税その他の税を支払っていないことを理由に，否定され縮減されてはならない。

第2節

連邦議会は，適切な法律で本条を執行する権限を有する。

修正第25条（1967年）

第1節

大統領がその職を解かれた場合，死亡または辞任した場合，副大統領が大統領となる。

第2節

副大統領が欠員している場合には，大統領は副大統領を指名する。指名された者は，連邦議会の両院の過半数の投票で承認された場合に，その職につく。

第3節

大統領が，上院の臨時議長及び下院議長に対し，その職務を行う権限と義務を遂行できないと書面による宣言で伝達した場合には，大統領が書面によりそれを打ち消す宣言を伝達するまで，副大統領が大統領代理としてその権限を行使し義務を遂行する。

第4節

副大統領及び執行府の部局もしくは連邦議会が法律で定める他の機関のいずれかの主要職員の過半数が，上院の臨時議長及び下院議長に対し，大統領がその職の権限と義務を遂行できないと書面による宣言で伝達した場合には，副大統領が直ちに大統領代理としてその職の権限と義務を遂行する。

その後において，大統領が上院の臨時議長及び下院議長に対し，そのような執行不能状態が存在しないと書面による宣言を伝達した場合には，大統領はその職の権限と義務を回復する。ただし，副大統領及び執行府の部局もしくは連邦議会が法律で定める他の機関のいずれかの主要職員の過半数が，4日以内に上院の臨時議長及び下院議長に対し，大統領がその職の権限と義務を遂行できないと書面による宣言で伝達した場合は，この限りではない。この場合，連邦議会がこの問題を判断する。連邦議会はこのため，休会中であれば48時間以内に開会しなければならない。後者の書面による宣言を受領してから21日以内，休会中の場合は連邦議会が開会すべきものとされている日から21日以内に，両院の3分の2の投票で，大統領がその職の権限と義務を遂行することができないと決定した場合には，副大統領が大統領代理として職務を続ける。それ以外の場合は，大統領がその職の権限と義務を回復する。

修正第26条（1971年）

第1節

18歳以上の合衆国市民の投票権は，合衆国またはいかなる州によっても，年齢を理由に否定され縮減されてはならない。

第2節

連邦議会は，適当な法律で本条を執行する権限を有する。

修正第27条（1992年）

上院議員及び下院議員の歳費を変更する法律は，下院議員選挙が間に行われるまでは，効力を生じないものとする。

（注） 修正条項については，修正第13条から第16条を除いて，条文番号を振ることなく提案された。しかし，ここではそれらについても番号を振って示してある。
初めの10カ条の修正条項は，1789年9月25日に第1回議会に提案され，1791年までに州での採択を経て，成立した。

判例索引

A

Abate v. Mundt, 403 U.S. 182 (1971) ……… 400
Abbott Laboratories v. Gardner, 387 U.S. 136 (1967) ……… 185
Abood v. Detroit Board of Education, 431 U.S. 209 (1977) ……… 305
Abrams v. Johnson, 521 U.S. 74 (1997) ……… 400
Abrams v. United States, 250 U.S. 616 (1919) ……… 230
ACLU v. Mukasey, 534 F. 3d 181 (3d Cir. 2008), cert. denied 555 U.S. 1137 (2009) ……… 296
Adair v. United States, 208 U.S. 161 (1908) ……… 354
Adamson v. California, 332 U.S. 46 (1947) ……… 204
Adarand Constructors, Inc. v. Pena, 515 U.S. 200 (1995) ……… 390
Adderley v. Florida, 385 U.S. 39 (1966) ……… 281
Adkins v. Children's Hospital, 261 U.S. 525 (1923) ……… 354, 355
Adler v. Board of Education, 342 U.S. 485 (1952) ……… 185
Aetna Life Insurance Co. v. Haworth, 300 U.S. 227 (1937) ……… 169
Agins v. Tiburon, 447 U.S. 255 (1980) ……… 336
Agostini v. Felton, 521 U.S. 203 (1997) ……… 313
Aguilar v. Felton, 473 U.S. 402 (1985) ……… 312
Akron v. Akron Center for Reproductive Health, Inc., 462 U.S. 416 (1983) ……… 362, 365
Alabama Legislative Black Caucus v. Alabama, 575 U.S. 254 (2015) ……… 401
Alden v. Maine, 527 U.S. 706 (1999) ……… 164, 165
Allen v. Wright, 468 U.S. 737 (1984) ……… 180
Allgeyer v. Louisiana, 165 U.S. 578 (1897) ……… 353
Allgheny Pittsburgh Coal Co. v. County Commission of Webster County, 488 U.S. 336 (1989) ……… 416
Allied Structural Steel Co. v. Spannaus, 438 U.S. 234 (1978) ……… 344
Amalgamated Food Employees Union v. Logan Valley Plaza, Inc., 391 U.S. 308 (1968) ……… 207
Ambach v. Norwick, 441 U.S. 68 (1979) ……… 395
American Booksellers Association v. Hudnut, 771 F. 2d 323 (7th Cir. 1985), aff'd, 475 U.S. 1001 (1986) ……… 258
American Communications Association v. Douds, 339 U.S. 382 (1950) ……… 139
American Legion v. American Humanist Ass'n, 588 U.S.— (2019) ……… 322
American Textile Manufacturers Institute v. Donovan, 452 U.S. 490 (1981) ……… 115
American Tradition Partnership, Inc. v. Bullock, 567 U.S. 516 (2012) ……… 267
American Trucking Associations, Inc. v. Michigan Public Service Commission, 545 U.S. 429 (2005) ……… 129
Anderson v. Celebrezze, 460 U.S. 780 (1983) ……… 302, 401
Andrus v. Allard, 444 U.S. 51 (1979) ……… 339
Apodaca v. Oregon, 406 U.S. 404 (1972) ……… 205
Arizona Christian School Tuition Organization v. Winn, 563 U.S.125 (2011) ……… 181
Arizona Free Enterprise Club's Freedom Club PAC v. Bennett, 564 U.S.721 (2011) ……… 267
Arizona v. United States, 567 U.S. 387 (2012) ……… 76
Arizonans for Official English v. Arizona, 520 U.S. 43 (1997) ……… 187
Arkansas Educational Television Commission v. Forbes, 523 U.S. 666 (1998)

…… 287
Arkansas Game and Fish Commission v. United States, 568 U.S. 23 (2012) …… 338
Arkansas Writers' Project, Inc. v. Ragland, 481 U.S. 221 (1987) …… 242
Arnett v. Kennedy, 416 U.S. 134 (1974) …… 270
Asarco Inc. v. Kadish, 490 U.S. 605 (1989) …… 169
Ashcroft v. ACLU, 535 U.S. 564 (2002) …… 296
Ashcroft v. ACLU, 542 U.S. 656 (2004) …… 296
Ashcroft v. Free Speech Coalition, 535 U.S. 234 (2002) …… 259
Ashwander v. TVA, 297 U.S. 288 (1936) …… 91
Associated Press v. Walker, 388 U.S. 130 (1967) …… 251
Association of Data Processing Service Organizations, Inc. v. Camp, 397 U.S. 150 (1970) …… 173, 176, 181
Attorney General of New York v. Soto-Lopez, 476 U.S. 898 (1986) …… 200, 403
Austin v. Michigan Chamber of Commerce, 494 U.S. 652 (1990) …… 264
Ayotte v. Planned Parenthood of Northern New England, 546 U.S. 320 (2006) …… 363

B

Bailey v. Drexel Furniture Co., 259 U.S. 20 (1922) …… 133
Baker v. Carr, 369 U.S. 186 (1962) …… 188, 192
Baldwin v. Fish and Game Commission of Montana, 436 U.S. 371 (1978) …… 202
Baldwin v. G. A. F. Seelig, Inc., 294 U.S. 511 (1935) …… 130
Ball v. James, 451 U.S. 355 (1981) …… 399
Barnes v. Glen Theatre, Inc., 501 U.S. 560 (1991) …… 280
Barron v. Mayor and City Council of Baltimore, 7 Pet. (132 U.S.) 243 (1833) …… 197
Bartnicki v. Vopper, 532 U.S. 514 (2001) …… 254
Baston v. Kentucky, 476 U.S. 79 (1986) …… 383
Bates v. State Bar of Arizona, 433 U.S. 350 (1977) …… 262
Beard v. Banks, 548 U.S. 521 (2006) …… 290
Beauharnais v. Illinois, 343 U.S. 250 (1952) …… 250
Beazell v. Ohio, 269 U.S. 167 (1925) …… 142
Bellotti v. Baird, 443 U.S. 622 (1979) …… 363
Bennett v. Spear, 520 U.S. 154 (1997) …… 182
Berman v. Parker, 348 U.S. 26 (1954) …… 340
Bernal v. Fainter, 467 U.S. 216 (1984) …… 395
Bethel School District v. Fraser, 478 U.S. 675 (1986) …… 259
Bethune-Hill v. Virginia State Board of Elections, 580 U.S.— (2017) …… 401
Bi-Metallic Investment Co. v. State Board of Equalization 239 U.S. 441 (1915) …… 348
Bibb v. Navajo Freight Lines, 359 U.S. 520 (1959) …… 129
Bishop v. Wood, 426 U.S. 341 (1976) …… 350
Bivens v. Six Unknown Named Agents of Fed. B. of Narcotics, 403 U.S. 388 (1971) …… 219
Block v. Community Nutrition Institute, 467 U.S. 340 (1984) …… 181
Blum v. Yaretsky, 457 U.S. 991 (1982) …… 210
BMW of North America, Inc. v. Gore, 517 U.S. 559 (1996) …… 357
Board of Airport Commissioners of Los Angeles v. Jews for Jesus, Inc., 482 U.S. 569 (1987) …… 288
Board of Directors of Rotary International v. Rotary Club of Duarte, 481 U.S. 537 (1987) …… 303
Board of Education of Kiryas Joel Village School District v. Grumet, 512 U.S. 687 (1994) …… 323

Board of Education of Westside Community Schools v. Mergens, 496 U.S. 226 (1990) ……… 315
Board of Education v. Allen, 392 U.S. 236 (1968) ……… 310
Board of Education v. Dowell, 498 U.S. 237 (1991) ……… 385
Board of Education v. PICO, 457 U.S. 853 (1982) ……… 244, 289
Board of Regents v. Roth, 408 U.S. 564 (1972) ……… 349
Board of Trustees of the State University of New York v. Fox, 492 U.S. 469 (1989) ……… 261
Board of Trustees of the University of Alabama v. Garrett, 531 U.S. 356 (2001) ……… 165, 214
Bob Jones University v. United States, 461 U.S. 574 (1983) ……… 328
Bolling v. Sharpe, 347 U.S. 497 (1954) ……… 206, 383
Boos v. Barry, 485 U.S. 312 (1988) ……… 243, 282
Bostock v. Clayton County, 590 U.S.— (2020) ……… 411
Boumediene v. Bush, 553 U.S. 723 (2008) ……… 160
Bowen v. Gilliard, 483 U.S. 587 (1987) ……… 404
Bowen v. Kendrick, 487 U.S. 589 (1988) ……… 180, 314
Bowen v. Roy, 476 U.S. 693 (1986) ……… 328
Bowers v. Hardwick, 478 U.S. 186 (1986) ……… 368
Bowsher v. Synar, 478 U.S. 714 (1986) ……… 152, 153
Boy Scouts of America v. Dale, 530 U.S. 640 (2000) ……… 304
Bradfield v. Roberts, 175 U.S. 291 (1899) ……… 314
Bradwell v. Illinois, 83 U.S. 130 (1873) ……… 405
Brandenburg v. Ohio, 395 U.S. 444 (1969) ……… 233, 235, 244, 245
Branti v. Finkel, 445 U.S. 507 (1980) ……… 271
Branzburg v. Hayes, 408 U.S. 665 (1972) ……… 290
Braunfeld v. Brown, 366 U.S. 599 (1961) ……… 326
Breard v. City of Alexandria, 341 U.S. 622 (1951) ……… 276
Brentwood Academy v. Tennessee Secondary School Athletic Association, 531 U.S. 288 (2001) ……… 211
Bridges v. California, 314 U.S. 252 (1941) ……… 269
Broadrick v. Oklahoma, 413 U.S. 601 (1973) ……… 240
Brockett v. Spokane Arcades, Inc., 472 U.S. 491 (1985) ……… 258
Brown v. Board of Education, 347 U.S. 483 (1954) (Brown Ⅰ) ……… 19, 24, 97, 383
Brown v. Board of Education, 349 U.S. 294 (1955) (Brown Ⅱ) ……… 384
Brown v. Entertainment Merchants Association, 564 U.S. 786 (2011) ……… 249
Brown v. Louisiana, 383 U.S. 131 (1966) ……… 281
Brown v. Thomson, 462 U.S. 835 (1983) ……… 400
Buckley v. Valeo, 424 U.S. 1 (1976) ……… 151, 263, 265
Bunting v. Oregon, 243 U.S. 426 (1917) ……… 354
Burch v. Louisiana, 441 U.S. 130 (1979) ……… 205
Burdick v. Takushi, 504 U.S. 428 (1992) ……… 302
Burson v. Freeman, 504 U.S. 191 (1992) ……… 283
Burton v. Wilmington Parking Authority, 365 U.S. 715 (1961) ……… 209
Burwell v. Hobby Lobby Stores, Inc., 573 U.S. 682 (2014) ……… 330
Bush v. Gore, 531 U.S. 98 (2000) ……… 62, 400
Bush v. Lucas, 462 U.S. 367 (1983) ……… 220
Bush v. Palm Beach County Canvassing Board, 531 U.S. 70 (2000) ……… 62
Bush v. Vera, 517 U.S. 952 (1996) ……… 400

C

C. & S. Air Lines, Inc. v. Waterman S. S. Corp., 333 U.S. 103 (1948) ……… 168
Caban v. Mohammed, 441 U.S. 380 (1979) ……… 410

Cabell v. Chavez-Salido, 454 U.S. 432 (1982) ………… 395
California Democratic Party v. Jones, 530 U.S. 567 (2000)………… 301
California Medical Association v. FEC, 453 U.S. 182 (1981) ………… 264
California v. Texas, 593 U.S. — (2021)………… 180
Campbell v. Clinton, 203 F. 3rd 19 (D.C. 2000), cert. denied, 531 U.S. 815 (2000) ………… 160
Camps Newfoundland/Owatonna, Inc. v. Town of Harrison, 520 U.S. 564 (1997) ………… 131
Cantrell v. Forest City Publishing Co., 419 U.S. 245 (1974) ………… 254
Cantwell v. Connecticut, 310 U.S. 296 (1940) ………… 232, 281
Capitol Square Review and Advisory Board v. Pinette, 515 U.S. 753 (1995) ………… 283, 315
Carey v. Brown, 447 U.S. 455 (1980)………… 242, 275
Carey v. Population Services International, 431 U.S. 678 (1977) ………… 368
Carlson v. Green, 446 U.S. 14 (1980)………… 219
Carson v. Makin, 596 U.S.— (2022) ………… 328
Carter v. Carter Coal Co., 298 U.S. 238 (1936) ………… 113, 118
CBS, Inc. v. Democratic National Committee, 412 U.S. 94 (1973)………… 297
CBS, Inc. v. FCC, 453 U.S. 367 (1981) ………… 297
Cedar Point Nursery v. Hassid, 594 U.S.— (2021)………… 339
Central Hudson Gas & Electric Corp. v. Public Service Commission, 447 U.S. 557 (1980) ………… 261
Champion v. Ames (The Lottery Case), 188 U.S. 321 (1903)………… 117
Chaplinsky v. New Hampshire, 315 U.S. 568 (1942) ………… 246, 250, 257
Chicago Teachers Union v. Hudson, 475 U.S. 292 (1986)………… 305
Chicago, B. & Q. R. Co. v. Chicago, 166 U.S. 226 (1897) ………… 334
Chisholm v. Georgia, 2 Dall. (2 U.S.) 419 (1793) ………… 67, 164
Christian Legal Society Chapter of the University of California, Hastings College of the Law v. Martinez, 561 U.S. 661 (2010)………… 286
Church of the Lukumi Babalu Aye, Inc. v. City of Hialeah, 508 U.S. 520 (1993) ………… 330
Cipriano v. City of Houma, 395 U.S. 701 (1969)………… 399
Citizens against Rent Control v. City of Berkeley, 454 U.S. 290 (1981) … 264, 299
Citizens United v. FEC, 558 U.S. 310 (2010) ………… 266
City of Boerne v. Flores, 521 U.S. 507 (1997) ………… 214, 329
City of Cincinnati v. Discovery Network, Inc., 507 U.S. 410 (1993) ………… 261
City of Cleburne v. Cleburne Living Center, 473 U.S. 432 (1985) ………… 393, 417
City of Erie v. Pap's A.M., 529 U.S. 277 (2000) ………… 280
City of Houston v. Hill, 482 U.S. 451 (1987) ………… 247
City of Ladue v. Gilleo, 512 U.S. 43 (1994) ………… 274
City of Lakewood v. Plain Dealer Publishing Co., 486 U.S. 750 (1988) … 240, 275
City of Los Angeles v. Lyons, 461 U.S. 95 (1983) ………… 100, 186
City of Los Angeles v. Preferred Communications, Inc., 476 U.S. 488 (1986) ………… 295
City of Mobile v. Bolden, 446 U.S. 55 (1980) ………… 400
City of Phoenix v. Kolodziejski, 399 U.S. 204 (1970)………… 399
City of Renton v. Playtime Theatres, Inc., 475 U.S. 41 (1986) ………… 242
City of Richmond v. J. A. Croson Co., 488 U.S. 469 (1989)………… 390
City of Rome v. United States, 446 U.S. 156 (1980) ………… 214
Civil Rights Cases, 109 U.S. 3 (1883)………… 213
Clapper v. Amnesty International USA, 568 U.S. 398 (2013)………… 178
Clark v. Community for Creative Non-Violence, 468 U.S. 288 (1984) ………… 277
Clark v. Jeter, 486 U.S. 456 (1988)………… 412

Clarke v. Securities Industry Association, 479 U.S. 388 (1987) …… 182
Cleveland Board of Education v. Laudermill, 470 U.S. 532 (1985) …… 350
Clingman v. Beaver, 544 U.S. 581 (2005) …… 301
Clinton v. City of New York, 524 U.S. 417 (1998) …… 155
Clinton v. Jones, 520 U.S. 681 (1997) …… 155
Coates v. Cincinnati, 402 U.S. 611 (1971) …… 241
Cohen v. California, 403 U.S. 15 (1971) …… 246
Cohen v. Cowles Media Co., 501 U.S. 663 (1991) …… 290
Cohens v. Virginia, 6 Wheat. (19 U.S.) 264 (1821) …… 86
Colegrove v. Green, 328 U.S. 549 (1946) …… 192
Coleman v. Miller, 307 U.S. 433 (1939) …… 190
College Savings Bank v. Florida Prepaid Postsecondary Education Expense Board, 527 U.S. 666 (1999) …… 165
Colorado Republican Federal Campaign Committee v. FEC, 518 U.S. 604 (1996) …… 267
Commercial Trust Co. v. Miller, 262 U.S. 51 (1923) …… 190
Committee for Public Education & Religious Liberty v. Nyquist, 413 U.S. 756 (1973) …… 311
Committee for Public Education v. Regan, 444 U.S. 646 (1980) …… 311
Commodity Futures Trading Commission v. Schor, 478 U.S. 833 (1986) …… 153, 163
Communist Party v. Subversive Activities Control Board, 367 U.S. 1 (1961) …… 139
Concrete Pipe & Products of California, Inc. v. Construction Laborers Pension Trust for Southern California, 508 U.S. 602 (1993) …… 357
Connecticut Department of Public Safety v. Doe, 538 U.S. 1 (2003) …… 350
Connolly v. Pension Benefit Guaranty Corp., 475 U.S. 211 (1986) …… 340
Consolidated Edison Co. v. Public Service Commission, 447 U.S. 530 (1980) …… 243
Cook v. Gralike, 531 U.S. 510 (2001) …… 58
Cooley v. Board of Wardens of the Port of Philadelphia, 12 How. (53 U.S.) 299 (1851) …… 127
Cooper Industries, Inc. v. Leatherman Tool Group, Inc., 532 U.S. 424 (2001) …… 357
Cooper v. Aaron, 358 U.S. 1 (1958) …… 97
Cooper v. Harris, 581 U.S.— (2017) …… 401
Coppage v. Kansas, 236 U.S. 1 (1915) …… 354
Corfield v. Coryell, 6 F. Cas. 546 (E.D.Pa. 1823) …… 201
Cornelius v. NAACP Legal Defense & Educational Fund, Inc., 473 U.S. 788 (1985) …… 287
Corporation of the Presiding Bishop of the Church of Jesus Christ of Latter-Day Saints v. Amos, 483 U.S. 327 (1987) …… 323
County of Allegheny v. ACLU, 492 U.S. 573 (1989) …… 321
Coventry Health Care of Missouri, Inc. v. Nevils, 581 U.S.— (2017) …… 76
Cox Broadcasting Corp. v. Cohn, 420 U.S. 469 (1975) …… 254
Cox v. Louisiana, 379 U.S. 536 (1965) (Cox Ⅰ) …… 281
Cox v. Louisiana, 379 U.S. 559 (1965) (Cox Ⅱ) …… 281
Cox v. New Hampshire, 312 U.S. 569 (1941) …… 281
Craig v. Boren, 429 U.S. 190 (1976) …… 90, 406
Crawford v. Marion County Election Board, 553 U.S. 181 (2008) …… 387
Cruzan v. Director, Missouri Department of Health, 497 U.S. 261 (1990) …… 371
CSC v. Letter Carriers, 413 U.S. 548 (1973) …… 270
Cummings v. Missouri, 4 Wall. (71 U.S.) 277 (1867) …… 139
Curtis Publishing Co. v. Butts, 388 U.S. 130 (1967) …… 251

Cutter v. Wilkinson, 544 U.S. 709 (2005) ……… 324, 330

D

Dames & Moore v. Regan, 453 U.S. 654 (1981) ……… 157
Dandridge v. Williams, 397 U.S. 471 (1970) ……… 397
Dartmouth College v. Woodward, 4 Wheat. (17 U.S.) 518 (1819) ……… 342
Davenport v. Washington Education Association, 551 U.S. 177 (2007) ……… 305
Davidson v. New Orleans, 96 U.S. 97 (1878) ……… 347
Davis v. Bandemer, 478 U.S. 109 (1986) ……… 400
Davis v. FEC, 554 U.S. 724 (2008) ……… 265
Davis v. Passman, 442 U.S. 228 (1979) ……… 219
De Funis v. Odegaard, 416 U.S. 312 (1974) ……… 186
De Jonge v. Oregon, 299 U.S. 353 (1937) ……… 232
De Veau v. Braisted, 363 U.S. 144 (1960) ……… 141
Dean Milk Co. v. City of Madison, 340 U.S. 349 (1951) ……… 131
Debs v. United States, 249 U.S. 211 (1919) ……… 229
Dennis v. United States, 341 U.S. 494 (1951) ……… 232, 239, 299
Department of Revenue of Kentucky v. Davis, 553 U.S. 328 (2008) ……… 131
Deshaney v. Winnebago County Department of Social Services, 489 U.S. 189 (1989) ……… 215
District of Columbia v. Heller, 554 U.S. 570 (2008) ……… 220
Dobbs v. Jackson Women's Health Organization, 597 U.S.— (2022) ……… 367, 373
Doe v. Bolton, 410 U.S. 179 (1973) ……… 202, 362
Dolan v. City of Tigard, 512 U.S. 374 (1994) ……… 337
Douglas v. California, 372 U.S. 353 (1963) ……… 401
Dred Scott v. Sandford, 19 How. (60 U.S.) 393 (1857) ……… 11, 13, 14, 97, 198, 351, 376
Duke Power Co. v. Carolina Environmental Study Group, Inc., 438 U.S. 59 (1978) ……… 176
Dun & Bradstreet, Inc. v. Greenmoss Builders, Inc., 472 U.S. 749 (1985) ……… 253
Dun v. Blumstein, 405 U.S. 330 (1972) ……… 399
Duncan v. Louisiana, 391 U.S. 145 (1968) ……… 205
Duncan v. Missouri, 152 U.S. 377 (1894) ……… 142
Dunn v. Blumstein, 405 U.S. 330 (1972) ……… 402

E

Easley v. Cromartie, 532 U.S. 234 (2001) ……… 401
Edelman v. Jordan, 415 U.S. 651 (1974) ……… 165
Edenfield v. Fane, 507 U.S. 761 (1993) ……… 263
Edmonson v. Leesville Concrete Co., Inc., 500 U.S. 614 (1991) ……… 210
Edwards v. Aguillard, 482 U.S. 578 (1987) ……… 318
Edwards v. South Carolina, 372 U.S. 229 (1963) ……… 245
EEOC v. Wyoming, 460 U.S. 226 (1983) ……… 125
Eisenstadt v. Baird, 405 U.S. 438 (1972) ……… 90, 360, 404
El Paso v. Simons, 379 U.S. 497 (1965) ……… 343
El Vocero de Puerto Rico v. Puerto Rico, 508 U.S. 147 (1993) ……… 293
Eldred v. Ashcroft, 537 U.S. 186 (2003) ……… 244
Elfbrandt v. Russell, 384 U.S. 11 (1966) ……… 300
Elk Grove Unified School District v. Newdow, 542 U.S. 1 (2004) ……… 321
Elrod v. Burns, 427 U.S. 347 (1976) ……… 271
Employment Division, Oregon Department of Human Resources v. Smith, 494 U.S. 872 (1990) ……… 329
Energy Reserves Group v. Kansas Power & Light Co., 459 U.S. 400 (1983) ……… 344

Engel v. Vitale, 370 U.S. 421 (1962) ········· 317
Engquist v. Oregon Department of Agriculture, 553 U.S. 591 (2008) ········· 377
Epperson v. Arkansas, 393 U.S. 97 (1968) ········· 318
Erznoznik v. Jacksonville, 422 U.S. 205 (1975) ········· 247
Espinoza v. Montana Department of Revenue, 591 U.S. — (2020) ········· 328
Estate of Thornton v. Caldor, Inc., 472 U.S. 703 (1985) ········· 324
Eu v. San Francisco County Democratic Central Committee, 489 U.S. 214 (1989) ········· 300
Euclid v. Ambler Realty Co., 272 U.S. 365 (1926) ········· 335
Evans v. Abney, 396 U.S. 435 (1970) ········· 208
Everson v. Board of Education, 330 U.S. 1 (1947) ········· 308, 310
Ex parte Endo, 323 U.S. 283 (1944) ········· 382
Ex parte Garland, 4 Wall. (71 U.S.) 333 (1867) ········· 141, 141
Ex parte McCardle, 7 Wall. (74 U.S.) 506 (1869) ········· 87
Ex parte Milligan, 4 Wall. (71 U.S.) 2 (1866) ········· 66
Ex parte Young, 209 U.S. 123 (1908) ········· 165, 218
Exxon Corp. v. Eagerton, 462 U.S. 176 (1983) ········· 344
Exxon Corp. v. Governor of Maryland, 437 U.S. 117 (1978) ········· 129, 356

F

FCC v. League of Women Voters of California, 468 U.S. 364 (1984) ········· 263, 294
FCC v. Pacifica Foundation, 438 U.S. 726 (1978) ········· 248, 293, 295
FDIC v. Meyer, 510 U.S. 471 (1994) ········· 220
FEC v. Akins, 524 U.S. 11 (1998) ········· 183
FEC v. Beaumont, 539 U.S. 146 (2003) ········· 264
FEC v. Colorado Republican Federal Campaign Committee, 533 U.S. 431 (2001) ········· 267
FEC v. Massachusetts Citizens for Life, Inc., 479 U.S. 238 (1987) ········· 266
FEC v. National Conservative Political Action Committee, 470 U.S. 480 (1985) ········· 266
FEC v. National Right to Work Committee, 459 U.S. 197 (1982) ········· 264
FEC v. Ted Cruz for Senate, 596 U.S.— (2022) ········· 266
FEC v. Wisconsin Right to Life, Inc., 551 U.S. 449 (2007) ········· 266
Feiner v. New York, 340 U.S. 315 (1951) ········· 245
FERC v. Mississippi, 456 U.S. 742 (1982) ········· 125
Ferguson v. Scrupa, 372 U.S. 726 (1963) ········· 356
First National Bank of Boston v. Bellotti, 435 U.S. 765 (1978) ········· 266
Fisher v. University of Texas at Austin, 570 U.S. 297 (2013) (Fisher I) ········· 392
Fisher v. University of Texas at Austin, 579 U.S. 365 (2016) (Fisher II) ········· 392
Flagg Brothers, Inc. v. Brooks, 436 U.S. 149 (1978) ········· 207, 210
Flast v. Cohen, 392 U.S. 83 (1968) ········· 172, 174, 181
Flemming v. Nestor, 363 U.S. 603 (1960) ········· 141
Fletcher v. Peck, 6 Cranch (10 U.S.) 87 (1810) ········· 85, 342
Florida Bar v. Went for It, Inc., 515 U.S. 618 (1995) ········· 263
Florida Star v. BJF, 491 U.S. 524 (1989) ········· 254
Foley v. Connelie, 435 U.S. 291 (1978) ········· 395
Follet v. Town of McCormick, 321 U.S. 573 (1944) ········· 326
44 Liquormart, Inc. v. Rhode Island, 517 U.S. 484 (1996) ········· 261
Frank v. Walker, 768 F.3d 744 (7th Cir. 2014), cert. denied, 575 U.S. 913 (2015) ········· 387
Frazee v. Illinois, 489 U.S. 829 (1989) ········· 327
Free Enterprise Fund v. Public Company Accounting Oversight Board, 561 U.S. 477 (2010) ········· 155

Freedman v. Maryland, 380 U.S. 51 (1965) …… 239
Friends of Earth, Inc. v. Laidlaw Environmental Services, Inc, 528 U.S. 167 (2000) …… 183
Frisby v. Schultz, 487 U.S. 474 (1988) …… 275, 283
Frohwerk v. United States, 249 U.S. 204 (1919) …… 229
Frontiero v. Richardson, 411 U.S. 677 (1973) …… 406
Frothingham v. Mellon, 262 U.S. 447 (1923) …… 172
Fullilove v. Klutznick, 448 U.S. 448 (1980) …… 389
Fulton v. Philadelphia, 593 U.S.— (2021) …… 331
FW/PBS, Inc. v. City of Dallas, 493 U.S. 215 (1990) …… 239

G

Gade v. National Solid Wastes Management Association, 505 U.S. 88, 98 (1992) …… 76
Gaffney v. Cummings, 412 U.S. 735 (1973) …… 400
Gannett Co., Inc. v. DePasquale, 443 U.S. 368 (1979) …… 292
Garcetti v. Ceballos, 547 U.S. 410 (2006) …… 271
Garcia v. San Antonio Metropolitan Transit Authority, 469 U.S. 528 (1985) …… 125
Garner v. Los Angeles Board of Public Works, 341 U.S. 716 (1951) …… 269
Garrison v. Louisiana, 379 U.S. 64 (1964) …… 253
Geduldig v. Aiello, 417 U.S. 484 (1974) …… 410
General Motors Corp. v. Romein, 503 U.S. 181 (1992) …… 345, 357
General Motors Corp. v. Tracy, 519 U.S. 278 (1997) …… 177
Gertz v. Robert Welch, Inc., 418 U.S. 323 (1974) …… 252
Gibbons v. Ogden, 9 Wheat. (22 U.S.) 1 (1824) …… 115, 126
Gilbert v. Homar, 520 U.S. 924 (1997) …… 350
Gilligan v. Morgan, 413 U.S. 1 (1973) …… 190
Gilmore v. Montgomery, 417 U.S. 556 (1974) …… 209
Ginsberg v. New York, 390 U.S. 629 (1968) …… 259
Gitlow v. New York, 268 U.S. 652 (1925) …… 230
Globe Newspaper Co. v. Superior Court, 457 U.S. 596 (1982) …… 292
Goesaert v. Cleary, 335 U.S. 464 (1948) …… 405
Golan v. Holder, 565 U.S. 302 (2012) …… 244
Goldberg v. Kelly, 397 U.S. 254 (1970) …… 348
Goldblatt v. Hempstead, 369 U.S. 590 (1962) …… 335
Goldman v. Weinberger, 475 U.S. 503 (1986) …… 328
Goldwater v. Carter, 444 U.S. 996 (1979) …… 190
Gomez v. Perez, 409 U.S. 535 (1973) …… 411
Gomillion v. Lightfoot, 364 U.S. 339 (1960) …… 400
Gonzales v. Carhart, 550 U.S. 124 (2007) …… 366
Gonzales v. O Centro Espirita Beneficente Uniao Do Vegetal, 546 U.S. 418 (2006) …… 330
Gonzales v. Oregon, 546 U.S. 243 (2006) …… 123
Gonzales v. Raich, 545 U.S. 1 (2005) …… 123
Gonzales v. Roman Catholic Archbishop of Manila, 280 U.S. 1 (1929) …… 329
Good News Club v. Milford Central School, 533 U.S. 98 (2001) …… 286, 315
Gooding v. Wilson, 405 U.S. 518 (1972) …… 247
Goss v. Lopez, 419 U.S. 565 (1975) …… 350
Graham v. Richardson, 403 U.S. 365 (1971) …… 394
Granholm v. Heald, 544 U.S. 460 (2005) …… 131
Gratz v. Bollinger, 539 U.S. 244 (2003) …… 178, 391
Grayned v. City of Rockford, 408 U.S. 104 (1972) …… 273, 283

Green v. County School Board of New Kent County, 391 U.S. 430 (1968) …… 384
Gregory v. Ashcroft, 501 U.S. 452 (1991) …… 415
Griffin v. Illinois, 351 U.S. 12 (1956) …… 401
Griswold v. Connecticut, 381 U.S. 479 (1965) …… 359
Grosjean v. American Press Co., 297 U.S. 233 (1936) …… 242
Grutter v. Bollinger, 539 U.S. 306 (2003) …… 391

H

H. L. v. Matheson, 450 U.S. 398 (1981) …… 363
H. P. Hood & Sons v. DuMond, 336 U.S. 525 (1949) …… 130
Hague v. CIO, 307 U.S. 496 (1939) …… 280
Haig v. Agee, 453 U.S. 280 (1981) …… 157
Hamdan v. Rumsfeld, 548 U.S. 557 (2006) …… 160
Hamdi v. Rumsfeld, 542 U.S. 507 (2004) …… 160
Hammer v. Dagenhart, 247 U.S. 251 (1918) …… 118, 133
Hampton v. Mow Sun Wong, 426 U.S. 88 (1976) …… 396
Hans v. Louisiana, 134 U.S. 1 (1890) …… 164
Harper v. Virginia State Board of Elections, 383 U.S. 663 (1966) …… 398
Harris v. Arizona Independent Redistricting Commission, 578 U.S.— (2016) …… 400
Harris v. McRae, 448 U.S. 297 (1980) …… 363
Harte-Hanks Communications, Inc. v. Connaughton, 491 U.S. 657 (1989) …… 252
Hawaii Housing Authority v. Midkiff, 467 U.S. 229 (1984) …… 340
Healy v. Beer Institute, Inc., 491 U.S. 324 (1989) …… 131
Heart of Atlanta Motel v. United States, 379 U.S. 241 (1964) …… 120
Heffron v. International Society for Krishna Consciousness, Inc., 452 U.S. 640 (1981) …… 271, 286
Hein v. Freedom from Religion Foundation, Inc., 551 U.S. 587 (2007) …… 180
Heller v. Doe, 509 U.S. 312 (1993) …… 350, 393
Helvering v. Davis, 301 U.S. 619 (1937) …… 135
Hernandez v. CIR, 490 U.S. 680 (1989) …… 323, 326
Herndon v. Lowry, 301 U.S. 242 (1937) …… 232
Hess v. Indiana, 414 U.S. 105 (1973) …… 244
Hicklin v. Orbeck, 437 U.S. 518 (1978) …… 202
Hill v. Colorado, 530 U.S. 703 (2000) …… 284
Hill v. Stone, 421 U.S. 289 (1975) …… 399
Hipolite Egg Co. v. United States, 220 U.S. 45 (1911) …… 117
Hirabayashi v. United States, 320 U.S. 81 (1943) …… 382
Hobbie v. Unemployment Appeals Commission of Florida, 480 U.S. 136 (1987) …… 327
Hodel v. Indiana, 452 U.S. 314 (1981) …… 125
Hodel v. Virginia Surface Mining & Reclamation Association, 452 U.S. 264 (1981) …… 120, 125
Hodgson v. Minnesota, 497 U.S. 417 (1990) …… 363
Hoke v. United States, 227 U.S. 308 (1913) …… 117
Holder v. Humanitarian Law Project, 561 U.S. 1 (2010) …… 245
Hollenbaugh v. Carnegie Free Library, 439 U.S. 1052 (1978) …… 368
Holt v. Hobbs, 574 U.S. 352 (2015) …… 330
Home Building & Loan Association v. Blaisdell, 290 U.S. 398 (1934) …… 349
Hooper v. Bernalillo County Assessor, 472 U.S. 612 (1985) …… 403
Horne v. Department of Agriculture, 576 U.S. 350 (2015) …… 337
Hosanna-Tabor Evangelical Lutheran Church and School v. EEOC, 565 U.S. 171 (2012) …… 329

Houchins v. KQED, Inc., 438 U.S. 1 (1978) ········· 291
Houston E. & W. Texas Ry. Co. v. United States (Shreveport Rate Case), 234 U.S. 342 (1914) ········· 117, 118
Hudgens v. NLRB, 424 U.S. 507 (1976) ········· 207
Hughes v. Oklahoma, 441 U.S. 322 (1979) ········· 131
Hughes v. Talen Energy Marketing, LLC, 578 U.S.— (2016) ········· 76
Humphrey's Executor v. United States, 295 U.S. 602 (1935) ········· 146, 149
Hunt v. McNair, 413 U.S. 734 (1973) ········· 313
Hunt v. Washington State Apple Advertising Commission, 432 U.S. 333 (1977) ········· 131
Hunter v. Underwood, 471 U.S. 222 (1985) ········· 387, 399
Hurley v. Irish-American Gay, Lesbian and Bisexual Group of Boston, 515 U.S. 557 (1995) ········· 215, 304
Hurtado v. California, 110 U.S. 516 (1884) ········· 203, 347
Hustler Magazine v. Falwell, 485 U.S. 46 (1988) ········· 255
Hutchinson v. Proxmire, 443 U.S. 111 (1979) ········· 252
Hynes v. Mayor & Council of the Borough of Oradell, 425 U.S. 610 (1976) ··· 276

I

Ibanez v. Florida Department of Business and Professional Regulation, 512 U.S. 136 (1994) ········· 263
Immigration & Naturalization Service v. Chadha, 462 U.S. 919 (1983) ········· 147, 152, 159
In re Griffiths, 413 U.S. 717 (1973) ········· 395
In re Primus, 436 U.S. 412 (1978) ········· 262
In re R. M. J., 455 U.S. 191 (1982) ········· 262
In re Winship, 397 U.S. 358 (1970) ········· 205
Ingraham v. Wright, 430 U.S. 651 (1977) ········· 350
International Society for Krishna Consciousness, Inc. v. Lee, 505 U.S. 672 (1992) ········· 288

J

J.E.B. v. Alabama, 511 U.S. 127 (1994) ········· 409
Jackson v. Metropolitan Edison Co., 419 U.S. 345 (1974) ········· 207, 209
James v. Valtierra, 402 U.S. 137 (1971) ········· 394
Janus v. AFSCME, 585 U.S. — (2018) ········· 305
Jenkins v. Georgia, 418 U.S. 153 (1974) ········· 258
Jimmy Swaggart Ministries v. Board of Equalization of California, 493 U.S. 378 (1990) ········· 326
Johanns v. Livestock Marketing Association, 544 U.S. 550 (2005) ········· 262
Johnson v. California, 543 U.S. 499 (2005) ········· 384
Jones v. Alfred H. Mayer Co., 392 U.S. 409 (1968) ········· 213
June Medical Services L. L. C. v. Russo, 591 U.S.— (2020) ········· 366

K

Kansas v. Crane, 534 U.S. 407 (2002) ········· 350
Karcher v. Daggett, 462 U.S. 725 (1983) ········· 400
Kassel v. Consolidated Freightways Corp., 450 U.S. 662 (1981) ········· 130
Katzenbach v. McClung, 379 U.S. 294 (1964) ········· 121
Katzenbach v. Morgan, 384 U.S. 641 (1966) ········· 214
Kedroff v. St. Nicholas Cathedral, 344 U.S. 94 (1952) ········· 329
Keller v. State Bar of California, 496 U.S. 1 (1990) ········· 305
Kelley v. Johnson, 425 U.S. 238 (1976) ········· 372

Kelo v. City of New London, 545 U.S. 469 (2005) ······ 341
Kennedy v. Bremerton School District, 597 U.S.— (2022) ······ 309
Keyishian v. Board of Regents, 385 U.S. 589 (1967) ······ 270
Keystone Bituminous Coal Association v. DeBenedictis, 480 U.S. 470 (1987) ······ 336, 345
Kimel v. Florida Board of Regents, 528 U.S. 62 (2000) ······ 165
Kingsley Books, Inc. v. Brown, 354 U.S. 436 (1957) ······ 238
Kirkpatrick v. Preisler, 394 U.S. 526 (1969) ······ 400
Knick v. Township of Scott, Pennsylvania, 588 U.S.— (2019) ······ 341
Knox v. Service Employees International Union, Local 1000, 567 U.S. 298 (2012) ······ 187, 305
Koonts v. St. Johns River Water Management District, 570 U.S. 595 (2013) ······ 338
Korematsu v. United States, 323 U.S. 214 (1944) ······ 382
Kovacs v. Cooper, 336 U.S. 77 (1949) ······ 273
Kramer v. Union Free School District, 395 U.S. 621 (1969) ······ 398

L

Labine v. Vincent, 401 U.S. 532 (1971) ······ 411
Laird v. Tatum, 408 U.S. 1 (1972) ······ 185
Lalli v. Lalli, 439 U.S. 259 (1978) ······ 412
Lamb's Chapel v. Center Moriches Union Free School District, 508 U.S. 384 (1993) ······ 315
Lambert v. Wicklund, 520 U.S. 292 (1997) ······ 363
Lance v. Coffman, 549 U.S. 437 (2007) ······ 178
Landmark Communications, Inc. v. Virginia, 435 U.S. 829 (1978) ······ 269
Larkin v. Grendel's Den, Inc., 459 U.S. 116 (1982) ······ 322
Larson v. Valente, 456 U.S. 228 (1982) ······ 316
Lassiter v. Northampton County Board of Elections, 360 U.S. 45 (1959) ······ 399
Lawrence v. Texas, 539 U.S. 558 (2003) ······ 368
Leathers v. Medlock, 499 U.S. 439 (1991) ······ 242
Lee v. International Society for Krishna Consciousness, Inc., 505 U.S. 830 (1992) ······ 288
Lee v. Weisman, 505 U.S. 577 (1992) ······ 318
Lehman v. City of Shaker Heights, 418 U.S. 298 (1974) ······ 287
Lemon v. Kurtzman, 403 U.S. 602 (1971) ······ 309, 314, 317
Leser v. Garnett, 258 U.S. 130 (1922) ······ 190
Levitt v. Committee for Public Education & Religious Liberty, 413 U.S. 472 (1973) ······ 310
Levy v. Louisiana, 391 U.S. 68 (1968) ······ 411
Lexmark International, Inc. v. Static Control Components, Inc., 572 U.S. 118 (2014) ······ 169, 177
Linda R. S. v. Richard D., 410 U.S. 614 (1973) ······ 179
Lindsey v. Normet, 405 U.S. 56 (1972) ······ 397
Lingle v. Chevron, 544 U.S. 528 (2005) ······ 338
Linkletter v. Walker, 381 U.S. 618 (1965) ······ 96
Local 28 of Sheet Metal Workers' International Association v. EEOC, 478 U.S. 421 (1986) ······ 389
Lochner v. New York, 198 U.S. 45 (1905) ······ 16, 350, 354, 357, 358, 373
Locke v. Davey, 540 U.S. 712 (2004) ······ 328
Logan v. Zimmerman Brush Co., 455 U.S. 422 (1982) ······ 351, 416
Lombard v. Louisiana, 373 U.S. 267 (1963) ······ 208
Londoner v. Denver, 210 U.S. 373 (1908) ······ 348

Loretto v. Telepromoter Manhattan CATV Corp., 458 U.S. 419 (1982) ········· 336
Lorillard Tobacco Co. v. Reilly, 533 U.S. 525 (2001) ········· 262
Lovell v. City of Griffin, 303 U.S. 444 (1938) ········· 275
Loving v. Virginia, 388 U.S. 1 (1967) ········· 382
Lucas v. South Carolina Coastal Council, 505 U.S. 1003 (1992) ········· 337
Lugar v. Edmondson Oil Co., Inc., 457 U.S. 922 (1982) ········· 210
Lujan v. Defenders of Wildlife, 504 U.S. 555 (1992) ········· 182
Lunding v. New York Tax Appeals Tribunal, 522 U.S. 287 (1998) ········· 202
Luther v. Borden, 7 How. (48 U.S.) 1 (1849) ········· 192
Lynch v. Donnelly, 465 U.S. 668 (1984) ········· 320
Lyng v. Castillo, 477 U.S. 635 (1986) ········· 404
Lyng v. International Union, UAW, 485 U.S. 360 (1988) ········· 404
Lyng v. Northwest Indian Cemetery Protective Association, 485 U.S. 439 (1988) ········· 328

M

M. L. B. v. S. L. J., 519 U.S. 102 (1996) ········· 402
Madsen v. Women's Health Center, Inc., 512 U.S. 753 (1994) ········· 284
Mahan v. Howell, 410 U.S. 315 (1973) ········· 400
Maher v. Roe, 432 U.S. 464 (1977) ········· 363, 404
Maine v. Taylor, 477 U.S. 131 (1986) ········· 132
Mapp v. Ohio, 367 U.S. 643 (1961) ········· 96
Marbury v. Madison, 1 Cranch (5 U.S.) 137 (1803) ········· 11, 43, 70, 80, 83, 84, 85, 97, 166
Marcello v. Bonds, 349 U.S. 302 (1955) ········· 141
Marsh v. Alabama, 326 U.S. 501 (1946) ········· 206
Marsh v. Chambers, 463 U.S. 783 (1983) ········· 320
Martin v. City of Struthers, 319 U.S. 141 (1943) ········· 276
Martin v. Hunter's Lessee, 1 Wheat. (14 U.S.) 304 (1816) ········· 85
Maryland v. Wirtz, 392 U.S. 183 (1968) ········· 120
Massachusetts Board of Retirement v. Murgia, 427 U.S. 307 (1976) ········· 393, 415
Massachusetts v. Davis, 162 Mass. 510, 39 N. E. 113 (1895) ········· 280
Massachusetts v. EPA, 549 U.S. 497 (2007) ········· 178
Masses Pub. Co. v. Patten, 244 Fed. 535 (S.D.N.Y. 1917) ········· 229, 233
Masson v. New Yorker Magazine, Inc., 501 U.S. 496 (1991) ········· 252
Masterpiece Cakeshop v. Colorado Civil Rights Commission, 584 U.S.— (2018) ········· 216
Mathews v. Diaz, 426 U.S. 67 (1976) ········· 396
Mathews v. Eldridge, 424 U.S. 319 (1976) ········· 350
Mayor of the City of New York v. Miln, 11 Pet. (36 U.S.) 102 (1837) ········· 127
Mazurek v. Armstrong, 520 U.S. 968 (1997) ········· 365
McBurney v. Young, 569 U.S. 221 (2013) ········· 202
McCollum v. Board of Education, 333 U.S. 203 (1948) ········· 316
McConnell v. FEC, 540 U.S. 93 (2003) ········· 265
McCray v. United States, 195 U.S. 27 (1904) ········· 133
McCreary County v. ACLU, 545 U.S. 844 (2005) ········· 322
McCullen v. Coakley, 573 U.S. 464 (2014) ········· 284
McCulloch v. Maryland, 4 Wheat. (17 U.S.) 316 (1819) ········· 100, 110
McCutcheon v. FEC, 572 U.S. 185 (2014) ········· 265
McDaniel v. Paty, 435 U.S. 618 (1978) ········· 307
McDonald v. City of Chicago, 561 U.S. 3025 (2010) ········· 205, 220
McDonaldo v. Board of Election Commissioners, 394 U.S. 802 (1969) ········· 414
McGowan v. Maryland, 366 U.S. 420 (1961) ········· 319, 414

McIntyre v. Ohio Elections Commission, 514 U.S. 334 (1995) …………………… 263
McLaughlin v. Florida, 379 U.S. 184 (1964)…………………………………………… 382
Meachum v. Fano, 427 U.S. 215 (1976) …………………………………………………… 350
Medellin v. Texas, 552 U.S. 491 (2008) ……………………………………………… 137, 158
Meek v. Pittenger, 421 U.S. 349 (1975) ………………………………………………… 311
Members of the City Council v. Taxpayers for Vincent, 466 U.S. 789 (1984) ………………………………………………………………………………………… 274
Memorial Hospital v. Maricopa County, 415 U.S. 250 (1974)……………………… 402
Memphis Light, Gas & Water Division v. Craft, 436 U.S. 1 (1978) …………… 350
Metro Broadcasting Inc. v. FCC, 497 U.S. 547 (1990) ………………………………… 390
Metromedia, Inc. v. City of San Diego, 453 U.S. 490 (1981) ………… 243, 261, 274
Metropolitan Life Insurance Co. v. Ward, 470 U.S. 869 (1985) …………………… 416
Metropolitan Washington Airports Authority v. Citizens for the Abatement of Aircraft Noise, Inc., 501 U.S. 252 (1991) …………………………………… 155
Meyer v. Nebraska, 262 U.S. 390 (1923) ………………………………………… 358, 370
Miami Herald Publishing Co. v. Tornillo, 418 U.S. 241 (1974) …………………… 298
Michael H. v. Gerald D., 491 U.S. 110 (1989) ………………………………………… 369
Michael M. v. Superior Court, 450 U.S. 464 (1981) ………………………………… 408
Michigan v. Long, 463 U.S. 1032 (1983) ………………………………………………… 86
Milkovich v. Lorain Journal Co., 497 U.S. 1 (1990) ………………………………… 253
Miller v. Albright, 523 U.S. 420 (1998)………………………………………………… 410
Miller v. California, 413 U.S. 15 (1973)………………………………………………… 257
Miller v. Johnson, 515 U.S. 900 (1995) ………………………………………………… 400
Miller v. Schoene, 276 U.S. 272 (1928) ………………………………………………… 334
Mills v. Alabama, 384 U.S. 214 (1966) ………………………………………………… 263
Mills v. Habluetzel, 456 U.S. 91 (1982) ………………………………………………… 412
Minersville School District v. Gobitis, 310 U.S. 586 (1940) ……………………… 325
Minneapolis Star & Tribune Co. v. Minnesota Commissioner of Revenue, 460 U.S. 575 (1983) ……………………………………………………………………… 242
Minneci v. Pollard, 565 U.S. 118 (2012)………………………………………………… 220
Minnesota v. Clover Leaf Creamery Co., 449 U.S. 456 (1981)……………… 129, 356
Mississippi University for Women v. Hogan, 458 U.S. 718 (1982) …………… 408
Mississippi v. Johnson, 4 Wall. (71 U.S.) 475 (1867) ……………………………… 151
Missouri v. Holland, 252 U.S. 416 (1920) ……………………………………………… 138
Missouri v. Jenkins, 495 U.S. 33 (1990) (Jenkins I) ………………………… 99, 385
Missouri v. Jenkins, 515 U.S. 70 (1995) (Jenkins II)………………………… 99, 385
Mistretta v. United States, 488 U.S. 361 (1989) ……………………………… 114, 154
Mitchell v. Helms, 530 U.S. 793 (2000) ………………………………………………… 313
Monell v. Department of Social Services of the City of New York, 436 U.S. 658 (1978) ……………………………………………………………………………… 218
Monroe v. Pape, 365 U.S. 167 (1961) …………………………………………………… 217
Monsanto co. v. Geertson Seed Farms, 561 U.S. 139 (2010) ……………………… 178
Moore v. City of East Cleveland, 431 U.S. 494 (1977) …………………………… 369
Moose Lodge No. 107 v. Irvis, 407 U.S. 163 (1972)………………………………… 209
Mora v. McNamara, 389 U.S. 934 (1967) ……………………………………………… 159
Morey v. Doud, 354 U.S. 457 (1957) …………………………………………………… 415
Morrison v. Olson, 487 U.S. 654 (1988)…………………………………………… 149, 153
Mueller v. Allen, 463 U.S. 388 (1983)…………………………………………………… 311
Mugler v. Kansas, 123 U.S. 623 (1887) ………………………………………………… 352
Mullaney v. Anderson, 342 U.S. 415 (1952) …………………………………………… 202
Muller v. Oregon, 208 U.S. 412 (1908) ………………………………………………… 354
Munn v. Illinois, 94 U.S. 113 (1877) …………………………………………………… 352
Munro v. Socialist Workers Party, 479 U.S. 189 (1987) ………………………… 302

Murdock v. Pennsylvania, 319 U.S. 105 (1943) ………… 326
Murr v. Wisconsin, 582 U.S.— (2017) ………… 339
Murray's Lessee v. Hoboken Land & Improvement Co., 18 How. (59 U.S.) 272 (1856) ………… 347
Muskrat v. United States, 219 U.S. 346 (1911) ………… 167
Myers v. United States, 272 U.S. 52 (1926) ………… 146, 149

N

NAACP v. Alabama, 357 U.S. 449 (1958) ………… 299
NAACP v. Claiborne Hardware Co., 458 U.S. 886 (1982) ………… 244
Nashville, C. & St. L. Ry. v. Wallace, 288 U.S. 249 (1933) ………… 169
National Federation of Independent Business v. Seberius, 567 U.S. 519 (2012) ………… 111, 124, 134, 136
National League of Cities v. Usery, 426 U.S. 833 (1976) ………… 125
National Railroad Passenger Corp. v. Atchison, Topeka & Santa Fe Railway Co., 470 U.S. 451 (1985) ………… 345
NBC v. United States, 319 U.S. 190 (1943) ………… 114
NCAA v. Tarkanian, 488 U.S. 179 (1989) ………… 211
Near v. Minnesota, 283 U.S. 697 (1931) ………… 237
Nebbia v. New York, 291 U.S. 502 (1934) ………… 355
Nebraska Press Association v. Stuart, 427 U.S. 539 (1976) ………… 188, 239, 268
Nevada Department of Human Resources v. Hibbs, 538 U.S. 721 (2003) ………… 165
New England Power Co. v. New Hampshire, 455 U.S. 331 (1982) ………… 131
New Orleans v. Dukes, 427 U.S. 297 (1976) ………… 415
New York State Board of Election v. Lopez Torres, 552 U.S. 196 (2008) ………… 301
New York State Club Association, Inc. v. New York, 487 U.S. 1 (1988) ………… 303
New York State Rifle & Pistol Ass'n v. Bruen, 597 U.S.— (2022) ………… 220
New York Times Co. v. Sullivan, 376 U.S. 254 (1964) ………… 228, 250, 263
New York Times Co. v. United States, 403 U.S. 713 (1971) ………… 238
New York v. Ferber, 458 U.S. 747 (1982) ………… 259
New York v. United States, 505 U.S. 144 (1992) ………… 126
Nguyen v. INS, 533 U.S. 53 (2001) ………… 410
Nixon v. Administrator of General Services, 433 U.S. 425 (1977) ………… 140, 151
Nixon v. Fitzgerald, 457 U.S. 731 (1982) ………… 151
Nixon v. United States, 506 U.S. 224 (1993) ………… 190
NLRB v. Jones & Laughlin Steel Corp., 301 U.S. 1 (1937) ………… 119
Nollan v. California Coastal Commission, 483 U.S. 825 (1987) ………… 336
Nordlinger v. Hahn, 505 U.S. 1 (1992) ………… 417
Norman v. Reed, 502 U.S. 279 (1992) ………… 302
North Carolina State Board of Education v. Swann, 402 U.S. 43 (1971) ………… 388
North Carolina State Conference of the NAACP v. McCrory, 831 F.3d 204 (4th Cir. 2016), cert. denied, 581 U.S.— (2017) ………… 387
Northeastern Florida Chapter of the Associated General Contractors of America v. City of Jacksonville, 508 U.S. 656 (1993) ………… 177
Northern Pipeline Construction Co. v. Marathon Pipe Line Co., 458 U.S. 50 (1982) ………… 162
Northwest Austin Municipal Utility District No. 1 v. Holder, 557 U.S. 193 (2009) ………… 91
Noto v. United States, 367 U.S. 290 (1961) ………… 233

O

Obergefell v. Hodges, 576 U.S. 644 (2015) ………… 370, 404, 417
Ogden v. Saunders, 12 Wheat. (25 U.S.) 213 (1827) ………… 342

Ohio v. Akron Center for Reproductive Health, 497 U.S. 502 (1990) ············ 363
Ohralik v. Ohio State Bar Association, 436 U.S. 447 (1978) ······················ 262
Oklahoma v. Civil Service Commission, 330 U.S. 127 (1947) ······················ 135
Olim v. Wakinekona, 461 U.S. 238 (1983)··· 350
Olsen v. Nebraska, 313 U.S. 236 (1941)··· 356
Oregon v. Mitchell, 400 U.S. 112 (1970) ·· 214
Organization for a Better Austin v. Keefe, 402 U.S. 415 (1971)···················· 275
Orr v. Orr, 440 U.S. 268 (1979) ··· 407
Osborne v. Ohio, 495 U.S. 103 (1990)··· 259
O'Shea v. Littleton, 414 U.S. 488 (1974) ································· 100, 185
Our Lady of Guadalupe School v. Morrissey-Berru, 591 U.S.— (2020). ········· 329
Owen v. City of Independence, 445 U.S. 622 (1980) ······························ 218

P

Packingham v. North Carolina, 582 U.S.— (2017)···································· 296
Palko v. Connecticut, 302 U.S. 319 (1937) ·································· 204, 205
Palmer v. Thompson, 403 U.S. 217 (1971) ··· 385
Palmore v. Sidoti, 466 U.S. 429 (1984) ··· 383
Panama Refining Co. v. Ryan, 293 U.S. 388 (1935) ································ 113
Parents Involved in Community Schools v. Seattle School District No. 1, 551 U.S. 701 (2007) ·· 391
Parham v. Hughes, 441 U.S. 347 (1979) ··· 410
Paris Adult Theatre I v. Slaton, 413 U.S. 49 (1973) ······························· 258
Parker v. Brown, 317 U.S. 341 (1943) ·· 129
Parratt v. Taylor, 451 U.S. 527 (1981) ·· 217
Pasadas de Puerto Rico Associates v. Tourism Co., 478 U.S. 328 (1986)········· 261
Paul v. Davis, 424 U.S. 693 (1976) ·· 350
Pavan v. Smith, 582 U.S.— (2017) ··· 370
Peel v. Attorney Registration and Disciplinary Commission of Illinois, 496 U.S. 91 (1990) ··· 263
Pell v. Procunier, 417 U.S. 817 (1974) ·· 291
Penn Central Transportation Co. v. New York City, 438 U.S. 104 (1978) ·· 335, 338
Pennell v. San Jose, 485 U.S. 1 (1988) ·· 177
Pennsylvania Coal Co. v. Mahon, 260 U.S. 393 (1922) ···························· 334
Perez v. Brownell, 356 U.S. 44 (1958) ·· 137
Perez v. United States, 402 U.S. 146 (1971)·· 121
Perry Education Association v. Perry Local Educators' Association, 460 U.S. 37 (1983) ·· 287
Perry v. Sindermann, 408 U.S. 593 (1972) ··· 349
Personnel Administrator of Massachusetts v. Feeney, 442 U.S. 256 (1979) ··· 386
Peterson v. City of Greenville, 373 U.S. 244 (1963) ······························· 208
PG & E Co. v. Public Utilities Commission of California, 475 U.S. 1 (1986) ··· 298
Philadelphia Newspapers, Inc. v. Hepps, 475 U.S. 767 (1986) ···················· 253
Philadelphia v. New Jersey, 437 U.S. 617 (1978) ·································· 131
Pickering v. Board of Education, 391 U.S. 563 (1968) ···························· 270
Pickett v. Brown, 462 U.S. 1 (1983) ·· 412
Pierce v. Society of Sisters, 268 U.S. 510 (1925)···························· 358, 371
Pike v. Bruce Church, Inc., 397 U.S. 137 (1970) ··································· 128
Planned Parenthood Association of Kansas City v. Ashcroft, 462 U.S. 476 (1983) ··· 362, 363
Planned Parenthood of Central Missouri v. Danforth, 428 U.S. 52 (1976)······ 362
Planned Parenthood of Southeastern Pennsylvania v. Casey, 505 U.S. 833

(1992) ………… 72, 363, 364
Plaut v. Spendthrift Farm, Inc., 514 U.S. 211 (1995) ………… 168
Plessy v. Ferguson, 163 U.S. 537 (1896) ………… 383
Plyler v. Doe, 457 U.S. 202 (1982) ………… 398
Poe v. Ullman, 367 U.S. 497 (1961) ………… 185
Police Department of the City of Chicago v. Mosley, 408 U.S. 92 (1972) ………… 242
Pollock v. Farmers' Loan & Trust Co., 157 U.S. 429 (1895) ………… 52, 132
Port Authority Trans-Hudson Corp. v. Feeney, 495 U.S. 299 (1990) ………… 165
Powell v. McCormack, 395 U.S. 486 (1969) ………… 187, 189
Presbyterian Church v. Mary Elizabeth Blue Hull Memorial Presbyterian Church, 393 U.S. 440 (1969) ………… 329
Press-Enterprise Co. v. Superior Court, 464 U.S. 501 (1984) ………… 292
Press-Enterprise Co. v. Superior Court, 478 U.S. 1 (1986) ………… 293
Prince v. Massachusetts, 321 U.S. 158 (1944) ………… 326
Printz v. United States, 521 U.S. 898 (1997) ………… 126
Prize Cases, 2 Black (67 U.S.) 635 (1863) ………… 159
Proprietors of Charles Bridge v. Proprietors of Warren Bridge, 11 Pet. (36 U.S.) 420 (1837) ………… 342
Pruneyard Shopping Center v. Robins, 447 U.S. 74 (1980) ………… 298

Q

Quinn v. Millsap, 491 U.S. 95 (1989) ………… 417

R

R.A.V. v. City of St. Paul, 505 U.S. 377 (1992) ………… 255
Railroad Retirement Board v. Alton Railroad Co., 295 U.S. 330 (1935) ………… 118
Railway Express Agency v. New York, 336 U.S. 106 (1949) ………… 413
Raines v. Byrd, 521 U.S. 811 (1997) ………… 179
Randall v. Sorrell, 548 U.S. 230 (2006) ………… 265
Rasul v. Bush, 542 U.S. 466 (2004) ………… 160
Ravin v, Alaska, 537 P. 2d 494 (Ala. 1975) ………… 373
Raymond Motor Transportation, Inc. v. Rice, 434 U.S. 429 (1978) ………… 130
Red Lion Broadcasting Co. v. FCC, 395 U.S. 367 (1969) ………… 294, 297
Reed v. Reed, 404 U.S. 71 (1971) ………… 406, 415
Reed v. Town of Gilbert, 576 U.S. 155 (2015) ………… 274
Regents of the University of California v. Bakke, 438 U.S. 265 (1978) ………… 388, 391
Regents of the University of Michigan v. Ewing, 474 U.S. 214 (1985) ………… 356
Reid v. Covert, 354 U.S. 1 (1957) ………… 138
Reitman v. Mulkey, 387 U.S. 369 (1967) ………… 210
Rendell-Baker v. Kohn, 457 U.S. 830 (1982) ………… 209
Reno v. ACLU, 521 U.S. 844 (1997) ………… 295
Reno v. Condon, 528 U.S. 141 (2000) ………… 120
Republican Party of Minnesota v. White, 536 U.S. 765 (2002) ………… 263
Reynolds v. Sims, 377 U.S. 533 (1964) ………… 99, 399
Reynolds v. United States, 98 U.S. 145 (1878) ………… 325
Rice v. Cayetano, 528 U.S. 495 (2000) ………… 399
Richardson v. Ramirez, 418 U.S. 24 (1974) ………… 399
Richmond Newspapers, Inc. v. Virginia, 448 U.S. 555 (1980) ………… 292
Rizzo v. Goode, 423 U.S. 362 (1976) ………… 100, 186
Roberts v. United States Jaycees, 468 U.S. 609 (1984) ………… 302, 374
Roe v. Wade, 410 U.S. 113 (1973) ………… 25, 26, 73, 103, 187, 360, 367, 368, 372
Roemer v. Board of Public Works of Maryland, 426 U.S. 736 (1976) ………… 313
Rogers v. Lodge, 458 U.S. 613 (1982) ………… 386, 400

Roman Catholic Diocese of Brooklyn v. Cuomo, 592 U.S.— (2020) …………… 331
Romer v. Evans, 517 U.S. 620 (1996) …………………………………………………… 417
Rosenberger v. University of Virginia, 515 U.S. 819 (1995) ……………… 285, 315
Rosenbloom v. Metromedia, Inc., 403 U.S. 29 (1971) …………………………… 251
Rostker v. Goldberg, 453 U.S. 57 (1981) ……………………………………………… 408
Roth v. United States, 354 U.S. 476 (1957) ………………………………………… 257
Roudebush v. Hartke, 405 U.S. 15 (1972) …………………………………………… 190
Rowan v. United States Post Office Department, 397 U.S. 728 (1970) ………… 275
Rubin v. Coors Brewing Co., 514 U.S. 476 (1995) ……………………………… 261
Rucho v. Common Cause, 588 U.S.— (2019) ……………………………………… 401
Ruckelshaus v. Monsanto Co., 467 U.S. 986 (1984) ………………………… 339, 341
Rust v. Sullivan, 500 U.S. 173 (1991) ………………………………………………… 365
Rutan v. Republican Party of Illinois, 497 U.S. 62 (1990) ……………………… 271

S

Sable Communications of California, Inc. v. FCC, 492 U.S. 115 (1989) ……… 248
Saenz v. Roe, 526 U.S. 489 (1999) …………………………………………… 200, 403
Saia v. New York, 334 U.S. 558 (1948) ……………………………………………… 273
Salyer Land Co. v. Tulane Klake Basin Water Storage District, 410 U.S. 719 (1973) ……………………………………………………………………………… 399
San Antonio Independent School District v. Rodriguez, 411 U.S. 1 (1973) ……………………………………………………………………………… 394, 397
San Francisco Arts & Athletics v. USOC, 483 U.S. 522 (1987) ………………… 211
Santa Clara County v. Southern Pacific Railroad Company, 118 U.S. 394 (1886) ……………………………………………………………………………… 352
Santa Fe Independent School District v. Doe, 530 U.S. 290 (2000) …………… 318
Saxbe v. Washington Post Co., 417 U.S. 843 (1974) …………………………… 290
Scales v. United States, 367 U.S. 203 (1961) ……………………………………… 233
Scarborough v. United States, 431 U.S. 563 (1977) ……………………………… 122
Schad v. Borough of Mt. Ephraim, 452 U.S. 61 (1981) ………………………… 248
Schechter Poultry Corp. v. United States, 295 U.S. 495 (1935) …………… 113, 118
Schenck v. Pro-Choice Network of Western New York, 519 U.S. 357 (1997) … 284
Schenck v. United States, 249 U.S. 47 (1919) ……………………………………… 228
Schlesinger v. Reservists Committee to Stop the War, 418 U.S. 208 (1974) … 174
Schneider v. New Jersey, 308 U.S. 147 (1939) …………………………………… 275
School District of Abington v. Schempp, 374 U.S. 203 (1963) ……………… 308, 317
School District of Grand Rapids v. Ball, 473 U.S. 373 (1985) ………………… 312
Schuette v. BAMN, 572 U.S. 291 (2014) …………………………………………… 392
Schweiker v. Chilicky, 487 U.S. 412 (1988) ……………………………………… 220
Schweiker v. Wilson, 450 U.S. 221 (1981) ……………………………………… 393, 415
Seila Law LLC v. Consumer Financial Protection Bureau, 591 U.S.— (2020) ……………………………………………………………………………………… 149
Selective Service System v. Minnesota Public Interest Research Group, 468 U.S. 841 (1984) ……………………………………………………………………… 140
Seling v. Young, 531 U.S. 250 (2001) ……………………………………………… 141
Seminole Tribe of Florida v. Florida, 517 U.S. 44 (1996) ………………………… 165
Serbian Eastern Orthodox Diocese for the United States of America and Canada v. Milivojevich, 426 U.S. 696 (1976) ……………………………………… 329
Sessions v. Morales-Santana, 582 U.S.— (2017) ………………………………… 409
Shapero v. Kentucky Bar Association, 486 U.S. 466 (1988) …………………… 262
Shapiro v. Thompson, 394 U.S. 618 (1969) ……………………………………… 402
Shaw v. Hunt, 517 U.S. 899 (1996) …………………………………………… 178, 400
Shaw v. Reno, 509 U.S. 630 (1993) ………………………………………………… 400

Shelby County v. Holder, 570 U.S. 529 (2013) …… 214
Shelley v. Kraemer, 334 U.S. 1 (1948) …… 208
Shelton v. Tucker, 364 U.S. 479 (1960) …… 270, 300
Sheppard v. Maxwell, 384 U.S. 333 (1966) …… 268
Sherbert v. Verner, 374 U.S. 398 (1963) …… 326, 329
Shurtleff v. Boston, 596 U.S.— (2022) …… 286
Shuttlesworth v. City of Birmingham, 394 U.S. 147 (1969) …… 237
Sibron v. New York, 392 U.S. 40 (1968) …… 187
Sierra Club v. Morton, 405 U.S. 727 (1972) …… 173
Simon & Schuster, Inc. v. Members of the New York State Crime Victims Board, 502 U.S. 105 (1991) …… 244
Simon v. Eastern Ky. Welfare Rights Organization, 426 U.S. 26 (1976) …… 179
Simopoulos v. Virginia, 462 U.S. 506 (1983) …… 362
Singleton v. Wulff, 428 U.S. 106 (1976) …… 90
Sinkfield v. Kelley, 531 U.S. 28 (2000) …… 178
Skinner v. Oklahoma, 316 U.S. 535 (1942) …… 359
Slaughter-House Cases, 16 Wall. (83 U.S.) 36 (1873) … 198, 200, 202, 351, 376, 381
Smith v. Allwright, 321 U.S. 649 (1944) …… 207
Smith v. Collin, 439 U.S. 916 (1978) …… 282
Smith v. Doe, 538 U.S. 84 (2003) …… 141
Snyder v. Phelps, 562 U.S. 443 (2011) …… 255
Sonzinsky v. United States, 300 U.S. 506 (1937) …… 133
Sorrell v. IMS Heath Inc., 564 U.S. 552 (2011) …… 262
Sosna v. Iowa, 419 U.S. 393 (1975) …… 188, 403
Sossamon v. Texas, 563 U.S. 277 (2011) …… 165
South Carolina State Highway Department v. Barnwell Bros., Inc., 303 U.S. 177 (1938) …… 127
South Carolina v. Baker, 485 U.S. 505 (1988) …… 125
South Carolina v. Katzenbach, 383 U.S. 301 (1966) …… 214
South Dakota v. Dole, 483 U.S. 203 (1987) …… 135
South-Central Timber Development, Inc. v. Wunnicke, 467 U.S. 82 (1984) …… 131
Southeastern Promotions, Ltd. v. Conrad, 420 U.S. 546 (1975) …… 285
Southern Pacific Co. v. Arizona, 325 U.S. 761 (1945) …… 127
Spence v. Washington, 418 U.S. 405 (1974) …… 278
Stanley v. Georgia, 394 U.S. 557 (1969) …… 258
Stanton v. Stanton, 421 U.S. 7 (1975) …… 406
State Farm Mutual Automobile Insurance Co. v. Campbell, 538 U.S. 408 (2003) …… 357
Steffel v. Thompson, 415 U.S. 452 (1974) …… 185
Stenberg v. Carhart, 530 U.S. 914 (2000) …… 365
Stern v. Marshall, 564 U.S. 462 (2011) …… 163
Steward Machine Co. v. Davis, 301 U.S. 548 (1937) …… 134
Stogner v. California, 539 U.S. 607 (2003) …… 142
Stone v. Graham, 449 U.S. 39 (1980) …… 319
Stop the Beach Renourishment, Inc. v. Florida Department of Environmental Protection, 560 U.S. 702 (2010) …… 337
Stovall v. Denno, 388 U.S. 293 (1967) …… 96
Strauder v. West Virginia, 100 U.S. 303 (1880) …… 381
Street v. New York, 394 U.S. 576 (1969) …… 278
Sturges v. Crowninshield, 4 Wheat. (17 U.S.) 122 (1819) …… 342
Sugarman v. Dougall, 413 U.S. 634 (1973) …… 395
Supreme Court of New Hampshire v. Piper, 470 U.S. 274 (1985) …… 202
Supreme Court of Virginia v. Friedman, 487 U.S. 59 (1988) …… 202

Susan B. Anthony List v. Driehaus, 573 U.S. 149 (2014) ······ 178
Swann v. Charlotte-Mecklenburg Board of Education, 402 U.S. 1 (1971) ······ 384
Swift & Co. v. United States, 196 U.S. 375 (1905) ······ 117

T

Tashjian v. Republican Party of Connecticut, 479 U.S. 208 (1987) ······ 300
Tennessee Electric Power Co. v. Tenessee Valey Authoriy, 306 U.S. 118 (1939) ······ 172
Tennessee Secondary School Athletic Association v. Brentwood Academy, 551 U.S. 291 (2007) ······ 261
Tennessee v. Lane, 541 U.S. 509 (2004) ······ 165, 215
Terry v. Adams, 345 U.S. 461 (1953) ······ 207
Texas Monthly, Inc. v. Bullock, 489 U.S. 1 (1989) ······ 322, 326
Texas v. Johnson, 491 U.S. 397 (1989) ······ 279
Texas v. Pennsylvania, 592 U.S.— (2020) ······ 178
Thole v. U.S.Bank, N. A. 590 U.S.— (2020) ······ 183
Thomas v. Chicago Park District, 534 U.S. 316 (2002) ······ 239
Thomas v. Review Board of the Indiana Employment Security Division, 450 U.S. 707 (1981) ······ 327
Thomas v. Union Carbide Agricultural Products Co., 473 U.S. 568 (1985) ······ 163
Thornburgh v. Abbott, 490 U.S. 401 (1989) ······ 289
Thornburgh v. American College of Obstetricians and Gynecologists, 476 U.S. 747 (1986) ······ 362, 363, 365
Thornhill v. Alabama, 310 U.S. 88 (1940) ······ 232
Tileston v. Ullman, 318 U.S. 44 (1943) ······ 90
Tilton v. Richardson, 403 U.S. 672 (1971) ······ 313
Time, Inc. v. Firestone, 424 U.S. 448 (1976) ······ 252
Time, Inc. v. Hill, 385 U.S. 374 (1967) ······ 253
Timmons v. Twin Cities Area New Party, 520 U.S. 351 (1997) ······ 302
Tinker v. Des Moines Independent Community School District, 393 U.S. 503 (1969) ······ 277
Toll v. Moreno, 458 U.S. 1 (1982) ······ 396
Tony & Susan Alamo Foundation v. Secretary of Labor, 471 U.S. 290 (1985) ······ 315, 328
Toomer v. Witsell, 334 U.S. 385 (1948) ······ 202
Torcaso v. Watkins, 367 U.S. 488 (1961) ······ 307
Town of Castke Rock v. Gonzales, 545 U.S. 748 (2005) ······ 350
Town of Greece v. Galloway, 572 U.S. 565 (2014) ······ 320
Trafficante v. Metropolitan Life Insurance Co., 409 U.S. 205 (1972) ······ 181
Trimble v. Gordon, 430 U.S. 762 (1977) ······ 411
Trinity Lutheran Church of Columbia, Inc. v. Comer, 582 U.S.— (2017) ······ 323, 328
Troxel v. Granville, 530 U.S. 57 (2000) ······ 371
Trump v. Hawaii, 585 U.S.— (2018) ······ 325
Trump v. Vance, 591 U.S.— (2020) ······ 155
Turner Broadcasting System, Inc. v. FCC, 512 U.S. 622 (1994) (Turner I) ······ 295
Turner Broadcasting System, Inc. v. FCC, 520 U.S. 180 (1997) (Turner II) ······ 295

U

U.S. Department of Agriculture v. Moreno, 413 U.S. 528 (1973) ······ 415
U.S. Postal Service v. Council of Greenburgh Civic Associations, 453 U.S. 114

(1981) ………… 287
U.S. Railroad Retirement Board v. Fritz, 449 U.S. 166 (1980) ………… 415
U.S. Term Limits, Inc. v. Thornton, 514 U.S. 779 (1995) ………… 58
United Building and Construction Trades Council v. Mayor & Council of Camden, 465 U.S. 208 (1984) ………… 202
United Haulers Assn., Inc. v. Oneida-Herkimer Solid Waste Management Authority, 550 U.S. 330 (2007) ………… 131
United Public Workers v. Mitchell, 330 U.S. 75 (1947) ………… 184, 270
United States Trust Co. v. New Jersey, 431 U.S. 1 (1977) ………… 343
United States v. Alvarez, 567 U.S. 709 (2012) ………… 249
United States v. American Library Association, Inc., 539 U.S. 194 (2003) ………… 135
United States v. Bass, 404 U.S. 336 (1971) ………… 121
United States v. Belmont, 301 U.S. 324 (1937) ………… 190
United States v. Brown, 381 U.S. 437 (1965) ………… 139
United States v. Butler, 297 U.S. 1 (1936) ………… 134
United States v. Carlton, 512 U.S. 26 (1994) ………… 357
United States v. Carolene Products Co., 304 U.S. 144 (1938) ………… 23, 225, 356, 378, 394
United States v. Comstock, 560 U.S. 126 (2010) ………… 111
United States v. Curtiss-Wright Export Corp., 299 U.S. 304 (1936) ………… 157
United States v. Darby, 312 U.S. 100 (1941) ………… 119
United States v. Doremus, 249 U.S. 86 (1919) ………… 133
United States v. E. C. Knight Co., 156 U.S. 1 (1895) ………… 116
United States v. E.T. Grant Co., 345 U.S. 629 (1953) ………… 187
United States v. Edge Broadcasting Co., 509 U.S. 418 (1993) ………… 261
United States v. Eichman, 496 U.S. 310 (1990) ………… 280
United States v. Fuller, 409 U.S. 488 (1973) ………… 341
United States v. Grace, 461 U.S. 171 (1983) ………… 284, 288
United States v. Guest, 383 U.S. 745 (1966) ………… 214
United States v. Hays, 515 U.S. 737 (1995) ………… 178
United States v. James Daniel Good Real Property, 510 U.S. 43 (1993) ………… 351
United States v. Johnson, 319 U.S. 302 (1943) ………… 167
United States v. Johnson, 457 U.S. 537 (1982) ………… 96
United States v. Kahriger, 345 U.S. 22 (1953) ………… 133
United States v. Kebodeaux, 570 U.S. 387 (2013) ………… 111
United States v. Klein, 13 Wall. (80 U.S.) 128 (1872) ………… 87
United States v. Kokinda, 497 U.S. 720 (1990) ………… 288
United States v. Lee, 455 U.S. 252 (1982) ………… 328
United States v. Lopez, 514 U.S. 549 (1995) ………… 122, 123
United States v. Lovett, 328 U.S. 303 (1946) ………… 139
United States v. Morrison, 529 U.S. 598 (2000) ………… 122, 214
United States v. Munoz-Flores, 495 U.S. 385 (1990) ………… 189, 191
United States v. National Treasury Employees Union, 513 U.S. 454 (1995) ………… 270
United States v. Nixon, 418 U.S. 683 (1974) ………… 150
United States v. O'Brien, 391 U.S. 367 (1968) ………… 272, 277, 279
United States v. Price, 383 U.S. 787 (1966) ………… 214
United States v. Progressive, Inc., 467 F. Supp. 990 (W. D. Wis. 1979) ………… 238
United States v. Richardson, 418 U.S. 166 (1974) ………… 174
United States v. Sanchez, 340 U.S. 42 (1950) ………… 133
United States v. SCRAP, 412 U.S. 669 (1973) ………… 174, 181
United States v. Stevens, 559 U.S. 460 (2010) ………… 248
United States v. United Foods, Inc., 533 U.S. 405 (2001) ………… 262
United States v. Virginia, 518 U.S. 515 (1996) ………… 409

United States v. Williams, 553 U.S. 285 (2008) ………… 260
United States v. Windsor, 570 U.S. 744 (2013) ………… 417

V

Vacco v. Quill, 521 U.S. 793 (1997) ………… 415
Valentine v. Chrestensen, 316 U.S. 52 (1942) ………… 260
Valley Forge Christian College v. Americans United for Separation of Church and State, Inc., 454 U.S. 464 (1982) ………… 175
Van Orden v. Perry, 545 U.S. 677 (2005) ………… 322
Vermont Agency of Natural Resources v. Stevens, 529 U.S. 765 (2000) ………… 181
Vieth v. Jubelirer, 541 U.S. 267 (2004) ………… 401
Village of Arlington Heights v. Metropolitan Housing Development Corp., 429 U.S. 252 (1977) ………… 386
Village of Willowbrook v. Olech, 528 U.S. 562 (2000) ………… 377
Virginia Pharmacy Board v. Virginia Consumer Council, 425 U.S. 748 (1976) ………… 260
Virginia v. American Booksellers Association, Inc., 484 U.S. 383 (1988) ………… 177
Virginia v. Black, 538 U.S. 343 (2003) ………… 256
Virginia v. Hicks, 539 U.S. 113 (2003) ………… 240
Voinovich v. Quilter, 507 U.S. 146 (1993) ………… 400

W

Walker v. City of Birmingham, 388 U.S. 307 (1967) ………… 237
Wallace v. Jaffree, 472 U.S. 38 (1985) ………… 317
Walz v. Tax Commission of the City of New York, 397 U.S. 664 (1970) ………… 308
Ward v. Maryland, 12 Wall. (79 U.S.) 418 (1871) ………… 202
Ward v. Rock against Racism, 491 U.S. 781 (1989) ………… 273
Warth v. Seldin, 422 U.S. 490 (1975) ………… 175
Washington State Grange v. Washington State Republican Party, 552 U.S. 442 (2008) ………… 301
Washington v. Davis, 426 U.S. 229 (1976) ………… 385
Washington v. Glucksberg, 521 U.S. 702 (1997) ………… 372
Washington v. Seattle School District, 458 U.S. 457 (1982) ………… 385
Watchtower Bible & Tract Society v. Village of Stratton, 536 U.S. 150 (2002) ………… 276
Webster v. Reproductive Health Services, 492 U.S. 490 (1989) ………… 364
Wells v. Rockefeller, 394 U.S. 542 (1969) ………… 400
Wengler v. Druggists Mutual Insurance Co., 446 U.S. 142 (1980) ………… 408
Wesberry v. Sanders, 376 U.S. 1 (1964) ………… 399
West Coast Hotel Co. v. Parrish, 300 U.S. 379 (1937) ………… 355
West Lynn Creamery, Inc. v. Healey, 512 U.S. 186 (1994) ………… 131
West Virginia State Board of Education v. Barnette, 319 U.S. 624 (1943) ………… 326
West Virginia v. EPA, 597 U.S.— (2022). ………… 187
White v. Regester, 412 U.S. 755 (1973) ………… 400
White v. Weiser, 412 U.S. 783 (1973) ………… 400
Whitman v. American Trucking Associations, Inc., 531 U.S. 457 (2001) ………… 114
Whitney v. California, 274 U.S. 357 (1927) ………… 231, 234
Whitney v. Robertson, 124 U.S. 190 (1888) ………… 137
Whole Woman's Health v. Hellerstedt, 579 U.S. 582 (2016) ………… 366
Whole Woman's Health v. Jackson, 595 U.S.— (2021) ………… 366
Wickard v. Filburn, 317 U.S. 111 (1942) ………… 119, 123
Widmar v. Vincent, 454 U.S. 263 (1981) ………… 285, 315
Wieman v. Updegraff, 344 U.S. 183 (1952) ………… 269, 299

Wiener v. United States, 357 U.S. 349 (1958) …… 147, 149
Will v. Michigan Department of State Police, 491 U.S. 58 (1989) …… 217
Williams v. Florida, 399 U.S. 78 (1970) …… 205
Williams v. Rhodes, 393 U.S. 23 (1968) …… 401
Williams v. Vermont, 472 U.S. 14 (1985) …… 416
Williamson County Regional Planning Commission v. Hamilton Bank, 473 U.S. 172 (1985) …… 341
Williamson v. Lee Optical Co. of Oklahoma, 348 U.S. 483 (1955) …… 356, 413
Willson v. Black Bird Creek Marsh Co., 2 Pet. (27 U.S.) 245 (1829) …… 126
Wisconsin v. Mitchell, 508 U.S. 476 (1993) …… 256
Wisconsin v. Yoder, 406 U.S. 205 (1972) …… 326
Witters v. Washington Department of Services for the Blind, 474 U.S. 481 (1986) …… 314
Wolman v. Walter, 433 U.S. 229 (1977) …… 311
Wolston v. Reader's Digest Association, 443 U.S. 157 (1979) …… 252
Wood v. Georgia, 370 U.S. 375 (1962) …… 269
Woods v. Cloyd W. Miller Co., 333 U.S. 138 (1948) …… 137
Wyatt v. Aderholt, 503 F. 2d. 1305 (5th Cir. 1974) …… 99
Wyatt v. Stickney, 344 F. Supp. 387 (M.D. Ala. 1972) …… 99
Wygant v. Jackson Board of Education, 476 U.S. 267 (1986) …… 389
Wyoming v. Oklahoma, 502 U.S. 437 (1992) …… 131

Y

Yakus v. United States, 321 U.S. 414 (1944) …… 114
Yates v. United States, 354 U.S. 298 (1957) …… 233
Yee v. City of Escondido, 503 U.S. 519 (1992) …… 337
Yick Wo v. Hopkins, 118 U.S. 356 (1886) …… 385
Young v. American Mini Theatres, Inc., 427 U.S. 50 (1976) …… 247
Youngberg v. Romeo, 457 U.S. 307 (1982) …… 371
Youngstown Sheet & Tube Co. v. Sawyer, 343 U.S. 579 (1952) (Steel Seizure Case) …… 144, 150

Z

Zablocki v. Redhail, 434 U.S. 374 (1978) …… 369, 404
Zauderer v. Office of Disciplinary Counsel of the Supreme Court of Ohio, 471 U.S. 626 (1985) …… 262
Zelman v. Simmons-Harris, 536 U.S. 639 (2002) …… 313
Zivotofsky v. Clinton, 566 U.S. 189 (2012) …… 190, 191
Zivotofsky v. Kerry, 576 U.S. 1 (2015) …… 156
Zobel v. Williams, 457 U.S. 55 (1982) …… 402
Zobrest v. Catalina Foothills School District, 509 U.S. 1 (1993) …… 91, 312
Zorach v. Clauson, 343 U.S. 306 (1952) …… 316
Zurcher v. Stanford Daily, 436 U.S. 547 (1978) …… 290

事 項 索 引

ア 行

愛国者法……21
曖昧性ゆえの無効の法理……240
アクセス権……297
アファーマティヴ・アクション……388
違憲審査……91
違憲判決の権威性……97
違憲判決の効果……95
違憲判決の効力……96
委任禁止理論……113, 117
移 民……22, 55, 324
インターネット……295
ウォーターゲート事件……21
ウォーレン・コート……23, 102, 378
疑わしい区分……378, 381, 393
営利的表現……226, 260
エホバの証人……325
エマーソン……224
LRA の準則……241
エンドースメント・テスト……309
屋外広告物……273
オバマケア……22, 111, 124, 134, 180
オリジナリズム……30, 103

カ 行

外交関係処理の権限……137, 156
外国人……394
解釈主義……29, 103
下院議員……50
課税権……52, 132
合衆国憲法……8
合衆国市民の特権・免除……52
カードーゾ……204
過度の広汎性ゆえの無効の法理…90, 239
管轄権……70, 86
議会拒否権……147, 152
議席配分不均衡……192, 399
祈 禱……317
基本的権利理論……379, 396
休眠的通商条項……76, 126
共産主義団体……299
共産主義的表現……232
行政協定……157
行政権……145
共和主義……31
共和政……34
虚偽の表現……249
居住移転の自由……402
拒否権……54
キリスト生誕の飾り……320
クー・クルックス・クラン法……212
軍の最高司令官……64, 158
契約条項……196, 342
結社の自由……298
ゲリマンダリング……58, 400
原意主義……30, 103
検 閲……237
厳格審査……92, 378, 381
けんか的言葉……235, 245
原告適格……167, 171
　納税者としての――……172
現実的悪意……235, 251
憲法改正……14, 46
憲法改正禁止規定……47
憲法革命……18
憲法制定会議……7
憲法訴訟……88, 216
憲法の尊重……45
憲法判断の回避……91

権利章典……9, 40, 196
「権利」—「特権」区分論……349
権利保護義務……215
権力分立……36, 149
公共訴訟……99, 171
合憲性の推定……23, 130, 225, 413
公正原則……294
公的機能理論……206
衡平法……99
公民権運動……19
公民権法　→市民的権利保護法
公務員の表現の自由……269
公用収用権……333
公立学校における人種別学……19, 383
合理性の基準……93, 413
合理的配慮……324, 381
黒人差別法……14, 212
国民主権……33
国旗侮辱……278
国旗への敬礼……325
国教樹立禁止条項……307
コート・パッキング計画……17
個別法……56
戸別訪問……276

サ　行

最高裁裁判官の任命……73
最高裁判所……162
最高法規条項……45
財産権……333
裁判官……68
裁判所……66
——へのアクセス……401
裁判所侮辱……268
裁判の公開……292
差別的表現……255
ジェファーソン……80
始原主義……29, 30, 103
事件・争訟性の要件……68, 166
私権剝奪法……55, 138, 196
事後法……55
事後法の禁止……141, 196
事実上の差別……385
事実上の損害……173
支出権限……52, 134
自然権……40
事前抑制……237
思想の自由市場論……224
十　戒……318
執行権……63, 143
執行府特権……150
執行府命令……66, 158
実体的デュー・プロセス
……25, 28, 101, 113, 117, 199, 343, 351, 358, 373
経済的——……17, 118, 340, 351
実体的平等保護理論……379, 396
児童ポルノ……259
死ぬ権利……371
司法権……162
司法消極主義……24, 102
司法審査権……80
——の正当性……82
司法審査制……11, 43
司法審査と民主主義……100
司法積極主義……24, 102
司法的執行理論……207
司法判断適合性……169
司法府……66
市民訴訟規定……182
市民的権利保護法
……20, 40, 120, 211, 215, 302, 323, 381, 411
市民的権利擁護運動……19
ジム・クロー法……15
社会学的法学……101
州……74
宗教活動……310

宗教的教育 ……………………………316
重　婚 ………………………………325
州際通商規制権………………52, 108, 115
州の自律権 ……………………………124
収用条件 ………………………………197
収用条項 ………………………………333
受刑者とのインタビュー ……………291
主権免責……………………89, 164, 217
取材源開示 ……………………………290
取材の自由 ……………………………289
上院議員………………………………49
障害者差別 ……………………214, 381
象徴的表現 ……………223, 236, 272, 277
情報公開法（情報自由化法）…………291
情報を受領する自由 …………………289
条約締結権 ……………………137, 156
将来効判決……………………………96
植民地 …………………………………2
ジョン・ロック…………………………31
私立学校への政府の補助 ……………310
新型コロナウィルス感染症………63, 331
進化論 …………………………………318
信教の自由 ……………………307, 325
人種隔離政策…………………………15
人種差別 ………………………………381
人種的優遇措置 ………………………387
人頭税…………………………………52
親密な結びつきの自由 ………………299
ステイト・アクション …………206, 213
性差別 …………………………………405
政治的問題 ……………………………188
成熟性 …………………………168, 184
聖書朗読……………………………87, 317
政　党 …………………………………300
正当な補償 ……………………333, 341
制度改革訴訟………………………99, 171
セイヤー ………………………………101
ゼンガー ………………………………223
選　挙…………………………………57
選挙活動の規制 ………………………263
選挙権 …………………………………398
選挙資金規制 …………………………263
宣言的判決 ……………………………168
専　占…………………………………76
戦争権限 ………………………………136
戦争権限決議 …………………………159
煽　動 …………………………228, 244
煽動罪法 ………………………………228
煽動的ライベル ………………………222
先例拘束性 ……………………………71, 98
相対多数意見…………………………72
ゾーニング …175, 247, 335, 369, 386, 417

タ　行

大統領……………………………59, 143
　——選挙……………………………59
　——の罷免権 ………………………146
大統領命令……………………………66
大陸会議 ………………………………4
ダグラス ………………………………232
多選禁止………………………………58
弾劾裁判………………………………53
中間選挙………………………………57
中間的審査…………………………94, 405
忠誠宣誓・忠誠の誓い………45, 269, 321
徴兵登録証明書 ………………………272
通商条項 ………………………108, 115
通信品位保持法（CDA） ……………295
敵対的聴衆 ……………………………245
デュー・プロセス…………………52, 347
　手続的—— …………………………347
　——の革命 …………………………349
デュー・プロセス　→実体的デュー・プロセス
同性愛者 ……………216, 368, 304, 417
同性婚 …………………………370, 417
投票権…………………………………52
トクヴィル……………………………33

独立行政委員会……………………64, 145
独立宣言…………………………5, 34, 196
独立戦争 ………………………………3
特権・免除
　憲法第4条の―― ……………196, 201
　修正第14条の――……………198, 352
Dobbs v. Jackson Women's Health
　Organization ………………………367
奴隷解放 ………………………………13
奴隷制……………………………11, 198
奴隷制の禁止……………………………52

ナ 行

内容中立性 ……………………………235
内容中立的制約 →表現内容中立的制約
南部再統合改正…………………………52
南北戦争…………………………………13
二重の基準論 ……………23, 94, 226
二段階審査理論 ………………………349
日曜休日法 ……………………………319
ニュー・ディール…………16, 101, 117
ニュー・メディア ……………………295
妊娠中絶 ………………………25, 87, 360
納税者訴訟 ……………………………180
ノン・オリジナリズム……………30, 103

ハ 行

陪審制 …………………………………268
パウエル ………………………………388
バーガー・コート
　………………24, 103, 379, 394, 405, 415
パーキュリアム…………………………72
破毀院……………………………………82
パブリック・フォーラム ……………280
ハミルトン………………………83, 109
ハーラン ………………………………233
ハーラン（初代）………………………354
判決理由…………………………………71
ハンド …………………………………230
非解釈主義………………………29, 103
比較衡量論 ……………………………127
非原意主義………………………30, 103
非始原主義 ………………29, 30, 103
非嫡出子 ………………………………411
批判的法学研究…………………………30
表現内容中立的制約…………94, 235, 271
表現の自由 ……………………………222
平　等……………………………………52
平等保護 …………………………302, 376
平等保護理論 …………………………393
フェデラリスト ………………7, 80, 82
不快な言論 ……………………………246
Bush v. Gore …………………………62
フラー …………………………………170
プライバシー …………………253, 274
　――の権利 …………………358, 404
Brown v. Board of Education …19, 383
ブラック ………………………144, 204
ブラック・コード………………14, 212
フランクファーター …………204, 232
ブランダイス……………………91, 231
Brandenburg 判決の基準……………234
プレス …………………………227, 290
プロセス法学……………………29, 102
文書配布 ………………………………275
ヘイトスピーチ ………………………255
別々ではあるが平等 …………………383
ベトナム戦争……………………………20
編入理論 ………………………………202
法宣命説 ………………………27, 28, 100
放送の自由 ……………………………293
法廷意見…………………………………71
報道機関の捜索 ………………………290
法の支配…………………………………43
傍　論……………………………………72
ポピュリズム……………………………31
ホームズ ………………………228, 354
ポリス・パワー……………39, 108, 224

マ　行

Marbury v. Madison ……………11, 80
マイクルジョン ………………………225
マーシャル……………………81, 110, 166
マーシャル・ロー………………………65
マッカーシズム…………………………19
マディソン …………………………7, 196
民主主義…………………………………33
ムートネス ……………………169, 186
明白かつ現在の危険 …………………230
メイフラワー規約 ………………………2
名誉毀損 ………………………………250
モンテスキュー…………………………37

ヤ　行

やむにやまれない利益の基準 ………235
予　算……………………………………55
より制限的でない代替手段の準則 …241

ラ　行

ライベル ……………………………222, 250
リアリズム法学……………………28, 101
立憲主義…………………………………35
立法権 …………………………………112
――の委任 ……………………………112
リバータリアニズム……………………31
リパブリカン ……………………10, 80
リベラリズム……………………………31
冷　戦……………………………………19
レモン・テスト ………………………309
レーンキスト …………………………364
レーンキスト・コート…………………26
連合規約 …………………………………5
連邦議会……………………………49, 108
連邦最高裁…………………………69, 162
連邦主義 ………………11, 39, 109, 199
連邦制……………………………………38
Roe v. Wade ……………………25, 360
ロー・クラーク…………………………74
Lochner v. New York……………16, 353
ロバーツ …………………111, 124, 134
ロバーツ・コート………………………27

ワ　行

わいせつな表現 ……………226, 235, 257

【外国法入門双書】

アメリカ憲法入門〔第9版〕

American Constitutional Law〔9th Edition〕

1989年 3月30日 初　版第1刷発行
1992年 3月30日 第2版第1刷発行
1995年11月10日 第3版第1刷発行
2000年 2月25日 第4版第1刷発行
2004年 4月10日 第5版第1刷発行
2008年12月25日 第6版第1刷発行
2012年12月20日 第7版第1刷発行
2018年 4月10日 第8版第1刷発行
2023年 3月30日 第9版第1刷発行

著　者　松井茂記
発行者　江草貞治
発行所　株式会社有斐閣
〒101-0051 東京都千代田区神田神保町2-17
https://www.yuhikaku.co.jp/
印　刷　株式会社理想社
製　本　大口製本印刷株式会社
装丁印刷　株式会社亨有堂印刷所

落丁・乱丁本はお取替えいたします。定価はカバーに表示してあります。

Printed in Japan ISBN 978-4-641-04833-1